KEYE

KOM TERUG BIJ MIJ

Van dezelfde auteur:

De belofte
Sushi voor beginners
Zoals ze is
Betrapt!
De vakantie van Rachel

Marian Keyes

Kom terug bij mij

Gemeentelijke Hoofdbibliotheek
- Beveren -

the house of books

10. 08. 2007

Eerste druk, mei 2007
Tweede druk, juni 2007

Oorspronkelijke titel
Anybody Out There?
Uitgave
Michael Joseph, an imprint of Penguin Books, Londen
Copyright © 2006 by Marian Keyes
Copyright voor het Nederlandse taalgebied © 2007 by The House of Books, Vianen/Antwerpen

Vertaling
Ellis Post Uiterweer en Dennis Keesmaat
Omslagontwerp
marliesvisser.nl
Omslagdia
Jutta Klee/Corbis
Foto auteur
Mark McCall
Opmaak binnenwerk
ZetSpiegel, Best

All rights reserved.
Niets uit deze uitgave mag worden verveelvoudigd en/of openbaar gemaakt door middel van druk, fotokopie, microfilm of op welke wijze ook, zonder voorafgaande schriftelijke toestemming van de uitgever.

ISBN 978 90 443 1881 4
D/2007/8899/139
NUR 302

Voor Tony

Dankwoord

Dit boek zou niet zijn geschreven zonder de hulp van talloze aardige mensen. Hartelijk bedankt:

Louise Moore, mijn geweldige redacteur, voor haar onvoorwaardelijke steun, haar waardevolle hulp en inzicht bij dit boek... nee, bij al mijn boeken. Iedere auteur zou zo'n redacteur moeten hebben.

Jonathan Lloyd, de bovenste beste agent.

Catriona Keyes en Anne Marie Scanlon, voor hun steun, hun kennis van New York en vooral hun gemopper op poederkwasten.

Nicki Finkel, Kirsty Lewis, Nicole McElroy, Jamie Nedwick, Kim Pappas, Aimee Tusa, en vooral Shoshana Gillis, omdat ze me de pr-geheimen van de cosmeticabranche hebben verklapt.

Gwen Hollingsworth, Danielle Koza en Mags Ledwith.

Patrick Kilkelly en Alison Callahan omdat ze hun kennis van de Red Sox met me wilden delen.

Conor Ferguson en Keelin Shanley voor hun verhaal over duiken, en Malcolm Douglas en Kate Thompson voor de technische weetjes. Als er fouten in zijn geslopen, ligt dat aan mij.

Nadine Morrison voor haar informatie over labradoedels. (Ja, ze bestaan echt.)

Jenny Boland, Ailish Connelly, Susan Dillon, Caron Freeborn, Gai Griffin, Ljiljana Keyes, Mammy Keyes, Rita-Anne Keyes, Suzanne Power en Louise Voss omdat ze het manuscript in verschillende stadia van voltooiing hebben gelezen, en waardevolle en opbouwende kritiek hebben geleverd.

Eibhín Butler, Siobhán Coogan, Patricia Keating, Stephanie Ponder en Suzanne Benson voor al hun leuke anekdotes op het gebied van blind dates tot weeën wegpuffen.

Kate Osborne die tijdens een liefdadigheidsactie voor de Medical Foundation for the Care of Victims of Torture ervoor heeft betaald dat 'Jacqui Staniforth' in dit boek een rol speelt.

Heel veel dank aan Eileen Prendergast voor heel, heel veel dingen, zoals met me meegaan naar de luchtgitaarkampioenschappen.
Als ik iemand ben vergeten, schaam ik me ten eerste dood, en ten tweede spijt het me vreselijk.

En zoals altijd veel dank voor alles aan Tony. Helemaal top!

Proloog

Er stond geen afzender op de envelop, wat een beetje vreemd was. Ik voelde me meteen onbehaaglijk. Dat werd nog erger toen ik mijn naam en adres zag...

Een verstandige vrouw zou dit niet openmaken. Een verstandige vrouw zou dit weggooien en weglopen. Maar wanneer was ik nu eigenlijk verstandig geweest, op een korte periode tussen mijn negenentwintigste en dertigste na?

En dus opende ik de envelop.

Er zat een kaart in, een aquarel van een schaal met bloemen die er nogal mistroostig uitzagen. De kaart was dun genoeg om te voelen dat er iets in zat. Ik dacht: geld? Een cheque? Maar dat was sarcastisch bedoeld, hoewel er niemand was om me te horen, en trouwens, ik zei het alleen in mijn eigen hoofd.

Er zat inderdaad iets in: een foto... Waarom kreeg ik die opgestuurd? Ik had al heel veel foto's die erop leken. Toen zag ik dat ik me vergiste. Hij was het helemaal niet. En opeens viel alles op zijn plek.

Deel 1

1

Mam gooide de deur van de woonkamer open en zei: 'Goeiemorgen Anna. Het is tijd voor je pillen.'

Ze probeerde kordaat binnen te komen, zoals ze dat verpleegsters in ziekenhuisseries had zien doen, maar de kamer stond zo vol meubels dat ze zich een weg naar me toe moest zien te banen.

Toen ik twee maanden geleden in Ierland was aangekomen, kon ik vanwege mijn ontwrichte knieschijf de trap niet op komen. Mijn ouders hadden van boven een bed gehaald en dat in de voorkamer gezet.

Vergis je niet, dat was een grote eer. Gewoonlijk mochten we alleen met Kerstmis in deze kamer komen. De rest van het jaar brachten we onze vrije tijd door in de krappe, verbouwde garage, die de chique naam 'televisiekamer' had gekregen. We keken er tv, aten er chocola en maakten er ruzie.

Toen mijn bed eenmaal geïnstalleerd was in de voorkamer, was er geen ruimte meer voor de rest van het meubilair – banken met kwastjes en leunstoelen met kwastjes. De kamer zag er nu uit als een meubeldiscountzaak waar duizenden bankstellen tegen elkaar staan gepropt, zodat je er bijna overheen moet klauteren.

'Goed, dame.' Mam raadpleegde een vel papier. Het was een schema van uur tot uur met al mijn medicijnen: antibiotica, ontstekingsremmers, antidepressiva, slaappillen, zware vitaminepillen, pijnstillers die een heel aangenaam zweverig gevoel veroorzaakten, en een lid van de valiumfamilie dat ze voor me verborgen hield.

Alle verschillende doosjes en potjes stonden op een met houtsnijwerk versierd tafeltje. Diverse porseleinen hondjes, het ene nog lelijker dan het andere, waren verplaatst om er ruimte voor te maken en keken nu vanaf de grond verwijtend naar me op. Mam ging de medicijnen een voor een af. Ze drukte capsules uit stripverpakkingen en schudde pillen uit potjes.

Mijn bed was heel attent in de erker gezet, zodat ik het leven buiten aan me voorbij kon zien trekken. Of wacht, toch niet: als een soort IJzeren Gordijn hing er vitrage voor. In de voorsteden van Dublin is je vitrage schaamteloos opzij schuiven om eens goed te kijken naar 'het leven dat voorbijtrekt' bijna net zo'n sociale blunder als je huis knalroze verven.

En trouwens, er trók helemaal geen leven voorbij. Alhoewel, door de wazige barrière zag ik bijna elke dag een oudere vrouw die bleef staan om haar hondje tegen ons hekje te laten plassen. Soms dacht ik dat de hond, een leuke zwart-witte terriër, niet eens wílde plassen, maar dat de vrouw hem leek aan te sporen.

'Oké, dame.' Vóór deze hele toestand had mam nog nooit 'dame' tegen me gezegd. 'Neem deze maar.' Ze liet een handvol pillen mijn mond in glijden en gaf me een glas water. Ze deed heel aardig, maar ik vermoedde dat ze een rol speelde.

'Jezus,' klonk een stem. Het was mijn zus Helen, net terug van een avonddienst. Ze stond in de deuropening van de woonkamer, keek rond naar alle kwastjes en vroeg: 'Hoe hou je het hier vol?'

Helen is de jongste van ons vijven en woont nog steeds thuis, hoewel ze negenentwintig is. Maar waarom zou ze verhuizen, vraagt ze ons regelmatig. Ze hoeft geen huur te betalen, heeft kabel-tv en een privé-chauffeur (pap). En ja, ze geeft het toe, het eten houdt niet over, maar ook daar valt wel een mouw aan te passen.

'Ha lieverd,' zei mam. 'Hoe was het op je werk?'

Na een aantal carrièreswitches is Helen nu privé-detective. Ik verzin het niet, ik zou wíllen dat ik het verzon. Het klinkt echter veel gevaarlijker en spannender dan het is. Ze doet voornamelijk witteboordencriminaliteit en 'zaken in de privé-sfeer', waarbij ze moet bewijzen dat mannen vreemdgaan. Zelf lijkt het me vreselijk deprimerend, maar zij zegt dat ze het niet erg vindt omdat ze altijd al wist dat mannen smeerlappen waren.

Ze brengt heel veel tijd door in natte bosjes, gewapend met een telelens waarmee ze probeert fotografisch bewijsmateriaal te verzamelen van de schuinsmarcheerders die hun liefdesnestje verlaten. Ze zou ook in haar fijne, warme, droge auto kunnen blijven zitten, maar daarin valt ze vaak in slaap, waardoor ze haar kans zou missen.

'Mam, ik ben heel erg gestrest,' zei ze. 'Mag ik een valium?'

'Nee.'

'Ik heb hartstikke keelpijn. Een oorlogswond. Ik ga naar bed.'

Doordat Helen zoveel tijd doorbrengt in natte bosjes, heeft ze regelmatig keelpijn.

'Ik breng je zo wel een bakje ijs, meid,' zei mam. 'Maar vertel, is het gelukt?'

Mam is gek op Helens baan, bijna nog gekker dan op de mijne, en dat wil wat zeggen. (Ik schijn De Beste Baan Ter Wereld te hebben.) Als Helen zich heel erg verveelt of bang is, gaat mam zelfs met haar mee. Ik moet dan onmiddellijk aan de zaak van de vermiste vrouw denken. Helen moest naar haar appartement om aanwijzingen te zoeken (tickets naar Rio en zo. Laat me niet lachen.) Mam ging mee omdat ze het geweldig vindt om rond te snuffelen in andermans huis. Ze zegt dat het ongelooflijk is hoe smerig huizen zijn als de bewoners geen bezoek verwachten. Dat is een enorme opluchting voor haar, het maakt het leven in haar eigen, allesbehalve kraakheldere huis makkelijker. Maar omdat mams leven, hoe kort ook, even op een misdaadserie leek, had ze zich laten meeslepen. Ze had geprobeerd de deur van het appartement open te breken door er met haar schouder tegenaan te rammen. En dat ondanks het feit dat – ik kan het niet genoeg benadrukken – Helen een sleutel had. En mam wíst dat. Die had Helen gekregen van de zus van de vermiste vrouw. Het enige wat mam aan het hele voorval overhield, was een beurse schouder.

'Op tv is het toch heel anders,' klaagde ze na afloop, terwijl ze haar bovenarm masseerde.

Vervolgens had begin dit jaar iemand geprobeerd Helen te vermoorden. We waren niet zozeer geschokt dat zoiets vreselijks had kunnen gebeuren, maar vooral verbijsterd dat het niet veel eerder had plaatsgevonden. Het was natuurlijk niet echt een poging tot moord. Iemand gooide een steen door het raam van de televisiekamer tijdens een aflevering van *Eastenders*. Waarschijnlijk was het een van de plaatselijke hangjongeren die zijn gevoelens van jeugdige vervreemding wilde uiten, maar mam belde meteen iedereen op om te zeggen dat iemand Helen 'angst wilde aanjagen,' dat ze haar 'van de zaak' af wilden hebben. 'De zaak' was een klein geval van fraude op de werkplek, waarbij een werkgever Helen verborgen camera's liet installeren om te kijken of zijn werknemers cartridges stalen, dus dat was nogal onwaarschijnlijk. Maar wie was ik om hun plezier te vergallen? En dat is precies wat ik in dat geval zou hebben gedaan: ze zijn zo dol op drama dat ze dit reuze spannend vinden. Pap was de enige uitzondering, en dat kwam omdat hij degene was die al het glas moest opvegen en een vuilniszak voor het gat moest plakken. Die bleef hangen totdat de glazenmaker arriveerde, een halfjaar later of zo. (Ik vermoed dat mam en Helen in een fantasiewereld leven, waarin ze denken dat er iemand zal komen die van hun leven een ongelooflijk succesvolle tv-serie maakt. Waarin zij vanzelfsprekend zichzelf zullen spelen.)

'Ja, ik heb hem te pakken. Dingdong! Goed, ik ga naar bed.' In plaats daarvan ging ze op een van de vele banken liggen. 'Die gozer zag me in de bosjes zitten terwijl ik hem fotografeerde.'

Mam sloeg haar hand voor de mond, net als iemand op tv die angst wil uitbeelden.

'Maak je maar niet druk,' zei Helen. 'We hebben even gekletst. Hij vroeg om mijn telefoonnummer. Goorlap,' voegde ze er vernietigend aan toe.

Helen is namelijk heel mooi. Mannen, zelfs mannen die ze namens hun vrouw bespiedt, vallen voor haar. Hoewel ik drie jaar ouder ben, lijken we sprekend op elkaar. We zijn allebei klein, hebben lang, donker haar en ook qua gezicht zijn we elkaars evenbeeld. Zelfs mam haalt ons soms door elkaar, vooral als ze haar bril niet op heeft. Maar in tegenstelling tot mij heeft Helen een magnetische aantrekkingskracht. Ze zit op een geheel eigen golflengte, eentje die mannen betovert. Misschien is het wel hetzelfde principe als het fluitje dat alleen honden kunnen horen. Als mannen ons samen zien, kun je hun verwarring bijna vóélen. Je ziet ze denken: ze zien er hetzelfde uit, maar deze Helen heeft me in haar macht, als een soort drug, terwijl die Anna me koud laat.

Niet dat het de mannen in kwestie iets oplevert. Helen gaat er prat op dat ze nog nooit verliefd is geweest, en ik geloof haar. Ze doet niet aan sentimenteel gedoe en kijkt op alles en iedereen neer.

Zelfs op Luke, de vriend van Rachel, en inmiddels haar verloofde. Luke is zo duister en sexy en testosteronnerig dat ik het eng vind om alleen met hem te zijn. Ik bedoel, hij is hartstikke lief, echt heel erg lief, maar hij is ook, nou ja... een echte man. Ik val op hem en tegelijkertijd walg ik van hem, als je begrijpt wat ik bedoel, en iedereen – zelfs mam, en ik zou bijna zeggen zelfs pap – voelt zich seksueel tot hem aangetrokken. Maar Helen niet.

Opeens greep mam mijn arm. Gelukkig was het de arm die niet gebroken was. Met een stem die onvast klonk van opwinding, fluisterde ze: 'Kijk! Daar heb je de Bij, Angela Kilfeather. Met haar Bijenvriendin! Ze zal wel op visite zijn bij haar ouders!'

Angela Kilfeather was het meest exotische schepsel dat onze straat ooit had voortgebracht. Alhoewel, dat is niet echt waar. Ons gezin is veel dramatischer, met huwelijken die zijn stukgelopen, zelfmoordpogingen, drugsverslaving en Helen. Mam gebruikt Angela Kilfeather echter als maatstaf: hoe slecht haar dochters ook zijn, ze zijn tenminste geen lesbiennes die in het openbaar staan te tongen met hun vriendin.

(Helen werkte ooit samen met een Indiase man die 'homo's' verbasterde tot 'Hommels'. Na een tijdje noemde bijna iedereen die ik ken, ook mijn homoseksuele vrienden, homoseksuele mannen 'Hommels'. En altijd uitgesproken met een Indiaas accent. Het logische gevolg was dat lesbiennes 'Bijen' werden genoemd, ook met een Indiaas accent.)

Mam tuurde met één oog door de spleet tussen de muur en de vitrage. 'Ik zie niks, geef me je verrekijker eens,' beval ze Helen, die hem enthousiast uit haar rugzak haalde – om zelf te gebruiken. Er volgde een korte maar hevige worsteling. 'Straks is ze wég,' zei mam smekend. 'Laat me nou even kijken.'

'Beloof me dat je me een valium geeft en je kunt hem krijgen.' Het was een dilemma voor mam, maar ze deed wat juist was.

'Je weet best dat ik dat niet kan doen,' zei ze stijfjes. 'Ik ben je moeder en dat zou onverantwoordelijk zijn.'

'Wat je wilt,' zei Helen. Ze tuurde weer door de verrekijker en mompelde: 'Jezus, moet je ze nou zien!' En vervolgens: 'Tering! Dingdong! Wat zijn ze aan het doen? Het lijkt wel of ze elkaars amandelen proberen te knippen!'

Mam sprong op de bank en probeerde de verrekijker aan Helen te ontfutselen. Ze worstelden als kinderen en hielden daar pas mee op toen ze tegen mijn hand stootten, de hand zonder nagels. Mijn kreet van pijn bracht ze weer bij zinnen.

2

Nadat mam me had gewassen, haalde ze zoals elke dag het verband van mijn gezicht. Daarna sloeg ze een deken om me heen. Ik zat in ons piepkleine achtertuintje te kijken hoe het gras groeide – ik werd erg suf van de pijnstillers – en mijn verwondingen aan de lucht bloot te stellen.

Maar de dokter had gezegd dat ik absoluut en onder geen voorwaarde in de zon mocht komen, dus ook al bestond daar in april in Ierland weinig kans op, toch moest ik een hoed op met een belachelijk brede rand. Die hoed had mijn moeder nog gedragen op de bruiloft van mijn zus Claire. Maar gelukkig kon niemand me hier zien. (In het kader van filosofische kwesties om over na te denken, moet ik me toch eens in het volgende verdiepen: als er in een bos een boom omvalt en niemand hem kan horen vallen, maakt hij dan toch geluid? En als je een belachelijke hoed op hebt en niemand kan hem zien, is die hoed dan toch belachelijk?)

De lucht was blauw, het was een heerlijk warme dag en het was allemaal heel plezierig. Ik luisterde naar Helen die in haar slaapkamer boven af en toe hoestte, en ik keek dromerig naar de mooie bloemen die in het briesje bewogen, naar rechts en dan weer naar links... Er waren late narcissen en tulpen, en roze bloemetjes waarvan ik de naam niet wist. Gek genoeg herinnerde ik me vaag dat we vroeger een afschuwelijke tuin hadden, de lelijkste van de hele straat, misschien wel van heel Blackrock. Jarenlang was het een soort vuilnisbelt voor fietsen (de onze), en lege flessen Johnnie Walker (ook van ons). Dat kwam omdat wij, in tegenstelling tot andere, meer fatsoenlijke en hard werkende gezinnen, een tuinman in dienst hadden: Michael, een knoestige oude baas met een rothumeur, die niets anders deed dan mam in de ijskoude tuin uitleggen waarom hij het gras niet kon maaien ('In de plekken waar gemaaid is, komen bacteriën naar boven, en dan gaat het gras dood.'). Of waarom hij de heg niet kon knippen ('Die heg geeft steun aan de muur, mevrouwtje.'). In plaats van hem de laan uit te sturen, kocht mam luxekoekjes voor hem, en pap maaide liever midden in de nacht het gras dan de confrontatie met onze tuinman aan te gaan. Maar toen pap met pensioen ging, hadden ze eindelijk een goed excuus om Michael weg te sturen. Niet dat hij zich daar zomaar bij neerlegde. Foeterend over amateurs die de tuin binnen de kortste keren zouden verpesten, vertrok hij op hoge poten. Later ging hij voor de O'Mahoneys werken, en daar maakte hij ons gezin te schande door mevrouw O'Mahoney te vertellen dat hij mam eens de sla had zien drogen in een vuile theedoek. Nou ja, hij is weg en dankzij pap staan er nu leuke bloemen. Het is alleen jammer dat er na Michaels vertrek nooit meer zulke lekkere koekjes in huis komen. Maar je kunt nu eenmaal niet alles hebben, en toen ik daarover nadacht, moest ik ineens aan heel andere dingen denken. Pas toen er zoute tranen in mijn wonden liepen en het pijn begon te doen, merkte ik dat ik huilde.

Ik wilde terug naar New York. De afgelopen dagen moest ik daar steeds aan denken. Het was niet zomaar een opwelling, het was eerder of ik me er onweerstaanbaar toe voelde aangetrokken. Ik begreep niet waarom ik niet eerder was gegaan. Maar als ik het mam en de anderen zou vertellen, zouden ze helemaal over de rooie gaan. Ik wist precies wat ze zouden zeggen: dat ik in Dublin moest blijven omdat ik hier hóórde, waar mensen waren die van me hielden en die voor me zouden zorgen.

Alleen betekent in onze familie 'zorgen voor' iets heel anders dan in andere, gewonere families. Bij ons is chocola bijna overal dé oplossing voor.

Bij de gedachte aan de heftige tegenwerpingen die ze zouden maken, raakte ik bijna in paniek. Ik moest echt terug naar New York. Ik moest weer aan het werk. Ik moest mijn vrienden en vriendinnen weer zien. En ook al kon ik het onmogelijk aan iemand vertellen omdat ze me dan meteen naar een gekkenhuis zouden sturen, ik moest ook terug naar Aidan.

Ik sloot mijn ogen en begon weg te doezelen, maar plotseling, alsof er een schakelaar werd omgezet, kwamen er herinneringen in me op, herinneringen aan lawaai, pijn en duisternis. Meteen deed ik mijn ogen weer open. De bloemen waren nog steeds mooi en het gras was nog groen, maar mijn hart bonsde wild en ik kreeg bijna geen adem.

Een paar dagen geleden was het begonnen; de pijnstillers hadden niet zoveel effect meer als in het begin. Ze raakten sneller uitgewerkt, en dan verschenen er scheuren in de wollige deken van sufheid. Op zo'n moment kwam alle ellende in volle hevigheid terug, ik werd erdoor overspoeld alsof er ergens een dambreuk was geweest.

Moeizaam stond ik op, en ik liep naar binnen om naar *Home and Away* te kijken. Ik at mijn lunch (een half kaaspasteitje, vijf partjes mandarijn, twee chocolaatjes en acht pillen), en daarna deed mam nieuw verband op mijn verwondingen. Dat vond ze heerlijk, met de verbandschaar rommelen en watten en pleisters knippen, precies zoals de dokter het haar had voorgedaan. Zuster Walsh die voor de patiënten zorgt. Nee, hoofdzuster Walsh. Ik deed mijn ogen dicht. Het gevoel van haar vingers op mijn gezicht was rustgevend.

'De wondjes op mijn voorhoofd jeuken. Dat is toch een goed teken?'

'Laat eens kijken?' Ze streek mijn pony opzij om het beter te kunnen zien. 'Ja, die genezen goed,' zei ze, alsof ze er verstand van had. 'Volgens mij hoeft daar geen verband meer op. En misschien op je kin ook niet.' (Er was een rond stukje midden op mijn kin weg. Dat komt vast nog van pas als ik ooit Kirk Douglas wil nadoen.) 'Denk erom dat je niet gaat krabben, juffertje! Tegenwoordig kunnen ze veel doen aan verwondingen in het gezicht,' zei ze de dokter na. 'Die zwaluwstaartjes zijn beter dan hechtingen. Eigenlijk is het vooral deze...' Ze bracht voorzichtig gel aan op de diepe, lelijke jaap die over mijn hele rechterwang liep, en vervolgens gaf ze me even de tijd om bij te komen van de pijn. Deze wond werd niet met zwaluwstaartjes bij elkaar gehouden. Deze wond werd bij elkaar gehouden met hechtingen als die van het monster van Frankenstein, alsof ze met een stopnaald waren aangebracht. Dit zou waarschijnlijk het enige blijvende litteken worden.

'Maar daarvoor heb je plastisch chirurgen,' zei ik ook al de dokter na.

'Precies,' zei mam instemmend. Maar ze klonk afwezig en haar stem was gesmoord. Snel opende ik mijn ogen. Ze zat in elkaar gedoken en mompelde iets van: 'Je arme, lieve gezicht.'

'Mam, niet huilen, hoor!'
'Ik huil helemaal niet.'
'Dan is het goed.'
'O, volgens mij hoor ik Margaret.' Gauw haalde ze een tissue over haar gezicht om vervolgens naar buiten te gaan en zich vrolijk te maken over Maggies nieuwe auto.

Maggie was gekomen voor ons dagelijkse wandelingetje. Maggie, de op een na oudste van ons vijven, is de vreemde eend in de bijt, iemand die de familie Walsh liever geheim houdt, ons witte schaap. De anderen (zelfs mam als ze even niet oplet) noemen haar een hielenlikker. Ik vind dat een rotwoord omdat het zo vals is, maar het omschrijft haar goed. Maggie was een 'rebel' omdat ze een rustig leventje leidde met een rustige man die Garv heette en aan wie mijn familie al jaren een hekel heeft. Dat hij betrouwbaar en fatsoenlijk is, schiet bij hen in het verkeerde keelgat, en die truien zijn nog het ergste. (Die lijken te veel op die van pap.) Maar de laatste tijd kunnen we hem beter pruimen, vooral vanwege de kinderen. JJ is nu drie en Holly is vijf maanden.

Ik moet toegeven dat ik ook zo mijn vooroordelen had wat die truien betreft, en daar schaam ik me nu voor, want vier jaar geleden hielp Garv me mijn leven te veranderen. Ik was in een nare impasse beland (nadere details volgen), en Garv was echt heel erg aardig. Hij regelde zelfs een baantje voor me bij de verzekeringsfirma waarvoor hij werkte – eerst in de postkamer, later werd ik naar de balie gepromoveerd. Vervolgens moedigde hij me aan een cursus te volgen en behaalde ik een pr-diploma. Goed, dat is minder indrukwekkend dan afstuderen in de astrofysica, en het klinkt nogal als een diploma voor tv-kijken of snoep eten, maar als ik dat diploma niet had gehad, zou ik ook nooit mijn huidige baan hebben gekregen: De Beste Baan Ter Wereld™. En ik zou Aidan nooit hebben leren kennen.

Ik strompelde naar de voordeur. Maggie was bezig de kinderen uit de auto te halen, een forse auto, bedoeld om veel mensen in te vervoeren. Mam zegt dat die auto eruitziet alsof hij aan elefantiasis lijdt.

Pap was er ook. Hij probeerde een beetje tegengas te geven en liep om de auto heen om tegen de banden te schoppen.

'Dat is nou echte kwaliteit,' zei hij, en als om zijn woorden kracht bij te zetten, gaf hij nog een trap tegen een band.

'Die auto heeft varkensoogjes.'

'Dat zijn geen ogen, mam, dat zijn de koplampen,' reageerde Maggie. Ze maakte allerlei gordels los en kwam de auto uit met baby Holly onder haar arm.

'Waarom hebben jullie geen Porsche genomen?'

'We leven niet meer in de jaren tachtig.'

'Een Maserati dan?'

'Die gaan me niet snel genoeg.'

Soms denk ik wel eens dat mam zich is gaan vervelen, want op haar leeftijd is ze ineens gek op snelle auto's geworden. Omdat ze naar *Top Gear* kijkt, weet ze alles (nou ja, een klein beetje) over Lamborghini's en Aston Martins.

Maggie verdween weer met haar bovenlijf in de auto, en na nog meer gedoe met gordels kwam ze tevoorschijn met de driejarige JJ onder haar andere arm.

Maggie is net als Claire (haar oudere zus) en Rachel (de zus die meteen na haar komt) groot en sterk. Zij drieën hebben mams genen. Helen en ik zijn onderdeurtjes en lijken totaal niet op hen. Ik snap ook niet hoe dat zo komt. Pap is niet echt klein; dat lijkt maar zo omdat hij zo meegaand is.

Maggie heeft zich helemaal op het moederschap gestort; niet zozeer op het moederen als wel op het moederlijke uiterlijk. Ze zegt dat een van de fijnste dingen aan het moederschap is dat je je niet meer druk hoeft te maken over hoe je eruitziet, en ze schept op dat ze nooit meer gaat shoppen. Vorige week vertelde ze me dat ze bij het begin van het nieuwe seizoen naar Marks & Spencers gaat en daar zes precies dezelfde rokken koopt, twee paar schoenen – een paar met en een paar zonder hak – en een stuk of wat topjes. 'En binnen drie kwartier sta ik weer buiten,' zei ze trots. En dat toont maar weer eens aan dat ze er niets van snapt. Afgezien van haar haar, dat schouderlang is en een mooie kleur kastanjebruin heeft (uit een flesje – ze is nog niet helemaal hopeloos), lijkt ze meer op onze moeder dan mam.

'Kijk nou toch naar die suffe rok,' mompelde mam. 'Straks denkt iedereen nog dat we zusjes zijn...'

'Dat hoorde ik, hoor,' zei Maggie. 'En het kan me niks schelen.'

'Je auto lijkt op een neushoorn,' trapte mam nog na.
'Daarnet zei je nog dat hij op een olifant leek. Pap, kun jij alsjeblieft de buggy openklappen?'

Toen zag JJ me, en meteen begon hij te stralen van blijdschap. Misschien kwam het omdat ik nog nieuw voor hem was, maar ik was zijn lievelingstante. Hij wurmde zich onder Maggies arm vandaan en vloog als een kanonskogel op me af. Hij stort zich altijd op me, en ook al was hij de vorige week met mijn ontwrichte knieschijf in botsing gekomen, die nog maar net uit het gips was, en moest ik overgeven van de pijn, toch had ik het hem vergeven.

Ik zou hem alles wel kunnen vergeven, hij was zo'n schatje. Met hem in de buurt raakte ik echt in een beter humeur, maar dat liet ik niet te veel merken omdat de anderen zich dan misschien zorgen zouden gaan maken dat ik te erg op hem gesteld raakte, en ze hadden al genoeg aan hun hoofd. Misschien zouden ze wel met van die goedbedoelde dooddoeners komen, dat ik nog jong was en ooit zelf een kind zou krijgen en zo. Dat wilde ik allemaal liever nog niet horen.

Ik ging met JJ naar binnen om zijn 'wandelhoed' te halen. Toen mam op zoek ging naar een hoed met een brede rand voor mij, vond ze een hele stapel monsterlijke hoeden die ze in de loop der tijd naar bruiloften had gedragen. Het was net zo'n schok als het ontdekken van een massagraf. Er waren ontzettend veel hoeden, de een nog groter dan de ander. Om de een of andere reden viel JJ voor een platte, gelakte strohoed met een trosje kersen op de rand. JJ vond dat het een cowboyhoed was, terwijl de hoed er toch echt in de verste verte niet op leek. Met zijn drie jaar vertoonde JJ al een vrolijk stemmende excentriciteit. Dat moest aan een recessief gen liggen, want van zijn ouders had hij dat zeker niet.

Toen we allemaal klaar waren, zette de karavaan zich in beweging: ik leunde met mijn niet-gebroken arm op pap, Maggie duwde Holly in haar wagentje, en JJ, de sheriff, liep voorop.

Mam ging nooit mee omdat ze bang was dat als we met zovelen waren, de mensen zouden gaan kijken. Inderdaad zorgden we voor veel commotie. JJ met zijn hoed, ik met mijn verwondingen; de plaatselijke jeugd dacht dat er een circus in de stad was neergestreken.

Toen we bij het grasveld kwamen – dat was niet ver, al leek het wel zo omdat mijn knie zo'n pijn deed dat zelfs de driejarige JJ sneller liep dan ik – zag een van de jongens ons en waarschuwde meteen een stuk of vier van zijn maatjes. Opgewonden hielden ze op met wat ze aan het doen waren – iets met lucifers en kranten – en bereidden zich voor om ons te begroeten.

'Hoi, Frankenstein,' riep Alec zodra we dichtbij genoeg waren gekomen om het te kunnen horen.

'Hoi,' groette ik zo waardig mogelijk terug.

De eerste keer dat ze dat hadden gezegd, was ik er overstuur van geweest. Vooral toen ze me geld aanboden om het verband opzij te schuiven, zodat ze mijn verwondingen konden zien. Het was net zoiets als vragen mijn T-shirt omhoog te houden en hun mijn tieten te laten zien, maar dan erger. Er waren tranen in mijn ogen gesprongen. Geschokt omdat mensen zo wreed konden zijn had ik me omgedraaid om linea recta naar huis te gaan. Maar toen hoorde ik Maggie vragen: 'Hoeveel? Hoeveel hebben jullie er voor over om de ergste wond te zien?'

Er volgde een korte beraadslaging. 'Eén euro.'

'Geef op,' had Maggie gezegd. De grootste jongen – hij zei dat hij Hedwig heette, maar dat geloof ik niet – had haar zenuwachtig een euro gegeven.

Maggie had gecontroleerd of het wel een echte was door erop te bijten. Vervolgens zei ze tegen me: 'Tien procent is voor mij, de rest is voor jou. Goed. Laat maar zien.'

Dus had ik ze laten zien. Natuurlijk niet voor het geld, maar omdat het tot me was doorgedrongen dat ik me nergens voor hoefde te schamen, en dat wat mij was overkomen, iedereen zou kunnen gebeuren. Daarna noemden ze me steeds Frankenstein, maar al klinkt het nog zo raar, het was niet onvriendelijk bedoeld.

Deze dag viel het hun op dat ik minder in het verband zat. 'Je wordt beter.' Het klonk teleurgesteld. 'Die op je voorhoofd zijn bijna weg. De enige goede die je nog hebt, zit op je wang. En je loopt ook al sneller, bijna net zo snel als JJ.'

Een halfuurtje bleven we op een bankje zitten. In de weken dat we dit dagelijkse ommetje hadden gemaakt, was het voor Ierland onnatuurlijk droog weer geweest, in elk geval overdag. Alleen

’s avonds, wanneer Helen met haar telelens in de bosjes zat, ging het regenen.

Ik werd uit mijn gedachten gerukt doordat Holly begon te krijsen. Volgens Maggie moest ze een schone luier, dus sjokten we allemaal terug naar huis, waar Maggie zonder succes mam en vervolgens pap probeerde over te halen Holly te verschonen. Aan mij vroeg ze het niet. Soms is zo’n gebroken arm best handig.

Terwijl ze met oliedoekjes en luiers in de weer was, haalde JJ een roestbruine lipliner uit mijn zeer ruime make-uptas, hield die bij zijn gezicht en zei: ‘Net als jij.’

‘Wat net als ik?’

‘Net als jij,’ herhaalde hij. Hij wees naar mijn verwondingen en toen naar zijn eigen gezicht. Aha! Hij wilde dat ik littekens op zijn gezicht maakte.

‘Een paar dan.’ Ik wist niet zeker of dit wel moest worden aangemoedigd, daarom maakte ik alleen een paar wondjes op zijn voorhoofd. ‘Kijk maar.’

Ik hield een handspiegel op, en hij vond zichzelf zo mooi dat hij uitriep: ‘Nog meer!’

‘Nog eentje dan.’

Hij keek steeds in de spiegel en eiste nog meer verwondingen. Toen Maggie terugkwam en ik de uitdrukking op haar gezicht zag, werd ik bang. ‘Sorry, Maggie. Ik ben te ver gegaan.’

Maar toen drong het ineens tot me door dat ze niet boos was omdat JJ eruitzag als een lappendeken. Ze keek zo raar omdat ze mijn make-uptas had gezien, en meteen had ze die blik in haar ogen gekregen die ze allemaal krijgen. Van haar had ik dat niet verwacht.

Het is echt heel vreemd. Ondanks alle angst en verdriet van de laatste tijd komt er bijna elke dag wel een familielid op mijn bed zitten met de vraag of ze de inhoud van mijn make-uptas mag bekijken. Ze waren erg onder de indruk van mijn geweldige baan, en deden geen pogingen hun ongeloof te verbergen dat juist ík die baan had gekregen.

Als een slaapwandelaar liep Maggie op mijn make-uptas af. Ze stak haar hand uit. ‘Mag ik even kijken?’

‘Ga je gang. O, en mijn toilettas staat hier op de grond. Daar zit ook van alles in. Tenminste, als mam en Helen niet alles hebben gejat. Als je iets ziet wat je graag wilt hebben, pak je het maar.'

Als in trance haalde Maggie de ene lippenstift na de andere uit de tas. Ik had er een stuk of vijftien. Dat hoort bij mijn werk.

'Sommige zijn nog niet eens geopend,' zei ze. 'Hoe kan het dat mam en Helen die nog niet hebben ingepikt?'

'Omdat ze die al hebben. Vlak voordat... Jeweetwel... Vlak daarvoor had ik een hele lading nieuwe zomerproducten gestuurd. Het meeste uit deze collectie hebben ze al.'

Twee dagen nadat ik was aangekomen, waren mam en Helen op mijn bed komen zitten en hadden ze al mijn cosmetica bekeken. Het meeste hadden ze teruggestopt. 'Porn Star? Heb ik al. Multiple Orgasm? Heb ik al. Dirty Girl? Heb ik al.'

'Ze hebben me helemaal niet verteld dat ze nieuwe voorraad hadden gekregen,' zei Maggie teleurgesteld. 'En ik woon maar een kilometer bij ze vandaan.'

'O. Misschien dachten ze dat je niet in make-up was geïnteresseerd, omdat je er tegenwoordig zo moederlijk uitziet. Het spijt me. Zodra ik weer in New York ben, stuur ik jou ook een lading.'

'Echt? Dank je wel.' Ineens keek ze me doordringend aan. 'Ga je terug? Wanneer? Kom nou toch, je kunt helemaal niet weg hier. Je hebt ons nodig...' Maar ze werd afgeleid door een lippenstift. 'Mag ik deze eens proberen? Het is precies mijn kleur.'

Ze deed de lippenstift op, wreef met haar lippen, bewonderde zichzelf in de spiegel en keek toen ineens schuldbewust. 'Het spijt me, Anna. Ik deed echt mijn best om niet naar je mooie spullen te vragen. Ik bedoel, gezien de omstandigheden... En ik vind de anderen allemaal vreselijk, ze gedragen zich als aasgieren. Maar kijk mij nou. Ik ben al net zo erg als zij.'

'Je hoeft het jezelf niet kwalijk te nemen, Maggie. Ze kunnen er niets aan doen. Het is sterker dan zij.'

'O ja? Oké. Dank je.' Ze haalde nog meer dingen uit mijn tas, maakte ze open en probeerde ze op de rug van haar hand. Vervolgens deed ze alles weer netjes dicht. Toen ze alles goed had bekeken, slaakte ze een diepe zucht. 'Ik kan net zo goed even in je toilettas kijken.'

'Ga je gang. Er zit verrukkelijke vetivert-douchegel in.' Er schoot me iets te binnen. 'O nee, wacht, ik geloof dat pap die heeft.'

Ze snuffelde tussen de douchegel, scrubcrème en bodylotion, draaide de doppen ervan af en rook en smeerde. Toen zei ze: 'Weet je, jij hebt echt de leukste baan van de hele wereld.'

Mijn baan

Ik werk in New York City als assistent-accountmanager public relations bij Candy Grrrl, een supermodern cosmeticamerk, echt hot. (Waarschijnlijk ken je het wel. En anders doet iemand zijn werk niet goed; ik hoop maar dat ik dat niet ben.) Ik kan op duizelingwekkend veel producten de hand leggen. En dat duizelingwekkend bedoel ik letterlijk. Niet lang nadat ik die baan had gekregen, kwam mijn zus Rachel, die al jaren in New York woonde, bij me langs op kantoor. Ze kwam 's avonds, toen iedereen al naar huis was. Ze wilde eens zien of ik niet had overdreven. Toen ik de kast openmaakte en haar de planken vol keurig opgestelde nachtcrèmes, poriënreinigers, camouflagestiften, geurkaarsen, douchegels, getinte dagcrèmes en blushers liet zien, keek ze me heel lang aan en zei vervolgens: 'Ik word hier draaierig van, Anna. En dat is geen grapje. Volgens mij sta ik op het punt flauw te vallen.' Zie je wel: duizelingwekkend. En toen had ik nog niet eens gezegd dat ze wel iets mocht uitzoeken.

Ik mag niet alleen de producten van Candy Grrrl gebruiken, ik móét ze gebruiken. We moeten allemaal de persoonlijkheid aannemen van het merk dat we moeten promoten. Toen ik de baan kreeg, raadde Ariella me aan ernaar te léven. Lééf ernaar, Anna, had ze gezegd. Je bent nu dag en nacht een Candy Grrrl. Je bent nooit vrij.

Maar mijn baan is niet alleen zo geweldig omdat ik al die spulletjes van Candy Grrrl krijg. Het agentschap waarvoor ik werk, McArthur on the Park (opgericht door en nog steeds eigendom van Ariella McArthur – ze heeft zich nooit laten uitkopen), vertegenwoordigt nog dertien cosmeticafirma's, de een nog geweldiger dan de ander. Eens per maand komen we in de directiekamer bij elkaar en ruilen dan naar hartelust. (Eigenlijk is dat niet de bedoeling, en we doen het dan ook nooit als Ariella in de buurt is, dus ik zou het op prijs stellen als je het niet verder vertelde.)

Behalve de gratis producten brengt mijn baan nog andere voordelen met zich mee. Omdat McArthur on the Park ook het account van Perry K beheert, kan ik bij Perry K gratis mijn haar laten knippen en verven. Natuurlijk niet door Perry K zelf, maar door een van zijn trouwe hielenlikkers. Perry K zelf zit meestal op kosten van een filmstudio in een vliegtuig naar Noord-Korea of Vanuatu om op locatie het haar van een filmster bij te punten.

(Ik moet nog één ding vertellen: gratis naar de kapper klinkt misschien geweldig, en ik wil niet ondankbaar zijn, maar soms lijkt het wel een beetje op dure callgirls die regelmatig medisch moeten worden gekeurd. Het lijkt allemaal heel zorgzaam, maar het gaat er alleen maar om dat de meisjes hun werk goed kunnen doen. Zo is het ook met die kappersbezoekjes. Ik heb geen keuze, ik móét naar Perry K. En ik kan ook niet kiezen wat ze met mijn haar gaan doen. Wat je op de catwalk ziet, dat krijg ik ook. Meestal is het nogal ingewikkeld, met plukjes en zo. Ik heb mijn ziel en zaligheid aan McArthur verkocht, en dat is al erg genoeg. Moeten ze nu ook nog mijn haar hebben?)

Hoe dan ook, na Rachels bezoekje heeft ze iedereen thuis over de snoepjeskast verteld. En meteen daarna werd ik gebombardeerd met telefoontjes uit Ierland. Was Rachel soms weer aan de drugs? Of was het echt waar dat ik haar gratis en voor niets cosmeticaproducten had gegeven? En in dat geval, mochten zij ook iets? Onmiddellijk stuurde ik een grote doos vol spulletjes naar Ierland. Ja, ik geef het toe, het was opschepperig, maar ik wilde hun graag even laten weten hoe geweldig mijn baan was.

Maar wanneer je producten opstuurt, moet je ervoor tekenen. Voor elke wimpertang en iedere lippenbalsem. Wanneer je echter zegt dat ze bijvoorbeeld voor de *Nebraska Star* zijn bestemd in plaats van voor je mammie in Dublin, wordt het niet gecontroleerd. En ze vertrouwen me.

Het vreemde is dat ik normaal gesproken ook erg betrouwbaar ben. Als ik in een winkel te veel wisselgeld krijg, geef ik het netjes terug, en ik ben nog nooit zonder te betalen hard uit een restaurant weggerend. (Er zijn toch wel leukere dingen om te doen?) Maar elke keer dat ik een oogcrème voor Rachel achteroverdruk, of een geurkaars voor mijn vriendin Jacqui, of een pakje met de nieuwste lentekleuren in het kader van ontwikkelingshulp naar

Dublin stuur, is dat stelen. En toch doe ik dat zonder me er een moment schuldig over te voelen. Dat komt omdat de producten zo mooi zijn, en ik vind dat die net als wonderen der natuur niemands bezit kunnen zijn. Hoe zou jij het vinden als ik een schutting om de Grand Canyon liet zetten? Of om het Great Barrier Reef? Sommige dingen zijn zo prachtig dat iedereen er toegang toe moet hebben.

Soms vragen mensen me jaloers: 'Hoe kom je toch aan die geweldige baan?'

Nou, dat zal ik je vertellen.

3

Hoe ik aan mijn baan ben gekomen

Nadat ik mijn diploma in public relations had behaald, ging ik werken op de persafdeling van een derderangs cosmeticaconcern. Het betaalde beroerd en het was flink aanpoten. Ik moest voornamelijk publiciteitsmateriaal in enveloppen stoppen, en aangezien onze tassen elke avond bij het weggaan werden gecontroleerd, werd dat harde werken niet eens gecompenseerd met gratis make-up. Maar ik had een idee gekregen van wat pr kon inhouden, hoe leuk en creatief het zou kunnen zijn, en ik had altijd al van New York gedroomd.

Ik wilde niet in mijn eentje gaan, dus hoefde ik alleen mijn beste vriendin Jacqui er maar van te overtuigen dat zij ook van New York droomde. Ik schatte mijn kansen laag in. Jacqui was jarenlang net als ik geweest, helemáál niet bezig met haar carrière. Ze had vooral in het hotelwezen gewerkt. Ze had van alles gedaan, van barwerk tot de receptie, totdat ze opeens zonder erom te vragen een goede baan had gekregen: ze was vipconciërge geworden van een Dublins vijfsterrenhotel. Wanneer showbizztypes Dublin aandeden, regelde zij alles wat ze maar wilden, van Bono's telefoonnummer of iemand die na sluitingstijd met hen ging winkelen, tot een dubbelganger om de pers om de tuin te leiden. Niemand, en vooral Jacqui niet, begreep hoe ze het zover had kunnen schoppen. Ze had geen diploma's. Het enige wat ze mee had, was dat ze een gezellig, praktisch type was en dikdoenerij haar koud liet, zelfs van beroemdheden. (Volgens haar zijn de meeste beroemdheden dwergen of losers, of allebei.)

Haar uiterlijk speelde misschien wel een rol bij haar succes. Ze beschreef zichzelf vaak als een blonde hooiwagen, en het moet gezegd worden: ze is inderdaad heel erg scharnierig. Ze is zo lang en dun dat al haar gewrichten – knieën, heupen, ellebogen, schouders – eruitzien alsof iemand ze met een moersleutel heeft losgedraaid. Wanneer ze loopt, lijkt het bijna alsof een onzichtbare poppenspeler haar aan touwtjes laat bewegen. Hierdoor vinden vrouwen haar geen bedreiging. Maar dankzij haar goede gevoel voor humor, haar hese lach en haar ongelooflijke uithoudingsvermogen wanneer het aankomt op nachten doorzakken, voelen mannen zich bij haar op hun gemak.

De beroemdheden kochten vaak dure cadeaus voor haar. Winkelen met hen was het leukst, zei ze. Als ze een berg spullen voor zichzelf kochten, vonden ze dat ze ook iets voor haar moesten kopen. Voornamelijk minuscule designerkleding die haar geweldig stond.

Professioneel als ze was, ging ze nooit – nou ja, bijna nooit – naar bed met de mannelijke beroemdheden die ze onder haar hoede had. Ze ging alleen naar bed met hen als ze net gescheiden waren en wel een beetje 'troost' konden gebruiken. Ook ging ze soms met hun vrienden naar bed. Meestal waren ze vreselijk, maar dat beviel haar blijkbaar het best. Ik geloof niet dat ik ooit een van haar vriendjes heb gemogen.

De avond dat ik met haar had afgesproken om mijn verhaal af te steken, kwam ze stralend, vrolijk en scharnierig binnen. Ze droeg een jas van Versace, iets van Dior en nog iets van Chloe. De moed zonk me in de schoenen. Waarom zou iemand zo'n baan opgeven? Zo zie je maar hoe je je in iemand kunt vergissen.

Nog voordat ik over New York was begonnen, biechtte ze op dat ze het helemaal had gehad met belachelijk rijke sterren en hun rare verzoeken. Ze had momenteel een of andere acteur die een Oscar had gewonnen onder haar hoede. Hij maakte haar het leven zuur door te beweren dat een eekhoorn bij hem naar binnen keek en hem bespiedde. Jacqui vond het gemeen om een eekhoorn ervan te beschuldigen een voyeur te zijn, maar nog erger vond ze dat dit zich afspeelde op de vierde verdieping. Er wás helemaal geen eekhoorn. Ze had het gehad met roem, zei ze. Ze wilde iets heel anders: werken met behoeftigen en zieken, het liefst in een leprakolonie.

Dat was uitstekend nieuws, hoewel het als een verrassing kwam. Het was ook een uitstekend moment om de aanvragen voor werkvergunningen in de VS uit mijn tas te halen. Twee maanden later wuifden we Ierland vaarwel.

Toen we aankwamen in New York, logeerden we de eerste dagen bij Rachel en Luke, maar dat bleek niet zo'n geweldig idee. Elke keer dat Jacqui hem zag, brak het zweet haar uit. Het scheelde een haartje of ze moest aan de zuurstof.

Luke is namelijk zo knap dat mensen in zijn aanwezigheid een beetje raar gaan doen. Ze denken dat hij wel iets verborgen moet houden, maar hij is echt een gewone, degelijke vent die het leven leidt dat hij wil, met de vrouw die hij wil. Hij heeft een groep vrienden die sprekend op hem lijken, hoewel ze geen van allen zo woest aantrekkelijk zijn. Samen staan ze bekend als de Echte Mannen. Volgens hen is er sinds 1975 geen fatsoenlijke plaat meer gemaakt (de laatste was *Physical Graffiti* van Led Zeppelin). Alle muziek die sindsdien is gemaakt, vinden ze bagger. Hun idee van een avondje stappen is deelnemen aan de luchtgitaarkampioenschappen. Ja, die bestaan echt. En hoewel ze stuk voor stuk begenadigde amateurs zijn, was een van hen, Shake, een heuse belofte. Hij had het zelfs tot de regionale finale geschopt.

Jacqui en ik gingen op zoek naar werk, maar helaas voor Jacqui hadden de leprakolonies niemand nodig. Binnen een week had ze een baan in een vijfsterrenhotel in Manhattan. Ze deed bijna hetzelfde als wat ze in Dublin had gedaan.

Heel toevallig trof ze ook de eekhoornman weer. Hij wist niet meer wie ze was en stak hetzelfde verhaal af: dat een eekhoorn hem bespioneerde. Alleen speelde het zich deze keer niet af op de vierde verdieping, maar op de zesentwintigste.

'Ik wilde echt iets anders,' zei ze tegen Rachel, Luke en mij toen ze na haar eerste dag thuiskwam. 'Hoe heeft het zover kunnen komen?'

Nou, dat was duidelijk: ze was meer verslaafd aan die wereld van glitter, glamour en beroemdheden dan ze zelf besefte. Maar dat kon je niet tegen haar zeggen. Jacqui had geen tijd voor zelfbeschouwing. Alles gaat zoals het gaat. Wat als levensfilosofie zijn voordelen heeft. Hoewel ik dol ben op Rachel, heb ik soms het idee dat ik mijn kin niet kan krabben zonder dat zij er een diepere betekenis in ziet. Aan de andere kant heeft het geen zin om Jacqui te vertellen dat je depressief bent, want daarop antwoordt ze altijd: 'O nee! Wat is er dan?' En meestal ís er niks, je bent gewoon een beetje depri. Maar als je dat probeert uit te leggen, zegt zij: 'Maar je hebt niks om depri over te zijn!' En vervolgens: 'Kom, we gaan champagne drinken. Het heeft geen zin om bij de pakken neer te zitten!'

Jacqui is bijna de enige die ik ken die nooit aan de antidepressiva is geweest of een psycholoog heeft bezocht. Ze gelooft nauwelijks in PMS.

Hoe dan ook, toen Jacqui spastisch begon te doen bij de aanblik van Luke, vonden we een plekje voor onszelf. Een studio (één kamer dus) in een vervallen huizenblok aan de Lower East Side. Het was schandalig klein en duur, en de douche bevond zich in het keukentje, maar we woonden tenminste in Manhattan. We waren niet van plan er veel tijd door te brengen. Het was gewoon een plek om te slapen, en tevens een postadres; een veilig plekje in de grote, boze stad. Gelukkig konden Jacqui en ik het zo goed met elkaar vinden dat het geen probleem was om zo op elkaars lip te zitten. Jacqui ging soms naar een bar om een man op te pikken, zodat ze een nacht goed kon slapen in een normaal huis.

Ik schreef me direct in bij een aantal chique uitzendbureaus, met een prachtig, enigszins opgeleukt en aangedikt cv. Ik ging naar een paar sollicitatiegesprekken, maar kreeg niets aangeboden. Ik begon me net zorgen te maken toen ik op een dinsdagochtend werd gebeld. Ik moest als de gesmeerde bliksem naar McArthur on the Park. Een van hun werknemers moest blijkbaar als de wiedeweerga 'naar Arizona' (New Yorks jargon voor 'naar een ontwenningskliniek'), en ze hadden dringend een uitzendkracht nodig, omdat ze in de race waren om een grote klant binnen te halen.

Ik had al van Ariella McArthur gehoord. Ze was een pr-legende. Ze was in de vijftig, streng en ongeduldig, en ze had een torenhoog kapsel en brede schouders. Het gerucht ging dat ze maar vier uur per nacht sliep (maar ik kwam er later achter dat ze dat gerucht zelf verspreidde).

Dus trok ik mijn pakje aan en ging op pad. Ik kwam er al snel achter dat het kantoor echt aan Central Park lag (op de zevenendertigste verdieping. Het uitzicht uit Ariella's kantoor is ongelooflijk. Maar aangezien je alleen in het heilige der heiligen mag komen om op je flikker te krijgen, kun je er nauwelijks van genieten).

Iedereen rende als een kip zonder kop rond, en niemand zei iets tegen me. Ze gilden alleen maar dat ik spullen moest kopiëren, eten moest regelen en dingen op andere dingen moest plakken. Ondanks de beroerde behandeling was ik onder de indruk van de merken die McArthur vertegenwoordigde, en van de grote campagnes die ze op hun naam hadden staan. Ik dacht: ik zou er alles voor over hebben om hier te mogen werken.

Ik zal de juiste dingen wel aan elkaar hebben geplakt, want ze zeiden dat ik de volgende dag moest terugkomen. Die dag hielden ze de *pitch* en waren ze zo mogelijk nóg nerveuzer.

Om drie uur namen Ariella en zeven van haar belangrijkste medewerkers plaats rond de tafel in de directiekamer. Ik was er ook, maar alleen voor het geval iemand dringend iets nodig had, zoals water, koffie, of een koel doekje over hun voorhoofd. Ik had de opdracht mijn mond te houden. Indien nodig mocht ik oogcontact maken, maar spreken was uit den boze.

Terwijl we wachtten, hoorde ik Ariella op fluistertoon tegen Franklin, haar onderbevelhebber, zeggen: 'Als ik deze klant niet binnenhaal, gaan er koppen rollen.'

Ik vergeet soms dat er mensen zijn die het verhaal van Candy Grrrl nog niet kennen, dus voor diegenen: Candy Grrrl is bedacht door visagiste Candace Biggly. Ze begon haar eigen producten te mengen toen ze niet precies de juiste kleuren en texturen kon kopen die ze zocht. Ze bleek er zo goed in te zijn dat de fotomodellen die ze opmaakte helemaal opgewonden raakten. De prachtige schepsels verkondigden dat de spullen van Candace Biggly heel bijzonder waren. Het nieuws verspreidde zich als een lopend vuurtje.

Vervolgens kwam de naam. Talloze mensen, inclusief mijn eigen moeder, hebben me verteld dat 'Candy Grrrl' Kate Moss' bijnaam voor Candace was. Het spijt me dat ik je moet teleurstellen, maar dat is niet waar. Candace en haar echtgenoot George (een griezel) hebben een duur reclamebureau in de arm genomen om een naam te verzinnen. Dat reclamebureau heeft ook het logo met het grommende meisje ontworpen. Het Kate-verhaal is echter gemeengoed geworden, en het kan geen kwaad dat zo te houden.

Langzaam maar zeker dook de naam Candy Grrrl steeds vaker op in beautyrubrieken van glossy's. Vervolgens opende Candace een winkeltje aan de Lower East Side, en vrouwen die nog nooit verder waren gekomen dan Forty-fourth Street gingen nu op pelgrimstocht. Ze opende nog een winkel, deze keer in L.A., gevolgd door een winkel in Londen en twee in Tokio. Daarna gebeurde het onvermijdelijke: Candy Grrrl werd opgekocht door de Devereaux Corporation voor een onbekend bedrag met veel nullen (11,5 miljoen dollar, voor het geval je dat interessant vindt. Ik heb het vorig jaar in een dossier zien staan. Ik was er niet naar op zoek, ik stuitte er toevallig op. Echt waar.) Opeens was CG mainstream en stonden toonbanken in Saks, Bloomingdales en Nordstrom, alle grote warenhuizen, er vol mee. Candace en George waren echter niet tevreden met de public relations-afdeling van Devereaux, dus nodigden ze een paar grote New Yorkse bureaus uit om een pitch te houden.

'Ze zijn laat,' zei Franklin. Hij speelde met een paarlemoeren pillendoosje. Eerder had ik hem niet erg discreet een halve Xanax zien nemen. Hij zou de tweede helft ook nog wel nemen, dacht ik.

Toen kwam Candace binnen, met verrassend weinig trompetgeschal. Ze had niets van een Candace. Ze had bruin haar waar geen model in zat, droeg een zwarte legging en had merkwaardig genoeg geen greintje make-up op. George daarentegen zou je knap en charismatisch kunnen noemen. Dat vond hij zelf duidelijk ook.

Ariella begon hen omslachtig te verwelkomen, maar George onderbrak haar direct en vroeg om 'ideeën'.

'Als jullie Candy Grrrl binnenhalen, wat zou jíj dan doen?' Hij wees naar Franklin.

Franklin stamelde iets over beroemdheden die hij zou inschakelen, maar nog voordat hij was uitgesproken, richtte George zich al tot degene naast hem. 'En wat zou jij doen?'

Hij ging de tafel langs en kreeg de gebruikelijke afgezaagde pr-ideeën: beroemdheden, artikelen in tijdschriften, beautyredactrices van alle grote tijdschriften die naar de meest fantastische plekken zouden worden gevlogen – misschien wel naar Mars.

Toen hij bij mij kwam, gebaarde Ariella wanhopig dat ik een nobody was, een nul, net één treetje hoger dan een robot, maar George drong aan. 'Ze werkt toch voor jullie? Hoe heet je? Anna? Vertel me je ideeën maar.'

Ariella keek me vol afgrijzen aan. Haar gezicht vertrok nog verder toen ik zei: 'Ik heb afgelopen weekend in SoHo heel leuke wekkers gezien.'

Ze probeerde een miljoenencontract binnen te slepen en ik had het over een middagje shoppen. Ariella bracht haar hand naar haar hals, als een negentiende-eeuwse dame die elk moment kan flauwvallen.

'Het zijn net gewone wekkers,' zei ik. 'Alleen staan de cijfers in spiegelbeeld en de wijzers gaan de verkeerde kant op, ze gaan terug in de tijd. Dus als je de juiste tijd wilt weten, moet je de klok in de spiegel bekijken. Ze lijken me perfect om jullie Time Reversal-dagcrème te promoten. Daar zou dan een slogan bij kunnen komen als: "Kijk in de spiegel, draai de klok terug". Afhankelijk van de kostprijs kunnen we zelfs een weggeefactie doen.' (Tip voor de meid die hogerop wil komen: zeg nooit 'kosten', maar altijd 'kostprijs'. Geen idee waarom, maar als je 'kosten' zegt, word je niet serieus genomen. Als je met 'kostprijs' smijt, hoor je al snel bij de grote jongens.)

'Wauw,' zei George. Hij leunde naar achteren en keek rond. 'Wauw. Dat is geweldig! Het origineelste wat ik vandaag heb gehoord. Eenvoudig maar... wauw! Heel erg Candy Grrrl.' Hij wisselde een blik met Candace.

Nu kregen anderen het benauwd. Een paar mensen haalden opgelucht adem, maar enkele anderen verstijfden. (Ik zeg 'enkele anderen', maar ik bedoel Lauryn.) Ik moet er wel bij zeggen dat ik niet van plan was geweest om met een geweldig idee te komen, het gebeurde gewoon. Het enige wat ik in mijn voordeel kan zeggen, is dat ik op weg naar huis even langs Saks was gegaan, een folder van Candy Grrrl had meegenomen en over hun producten had gelezen.

'Misschien zouden jullie zelfs kunnen overwegen de naam te veranderen in Time Reversal-óchtendcrème,' opperde ik nog. Maar Ariella onderbrak me door even fel met haar hoofd te schudden. Ik had genoeg gezegd, ik moest niet overmoedig worden.

Lauryn liet ook nog even van zich horen. 'Wat toevallig! Die wekkers heb ik ook gezien. Ik...'

'Hou je mond, Lauryn.' Ariella onderbrak Lauryn bruut, en dat was dat.

Het was het hoogtepunt van mijn carrière. Ariella haalde de klant binnen en ik kreeg de baan.

4

Die avond stond er bij de Walshjes een afhaalmaaltijd van het plaatselijke Indiase restaurant op het menu, en ik nam het er eens goed van: een halve uien-bhaji, een reuzengarnaal, een flintertje kip, twee stukjes okra (die waren best groot) en ongeveer vijfendertig rijstkorrels, gevolgd door negen pillen en twee Rolo's.

De maaltijden waren een strijd geworden. Mam en pap moedigden me opgewekt aan nog een hapje rijst te eten, nog een chocolaatje en nog een capsule vitamine E (dat is blijkbaar goed tegen littekenvorming). Ik deed mijn best – ik voelde me leeg, maar had nooit honger – maar wat ik ook at, voor hen was het nooit genoeg.

Uitgeput door al het gedoe aan tafel trok ik me terug op mijn kamer. Mijn behoefte groeide om Aidan te spreken.

Inwendig voerde ik lange gesprekken met hem, maar nu wilde ik meer: ik wilde zijn stem horen. Waarom kwam die behoefte nu pas in me op? Omdat ik eerder gewond was geweest en in shock had verkeerd? Of had het aan de pijnstillers gelegen?

Ik controleerde wat mam, pap en Helen deden. Ze keken naar

zo'n soort tv-serie met detectives waarin ze eigenlijk zelf graag de hoofdrol hadden gespeeld. Ze gebaarden dat ik binnen moest komen en maakten al plaats voor me op de bank, maar ik zei: 'Nee, ik wilde alleen...'

'Geweldig! Goed zo.'

Ik had ook kunnen zeggen dat ik het huis in brand had willen steken, of even naar de Kilfeathers wilde voor een triootje met Angela en haar vriendin, en dan zouden ze precies zo hebben gereageerd. Ze waren volkomen in trance en dat zou het komende uur ook nog wel zo blijven. Ik deed de deur dicht, pakte de telefoon in de gang en liep ermee naar mijn kamer.

Ik staarde naar het apparaatje in mijn hand. Ik heb telefoons altijd al iets magisch gevonden. Je kunt er de meest vreemde en verre verbindingen mee maken. Ik weet dat de werking uitgelegd kan worden, maar toch beschouw ik het nog steeds als een soort wonder dat mensen die zijn gescheiden door een oceaan, toch met elkaar kunnen praten.

'Hoi, met Aidan. Ik kan nu niet aan de telefoon komen, maar als je een berichtje inspreekt, bel ik zo gauw mogelijk terug.'

'Aidan,' hoorde ik mezelf zeggen. Mijn stem klonk beverig. 'Met mij. Hoe is het met je? Bel je echt zo gauw mogelijk terug? Doe dat maar, alsjeblieft.' Wat moest ik nog meer zeggen? 'Ik hou van je, schat, dat weet je toch wel?'

Ik verbrak de verbinding. Ik voelde me duizelig en opgetogen. Heel even had ik zijn stem gehoord. Maar niet veel later stortte ik in. Een berichtje achterlaten op de voicemail van zijn mobieltje was niet voldoende.

Ik kon natuurlijk proberen hem een e-mail te sturen. Maar dat zou ook niet voldoende zijn. Ik moest teruggaan naar New York en hem gaan zoeken. Er bestond een gerede kans dat hij er niet zou zijn, maar ik moest het toch proberen omdat ik maar één ding zeker wist: hij was niet hier.

Stilletjes legde ik de telefoon terug. Als ze erachter kwamen wat ik had uitgespookt, zouden ze me echt nooit laten gaan.

5

Hoe ik Aidan heb leren kennen

Vorig jaar augustus bereidde Candy Grrrl de lancering voor van een nieuwe reeks huidverzorgende producten. Die heette Future Face (en de oogcrème heette Future Eye, de lipcrème Future Lip, nou ja, je snapt het wel). Op mijn eindeloze zoektocht naar nieuwe, innovatieve manieren om beautyredactrices te paaien, had ik midden in de nacht een geniale inval gehad. Ik zou voor elke redactrice een zogenaamde future kopen, een termijncontract op goederen, valuta's of effecten. Het was niet mijn eerste idee. De meest voor de hand liggende future was natuurlijk een persoonlijke horoscoop. Dat hadden we echter al gedaan voor See Yourself in Ten Years Time, ons serum dat de tijd trotseerde. De assistent-beautyredactrice van *Elle* was in tranen uitgebarsten toen ze te horen kreeg dat ze haar baan zou verliezen en haar hondje binnen een maand zou weglopen. (Grappig genoeg bleef de hond waar hij was, maar kwam het deel over haar baan uit. Ze maakte een carrièreswitch en staat nu achter de receptie van het Plaza.)

In plaats daarvan besloot ik dus van die investeringen te kopen. Ik had geen idee wat die futures verder precies inhielden, ik had alleen gehoord dat mensen op Wall Street er miljoenen mee binnenhaalden. Maar het lukte me niet om een afspraak met een futures-analist op Wall Street te maken, zelfs niet als ik bereid was geweest duizend dollar te betalen voor een minuutje van hun tijd. Ik kreeg keer op keer nul op het rekest. Ik kreeg al spijt dat ik er überhaupt aan was begonnen, maar ik was zo stom geweest erover op te scheppen tegen Lauryn. Zij had het een goed idee gevonden, dus nu was ik gedwongen steeds minder bekende banken af te werken. Uiteindelijk vond ik een effectenmakelaar van een bank in de binnenstad die wel een gaatje voor me had. En dat alleen maar omdat ik Nita, zijn assistente, een berg gratis producten had gestuurd, met de belofte van meer als ze me binnen kon krijgen.

Dus daar ging ik. Voor de gelegenheid droeg ik zo weinig mogelijk gekke kleren. Dat zal ik even uitleggen. Alle publiciteitsagenten van McArthur moeten de persoonlijkheid aannemen van het merk dat ze vertegenwoordigen. De meisjes die voor Earth-Source werken, zijn allemaal een beetje geitenwollig. De meisjes van Bergdorf zijn klonen van Carolyn Bessett Kennedy, lang en bleek, en met zulk zacht haar dat ze van een andere planeet lijken te komen. Aangezien Candy Grrrl een beetje wild en gek was, een beetje maf, moest ik me daarnaar kleden, maar dat was ik al snel zat. Mafheid is iets voor jonge meisjes, en ik was eenendertig. Ik had geen zin meer om roze met oranje te combineren.

Ik was dus dolblij met de kans me stemmig te kleden. Mijn haar was ontdaan van de stomme baretten en accessoires die ik gewoonlijk op en in had. Ik droeg een marineblauwe broekrok. Goed, hij was bedrukt met zilveren sterren, maar iets conservatievers had ik niet. Ik liep klikklakkend over de zeventiende verdieping, op zoek naar het kantoor van Roger Coaster. Ik passeerde keurig geklede, efficiënt uitziende mensen. Ik begon het net te betreuren dat ik niet ook getailleerde pakjes naar mijn werk kon dragen, toen ik een hoek omliep en er meerdere dingen tegelijk gebeurden.

Ik botste zo hard tegen een man op dat ik mijn tas liet vallen. Er kletterden allerlei gênante dingen over de vloer, waaronder de nepbril die ik had meegenomen om er intelligenter uit te zien, en mijn portemonneetje met de opdruk WIE HET KLEINE NIET EERT....

We bukten ons snel om onze spullen op te rapen, reikten tegelijkertijd naar de bril en knalden met ons hoofd tegen elkaar. We riepen allebei: 'Sorry!' Hij stak instinctief een hand uit om over mijn bezeerde voorhoofd te wrijven en gooide zo gloeiend hete koffie over mijn hand. Ik kon het natuurlijk niet uitschreeuwen van de pijn, ik bevond me immers in een openbare ruimte. Het enige wat ik kon doen, was met mijn hand wapperen om de pijn te verdrijven. Terwijl ik dat deed, en ik me erover verbaasde dat de koffie niet meer schade had aangericht, drong het tot ons door dat de voorkant van mijn witte shirt eruitzag als een schilderij van Jackson Pollock. 'Weet je, met een beetje schaafwerk kunnen we hier een echte sketch van maken,' zei de man.

We kwamen overeind. Mijn hand was dan wel verbrand en mijn shirt verpest, maar hij zag er goed uit.

'Mag ik?' Hij gebaarde naar mijn verbrande hand, maar raakte hem niet aan. In New York heb je zo makkelijk een proces vanwege seksuele intimidatie aan je broek dat mannen vaak niet eens met een vrouw alleen in een lift willen staan. Ze zijn veel te bang dat ze ervan beschuldigd zullen worden dat ze geprobeerd hebben onder haar rokje te kijken.

'Graag.' Ik stak mijn hand naar hem uit. Op de rode brandvlekken na was het een hand om trots op te zijn. Hij had er zelden beter uitgezien. Ik gebruikte regelmatig Candy Grrrl's vochtinbrengende handcrème, Hands Up, mijn kunstnagels waren gelakt met zilverkleurige Candy Wrapper, en ik was pas nog ontgorillaad. Daarna voel ik me altijd onbekommerd en zorgeloos. Ik heb behoorlijk harige armen en... jezus, wat is dit gênant om over te praten. Nou ja, sommige haren op mijn armen lopen door tot aan mijn handen. Laat ik er geen doekjes om winden: als ik er geen werk van maak, zijn het net de voeten van een Hobbit. (Heeft iemand anders hier ook last van? Ben ik de enige?)

In New York is waxen net zo belangrijk als ademhalen. Je kunt je pas in gezelschap vertonen als je bijna volledig kaal bent. Haar op je hoofd, wimpers en twee dunne streepjes wenkbrauw zijn toegestaan, maar meer ook niet. De rest moet weg. Zelfs je neushaar, waar ik me nog niet toe had kunnen zetten. Ik zou echter wel moeten, als ik een succesvolle carrière in het cosmeticawezen nastreefde.

'Het spijt me vreselijk,' zei de man.

'Het is maar een vleeswond,' zei ik. 'Je hoeft je niet te verontschuldigen. Het was niemands schuld. Het was een vreselijk, vreselijk, vréselijk ongeluk, meer niet. Vergeet het maar.'

'Maar je hebt je verbrand. Zul je ooit nog viool kunnen spelen?'

Toen pas zag ik dat zijn voorhoofd eruitzag alsof een ei zich door zijn huid probeerde te persen.

'Jezus, je hebt een bult.'

'Echt?'

Hij veegde het lichtbruine haar opzij dat over zijn voorhoofd viel. Zijn rechterwenkbrauw was in tweeën verdeeld door een klein, zilverachtig littekentje. Ik merkte het op omdat ik er precies zo eentje heb.

Hij wreef zachtjes over de bult.

'Au,' zei ik, en ik kromp namens hem ineen. 'Een van de knapste koppen van onze generatie.'

'Op het punt een doorbraak te maken in zijn onderzoek. Voorgoed verloren.' Hij klonk alsof hij uit Boston kwam. Toen keek hij naar mijn tijdelijke identiteitsplaatje. 'Ben je hier op bezoek? Zal ik je het toilet even wijzen?'

'Het gaat wel.'

'En je shirt dan?'

'Ik doe wel alsof het een modestatement is. Echt, het gaat wel.'

'Weet je het zeker? Echt?'

Ik zei: 'Echt.' Hij vroeg me weer of ik het zeker wist, ik verzekerde het hem nogmaals, ik vroeg of het met hem ook wel ging en hij zei van wel. Toen liep hij weg met de rest van zijn koffie. Ik voelde me een beetje leeg terwijl ik weer op zoek ging naar het kantoor van meneer Coaster.

Ik probeerde Nita meneer Coaster nog te laten uitleggen waarom ik onder de koffie zat, maar ze toonde geen enkele belangstelling. 'Heb je het meegenomen? De foundation in...'

'Cookie Dough,' zeiden we tegelijk. Er was een wachtlijst van een maand voor Cookie Dough-foundation.

'Ja, die zit erbij. En allerlei andere spullen.'

Ze scheurde de doos van Candy Grrrl open. Ik stond daar maar wat. Even later keek ze op en zag dat ik er nog steeds stond. 'Ja, ga maar naar binnen,' zei ze geïrriteerd, en ze gebaarde naar een dichte deur.

Ik klopte aan en ging in mijn vieze shirt meneer Coasters kantoor binnen.

Meneer Coaster was een oversekst machomannetje. Zodra ik mezelf had voorgesteld, lachte hij me overdreven stralend toe. 'Hé! Hoor ik daar een accent?'

'Mmm.' Ik staarde koeltjes naar een foto van hem en wat ongetwijfeld zijn vrouw en kinderen waren.

'Brits? Iers?'

'Iers.' Ik wierp nogmaals een betekenisvolle blik op de foto, en hij draaide hem een stukje, zodat ik hem niet meer kon zien.

'Goed, meneer Coaster, over die futures.'

'O, dat accent is echt geweldig! Blijf vooral praten!'

'Hahaha.' Ik lachte beleefd, maar dacht: klootzak.

Het duurde even voordat hij me serieus nam, en toen duurde het nog maar een paar seconden voor ik erachter kwam dat futures niet tastbaar waren. Ik kon niet de deur uit lopen met een handvol prachtige futures om ze vervolgens op kantoor in handgeweven doosjes van Kate's Paperie te stoppen en vervolgens naar de tien machtigste beautyredactrices te laten koerieren.

Ik zou iets anders moeten verzinnen. Ik was niet zo teleurgesteld als ik zou moeten zijn, omdat ik moest denken aan de man tegen wie ik was opgelopen. Het had geklikt tussen ons. En niet alleen omdat we toevallig dezelfde littekens hadden. Maar als ik dit gebouw vandaag zou verlaten, was de kans groot dat ik hem nooit meer zou zien. Tenzij ik er iets aan deed. Niet geschoten, altijd mis. (Maar zelfs als je schiet, is het niet altijd raak.)

Eerst zou ik hem moeten vinden, en het was een groot gebouw. En als ik hem had opgespoord, wat moest ik dan? Mijn vinger in zijn koffie steken en er suggestief aan zuigen? Die mogelijkheid sloot ik direct uit. Ten eerste zou door de hitte van de koffie de lijm van mijn nepnagel misschien smelten. Die zou er vervolgens af vallen en als een haaienvin rondzwemmen in het kopje. Ten tweede was het sowieso walgelijk.

Meneer Coaster was intussen bezig met een omslachtig betoog. Ik knikte en glimlachte, maar was diep in gedachten verzonken, verscheurd door besluiteloosheid.

Toen nam ik een besluit, alsof er een knop werd omgezet. Opeens wist ik het zeker: ik zou open kaart spelen en besloot de hulp van meneer Coaster in te roepen. Ja, onprofessioneel. Ja, ongepast. Maar wat had ik te verliezen?

'Meneer Coaster,' onderbrak ik hem beleefd. 'Op weg naar uw kantoor liep ik tegen een man op. Het gevolg was dat hij zijn koffie morste. Voor ik wegga, zou ik hem graag mijn excuses willen aanbieden. Ik weet niet hoe hij heet, maar ik kan hem beschrijven.' Ik begon te ratelen. 'Hij is lang, dat denk ik tenminste. Maar ik ben zo klein, dat ik iedereen lang vind. Zelfs u.'

Shit.

Meneer Coaster keek me kwaad aan. Maar ik zette door. Ik moest wel. Hoe kon ik mijn mysterieuze man het beste beschrijven? 'Hij ziet een beetje bleek, maar niet op een slechte manier, niet alsof hij ziek is. Zijn haar is nu lichtbruin, maar je kunt zien dat hij als kind blond was. En zijn ogen, volgens mij heeft hij groene ogen.'

Coaster keek me nog steeds strak aan. Die beelden op Paaseiland konden nog wat van hem leren. Hij onderbrak me. 'Ik ben bang dat ik u niet kan helpen.' En voordat ik het wist, stond ik weer buiten en sloeg de deur achter me dicht.

Nita bestudeerde zichzelf in de spiegel van een poederdoosje. Ze zag eruit alsof ze alle producten tegelijk had gebruikt, als een klein meisje dat zich te buiten was gegaan aan haar moeders make-up.

'Nita, misschien kun jij me helpen.'

'Anna, ik ben helemaal weg van deze lipgloss.'

'Ik zoek een man.'

'Welkom in New York.' Ze keek niet eens op. 'Acht-minutendating. Net als speeddating, maar langzamer. Je krijgt acht minuten in plaats van drie. Het is geweldig, ik had vorige keer vier keer een *match*.'

'Niet zomaar een man. Hij werkt hier. Hij is vrij lang, en...' Ik kon er niet omheen, ik moest het zeggen. 'En, eh, knap. Hij heeft een littekentje op zijn wenkbrauw en hij klinkt alsof hij uit Boston komt.'

Opeens was haar interesse gewekt. Haar hoofd schoot omhoog. 'Sprekend Denis Leary? Maar dan jonger?'

'Ja!'

'Aidan Maddox. Op IT, een eindje verderop. Naar links, dan nog een keer naar links, twee keer naar rechts en daar zit hij.'

'Dank je. Nog één ding: is hij getrouwd?'

'Aidan Maddox? Allemachtig, nee, die is niet getrouwd.' Ze gniffelde even, alsof ze wilde zeggen: en dat zit er voorlopig niet in ook.

Ik vond hem en ging bij zijn bureau staan. Ik keek naar zijn rug als om hem te dwingen zich om te draaien. 'Hé,' zei ik vriendelijk. Hij draaide zich razendsnel om, alsof hij schrok. 'O,' zei hij. 'Hé, daar ben je weer. Hoe gaat het met je hand?'

Ik stak hem uit zodat hij ernaar kon kijken. 'Ik heb mijn advocaat gebeld, de dagvaarding is onderweg. Zeg, wil je een keer iets met me drinken?'

Hij keek alsof hij zojuist door de bliksem was getroffen. 'Vraag je me mee uit om iets te gaan drinken?'

'Ja,' zei ik vastberaden. 'Ja, inderdaad.'

Hij zweeg even en zei toen: 'Maar als ik nee zeg?' Hij klonk verbijsterd.

'Wat is het ergste dat me kan overkomen? Je hebt me al verbrand met gloeiend hete koffie.'

Hij keek me aan met een uitdrukking die nog het meest weg had van wanhoop, en de stilte duurde te lang. Mijn zelfvertrouwen verdween als sneeuw voor de zon en opeens wilde ik zo snel mogelijk weg.

'Heb je een kaartje?' vroeg hij.

'Natuurlijk!' Ik wist wanneer ik afgewezen werd.

Ik rommelde in mijn portemonnee en gaf hem een felroze, driehoekig visitekaartje, waarop in druipende letters CANDY GRRRL stond. Eronder, in kleinere letters, stond: ANNA WALSH, PR-SUPERSTER. Rechts bovenin stond het beroemde logo van het grommende meisje, een illustratie van een knipogend meisje, haar tanden ontbloot alsof ze 'Grrr!' zegt.

We keken er allebei naar. Opeens zag ik het met zíjn ogen.

'Leuk,' zei hij. Hij klonk weer verward.

'Ja, je ziet meteen dat ik een serieus type ben,' zei ik. 'Nou, eh, adios.'

Ik had nog nooit van mijn leven 'adios' gezegd.

'Ja, oké, adios,' reageerde hij, nog steeds ontdaan.

En daar ging ik. Nou ja, pech gehad. Ik viel trouwens meer op Italiaanse en Joodse mannen, ik ging meer voor donker en klein.

Maar die nacht werd ik om kwart over drie wakker en dacht aan deze Aidan. Ik dacht echt dat het tussen ons had geklikt.

Maar ik had in New York wel meer intense en uiteindelijk nietszeggende ontmoetingen gehad. Zoals die keer dat die man in de subway tegen me begon te praten over het boek dat ik aan het lezen was. (Paulo Coelho, waar ik echt níks van begreep.) Tot aan Yonkers voerden we een hartstikke leuk gesprek. Ik vertelde hem van alles over mezelf, bijvoorbeeld dat ik als tiener alleen maar bezig was geweest met mystiek, en dat ik dat nu vreselijk vond. Hij vertelde me dat hij 's nachts als schoonmaker werkte, en ook over de twee vrouwen in zijn leven tussen wie hij niet kon kiezen.

En er was dat meisje dat ik had leren kennen tijdens Shakespeare in the Park. Onze afspraakjes kwamen allebei niet opdagen. Terwijl we zaten te wachten, vertelde ze me alles over haar twee Siamese katten. Die hadden haar zo geholpen tijdens haar depressie dat ze haar dosering Cipramil had teruggebracht van veertig milligram naar tien.

Dat is nou typisch New York: je komt elkaar tegen, je vertelt elkaar echt alles over jezelf, vormt écht een band, en ziet elkaar vervolgens nooit meer. Het is heel fijn. Meestal.

Maar ik wilde niet dat mijn ontmoeting met Aidan eenmalig zou zijn. En dus reageerde ik de dagen erna iets te gretig als de telefoon ging, en op nieuwe mailtjes die binnenfloepten, maar nada.

6

Helen zat te rammen op de oude Amstrad-computer die in de gang op een oud butlertafeltje stond (als je een e-mail wilde versturen, moest je de deurtjes openzetten en op een laag krukje gaan zitten, met je knieën tussen de warmhoudplaten).

'Met wie mail je?' vroeg ik.

Ze stak haar hoofd om het deurtje, vertrok haar gezicht omdat er kwastjes in haar gezicht hingen en zei: 'Met niemand. Ik ben aan het schrijven, een script voor een tv-serie over een detective.'

Ik stond sprakeloos. Helen? Die er trots op was dat ze bijna analfabeet was?

'Waarom niet?' zei ze. 'Ik heb stof zat. Eigenlijk is het best goed. Ik zal het voor je uitprinten.'

Tien minuten lang bracht de stokoude printer piepende en gierende geluiden voort, toen trok Helen het vel papier er met een elegant gebaar uit en gaf het aan mij. Nog steeds sprakeloos las ik wat ze had geschreven.

Lucky Star
door en over Helen Walsh

Eerste scène: een klein maar fier detectivebureau in Dublin. Twee vrouwen, de ene jong en mooi (ik). De andere oud (mam). Jonge vrouw heeft voeten op het bureau. Oude vrouw heeft voeten niet op bureau vanwege reumatische kniegewrichten. Stille dag. Verveling. Klok tikt. Buiten houdt auto stil. Man komt binnen. Knap, grote voeten. Kijkt om zich heen.

Ik: Wat kan ik voor u doen?

Man: Ik ben op zoek naar een vrouw.

Ik: Dit is geen hoerentent.

Man: Ik bedoel: ik zoek mijn vriendin. Ze is verdwenen.

Ik: Hebt u de politie al ingelicht?

Man: Jawel, maar die komt pas in actie wanneer iemand vierentwintig uur wordt vermist. Trouwens, ze zouden toch maar denken dat we ruzie hebben gehad.

Ik (haal voeten van bureau, knijp ogen tot spleetjes, leun naar voren): En hebben jullie ruzie gehad?

Man (beschaamd): Ja.

Ik: Waarover? Is er een andere man in het spel? Een man op haar werk?

Man (nog steeds beschaamd): Ja.

Ik: Blijft ze tot laat doorwerken? Met haar collega?

Man: Ja.

Ik: Het ziet er niet best voor u uit, maar het is uw pakkie-an. We kunnen proberen haar te zoeken. Nadere details kunt u aan de oude vrouw daar geven.

'Goed, hè?' zei Helen. 'Vooral dat van die hoerentent, hè? En dat het zijn pakkie-an is. Stoer, hè?'

'Ja, het is geweldig.'

'Morgen schrijf ik verder. Misschien kunnen we het opvoeren. Oké, ik moet me klaarmaken om naar mijn werk te gaan.'

Om ongeveer tien uur 's avonds verscheen ze weer in de deuropening van mijn kamer, gekleed om iemand in de gaten te houden. (Donkere, strakke kleren die waterproof zouden moeten zijn, maar dat niet waren.)

'Je moet eens naar buiten, de frisse lucht in,' zei ze.

'Ik heb vandaag al genoeg frisse lucht opgesnoven.' Ik was echt niet van plan om elf uur lang in natte bosjes te gaan zitten terwijl zij foto's probeerde te maken van ontrouwe mannen die uit het huis van hun vriendin glippen.

'Maar ik wil graag dat je met me mee komt.'

Ook al verschillen Helen en ik hemelsbreed van elkaar, toch zijn we erg op elkaar gesteld. Misschien omdat we de twee jongsten zijn. Hoe dan ook, Helen behandelt me alsof ik een aanhangsel van haarzelf ben, het aanhangsel dat midden in de nacht opstaat om water voor haar te halen. Ik ben haar speelmakker/speeltje/slaaf/hartsvriendin, en vanzelfsprekend is alles wat ik bezit ook van haar.

'Ik kan niet mee,' zei ik. 'Ik ben gewond.'

'Ach...' zei ze. 'Wat zielig nou!'

Dat was niet gemeen bedoeld, maar in ons gezin doen we nu eenmaal niet sentimenteel. Ze denken dat je je daardoor nog rotter gaat voelen. Nee, zij gaan te werk met meedogenloze spot.

Toen mam erbij kwam staan, beklaagde Helen zich bij haar. 'Ze wil niet met me mee. Dan ben jij dus de klos.'

'Onmogelijk,' zei mam. Ze richtte een melodramatische blik op me, alsof ik geestelijk gestoord was – en blind. 'Ik kan maar beter hier blijven.'

'Ja, hallo,' mopperde Helen. 'Ik moet de hele nacht in natte bosjes zitten en het kan jullie niets schelen.'

'Natuurlijk wel.' Mam haalde iets uit haar zak en gaf het aan Helen. 'Vitamine C zuigtabletten. Misschien krijg je dan geen keelpijn meer.'

'Nee.' Helen wrong zich langs haar heen, en dat bevestigde mijn vermoeden dat ze die keelpijn eigenlijk wel prettig vond. Het was een excuus om in bed te kunnen blijven, ijsjes te eten en mensen af te snauwen.

'Neem die vitamine C nou maar.'

'Nee.'

'Neem die vitamine C.'

'Nee.'

'Neem verdomme die vitamine C!'

'Jezus, maak er toch niet zo'n drukte over! Oké, ik neem ze wel. Maar het helpt toch niet.'

Nadat Helen de deur met een klap achter zich had dichtgeslagen, pakte mam haar vel papier en gaf me de laatste dosis pillen van die dag.

'Welterusten,' zei ze. 'Slaap lekker.' Bezorgd voegde ze eraan toe: 'Ik vind het helemaal niet prettig dat je hier in je eentje zit terwijl wij allemaal boven zijn.'

'Het geeft niet, mam. Ik bedoel, met mijn kapotte knie is het makkelijker om beneden te blijven.'

'Het is allemaal mijn schuld!' flapte ze er ineens fel uit.

O ja? Hoe kwam ze daar nou bij?

'Woonden we maar in een bungalow! Dan konden we allemaal samen zijn. We hebben er een bezichtigd, weet je, je vader en ik, voordat jullie werden geboren. Een bungalow. Maar die stond te ver van zijn werk. En het rook er muf. Maar nu heb ik er spijt van!'

Dat was al de tweede keer op één dag dat ik mam overstuur had gezien. Meestal is ze zo taai als de biefstukken die ze vroeger voor ons bakte, totdat we haar smeekten dat niet meer te doen.

'Mam, het gaat prima met me. Het is helemaal niet jouw schuld. Jij kon er niets aan doen.'

'Ik ben moeder, en moeders horen zich schuldig te voelen.' Bezorgd vroeg ze: 'Je hebt toch geen nachtmerries, hè?'

'Nee, mam. Ik droom helemaal niet.' Dat lag vast aan die pillen.

Ze fronste haar wenkbrauwen. 'Dat hoort niet,' zei ze. 'Je zou juist wel nachtmerries moeten krijgen.'

'Ik zal mijn best doen,' beloofde ik.

'Braaf zo.' Ze gaf me een zoen op mijn voorhoofd en knipte het licht uit.

'Je bent altijd al braaf geweest,' zei ze liefdevol vanuit de deuropening. 'Braaf, maar soms wel een beetje vreemd.'

7

Eigenlijk ben ik helemaal niet zo raar. Nou ja, niet raarder dan anderen. Ik ben gewoon ánders.

Mijn vier zussen zijn luidruchtig, wispelturig en gek op een goede ruzie. Dat laatste zullen ze direct toegeven. Een slechte ruzie is trouwens ook goed. Wat voor ruzie dan ook eigenlijk. Ze hebben kibbelen altijd een prima manier gevonden om te communiceren. Ik heb hen mijn hele leven geobserveerd zoals een muis een kat observeert, ineengedoken in een hoekje. Ik hoopte dat ze geen ruzie met me zouden zoeken als ze niet doorhadden dat ik er was.

Mijn drie oudste zussen, Claire, Maggie en Rachel, lijken sprekend op mam: lange, prachtige vrouwen met een uitgesproken mening. Ze leken wel van een andere planeet te komen. Ik zorgde ervoor dat ik nooit met hen van mening verschilde. Elk klein dingetje dat ik zei liep stuk op hun rotsvaste zelfverzekerdheid.

Claire, de oudste, is onlangs veertig geworden. Desondanks is ze nog steeds een vastberaden, vrolijk type dat 'weet hoe ze zich moet vermaken' (dat is een eufemisme voor 'ongeremd feestbeest'). In een ver verleden had ze een kleine tegenslag gehad toen haar echtgenoot, de arrogante James, bij haar wegging op de dag dat ze hun eerste kind ter wereld bracht. Ze was, nou, toch minstens een halfuur volledig van de kaart, en toen was ze eroverheen. Ze leerde een andere man kennen, Adam, en ze was zo verstandig ervoor te zorgen dat hij jonger was en dat ze hem makkelijk onder de duim kon houden. Vergis je echter niet, ze was ook zo verstandig ervoor te zorgen dat hij een donker, knap stuk was. Hij had mooie, brede schouders, en volgens Helen ook een fijne, grote piemel. Vraag me niet hoe ze het weet. Naast Kate, de 'in de steek gelaten dochter', hebben Adam en Claire nog twee kinderen, en ze wonen in Londen.

Tweede zus: Maggie, de hielenlikker. Maggie is drie jaar jonger dan Claire en ze onderscheidt zichzelf door heel erg meegaand te zijn. Maar – en dit is een grote maar – ze staat haar mannetje.

Wanneer ze iets in haar hoofd haalt, kan ze zo koppig als een ezel zijn. Maggie woont in Dublin, een kilometer bij pap en mam vandaan. (Zoals ik al zei: hielenlikker.)

Daarna komt Rachel. Ze is een jaar jonger dan Maggie en de middelste van ons vijven. Al voordat Rachel vergroeid leek te raken met Luke, veroorzaakte ze opwinding. Ze was sexy, leuk in de omgang en een beetje wild, en haar kleine tegenslag was eigenlijk een behoorlijk grote tegenslag. Het was waarschijnlijk het ergste wat een van ons is overkomen. Tot wat mij overkwam, in elk geval. Een paar jaar geleden, toen ze net in New York woonde, ontwikkelde ze een voorliefde voor basterdsuiker. Oké, ik zal er niet omheen draaien: dat is een andere naam voor cocaïne. Het werd een puinhoop en na een dramatische zelfmoordpoging belandde ze in een dure Ierse ontwenningskliniek.

Een héél dure. Mam heeft het er nog steeds over. Met dat geld hadden pap en zij met de Oriënt Express naar Venetië kunnen reizen en daar een maand in een suite in het Cipriani kunnen verblijven. Wel voegt ze er altijd snel, maar niet helemaal geloofwaardig, aan toe dat het geluk van je kinderen niet in geld is uit te drukken.

Maar eerlijk is eerlijk: Rachel is waarschijnlijk ook het grootste succesverhaal van de familie Walsh. Ongeveer een jaar na de ontwenningskliniek ging ze psychologie studeren. Nadat ze was afgestudeerd, volgde ze nog een postdoctorale opleiding tot specialist op het gebied van de verslavingszorg. Ze werkt nu in een ontwenningskliniek in New York.

Na de jaren die ze volledig heeft versnoven, was het voor Rachel heel belangrijk om 'oprecht' te zijn. Dat lijkt me lovenswaardig. Het enige nadeel is dat ze soms nogal serieus kan zijn. Ze heeft het vaak goedkeurend over mensen die 'aan zichzelf hebben gewerkt'. En als ze bij haar ontwenningsvrienden is, grappen ze soms over mensen die nog nooit in therapie zijn geweest. 'Wat? Dus ze heeft nog steeds de persoonlijkheid die ze van haar ouders heeft meegekregen?' Dat is leuk, snap je? Maar onder Rachels ernst hoef je niet lang te zoeken naar de persoon die ze vroeger was, met wie je goed kunt lachen.

Daarna kom ik. Ik ben drieënhalf jaar jonger dan Rachel.

Daarna volgt de hekkensluiter Helen. Zij is een geval apart. Iedereen is dol op haar, maar tegelijkertijd zijn ze bang voor haar. Ze is volkomen uniek. Onbevreesd, impulsief, en opzettelijk tegendraads. Een voorbeeld: toen ze haar eigen detectivebureau Lucky Star Investigations begon, had ze een kantoor kunnen huren in een prachtige ruimte in Dawson Street, met een conciërge en een gedeelde receptionist. In plaats daarvan trok ze in een portiekflat die volgespoten was met graffiti, in een buurt waar alle winkels hun rolluiken permanent gesloten hielden. Schimmige gozers met honkbalpetjes op scheurden er rond op hun bromfiets en bezorgden slordig gevouwen stukjes wit papier.

Het is er vreselijk somber en deprimerend, maar Helen vindt het er heerlijk.

Hoewel ik Helen niet begrijp, is ze net mijn tweelingzusje, mijn duistere tweelingzusje. Zij is de schaamteloze, dappere versie van mij. En hoewel ze altijd de draak met me steekt (niets persoonlijks, dat doet ze met iedereen), is ze heel loyaal en zou ze altijd voor me opkomen.

Sterker nog, al mijn zussen zijn zo loyaal dat ze altijd voor elkaar opkomen. Hoewel ze graag op elkaar afgeven, moet niemand anders dat wagen. Dan zijn ze nog niet jarig.

En ja, oké, ze zeiden vaak dat ik mijn hoofd er niet bij had en duidelijk in hogere sferen verkeerde. Maar eerlijk gezegd hadden ze daar reden voor: ik had duidelijk niet zoveel op met de harde werkelijkheid. Waarom zou je ook, vroeg ik me dan af, die was niet echt een pretje. Elke mogelijkheid tot ontsnapping greep ik met beide handen aan: lezen, slapen, verliefd worden, in gedachten huizen ontwerpen waarin ik mijn eigen slaapkamer had en niet hoefde te delen met Helen. Ook was ik niet de meest praktische persoon die je maar kunt bedenken.

En dan waren er natuurlijk nog de rokken met franje.

Het is vreselijk vernederend om toe te geven, maar rond mijn twintigste bezat ik verscheidene lange, hippieachtige rokken met franje. Op sommige zaten zelfs stukjes spiegel. Waarom, waaróm? Ik was jong en wist niet beter, maar toch. Ik weet dat we op modegebied allemaal onze jeugdzondes hebben, de slecht geklede lijken in onze kast, maar ik was de weg bijna tien jaar lang volledig kwijt.

Daarnaast ging ik niet meer naar de kapper sinds ik op mijn

vijftiende was thuisgekomen met een zogenoemde 'Cyndi Lauper'. (Ik kan het de jaren tachtig niet kwalijk nemen, ze wisten niet beter.) Maar de rokken met franje en stukjes spiegel waren kinderspel vergeleken bij het schokkende verhaal over het bestekvoorschrift.

Het verhaal over het bestekvoorschrift

Als je het nog niet hebt gehoord, en waarschijnlijk heb je dat wel, want de hele wereld heeft het gehoord, zal ik het nog één keer vertellen. Toen ik van school was gekomen, regelde pap een baantje voor me bij een bouwbedrijf. Iemand was hem nog iets verschuldigd, en iedereen was het erover eens dat het wel een flinke gunst geweest moest zijn.

Maar goed, daar zat ik dan, hard te werken. Ik deed mijn best en was aardig tegen de bouwvakkers die hun schamele loon kwamen ophalen. Op een dag gooit meneer Sheridan, de grote baas, een cheque op mijn bureau en zegt: 'Vergeet je Bill Prescot het bestekvoorschrift niet te sturen?'

Ter verdediging wil ik aanvoeren dat ik negentien was en niets van bouwjargon wist. En dus ging ik aan de slag en kopieerde uit een etiquetteboek keurig de pagina's over tafelschikking.

Hoe kon ik nou weten dat een bestekvoorschrift een overzicht is van materialen en de gemaakte afspraken en kosten? Dat had niemand me ooit verteld, en ik was niet paranormaal begaafd (hoewel ik dat op dat moment wel had willen zijn). Het was een beginnersfout, maar het werd een historisch moment. Het ging deel uitmaken van onze familiegeschiedenis en bevestigde hoe iedereen over me dacht: ik had ze niet allemaal op een rijtje.

Ze bedoelden het natuurlijk niet onaardig, maar het viel me zwaar.

Alles veranderde echter toen ik Shane leerde kennen, mijn zielsverwant. (Het is lang geleden, zo lang dat je dergelijke dingen nog kon zeggen zonder uitgelachen te worden.) Shane en ik waren dolblij met elkaar omdat we precies hetzelfde dachten. We waren ons bewust van de toekomst die voor ons lag: vastgeroest op dezelfde plek en met een saaie, zware baan omdat we de hypotheek van een vreselijk huis moesten betalen. We besloten het anders aan te pakken.

Dus gingen we reizen, wat niet echt in goede aarde viel. Maggie zei over ons: 'Ze zeiden dat ze even een Kitkat gingen kopen, en vervolgens hoorden we pas weer van ze toen ze ergens op een looierij in Istanboel werkten.' (Dat is niet waar. Volgens mij dacht ze aan die keer dat we een blikje frisdrank gingen kopen en spontaan besloten langs de Griekse eilanden te gaan varen.)

De familie Walsh doet het voorkomen alsof Shane en ik werkschuw tuig waren. Alsof werken in een conservenfabriek in München een pretje was. Het was loodzwaar. En een bar in Griekenland runnen betekende lange dagen maken en, erger nog, aardig zijn tegen iedereen. Zoals bekend is dat het zwaarste werk ter wereld.

Elke keer dat we terugkwamen in Ierland, was het: 'Hé, daar heb je die twee klaplopers van hippies weer. Verstop je eten!'

Maar het deed me niet zoveel. Ik had Shane en we zaten in ons eigen kleine wereldje. Ik ging ervan uit dat dat altijd zo zou blijven.

En toen maakte Shane het uit. Naast het verdriet, de eenzaamheid, gekwetstheid en vernedering die bij een gebroken hart horen, voelde ik me verraden. Shane had zijn haar laten knippen in een model dat bijna fatsoenlijk te noemen was, en hij was in zaken gegaan. Toegegeven, het waren hippe zaken, iets met digitale muziek en cd's, maar zolang ik hem kende, had hij zich tegen de gevestigde orde verzet. Ik was verbijsterd hoe snel hij zich aanpaste.

Ik was achtentwintig en had alleen de rokken met franje, waarvan ik er elke ochtend eentje aantrok. Opeens leken de jaren waarin ik van land naar land was getrokken verspilde moeite. Het was een vreselijke tijd, en ik voelde me een dolende ziel, doodsbang. Op dat moment nam Maggies echtgenoot Garv me onder zijn hoede. Eerst bezorgde hij me een vaste baan. Oké, de post openen bij een verzekeringsfirma is niet echt spannend, maar het was een begin.

Vervolgens liet hij me inzien dat ik een opleiding moest volgen. Opeens nam mijn leven weer een vlucht, een heel andere kant op. In korte tijd leerde ik autorijden, kocht ik een auto en liet ik mijn haar in een heus 'model' knippen dat weinig onderhoud vergde.

Kortom: ik deed er wat langer over dan de meesten, maar uiteindelijk had ook ik mijn zaakjes op orde.

8

Hoe Aidan en ik elkaar voor de tweede keer tegenkwamen

Een man als een kleerkast sloeg zijn enorme arm om mijn nek, liet een piepklein plastic zakje vol wit poeder voor mijn neus bengelen en zei: 'Zeg, Morticia, wil je een beetje coke?'

Ik rukte me los en zei beleefd: 'Nee, dank je.'

'Kom op,' zei hij, iets te hard. 'Het is een feestje, hoor.'

Ik zocht naar de deur. Dit was echt vreselijk. Je zou toch zeggen dat je een geweldig feestje kon bouwen als je de beschikking had over een penthouse met uitzicht over de Hudson, een professionele geluidsinstallatie, een eindeloze voorraad drank en veel kennissen.

Maar er klopte iets niet. En daar gaf ik Kent de schuld van, degene die het feest gaf. Kent was een pummel van een bankier, en het stond hier vol met horden van zijn gelijken. Het probleem was dat deze kerels niets nodig hadden om hun zelfvertrouwen mee op te krikken, ze waren al erg genoeg zonder cocaïne.

Iedereen zag er opzichtig uit, en ook wanhopig, alsof ze erg hun best moesten doen om het leuk te hebben.

'Ik ben Drew Holmes.' De man zwaaide weer met het zakje cocaïne voor mijn neus. 'Probeer het maar eens. Het is echt geweldig.'

Dit was al de derde kerel die me coke aanbood. Eigenlijk was het wel schattig; het was net of ze nu pas drugs hadden ontdekt.

'De jaren tachtig gaan nooit verloren,' zei ik. 'Nee, echt niet, dank je.'

'Jij bent zeker niet zo'n wilde?'

'Precies, ik ben niet zo wild.'

Ik speurde de ruimte af naar Jacqui. Dit was allemaal haar schuld, want zij was de collega van Kents broer. Maar ik zag uitsluitend schreeuwerige stomkoppen met pupillen zo groot als schoteltjes, en ordinaire meiden die wodka zo uit de fles dronken. Later kwam ik erachter dat Kent had rondgebazuind dat hij wilde dat iedereen meisjes meenam die over een halfjaar zouden moeten afkicken, het soort meisje dat het allemaal niets meer uitmaakte en met iedereen het bed in dook. Maar al voordat ik dat wist, vond ik hem een engerd.

'Vertel eens iets over jezelf, Morticia.' Drew Holmes stond nog steeds naast me. 'Wat doe je zoal?'

Ik zuchtte openlijk. Daar gingen we weer... Op dit stomme feest werd druk genetwerkt, en op verzoek had ik al aan twee andere kerels verteld waaruit mijn baan bestond. Geen van beiden had naar me geluisterd, ze wachtten alleen maar op het moment waarop ik mijn mond hield zodat ze een monoloog konden afsteken over zichzelf en hun geweldige prestaties. Cocaïne helpt een goede conversatie absoluut om zeep.

'Ik test orthopedisch schoeisel.'

'O ja? Interessant.' Hij haalde diep adem om van wal te kunnen steken. 'Ik werk bij de blablabla-bank, blabla... bakken vol geld... Ik, ik, ik, geweldig, blabla, promotie, blabla, bonus, hard werken, veel verdienen, ik, ik, ik, duur appartement, dure wagen, dure vakantie, dure ski's, ik, ik, ik, ik, ik, ik...'

Op dat moment werd hij door een hapje tegen zijn hoofd geraakt; ik geloof dat het een miniburger was, maar het ging allemaal erg snel. Met uitpuilende ogen van woede draaide hij zich om, op zoek naar de schuldige. Ondertussen glipte ik gauw weg.

Ik had besloten weg te gaan. Waarom was ik eigenlijk gekomen? Waarom gaan meisjes naar feestjes van mensen die ze niet kennen? Om mannen te leren kennen, natuurlijk. En vreemd genoeg leerde ik de laatste paar weken voortdurend mannen kennen. Ik had nog nooit zoiets meegemaakt. Het lag vast aan de sterren.

Jacqui en ik waren naar de speeddating gegaan waarover Nita ons in het kantoor van Roger Coaster had verteld, en ik had er drie mannen ontmoet die bij me pasten: een knappe en interessante architect; een bakker met rood haar uit Queens, die er niet uitzag maar wel erg aardig was; en een jonge, knappe barman met rare stopwoordjes. Ze wilden alle drie een afspraakje met me maken, en ik had toegestemd.

Maar voordat je gaat denken dat ik een slet ben die drie kerels tegelijk bedriegt (eigenlijk zijn het er vier, want ik heb nog niets verteld over de blind date die Teenie voor me had geregeld), of dat dit alleen maar op een ramp kon uitlopen – dat het allemaal zou uitkomen en ik alleen zou achterblijven – moet ik even uitleggen wat de regels voor daten zijn in New York City. Vooral voor meermansdaten. Want daar was ik nu mee bezig, en in New York is dat heel normaal.

In Ierland krijg je heel makkelijk een relatie met iemand. Je begint met een paar drankjes, en dan ga je een keer naar de film, en dan kom je elkaar tegen op een feestje van een gezamenlijke kennis, en op een gegeven moment ga je met elkaar naar bed – waarschijnlijk op de avond van dat feestje. (Omdat je dan je mooiste ondergoed aanhebt.) Het gaat allemaal heel natuurlijk en als vanzelf, en het is afhankelijk van toevallige ontmoetingen. Meermansdaten is er volkomen onbekend. Deze jongen is gewoon je vriend. Dus als je erachter zou komen dat de man met wie je al een paar maanden bij de open haard naar video's zit te kijken, gezellige eetafspraakjes heeft met een vrouw die jij niet bent en ook geen vrouwelijk familielid is van hem, is het je goed recht een glas wijn over hem leeg te kieperen en tegen de andere vrouw te zeggen dat ze hem mag hebben. Op zo'n moment mag je ook je pink opsteken en zeggen: 'Hij stelt niet veel voor, hè?'

Maar in New York gaat het er heel anders aan toe. In New York denk je: met die man heb ik een meermansverhouding, en hij zit in een restaurant met een vrouw met wie hij een meermansverhouding heeft. Wat zijn we allemaal toch beschaafd... niemand kiepert wijn over de ander uit. Je zou er zelfs bij kunnen gaan zitten. (Nee, dat is niet waar, dat zou niemand doen. Misschien in theorie, maar niet in werkelijkheid, vooral niet als je hem echt leuk vindt.)

In deze periode van meermansdaten kun je elke nacht met een andere man naar bed als je dat zou willen, en niemand die er iets van kan zeggen. Niet dat ik dat zou willen met de uit hun krachten gegroeide opscheppers op dit feest, ook al is dat toegestaan. Ik wurmde me door de propvolle kamer heen. Waar was Jacqui toch? Ik raakte in paniek toen ik weer staande werd gehouden door nog zo'n gozer met een jofele naam, een gezet joch dat best wel eens Butch zou kunnen heten. Hij trok aan mijn jurk en vroeg knorrig: 'Wat zijn dat voor kleren?'

Ik droeg een omslagjurkje van zwarte jersey en zwarte laarzen. Dat leek me gepaste kledij voor een feest.

Toen vroeg hij kwaad: 'Wat heb je voor Adams Family-kleren aan?'

Het vreemde is dat ik er nog nooit van beschuldigd ben dat ik op Morticia lijk. Ik begreep er niets van. Ik wilde dat hij mijn jurk losliet. Het was dan wel een stretchjurk, maar ook niet meer zo nieuw, en ik was bang dat hij te veel zou worden uitgerekt en uit model zou raken. 'Zo, goth, wat doe je zoal?'

Ik vroeg me af of ik hem zou vertellen dat ik voicecoach voor olifanten was, of de uitvinder van het aanhalingsteken openen. Maar toen hoorde ik een andere stem: 'Ken je Anna Walsh dan niet?'

Butch zei: 'Watte?'

Ik draaide me om. Het was Hij. De kerel die koffie over me had geknoeid, de man die ik had uitgenodigd om iets te gaan drinken en die had geweigerd. Hij had een pet op en droeg een werkmansjasje met brede schouders, en hij nam de kou van buiten mee, heel verfrissend.

'Ja, Anna Walsh. Ze is...' Hij keek me vragend aan en haalde zijn schouders op. 'Ze is goochelaar.'

'Assisténte van een goochelaar,' wees ik hem terecht. 'Ik ben wel gediplomeerd goochelaar, maar ik vind de kleding van de assistente toffer.'

'Leuk,' zei Butch. Maar ik had geen oog voor hem, ik keek naar Aidan Maddox, die zich mijn naam nog herinnerde ook al was het zeven weken geleden dat we elkaar hadden leren kennen. Hij was niet precies zoals ik me hem herinnerde. Door die pet leken zijn jukbeenderen geprononceerder, en zijn kaak hoekiger, en in zijn ogen fonkelden pretlichtjes die er de vorige keer niet waren geweest.

'Ze verdwijnt,' zei Aidan. 'En dan opeens is ze er weer, als bij toverslag.'

Hij had mijn telefoonnummer, maar hij had me niet gebeld, en nu maakte hij erg flauwe grapjes. Ik keek hem koel aan. Waar was hij mee bezig?

Zijn gezicht verried niets, maar ik bleef hem aankijken. En hij bleef naar mij kijken. Het leek eeuwen te duren, en toen vroeg iemand: 'Waar ga je naartoe?'

'Hè?'

Het was Butch die dat had gevraagd. Het verbaasde me dat hij daar nog stond.

'Waar ik naartoe ga?' vroeg ik.

'Wanneer je als bij toverslag verdwijnt? Abracadabra, poef.' Hij knipoogde vet.

'O! Achter de coulissen om een sigaret te roken.' Ik draaide me terug naar Aidan, en toen ik weer in zijn ogen keek, bloosde ik diep.

'Leuk,' zei Butch. 'En hoe gaat dat wanneer je doormidden wordt gezaagd?'

'Nepbenen,' zei Aidan, bijna zonder zijn lippen te bewegen. Hij hield zijn blik strak op me gericht.

Ik voelde bijna de lach van Butch' gezicht verdwijnen. 'Kennen jullie elkaar?'

Aidan en ik keken Butch aan, en toen elkaar weer. Kenden we elkaar? 'Ja.'

Ook als ik niet zou hebben geweten dat er iets tussen mij en Aidan gebeurde, maakte Butch het wel duidelijk: hij trok zich terug. En dat terwijl je goed kon merken dat hij de competitie niet uit de weg ging. 'Veel plezier nog,' zei hij een beetje beteuterd.

En toen waren Aidan en ik alleen.

'Vermaak je je een beetje?' vroeg hij.

'Nee,' antwoordde ik. 'Ik vind het een rotfeest.'

'Ja.' Hij keek om zich heen. 'Dat kan ik me voorstellen.'

Op dat moment kwam er een man bij ons staan, het soort man dat ik als mijn type had beschouwd voordat ik Aidan leerde kennen. 'Waar was je nou? Je ging toch weg?'

Even keek Aidan boos. Werden we dan nooit met rust gelaten? Maar toen lachte hij en zei: 'Anna, dit is mijn beste vriend Leon. Leon is een collega van Kent, het feestvarken. En dit is Leons vrouw Dana.'

Dana was een kop groter dan Leon. Ze had lange benen, een

forse boezem, dik haar met highlights erin, en een stralende, gelijkmatig gebruinde huid.

'Hoi,' zei ze.

'Hoi,' groette ik terug.

Bezorgd zei Leon: 'Stom feest, hè?'

'Eh...'

'Je bent nu met de juiste mensen,' zei Aidan. 'Je kunt vrijuit spreken.'

'Oké. Het is een wel heel erg stom feest.'

'Jezus!' Met een zucht wuifde Dana haar boezem koelte toe. 'Laten we ons onder de gasten mengen,' zei ze tegen Leon. 'Hoe eerder we daarmee beginnen, des te sneller kunnen we weg. Excuseer.'

'Ga maar weg als je het niet meer uithoudt,' zei Leon tegen Aidan, en toen waren we weer alleen.

Lag het aan de twee giechelende kerels die als schoolmeisjes met hun plastic zakje naar de badkamer vertrokken? Of lag het aan de meisjes die over een halfjaar moesten afkicken, die de romige inhoud uit de soesjes pulkten en daarmee op hun jurkjes knoeiden? In elk geval zei Aidan: 'Anna, zullen we hier weggaan?'

Weggaan? Ik keek hem geërgerd aan. Wat dacht hij wel? Als je negentien bent, is het prima om je impulsief in een relatie te storten, maar ik was eenendertig. Ik ging niet zomaar met vreemde mannen mee.

Ik zei: 'Ik moet Jacqui eerst even vertellen dat ik wegga.'

Ik vond haar in de keuken, waar ze een heel stel aandachtig toekijkende mensen liet zien hoe je een manhattan moet mixen. Ik vertelde haar dat ik wegging. Maar voordat we konden gaan, moest ik eerst nog mijn jas wegtrekken onder een kreunend paartje dat in Kents slaapkamer lag te wippen. Van de vrouw kon ik alleen haar benen en schoenen zien. Op een van de zolen zat een plakkaat kauwgum.

'Welke jas is het?' vroeg Aidan. 'Deze? Pardon. Ik wil alleen maar even deze...'

Hij trok en er kwam een beetje beweging in de jas, toen trok hij nog eens, en uiteindelijk kwam de jas los en waren we de deur uit. Opgetogen dat we vrij waren, wilden we niet op de lift wachten, daarom stormden we met ongebruikelijk veel energie de trappen af en renden de straat op.

Het was begin oktober. Overdag was het nog mooi, maar 's avonds werd het frisjes. Aidan hielp me in mijn jas, een wijd donkerblauw gevalletje, beschilderd met het stadsilhouet in zilver. (Die jas had ik gekregen. McArthur had een tijdje de publiciteit verzorgd voor designers die Fabrice & Vivien heten. In die gelukkige dagen, voordat er ruzie ontstond omdat ze niet tevreden over ons waren, smeten ze met gratis dingen. Franklin, degene die ons het account had bezorgd, kreeg alles, maar omdat hij een man was, kon hij de jas niet gebruiken, daarom gaf hij die aan mij. Lauryn heeft het er nog wel eens over, verbitterd.)

'Je ziet er leuk uit.' Aidan deed een stap naar achteren om me eens goed te kunnen bekijken. 'Ja.'

Ik vond hem er ook leuk uitzien. Met die pet, dat jasje en de grote laarzen zag hij er proletarisch chic uit. Niet dat ik hem dat ging vertellen. Het was maar goed dat Jacqui er niet bij was, want commentaar op kleding hoorde helemaal bij poederkwasten. (Later meer over poederkwasten.)

'Zeg, ik wil één ding nog wel even duidelijk maken,' zei ik een beetje pissig. 'Ik verdween niet zomaar, ik vertrok. Omdat jij niet iets met me wilde gaan drinken, weet je nog?'

'Ik wilde wel, ik vond je meteen leuk toen je me een kopstoot verkocht. Maar ik wist niet zeker of jij mij wel leuk vond.'

'Pardon, maar jij botste tegen mij op. Hoe bedoel je dat je het niet zeker wist?'

'Gewoon.'

Daar werd ik niet veel wijzer van. Ik besloot het voorlopig te laten rusten.

Twee straten verder kwamen we langs een vreemde kelderbar met rode muren en een biljart. We stonden tot onze knieën in het kolkende droogijs, en de barman legde uit dat ze de goede oude tijd probeerden te herscheppen, van voor het rookverbod.

Op Aidans verzoek vertelde ik hem van mijn leven als goochelassistente.

'We heetten Marvellous Marvo en Gizelda. Gizelda is mijn toneelnaam. In de Mid-West waren we razend populair. Ik naai al mijn eigen kostuums, zeshonderd pailletten per stuk, allemaal met de hand erop gezet. Terwijl ik dat doe, raak ik in trance. Eigenlijk is Marvo mijn vader, en heet hij Frank. Vertel me nu eens iets over jezelf.'

'Nee, vertel jij daar maar over.'

Ik moest even nadenken. 'Oké, je bent de zoon van een afgezette Oost-Europese despoot die zijn volk voor miljoenen heeft bestolen.' Ik lachte wreed. 'Het geld is ergens verstopt en jullie zijn ernaar op zoek.' Naarmate ik hem zwarter afschilderde, ging hij bezorgder kijken. Daardoor kreeg ik medelijden en verzachtte het een beetje. 'Je wilt het geld vooral vinden om het terug te geven aan het verarmde volk.'

'Dank je,' zei hij. 'Is er verder nog iets?'

'Je hebt een goede verstandhouding met je eerste vrouw, een Italiaanse tennisster. En pornoster,' voegde ik eraan toe. 'Je kon zelf ook uitstekend tennissen, je zou zelfs prof zijn geworden als je geen last van RSI had gekregen.'

'Hoe is het trouwens met je verbrande hand?'

'Prima. En ik ben blij te zien dat je uit die coma bent gekomen. Heb je daar nog last van?'

'Kennelijk niet. Als ik moet afgaan op hoe deze zaterdagavond is verlopen, gaat het prima met me. Beter dan ooit tevoren.'

Daar was dat Bostons accent weer. Ik vond het verpletterend sexy.

'Zeg dat nog eens?'

'Wat?'

'Wat je daarnet zei.'

Hij haalde zijn schouders op en deed wat ik vroeg.

Onmiddellijk werd ik overspoeld door een lichamelijk verlangen. Het leek een beetje op honger, maar dan erger. Dat zou ik in de gaten moeten houden.

'Zullen we een potje biljarten?' stelde ik voor.

'Ben je overal voor in?'

'Ja.'

Na deze opmerking met dubbele betekenis, en een doordringende blik, was het helemaal mis met me.

We stootten een kwartiertje ballen in bewegende zakjes die me aan testikels deden denken. Ik versloeg Aidan.

'Daar ben je goed in,' zei hij.

'Je liet me winnen.' Ik porde hem met mijn keu in zijn buik. 'Dat moet je niet meer doen.'

Hij opende zijn mond om het te ontkennen, en ik duwde de keu harder tegen zijn buik. Fijn stevige buikspieren. We keken elkaar een poosje aan, vervolgens zetten we onze keus zwijgend terug in het rek.

Toen de bar om vier uur 's nachts sloot, bood Aidan aan met me mee naar huis te wandelen, maar dat was veel en veel te ver lopen.

'We zitten hier niet meer in Kansas, Toto,' zei ik.

'Goed, dan bellen we een taxi. Ik breng je toch naar huis.'

Achter in de taxi luisterden we naar de chauffeur die in het Russisch van alles en nog wat in zijn mobieltje brulde. Aidan en ik bleven zwijgen. Ik keek even tersluiks naar hem, naar het licht en de schaduw die over zijn gezicht speelden, waardoor ik de uitdrukking op zijn gezicht niet kon zien. Ik vroeg me af wat er zou gaan gebeuren. Ik wist maar één ding zeker: na de manier waarop hij me indertijd had afgepoeierd, zou ik hem geen visitekaartje aanbieden, en ook geen leuk avondje uit voorstellen.

De taxi stopte voor mijn vervallen stoep. 'Hier woon ik.'

Het zou prettig zijn geweest als we privacy hadden gehad om onhandig te overleggen wat er nu moest gebeuren, maar we moesten in de taxi blijven zitten. Als we allebei waren uitgestapt, zou de chauffeur ons wel eens overhoop hebben kunnen schieten.

'Eh... Je hebt vast veel afspraakjes,' zei Aidan.

'Nogal.'

'Wil je ook eens met mij afspreken?'

Daar moest ik even over nadenken. 'Dat kan.'

Ik vroeg niet of hij ook veel afspraakjes had; daar had ik niets mee te maken (zoiets hoor je in elk geval te zeggen). Bovendien was er iets aan de manier waarop Leon en Dana me hadden behandeld – vriendelijk, maar niet erg geïnteresseerd, alsof Aidan in de loop der jaren al veel meisjes aan hen had voorgesteld – waaruit ik opmaakte dat het zo was.

'Mag ik je telefoonnummer?' vroeg hij.

'Dat heb ik je al eens gegeven,' zei ik, en vervolgens stapte ik uit.

Als hij me zo graag nog eens wilde zien, moest hij me maar zien te vinden.

9

Ik werd wakker in het smalle bed in de kamer vol bankstellen. Een paar minuten lang tuurde ik versuft naar buiten. Daar kwam het oude vrouwtje met haar hond aan. Slaperig keek ik toe. Toen iets minder slaperig. Ik kwam half overeind. Zag ik het goed? Die arme hond hoefde helemaal geen grote boodschap te doen, maar de vrouw stond erop. Het beest probeerde steeds weer omhoog te komen, maar de vrouw liet het niet toe. 'Hier!' Ik hoorde haar niet, maar kon zien dat ze het zei. Vreemd.

Toen kwam mam binnen en at ik een stevig ontbijt: een halve geroosterde boterham, elf druiven, acht pillen en maar liefst zestig Rice Krispies, een nieuw record. Ik moest haar ervan overtuigen dat het goed met me ging. Terwijl ze me waste – een vreselijk gedoe met handdoeken en een bak schuimend lauw water – waagde ik het erop.

'Mam, ik heb een besluit genomen, ik ga terug naar New York.'

'Laat me niet lachen.' En ze ging verder met wassen.

'Mijn littekens genezen goed, mijn knie kan mijn gewicht weer dragen en de blauwe plekken zijn verdwenen.'

Het was vreemd eigenlijk. Ik had een hele waslijst aan verwondingen, maar ze waren geen van alle ernstig. Hoewel mijn gezicht bont en blauw was geweest, waren geen van de botten gebroken. Ik had verpletterd kunnen raken als een eierschaal en er de rest van mijn leven kunnen uitzien als een kubistisch schilderij (zoals Helen het uitdrukte). Ik wist dat ik geluk had gehad.

'En moet je kijken hoe snel mijn nagels groeien.' Ik bewoog mijn vingers op en neer. Ik was twee nagels kwijtgeraakt en de pijn was onbeschrijflijk geweest. Nee, ik meen het, de pijn was nog erger dan die van mijn gebroken arm. Zelfs de pijnstillers met morfine konden de pijn niet helemaal onderdrukken, hij was altijd aanwezig, hoogstens de ene keer een beetje verder weg dan de andere. Ik werd 's nachts vaak wakker en mijn vingers klopten dan zo erg dat ze aanvoelden alsof ze zo groot als meloenen waren. Nu voelde ik ze nauwelijks nog.

'Je hebt een gebroken arm, dame. Gebroken op drie plekken.'

'Maar het waren nette breuken en mijn arm doet geen pijn meer. Volgens mij is hij zo goed als genezen.'

'O, ben je nu ook al botspecialist?'

'Nee, ik ben pr-medewerker bij een cosmeticabedrijf, en ze houden mijn baan niet eeuwig voor me open.' Dat liet ik even bezinken, en fluisterde toen onheilspellend: 'Geen gratis make-up meer.'

Maar zelfs dat werkte niet. 'Jij gaat nergens heen, dame.'

Ik had echter een goed moment uitgekozen. Die middag had ik mijn wekelijkse controle in het ziekenhuis. Als de professionals zeiden dat ik aan de beterende hand was, had mam geen poot meer om op te staan.

Na eindeloos rondgehangen te hebben, werd er een röntgenfoto van mijn arm gemaakt. Zoals ik al dacht, heelde hij snel en goed. Ik hoefde mijn mitella niet meer om te doen en het gips zou er over een paar weken af mogen.

Vervolgens gingen we naar de huidspecialist. Die zei dat het zo goed ging dat de hechtingen uit mijn wang konden worden gehaald. Dat had zelfs ik niet verwacht. Het deed meer pijn dan ik had gedacht, en er liep een boze, rode, rimpelige streep van mijn ooghoek naar mijn mondhoek. Maar nu mijn gezicht niet meer werd bijeengehouden door een donkerblauwe draad, zag ik er véél gewoner uit.

'Moet ze plastische chirurgie?' vroeg mam.

'Uiteindelijk wel,' zei hij. 'Maar voorlopig nog niet. Het is altijd moeilijk te voorspellen hoe goed zoiets als dit geneest.'

Vervolgens gingen we naar dokter Chowdhury, die in mijn inwendige organen porde en prikte. Volgens hem waren alle kneuzingen en zwellingen afgenomen. En net zoals tijdens mijn vorige bezoeken zei hij hoeveel geluk ik had gehad dat er niets was gescheurd.

'Ze wil terug naar New York!' riep mam opeens uit. 'Leg haar maar uit dat ze nog niet kan reizen.'

'Maar ze was al sterk genoeg om naar huis te reizen,' zei dokter Chowdhury. Daar viel niets tegenin te brengen.

Mam staarde hem aan, en hoewel ze het niet zei, zelfs niet heel zachtjes, hingen de woorden 'Val dood, klootzak' in de lucht.

Mam en ik reden in sombere stilte naar huis. Die van mam was in elk geval somber, mijn stilte was tevreden en, ik kon er niets aan doen, ook een beetje zelfvoldaan.

'En je gammele knie dan?' vroeg mam opeens enthousiast. Er was nog hoop. 'Hou kun je nou naar New York als je nog geen trap op kunt komen?'

'Laten we iets afspreken,' zei ik. 'Als ik onze trap ermee op kom, ben ik gezond genoeg om terug te gaan.'

Ze stemde ermee in omdat ze dacht dat het me absoluut niet zou lukken. Maar ze had geen idee hoe vastberaden ik was om weg te gaan. Het zou me lukken. En het lukte me, ook al deed ik er meer dan tien minuten over, droop ik van het zweet en was ik misselijk van de pijn.

Maar wat mam niet begreep, was dat ik ook zou weggaan als ik niet verder dan de eerste tree was gekomen. Ik móést terug en begon een beetje paniekerig te worden.

'Zie je wel?' zei ik hijgend, en ik liet me op de overloop zakken. 'Ik ben beter. Arm, gezicht, ingewanden, knie – beter!'

'Anna,' zei ze. Haar toon stond me tegen, zo zwaarmoedig. 'Je hebt niet alleen fysieke verwondingen.'

Dat liet ik even op me inwerken. 'Dat weet ik, mam. Maar ik moet terug. Echt. Ik zeg niet dat ik voor de rest van mijn leven daar blijf. Misschien kom ik snel weer terug, maar ik heb geen keuze. Ik móét terug.'

Iets in mijn stem overtuigde haar, want ze leek de moed op te geven. 'Dat zal de nieuwerwetse manier dan wel zijn,' zei ze. 'De kwestie afsluiten.' Met verdriet in haar stem vervolgde ze: 'In mijn tijd was er niks mis mee als iets onafgemaakt bleef. Je ging gewoon weg en kwam nooit meer terug, en niemand die vond dat daar iets mis mee was. En als je een beetje doordraaide, nachtmerries kreeg en het hele huis wakker maakte door midden in de nacht krijsend als een viswijf rond te rennen, kwam de pastoor langs om voor je te bidden. Niet dat het hielp, maar dat deed er niet toe, zo ging het gewoon.'

'Rachel is in New York om me te helpen,' stelde ik haar gerust.

'En misschien kun je overwegen om in therapie te gaan.'

'In therapie?'

Ik vroeg me af of ik het goed had gehoord. Mam was tegen elke vorm van psychotherapie. Niets kon haar ervan overtuigen dat therapeuten en hun cliënten een vertrouwensrelatie hadden. Hoewel ze geen enkel bewijs had, wist ze heel zeker dat therapeuten tijdens etentjes hun gasten vermaakten met de geheimen van hun cliënten.

'Ja, therapie. Misschien kan Rachel je iemand aanbevelen.'

'Mmm,' zei ik peinzend, alsof ik het overwoog, maar dat was niet het geval. Praten over wat er was gebeurd, zou niets veranderen.

'Kom op, we moeten het je vader vertellen. Hij gaat misschien huilen, maar laat hem maar.'

Arme pap. In een huis vol sterke vrouwen deed zijn mening er niet toe. Hij zat naar een golfwedstrijd te kijken.

'We moeten je iets vertellen. Anna gaat een poosje terug naar New York,' zei mam. Hij keek geschrokken en onthutst op. 'Waarom?'

'Om de kwestie af te sluiten.'

'Wat houdt dat in?'

'Dat weet ik eigenlijk niet,' bekende mam. 'Maar blijkbaar kan ze dan pas weer verder met haar leven.'

'Is het niet een beetje vroeg om al weer te vertrekken? En je gebroken arm dan? En je gammele knie?'

'Die worden steeds beter. En hoe sneller ze die klotekwestie afsluit, hoe sneller ze weer terug is,' zei mam.

Toen moesten we het Helen vertellen, en die was behoorlijk aangedaan. 'Fout!' riep ze. 'Niet doen.'

'Ik moet wel.'

'Maar ik dacht dat we samen in zaken konden gaan. Dan kunnen we allebei privé-detective worden. Dat zou lachen zijn.'

Voor háár misschien, opgekruld in haar warme, droge bed terwijl ik in natte bosjes haar werk voor haar zat te doen.

'Ik ben beter op mijn plek in de cosmetica-pr,' zei ik, en dat leek ze te accepteren. Dus lieten ze Rachel overkomen om me op te halen.

10

Terwijl ik afwachtte of Aidan Maddox mijn telefoonnummer zou vinden en me zou bellen, moest ik verder met mijn leven. Ik had genoeg te doen met al dat speeddaten.

Maar Harris, de interessante architect, bleek een beetje te interessant toen hij voorstelde dat we voor ons eerste afspraakje samen naar de pedicure konden gaan. Bijna iedereen vond dat erg schattig van hem, zo origineel. Ze vonden dat het wel duidelijk maakte dat hij wilde dat ik het naar mijn zin zou hebben. Maar ik had zo mijn twijfels. Jacqui, die niets met dat soort poederkwastgedoe ophad, ging bijna over de rooie.

Ze dreigde langs te lopen en me te schande te zetten, maar gelukkig moest ze die avond werken, en toen ik eenmaal naast Harris zat, als royalty op een soort tronen op een verhoging, met onze voeten tot onze enkels in schuimend zeepwater, was ik erg blij dat Jacqui haar dreigement niet kon uitvoeren. Twee vrouwen bogen zich slaafs over onze voeten. Ik kon alleen de bovenkant van hun hoofd zien, en in hun zwijgende aanwezigheid durfde ik niet ontspannen met Harris te converseren. Maar Harris leek zich prima op zijn gemak te voelen, hij vroeg naar mijn werk en vertelde over het zijne. Toen haalde hij een cocktailshaker en twee glazen tevoorschijn. Hij schonk een glas voor me in en hief het zijne. Jezus, hij ging een toost uitbrengen! 'Op de overwinning van de Mets,' zei ik snel.

'Op teensabbelen,' zei hij.

O nee. O god, nee.

Dus hij had iets met voeten... Prima. Ik wilde daar niet over oordelen, maar ik wilde er ook niets mee te maken hebben.

Niet dat hij plannen in die richting had. Zodra het klaar was en we hadden betaald, zei hij heel vriendelijk: 'Het klikt niet. Veel plezier verder in je leven.' Vervolgens liep hij snel weg op zijn vertroetelde voeten.

Gekwetst maar niet gebroken maakte ik me op voor de volgende date, deze keer met Greg, de bakker uit Queens. Hoewel het oktober was en helemaal niet warm, stond hij erop om in het park te gaan picknicken. Ik moet het de mannen in New York nageven, ze weten van wanten als het op daten aankomt.

We spraken meteen na het werk af, want Greg ging altijd heel vroeg naar bed omdat hij midden in de nacht moest opstaan om brood te bakken. En na halfacht zou het toch te donker zijn om elkaar te zien, of wat we aten. Toen ik door het park liep, hield ik mezelf voor dat ik hoopvol moest blijven. Goed, het was allemaal nogal ongebruikelijk, maar wat deed dat ertoe? Een beetje avontuur hoort erbij.

In het park zag ik Greg op me staan wachten, met over zijn ene arm een deken, in zijn andere hand een picknickmand en – nee toch? – een rare panamahoed op zijn hoofd.

Het is erg om te zeggen, maar hij was veel dikker dan ik me herinnerde van het speeddaten. Die avond hadden we met een tafel tussen ons in gezeten, ik had alleen zijn gezicht en zijn borstkas kunnen zien. Die was stevig, maar niet opvallend mollig. Maar staand had hij de vorm van een ruit. Zijn schouders waren normaal, maar rond zijn middel dijde hij geweldig uit. Zijn buik was enorm en – ik zeg het niet graag omdat ik het vervelend vind wanneer mannen dat van vrouwen zeggen – zijn reet was gigantisch. Je kon ertegen squashen. Vreemd genoeg waren zijn benen wel weer in orde, en zijn enkels waren slank.

Hij spreidde de deken op het gras uit, tikte vervolgens op de mand en zei: 'Anna, ik beloof je een feest voor de zintuigen.'

En ik was al zo bang...

Greg ging op de deken liggen, maakte de mand open en haalde er een brood uit. Daarna sloot hij de deksel snel, maar toen had ik al gezien dat er heel veel brood in de mand zat.

'Dit is zuurdesem,' zei hij. 'Naar eigen recept.'

Hij trok er een stukje af, als een echte bon vivant, en schoof dichter naar me toe. Ik had al door dat hij me met brood wilde verleiden – zodra ik zijn creaties had geprobeerd, zou ik gaan zwijmelen en verliefd op hem worden. Ik had hier te maken met een man die de film *Chocolat* een paar keer te vaak had gezien.

'Ogen dicht en mond open.' Nee, hè, hij ging me voeren! Jezus, wat erg, net iets uit *9 1/2 Weeks*.

Maar hij liet het me niet eens eten. Hij wreef de binnenkant van mijn mond ermee in en zei: 'Voel je hoe ruw de korst op je tong is?' Hij bewoog het heen en weer, en ik knikte. Ja, ik voelde dat het ruw was.

'Neem er de tijd maar voor,' moedigde hij me aan. 'Geniet ervan.'

Jezus, dit was een openbare ruimte. Ik hoopte dat er niemand naar ons keek. Ik deed mijn ogen open en toen meteen weer dicht; een vrouw die haar hond uitliet, lachte zich slap. Ze stond met haar handen op haar knieën, zo hard moest ze lachen.

Toen Greg vond dat hij mijn tong genoeg aan flarden had gesneden met de ruwe korst, riep hij uit: 'En nu proeven! Proef je het zout in het deeg, en de zure gist? Ja? Proef je dat?' Ik knikte. Ja ja, zout en zuur. Alles om hier snel een einde aan te maken.

'Proef je nog iets anders?' vroeg Greg.

Eigenlijk niet.

'Iets zoets?' hielp hij me op weg. Ik knikte gehoorzaam. Ja, iets zoets. Laat dit alsjeblieft afgelopen zijn...

'Zoet zoals citrusfruit?' vroeg hij.

'Ja,' mompelde ik. 'Citroen?'

'Limoen.' Het klonk teleurgesteld. 'Maar je zat er dichtbij.'

Daarna kreeg ik focaccia met belegen cheddar en rode ui. Ik moest er een halfuur aan ruiken voordat ik er een hapje van kreeg. Dat werd gevolgd door een Frans broodje – misschien een brioche? – en ik moest de vele gaatjes erin bewonderen, die het broodje kennelijk zo heerlijk luchtig maakten.

Het topstuk was een chocoladebroodje dat ik moest verkruimelen, zodat er allemaal stukjes chocola op mijn rok terechtkwamen, die ondanks de kou van die avond toch smolten.

Gedurende dat anderhalf uur liet Greg me in de ijskou aan brood likken en ruiken, ik moest naar brood kijken en brood liefkozen. Het enige wat ik niet hoefde te doen was ernaar luisteren.

Verder was er niets te eten: geen coleslaw, geen kippenpoten, geen plakjes kalkoen.

'Tegenwoordig is iedereen als de dood voor koolhydraten,' merkte Jacqui later op. 'Kennelijk is hij niet zo goed op de hoogte.'

De volgende dag was ik niet erg in de stemming toen de knappe barman me op mijn werk belde en zei: 'Ik heb een leuk idee voor ons afspraakje.'

Ik luisterde in stilte.

'Ik ben betrokken bij een project waarbij huizen worden gebouwd voor de arme bevolking van Pennsylvania – zij leveren het materiaal en wij de arbeidskracht.'

Een korte stilte zodat ik mijn bewondering kon uiten. Dat deed ik niet. Dus ging hij een beetje onzeker verder: 'Ik ga er dit weekend naartoe. Ik zou het leuk vinden als je meeging. Dan kunnen we elkaar beter leren kennen, en... nou ja, iets goeds doen voor onze medemens.'

Altruïsme: de laatste mode. Van dat soort projecten weet ik alles. Het gaat zo: een paar jonge klojo's uit New York stortten zich op een arme, landelijke gemeenschap in Pennsylvania en staan erop huizen voor de onfortuinlijke inwoners te bouwen. De stedelingen hebben een dolle tijd, ze rennen rond, spelen met powertools en blijven de hele nacht op rond het kampvuur, waar ze sloten bier drinken. Daarna taaien ze af naar hun beeldige appartement in New York en laten de arme, landelijke gemeenschap achter met een scheef huis met een lekkend dak, waar de meubels op de schuine vloer wegglijden en dingen op wieltjes tegen de muur aan knallen.

'Je moet iets terugdoen,' is de mantra van deze sukkels. Maar wat ze eigenlijk bedoelen, is: 'Dames, kijk eens wat een geweldig mens ik ben.' Helaas trappen veel vrouwen erin en gaan met hen naar bed omdat ze dat gedoe met nietpistolen zo stoer vinden.

Ik voelde me nu al moe.

'Dank je dat je me daarvoor vraagt,' zei ik. 'Maar helaas... Leuk je te hebben leren kennen, Nash, maar...'

'Nush.'

'Sorry, Nush. Maar ik geloof niet dat het iets voor mij is.'

'Pech voor je. Ik ken genoeg andere meisjes die wel mee willen.'

'Ongetwijfeld. Succes.'

Ik smeet de hoorn met een klap op de haak, en draaide me om naar Teenie. 'Weet je, ik heb het gehad met de mannen in New York. Ze zijn verdomme allemaal niet goed snik. Geen wonder dat ze aan speeddating moeten doen, zelfs in een stad waar de vrouwen wanhopig op zoek zijn naar een afspraakje. Wie nodigt er nou iemand uit om huizen te gaan bouwen? Godsamme, een huis!'

De telefoon ging, en daardoor kon ik niet verder foeteren. Ik haalde beverig adem en zei: 'Candy Grrrl, publiciteitsafdeling. Met Anna Walsh.'

'Hoi, Anna. Met Aidan Maddox.'

'O, hallo.'

'Wat heb ik nou weer gedaan?'

'Bel je om me mee uit te vragen?'

'Ja.'

'Je belt op een heel slecht moment. Ik heb de mannen van New York net afgezworen.'

'O, dat geeft niet, ik kom uit Boston. Zeg, wat is er allemaal aan de hand?'

'Ik heb een heel bizarre week achter de rug, met heel bizarre afspraakjes. Ik kan er niet meer tegen.'

'Tegen een afspraakje? Of tegen bizarre afspraakjes?'

Daar moest ik even over nadenken. 'Tegen bizarre afspraakjes.'

'Oké. Zullen we anders iets gaan drinken? Of vind je dat ook bizar?'

'Dat hangt ervan af. Waar gaan we iets drinken? In een schoonheidssalon? In een ijskoud park? Op de maan?'

'Ik dacht eigenlijk meer aan een café.'

'Oké. Eén drankje.'

'En als het je niet bevalt, zeg dan maar dat je thuis lekkage hebt en dat de loodgieter komt. Hoe klinkt dat?'

'Oké. Eén drankje. En met wat voor smoes kom jij op de proppen als het je niet bevalt?'

'Ik heb geen smoes nodig.'

'Je zou kunnen zeggen dat je terug moet naar kantoor om je voor te bereiden op een vroege vergadering de volgende dag.'

'Dank je wel,' zei hij. 'Maar ik denk niet dat dat nodig is.'

11

Mam baande zich een weg naar mijn bed.

'Ik had Rachel net aan de lijn. Ze komt zaterdagochtend aan.

Over twee dagen. En jullie vliegen maandag terug naar New York. Als je dat nog steeds wilt.'

'Ja. Komt Luke met haar mee?'

'Nee. Godzijdank niet,' voegde ze er welgemeend aan toe, en ze kwam naast me liggen.

'Ik dacht dat je hem wel mocht.'

'Ik mag hem ook wel. Vooral sinds hij ermee heeft ingestemd met haar te trouwen.'

'Volgens mij heeft zij ermee ingestemd om met hém te trouwen.'

Rachel en Luke woonden al zo lang samen dat zelfs mam de hoop had opgegeven dat Rachel ons ooit niet meer 'voor paal zou zetten'. Maar tot ieders verrassing hadden ze twee maanden geleden hun verloving aangekondigd. Aanvankelijk had het nieuws mam tot wanhoop gedreven. Ze wist namelijk zeker dat Rachel na al die tijd alleen maar ging trouwen omdat ze zwanger was. Maar Rachel was niet zwanger, ze gingen gewoon trouwen omdat ze dat wilden. Ik was heel blij met hun timing, want als ze nog een paar dagen langer hadden gewacht, zouden ze uit respect voor mij en mijn omstandigheden waarschijnlijk het gevoel hebben gehad dat het ongepast was. Maar de datum was geprikt en het hotel zelfs al geboekt. Het hotel was van een van Rachels 'ontwenningsvrienden' en ze konden het voor een zacht prijsje afhuren. Mam was met afschuw vervuld toen ze het hoorde. 'Een verslaafde! Het zal wel net zo'n drugshol als het Chelsea Hotel zijn.' En als Rachel en Luke nu terugkrabbelden, wisten ze dat ik me nóg beroerder zou voelen.

'Als je Luke zo graag mag, wat is het probleem dan?'

'Ik vraag me alleen af...'

'Wat?'

'Ik vraag me af of hij wel ondergoed draagt.'

'Jezus,' zei ik zwakjes.

'En als ik te dicht bij hem in de buurt kom, heb ik het gevoel dat ik hem... dat ik hem moet bíjten.'

Ze staarde naar het plafond, verzonken in een dagdroom over Luke, toen pap zijn hoofd om de deur stak en zei dat er iemand aan de telefoon voor haar was.

Ze schoot een eindje overeind en hees zichzelf toen van het bed. Toen ze terugkwam, keek ze bezorgd.

'Dat was Claire.'

'Hoe gaat het met haar?'

'Ze komt zaterdagmiddag uit Londen hierheen.'

'Is er iets aan de hand?'

'Ze komt omdat ze Rachel persoonlijk wil smeken niet met Luke te trouwen.'

'Aha.' Net zoals ze mij had gesmeekt niet met Aidan te trouwen.

Misschien was dat wel ongepast van haar geweest, maar ik had zelf ook mijn bedenkingen gehad. Ik wist dat met Aidan trouwen een risico was. Alhoewel, grappig genoeg niet op de manier waarop het gelopen was.

Had ik naar Claire moeten luisteren? Terwijl ik de afgelopen weken in de tuin naar de bloemen had zitten kijken en tranen in mijn wonden sijpelden, had ik er veel over nagedacht. Ik bedoel, kijk nou hoe belabberd ik eraan toe ben.

Ik vroeg me voortdurend af of het beter was om bemind te zijn geweest en hem te zijn kwijtgeraakt. Maar wat een stomme, nutteloze vraag was dat eigenlijk; ik had immers geen keuze gehad.

'Ik laat Claire deze bruiloft niet verknallen,' zei mam.

Ze kan er ook niks aan doen. Nadat Claires eigen huwelijk zo gruwelijk was misgelopen, begon ze het hele fenomeen af te doen als 'grote onzin'. Ze had het voortdurend over vrouwen die werden behandeld als slaven, en dat vaders die ons ten huwelijk gaven ons reduceerden tot slavinnen die werden overgedragen van de ene man op de andere.

'Ik wil dat deze bruiloft doorgaat,' zei mam.

'Dan moet je zo'n stomme hoed kopen. Alweer.'

'Een stomme hoed kan me niet schelen. Als er maar getrouwd wordt.'

Helen overhandigde me een vel papier. 'We gaan mijn script opvoeren. Jij bent de man, goed? Je hoeft alleen maar zijn tekst op te lezen.'

'Mam, kom!' riep ze. 'We gaan het doen.'

Mam ging op een stoel in de voorkamer zitten en Helen lag op een bank, met haar voeten op een glimmend tafeltje. Ik stond in de deuropening. Alle drie hadden we een script in onze handen. Ik had het vluchtig doorgelezen. Er was niets meer aan veranderd.

Eerste scène: een klein maar fier detectivebureau in Dublin. Twee vrouwen, de ene jong en mooi. De andere oud. Jonge vrouw heeft voeten op het bureau. Oude vrouw heeft voeten niet op bureau vanwege reumatische kniegewrichten. Stille dag. Verveling. Klok tikt. Buiten houdt auto stil. Komt man binnen. Knap, grote voeten. Kijkt om zich heen.

Ik: Wat kan ik voor u doen?

Man: Ik ben op zoek naar een vrouw.

Ik: Dit is geen hoerentent.

Man: Ik bedoel: ik zoek mijn vriendin. Ze is verdwenen.

Ik: Hebt u de politie al ingelicht?

Man: Jawel, maar die komt pas in actie wanneer iemand vierentwintig uur wordt vermist. Trouwens, ze zouden toch maar denken dat we ruzie hebben gehad.

Ik (haal voeten van bureau, knijp ogen tot spleetjes, leun naar voren): En hebben jullie ruzie gehad?

Man (beschaamd): Ja.

Ik: Waarover? Is er een andere man in het spel? Een man op haar werk?

Man (nog steeds beschaamd): Ja.

Ik: Blijft ze tot laat doorwerken? Met haar collega?

Man: Ja.

Ik: Het ziet er niet best voor u uit, maar het is uw pakkie-an. We kunnen proberen haar te zoeken. Nadere details kunt u aan de oude vrouw geven.

'Je moet verveeld kijken,' zei Helen tegen mam.

Maar mam keek ongerust. Ze had gemerkt dat ze helemaal geen tekst had.

'Actie!' riep Helen.

Ik kwam binnen gestrompeld en Helen zei: 'Wat kan ik voor u doen?'

Ik raadpleegde het vel papier. 'Ik ben op zoek naar een vrouw.'

Helen zei: 'Dit is geen hoerentent.'

'Kan *ík* dat niet zeggen?' vroeg mam.

'Nee. Ga verder, Anna.'

'Nee, ik zoek mijn vriendin. Ze is verdwenen.'

'Hebt u de politie al ingelicht?' vroeg Helen.

'Of dát,' jammerde mam. 'Kan ík dat niet zeggen?'
'Nee.'
'Jawel, maar die komt pas in actie wanneer iemand vierentwintig uur wordt vermist. Ze zouden toch maar denken dat we ruzie hebben gehad.'
'En hébben jullie ruzie gehad?' snauwde Helen.
Ik liet mijn hoofd op mijn borst zakken. 'Ja.'
'Wáárover?!' riep Helen. 'Is er een andere man in het spel? Een man op haar werk?'
'Ja.'
'Blijft ze laat doorwerken? Met haar collega?'
'Kan ik dát dan niet zeggen?' smeekte mam.
'Hou je mond nou!'
'Ja,' zei ik.
'Het ziet er niet best voor u uit,' grauwde Helen. 'Maar het is uw pakkie-an. We kunnen proberen haar te zoeken. Nadere details kunt u aan de oude vrouw geven. En nee!' riep ze naar mam. 'Die tekst kun jij zéker niet zeggen, want jij bént de oude vrouw!'
'Kom, dan noteer ik uw gegevens,' zei mam tegen mij.
'Dat stukje hoeven we eigenlijk niet te doen,' zei Helen. 'Nu doen we de tweede scène.'
De tweede scène was veel korter. Hij ging als volgt.

Tweede scène: appartement van vermiste vrienden. De jonge, mooie vrouw en de oude vrouw nemen er een kijkje.

In de gang hielden mam en Helen hun armen voor zich uit gestrekt. Hun wijsvingers vormden denkbeeldige pistolen. Ze liepen langzaam door het appartement, met gebogen knieën en hun kont naar achteren gestoken.
'Blijf staan!' gilde ma. Ze trapte keihard tegen de keukendeur. Die schoot met ongelooflijke kracht open en knalde tegen iets aan. Het bleek pap te zijn. 'Mijn elleboog,' kermde hij. Dubbelgeslagen van de pijn kwam hij achter de deur vandaan. Hij wreef over zijn arm. 'Waar is dat goed voor?'
'Ja,' zei Helen tegen mam. 'Je hebt helemaal geen tekst in deze scène.'

'Ik heb helemaal nergens tekst. Ik wil "Blijf staan!" zeggen,' zei mam. 'En dus zég ik ook "Blijf staan!"'

12

Toen Rachel zaterdagmorgen aankwam, was het eerste wat mam tegen haar zei: 'Zie er verdikkie toch een beetje stralend uit! Claire komt straks om je te zeggen dat je niet moet trouwen.'

'Nee, toch?' Rachel klonk geamuseerd. 'Dat geloof ik niet. Anna, dat heeft ze met jou toch ook gedaan?' Plotseling drong het tot haar door dat ze een flater had begaan, en ze ging stijf rechtop zitten, alsof iemand een pook in haar reet had geschoven. Haastig veranderde ze van onderwerp. 'Hoe stralend moet ik er dan uitzien?'

Weifelend namen mam en Helen haar van top tot teen op. Rachel ging gekleed als een echte New Yorkse in haar vrije tijd: kasjmier trui met capuchon, een broek met rafels langs de zoom en lichtgewicht sportschoenen, van het soort dat je kunt opvouwen en in een lucifersdoosje proppen.

'Doe eens iets aan je haar,' stelde Helen voor. Gehoorzaam maakte Rachel de clip op haar hoofd los, en een massa golvend donker haar tuimelde over haar rug.

'Maar juffrouw Walsh, u ziet er prachtig uit,' merkte mam zuur op. 'Kammen! Kammen! En veel lachen!'

Maar Rachel zag er al stralend uit. Ze straalt meestal. Ze heeft iets wat je aan iets heel ondeugends doet denken.

Toen zag mam de Ring. Hoe kon het dat ze die niet eerder had opgemerkt? 'En zwaai een beetje met dat ding.'

'Oké.'

'Goed, laat nu maar eens zien.'

Rachel schoof de ring met de saffier van haar vinger, en na een korte worsteling tussen Helen en mam kreeg mam hem te pakken. 'Halleluja,' zei ze fel terwijl ze haar vuist opstak. 'Ik dacht dat deze dag nooit zou komen.'

Vervolgens bekeek ze de ring van alle kanten, ze hield hem in het licht en kneep als een echte juwelier haar ogen tot spleetjes. 'Hoeveel heeft hij gekost?'

'Dat doet er niet toe.'

'Vertel op,' drong Helen aan.

'Nee.'

'Een ring hoort een maandsalaris te kosten,' zei mam. 'Op zijn minst. Anders neemt hij je niet serieus. Goed, dan mogen we nu een wens doen. Anna eerst.'

Mam gaf me de ring, en Rachel zei: 'Je weet hoe het moet: drie keer draaien in de richting van je hart. Je mag geen man of geld wensen, maar wel een rijke schoonmoeder.' Zodra het tot haar doordrong wat ze had gezegd, ging ze weer stijf rechtop zitten.

'Het geeft niet,' zei ik. 'Echt niet. We hoeven niet de hele tijd te doen of er niets is gebeurd.'

'Echt?'

Ik knikte.

'Zeker weten?'

Ik knikte nog eens.

'Nou, laat dan je make-uptas maar eens zien.'

Een poosje zat ik klem tussen Rachel, Helen en mam die met de make-upspulletjes in de weer waren. Even leek alles heel gewoon te zijn.

Toen gingen we Claire nadoen.

'Het huwelijk is slavernij in verkapte vorm,' zei mam op Claires belerende toon.

'Ze kan er niets aan doen,' zei Rachel. 'Ze is getraumatiseerd omdat ze in de steek is gelaten en vernederd.'

'Hou je kop,' zei Helen. 'Je bent een echte spelbreker. Slavinnen zijn we, slavinnen!'

Zelfs ik deed mee: 'Ik dacht dat het huwelijk om een mooie jurk draaide, en in het middelpunt van de belangstelling staan.'

'Ik heb de vrouwonvriendelijke kanten ervan niet in aanmerking genomen,' zeiden we in koor (zelfs Rachel deed mee).

We kregen de slappe lach, en hoewel ik me ervan bewust was dat ik elk moment onbedaarlijk kon gaan huilen, bleef ik lachen.

Toen we klaar waren met Claire op de hak te nemen, zei Rachel: 'Waar zullen we het nu eens over hebben?'

Plotseling zei mam: 'Ik droom de laatste tijd zo raar.'

'Waarover dan?'

'Ik droom dat ik zo'n meisje ben dat goed is in kungfu. Ik kan om me heen trappen en twintig kerels tegelijk onthoofden.'

'Leuk.' Het was fijn om een moeder te hebben die modern droomde.

'Ik vroeg me af of ik niet aan Tai-bo kon gaan doen of zo. Samen met Helen misschien.'

'Wat heb je aan in die dromen?' vroeg Rachel. 'Van die kungfupyjama's?'

'Nee.' Mam klonk verbaasd. 'Gewoon een rok en een trui.'

'Aha!' Rachel stak haar vinger op. 'Nou begrijp ik het. Je voelt je verantwoordelijk voor je gezin en wilt ons in bescherming nemen.'

'Nee, ik vind het gewoon fijn om een heleboel mannen tegelijk te grazen te nemen.'

'Kennelijk ga je gebukt onder stress. Na alles wat er met Anna is gebeurd, is dat ook wel begrijpelijk.'

'Het heeft niets met Anna te maken! Het komt omdat ik een heldin wil zijn, iemand uit *Charlie's Angels*, of Lara Croft of zo.' Mam was bijna in tranen.

Rachel lachte liefjes – het soort lachje waar mensen om vermoord worden – en ging toen naar boven om een dutje te doen. Mam, Helen en ik bleven zwijgend op bed liggen.

'Weet je?' Mam verbrak de stilte. 'Soms denk ik wel eens dat ze leuker was toen ze nog aan de drugs was.'

13

Voor onze date-met-één-drankje nam Aidan me mee naar Lana's Place, een rustige, exclusieve bar met gedempt licht en zachte, verfijnde muziek.

'Vind je het wat?' vroeg Aidan terwijl we gingen zitten. 'Niet te vreemd?'

'Nee, nog niet,' zei ik. 'Tenzij het zo'n tent is waar het personeel elke avond om negen uur begint te tapdansen.'

'Jezus.' Hij greep zijn hoofd vast. 'Helemaal vergeten te checken.'
Toen de serveerster onze bestelling kwam opnemen, vroeg ze of we een rekening wilden.
'Nee, ik moet misschien snel weg,' zei ik. 'Als je een weirdo blijkt te zijn,' voegde ik er nog aan toe toen ze weg was.
'Dat ben ik niet. Echt niet.'
Ik dacht ook niet echt dat hij een weirdo zou zijn. Hij was anders dan de speeddating-kerels. Maar je moet van het ergste uitgaan.
'We hebben dezelfde littekens,' zei hij. 'Op onze rechterwenkbrauw. Elk één. Is dat niet... bijzonder?'
Hij glimlachte. Ik moest hem duidelijk niet te serieus nemen.
'Hoe ben jij aan de jouwe gekomen?' vroeg hij.
'Ik speelde op mijn moeders schoenen met hoge hakken op de trap.'
'Hoe oud was je? Zes? Acht?'
'Zevenentwintig. Nee. Vijfenhalf. Ik deed alsof ik in een Hollywoodmusical speelde, en viel van de trap. Ik viel met mijn voorhoofd op een hoek van de convectiekachel.'
'Convectiekachel?'
'Zal wel Iers zijn. IJzeren geval. Ik moest drie hechtingen. Hoe ben jij aan de jouwe gekomen?'
'Ik heb hem al sinds de dag dat ik geboren ben. Ongeluk met een vroedvrouw en een schaar. Ik had ook drie hechtingen. Maar wat doe je als je geen goochelassistente bent?'
'Wil je de echte versie?'
'Als je het niet erg vindt. En als je snel kunt praten, zou ik dat fijn vinden. Voor het geval je besluit weer weg te gaan.'
Dus vertelde ik hem alles over mijn leven. Over Jacqui, Rachel, Luke, de Echte Mannen, Shake's luchtgitaarvaardigheden, Nell, mijn bovenbuurman, Nells eigenaardige vriendin. Ik vertelde hem over mijn werk, dat ik gek was op mijn producten en dat Lauryn mijn promo-idee voor de nachtcrème met sinaasappel en valkruid had gestolen en had gedaan alsof ze het zelf had verzonnen.
'Ik mag haar nu al niet,' zei hij. 'Hoe is je wijn?'
'Prima.'
'Je drinkt alleen een beetje langzaam.'
'Niet zo langzaam als jij dat biertje drinkt.'

De serveerster kwam drie keer langs om te vragen of we nog iets wilden bestellen, en drie keer stuurden we haar onverrichter zake terug.

Nadat ik mijn leven voor Aidan had samengevat, vertelde hij me over dat van hem. Over zijn jeugd in Boston, dat Leon en hij buurjongens waren geweest, en dat het in hun buurt erg ongebruikelijk was dat een Joodse en een Iers-Amerikaanse jongen beste vrienden waren. Hij vertelde me over zijn jongere broer Kevin en over hun voortdurende strijd toen ze nog kinderen waren. 'We schelen twee jaar, maar alles was een gevecht.' Hij vertelde me over zijn baan, over zijn huisgenoot Marty en zijn levenslange liefde voor de Boston Red Sox. Op een bepaald moment tijdens zijn verhaal dronk ik de laatste druppels van mijn glas wijn.

'Wacht nog even, dan drink ik mijn biertje op,' zei hij. Met bewonderenswaardige zelfbeheersing wist hij een uur over de twee centimeter bier te doen. Uiteindelijk kon hij het niet langer rekken, en hij keek beteuterd naar zijn lege glas. 'Oké, dat was het ene drankje waarvoor je had getekend. Heb je niet toevallig ergens een lekkage thuis?'

Daar moest ik even over nadenken. 'Nee, sorry.'

'En?' vroeg Jacqui toen ik binnenkwam. 'Een lijpo?'

'Nee. Normaal.'

'Zpanning en zenzatie?'

Ik dacht even na. 'Ja.' Er was wel degelijk spanning geweest.

'Gezoend?'

'Min of meer.'

'Getongd?'

'Nee.' Hij had me op de mond gezoend. Een kort moment van warmte en stevigheid en toen was hij weg. Ik had meer gewild.

'Vind je hem leuk?'

'Ja.'

'O, echt?' Opeens was haar interesse gewekt. 'In dat geval moest ik maar eens een blik op hem werpen.'

Ik klemde mijn kaken op elkaar en keek haar strak aan. 'Hij is géén poederkwast.'

'Dat bepaal ík wel.'

Jacqui's poederkwast-test is een onverbiddelijke beoordeling van iedere man die ze ontmoet. Het was begonnen met een man met wie ze jaren geleden naar bed was geweest. De hele nacht waren zijn handen vederlicht over haar lichaam gegleden, langs haar rug, over haar dijen naar haar buik, en voordat ze seks hadden, vroeg hij of ze het wel zeker wist. Veel vrouwen zouden dat heerlijk hebben gevonden. Hij was zachtaardig, attent en respectvol. Maar voor Jacqui was het de grootste afknapper van haar leven. Ze had veel liever gewild dat hij haar op een harde tafel had gesmeten, haar kleren van haar lijf had gerukt en haar zonder haar expliciete toestemming had genomen. 'Hij bleef me maar strelen,' zei ze de volgende dag, en ze trok een vies gezicht. 'Zo heel zacht, alsof hij een boek had gelezen over wat vrouwen willen. Wat een poederkwast. Ik wilde de huid van mijn lijf scheuren.'

En zo was die uitdrukking geboren. Het suggereerde iets vrouwelijks, waardoor een man onmiddellijk zijn sexappeal verloor. Als je een poederkwast was, kon je het verder wel vergeten. Sterker nog, volgens Jacqui was het beter om een dronken kerel met losse handjes in een vies hemd te zijn dan een poederkwast.

Haar criteria kennen geen genade en zijn veelomvattend – en verontrustend willekeurig. Er is geen definitieve lijst, maar hier volgen enkele voorbeelden. Mannen die geen rood vlees eten zijn poederkwasten. Mannen die aftershavelotion gebruiken in plaats van een sloot prikkelende aftershave op hun gevoelige huid te kwakken zijn poederkwasten. Mannen die zien dat je nieuwe schoenen of een nieuwe tas hebt, zijn poederkwasten (of Hommels). Mannen die pornografie beschouwen als uitbuiting van vrouwen, zijn poederkwasten (of leugenaars). Mannen die pornografie niet alleen beschouwen als uitbuiting van vrouwen, maar ook van mannen, gaan elke voorstelling te boven. Alle heteromannen uit San Francisco zijn poederkwasten. Alle academici met een baard zijn poederkwasten. Mannen die bevriend blijven met hun ex zijn poederkwasten. Vooral als ze hun ex hun 'expartner' noemen. Mannen die aan pilates doen zijn poederkwasten. Mannen die dingen zeggen als: 'Ik moet nu echt even aan mezelf denken,' zijn vréselijke poederkwasten (daar kon zelfs ik me in vinden).

De regels der poederkwasten hebben complexe variaties en subcategorieën: mannen die voor je opstaan in de metro zijn poederkwasten – áls ze naar je glimlachen. Maar als ze heel macho 'Hier' grommen en geen oogcontact maken, gaan ze vrijuit.

Intussen werden er voortdurend nieuwe categorieën en subcategorieën toegevoegd. Ze besloot ooit dat een man met wie tot op dat moment niets mis was geweest een poederkwast was omdat hij het woord 'kruidenierswaren' had gebruikt. En sommige van haar besluiten leken domweg onredelijk. Mannen die je hielpen iets te zoeken dat je kwijt was, waren poederkwasten. Alleen extreme poederkwastpuristen konden ontkennen dat dat een handige eigenschap was in een man.

(Grappig genoeg verdacht ik 'haar' beminde, sexy Luke ervan een poederkwast te zijn. Luke zag er niet uit als een poederkwast, hij zag eruit als een stoere, sterke man. Maar onder zijn leren broek en brede kaken was hij vriendelijk en attent – gevoelig zelfs. En gevoeligheid is het hoofdkenmerk van de poederkwast, zijn belangrijkste eigenschap.)

Pas toen ik besefte hoe bang ik was dat Jacqui Aidan zou afserveren als poederkwast, begon ik in te zien hoe leuk ik hem vond. Niet dat ik me iets aantrok van Jacqui's mening, maar het maakt het allemaal net wat minder makkelijk als je vriendin de schurft aan je vriend heeft. Niet dat Aidan mijn vriend was...

Met mijn laatste echte vriend, Sam, kon ik hartstikke lachen, maar op een vreselijke avond werd hij gedegradeerd tot poederkwast omdat hij magere aardbeienyoghurt had gegeten. En hoewel het niets te maken had met onze breuk – we waren gewoon niet voor elkaar gemaakt – werd ons samenzijn er niet makkelijker door.

Ik had nog nooit meegemaakt dat een poederkwast zijn titel weer kwijtraakte. Eens een poederkwast, altijd een poederkwast. Jacqui was net de Romeinse keizer in *Gladiator*. De duim ging omhoog of de duim ging omlaag. Het lot van een man werd in een oogwenk bepaald en er was geen weg terug.

Ik vind de poederkwast-test vreselijk, maar wie ben ik? Ik heb iets tegen nestelaars. Mannen die zich tegen je aan nestelen. Mannen die je zonder hun handen te gebruiken lastigvallen met hun gezicht en hoofd. Die hun hoofd in je nek duwen, met hun voorhoofd tegen het jouwe wrijven voordat ze je eindelijk een keer zoenen. Soms zelfs met bijbehorende zangerige geluidjes. Ik moet er niks van hebben. Echt niks.

'Wanneer zie je deze potentiële poederkwast weer?' vroeg Jacqui.

'Ik heb tegen hem gezegd dat ik bel als ik zin heb om hem weer te zien,' antwoordde ik luchtig.

Hij belde me echter twee dagen later. Hij zei dat hij niet kon wachten totdat ik zou bellen en of ik de volgende avond met hem uit eten wilde. Absoluut niet, antwoordde ik. Hij was een stalker en ik had wel iets beters te doen. Als hij wilde, kon ik echter wel de avond erna.

Vier avonden na dat etentje gingen we naar een jazzclub. Het was niet zo erg als ik had gevreesd, de muzikanten namen na elk nummer even pauze, leek het wel. We hadden dus genoeg gelegenheid om te praten. Weer een week later gingen we naar een of andere fonduehut.

In de tussentijd had ik mijn date met de vriend van Teenie. We gingen naar Cirque du Soleil, een vreselijke avond; een circus is een circus, daar verandert geen hoogdravende Franse naam iets aan. Daarna leerde ik een man kennen die Trent heette, maar hij ging net drie weken de stad uit, dus maakten we een afspraak voor als hij terug zou zijn. Op papier stond ik overal voor open, maar de man die ik het meest zag was Aidan. Geheel vrijblijvend, natuurlijk.

Hij vroeg altijd hoe het met iedereen ging. Hij vroeg naar Jacqui's baan, Shake's training voor de luchtgitaarkampioenschappen. Hoewel hij hen nooit had ontmoet, wist hij behoorlijk veel over hen. 'Het is net die soap, *The Young and the Restless* of zo,' zei hij.

We hadden het nooit over serieuze zaken. Ik had best vragen: waarom hij me niet had gebeld toen ik hem mijn kaartje had gegeven, of waarom hij had gezegd dat hij me wilde, maar niet dacht dat hij me kon krijgen. Maar ik stelde ze niet, want ik wilde de antwoorden niet weten. Of liever gezegd: ik wilde ze nóg niet weten.

Op of rond onze vierde of vijfde date ademde hij opeens diep in. Hij ging duidelijk iets belangrijks meedelen. 'Niet schrikken, maar Leon en Dana willen je leren kennen, maar deze keer echt. Wat vind je ervan?'

Ik dacht dat ik nog liever mijn nieren met een bot mes uit mijn lijf zou snijden.

'We zien nog wel,' zei ik. 'Grappig genoeg wil Jacqui jou ook leren kennen.'

Hij dacht even na. 'Oké.'

'Echt? Het hoeft niet, hoor. Ik heb tegen haar gezegd dat ik het niet zou vragen omdat ik je niet wilde afschrikken.'

'Nee, laten we het doen. Hoe is ze? Denk je dat ik haar mag?'

'Waarschijnlijk niet.'

'Hè?'

'Nou ja,' zei ik, 'je weet toch hoe dat gaat? Twee mensen ontmoeten elkaar voor het eerst, en de ander – ik – wil heel graag dat het klikt. En dus zeg ik dat jullie elkaar te gek zullen vinden. Dan zijn hun verwachtingen te hooggespannen, waardoor het alleen maar kan tegenvallen en ze een hekel aan elkaar krijgen. Het geheim is om de verwachtingen te temperen. Dus nee, ik denk dat je haar absoluut niet mag.'

'We gaan met zijn drieën uit eten!' riep Jacqui.

Niks ervan. Stel dat zij en Aidan elkaar niet lagen? Twee tot drie uur koetjes en kalfjes terwijl je eten in je samengeknepen keel propt – aaaahh!

Eén drankje na het werk was genoeg: leuk, luchtig en vooral kort. Ik koos Logan Hall, een grote, drukke bar in het centrum. Het was er luidruchtig genoeg om stiltes in de conversatie te verdoezelen. Het zou vol loonslaven zitten die even uithijgen en stoom afblazen.

Ik kwam die avond als eerste aan. Ik baande me een weg door diverse smeuïge gesprekken.

'... als ze nú niet ontslagen is...'

'... een fles Jack Daniel's in zijn sok, ik zweer het...'

'... ze zat hem onder zijn bureau te pijpen...'

Ik vond een tafeltje op de galerij. Daarna arriveerde Jacqui. Acht minuten later was Aidan er nog niet.

'Hij is laat,' zei Jacqui goedkeurend.

'Daar heb je hem.' Hij was beneden en wurmde zich een weg door de menigte. Hij zag er een beetje verloren uit. 'We zitten hier!' riep ik.

Hij keek omhoog, zag me, en glimlachte oprecht. Zijn lippen vormden het woord 'Hé'.

'Jezus, wat een lekker ding.' Jacqui klonk verbijsterd, maar hernam zichzelf onmiddellijk. 'Wat niks wil zeggen. Je kunt de knapste man op aarde hebben, maar als hij de nootjes die je hier krijgt niet opeet omdat hij een poederkwasterige angst voor bacteriën heeft, is het einde verhaal.'

'Hij eet die nootjes heus wel op,' zei ik kortaf, en zweeg toen, want hij had ons tafeltje bereikt.

Hij kuste me, liet zich op de stoel naast me glijden en begroette Jacqui.

'Willen jullie iets drinken?' Een serveerster gooide cocktailservetjes voor ons neer en zette een bakje nootjes midden op ons tafeltje.

'Ik wil een saketini,' zei ik.

'Doe mij ook maar,' zei Jacqui.

'Meneer?' De serveerster keek naar Aidan.

'Ik kan niet zelf beslissen,' zei hij. 'Doe mij er ook maar een.'

Ik vroeg me af wat Jacqui daaruit zou concluderen. Waren cocktails te meisjesachtig? Had hij beter een biertje kunnen bestellen?

'Neem een nootje.' Jacqui hield hem het bakje voor.

'Lekker, dank je.'

Ik grijnsde naar Jacqui.

Het werd een geweldige avond. We konden het zo goed met elkaar vinden dat we nog een drankje deden, en toen nog een. Vervolgens stond Aidan erop te betalen. Dat baarde me weer zorgen. Zou een niet-poederkwast erop gestaan hebben dat we ieder onze eigen drankjes zouden betalen?

'Dank je,' zei ik. 'Dat had niet gehoeven.'

'Ja, dank je,' zei Jacqui, en ik hield mijn adem in. Als hij nu zou zeggen dat het een genoegen was geweest om met twee zulke mooie dames op stap te zijn, was er geen redden meer aan. Maar hij zei: 'Graag gedaan.' Meer niet. Dat zou bij het eindvonnis toch voor hem moeten pleiten?

'Ik ga even naar het toilet,' zei Jacqui. 'Vóór de grote migratie huiswaarts.'

'Goed idee.' Ik liep met haar mee. 'En? Poederkwast?'

'Híj?' riep ze uit. 'Absoluut niet.'

'Mooi.' Ik was aangenaam verrast; wat zeg ik, ik was dolblij dat Aidan de poederkwast-test glansrijk had doorstaan.

Vol bewondering voegde ze eraan toe: 'Het zal nog lastig worden hem in zijn hok te houden.' Mijn glimlach stierf langzaam weg.

14

Zaterdagmiddag kwam er een taxi voorrijden bij de familie Walsh. Het portier zwaaide open en er kwam een sandaaltje met spitse hoge hakken tevoorschijn, gevolgd door een gebruind been (lichtelijk vlekkerig oranje rond de enkel), een kort, gerafeld spijkerrokje, een strak T-shirt waarop stond: MY BOYFRIEND IS OUT OF TOWN, en een heleboel gehighlight haar. Claire was er.

'Ze is veertig,' zei Helen in paniek. 'Ze ziet eruit als een slettenbak. Zo erg is het nog nooit geweest.'

'Dit lijkt er meer op. Beter dan die verdomde Margaret,' zei mam terwijl ze naar de voordeur liep en Claire verwelkomde door in de richting van de taxi te roepen: 'Je bent geen achttien meer! Goed zo, meisje.'

Met een grijns schreed Claire over de oprit, waarbij ze centimeters dij vertoonde met maar een beetje cellulitis. Ze liet zich door mam omhelzen.

'Je ziet er beter uit dan ooit,' zei mam. 'Hoe kom je aan dat T-shirt? Zeg, kun je niet even met Margaret gaan praten? Ze is jonger dan jij en ze ziet er ouder uit dan ik. Dat is niet goed voor mijn image.'

'Wat zie je eruit,' merkte Helen schamper op. 'Je lijkt wel iemand uit een woonwagenkamp. Je bent véértig!'

'Weet je wat ze zeggen over veertig?' Claire legde haar hand op Helens schouder.

'Dat je achterste zowat op de grond gaat hangen?'

'Het leven begint!' riep Claire recht in haar gezicht. 'Het leven begínt bij veertig. Veertig is het nieuwe dertig. Leeftijd is maar een getal. Je bent zo jong als je je voelt. En laat me nu met rust!'

Ze draaide zich om op haar hoge hakken, en met een stralende lach omarmde ze me. 'Anna, hoe voel je je, schat?'

Uitgeput. Claire was nog maar een paar tellen thuis en nu al werd ik door het geschreeuw, de beledigingen en de plotselinge sfeerverandering herinnerd aan mijn jeugd.

'Je ziet er echt veel beter uit,' zei ze. Vervolgens keek ze om zich heen in de gang, op zoek naar Rachel. 'Waar is ze?'

'Ze heeft zich verstopt.'

'Ik heb me verdomme helemaal niet verstopt. Ik ben verdomme aan het mediteren.' Rachels stem kwam van boven. We keken allemaal omhoog. Ze lag op haar buik op de overloop, met haar neus tussen de spijlen gestoken. 'Je had jezelf de reis kunnen besparen, want ik trouw toch met hem, en dat korte rokje strookt niet met je feministische principes.'

'Ik kleed me niet om mannen te behagen, maar om mezelf te behagen.'

'Precies,' sneerde mam.

Uiteindelijk maakte Rachel een einde aan het kinderlijke gedrag waarin we allemaal leken te zijn vervallen (vooral mam), en werd ze kalm en rationeel. Ze was zelfs bereid om naar Claire te luisteren. Helen, mam en ik vroegen of we erbij mochten zijn, maar Rachel zei dat ze dat liever niet had, en Helen sloeg haar ogen neer en zei: 'Dat moeten we natuurlijk respecteren.' Zodra ze zich samen in een slaapkamer hadden teruggetrokken, renden wij met zijn drieën de trap op (nou ja, zij renden en ik strompelde) en luisterden aan de deur, maar afgezien van af en toe een uitroep – 'Onderdanig!' 'Gebruiksvoorwerp!' – en Rachel die superirritant mompelde dat ze het begreep, was er niet veel aan.

Omdat Claire Rachel niet kon overreden van een huwelijk af te zien, vertrok ze zondagavond bozig. (Nadat ze eerst nog de laatste lippenstiften uit mijn make-uptas had gevist. Ze zei dat ze niet alleen aan zichzelf moest denken, maar ook aan haar dochters van elf en vijf, die indruk op hun klasgenootjes moesten maken.)

Die avond kwam pap met me praten – voor zover hij dat kon. 'Klaar voor de reis morgen?'

'Helemaal klaar, pap.'

'Nou, eh... succes wanneer je daar bent, en pas goed op jezelf,' zei hij recht voor zijn raap. 'Doen, hoor!'

Dat hij terugviel in Iers dialect toonde aan dat hij het verschrikkelijk vond. Pap zou met alle plezier zijn leven opofferen voor mij en de andere gezinsleden, maar over gevoelens praten, dat wilde en kon hij niet.

'Misschien moet je aan een hobby gaan doen,' stelde hij voor. 'Dat leidt af. Je kunt gaan golfen of zo. Dat zou je goeddoen.'

'Bedankt, pap, ik zal er over nadenken.'

'Het hoeft niet per se golf te zijn,' zei hij. 'Het maakt niet uit wat het is. Iets voor dames of zo. Misschien komen we nog op bezoek voor Rachels bruiloft.'

Op de luchthaven bestudeerde mam het bord met de vertrektijden, keek van Rachel naar mij en riep toen uit: 'Wat is het toch vreselijk dat jullie allebei in New York wonen!' Ze zette haar handen in haar zij en priemde met haar borsten in onze richting. Ze had Claire onder druk gezet om haar dat T-shirt met MY BOYFRIEND IS OUT OF TOWN te geven, en ze probeerde daar voortdurend de aandacht op te richten. 'Gaan jullie dan nooit ergens anders naartoe verhuizen, zodat wij gratis kunnen komen logeren? Ik heb altijd al een keer Sydney willen zien.'

'Of Miami,' zei pap, en mam en hij bonkten met hun heupen tegen elkaar aan en zongen: 'Welkom in Miami!'

'Neem nou maar afscheid,' zei Rachel koeltjes.

'Och ja, vooruit dan maar.' Ze keken een beetje beschaamd, vervolgens haalden ze diep adem en deden lief en bezorgd. 'Anna, zorg goed voor jezelf, hoor, lieverd.' 'Je komt er wel overheen.' 'Het moet gewoon zijn tijd hebben.' 'Kom naar huis wanneer je maar wilt.' 'Rachel, jij houdt een oogje in het zeil, hè?'

Zelfs Helen zei: 'Ik vind het jammer dat je weggaat. Hou je hoofd koel, hoor.'

'Schrijf je me?' zei ik. 'Ik wil weten hoe het met het scenario gaat, en ik wil graag grappige e-mails krijgen over wat je allemaal tijdens het werk meemaakt.'

'Oké.'

Maar het echt vreemde was dat ondanks alle goede wensen, het handen schudden en de bemoedigende woorden, niemand ook maar iets over Aidan zei.

15

Nadat Jacqui had besloten dat het lastig zou worden Aidan in zijn hok te houden, zei ze tegen hem dat hij was geslaagd. 'We mogen je. Je mag wanneer je maar wilt met ons uit.'

'Eh, dank je.'

'Sterker nog: morgenavond viert Nells eigenaardige vriendin haar verjaardag. In The Outhouse, in Mulberry Street. Kom ook.'

'Eh, oké.' Hij keek naar mij. 'Oké?'

'Oké.'

De verbroedering tussen Jacqui en Aidan werd de avond erop nog sterker toen Jacqui in de stervensdrukke bar een adonis zag die tegen de muur stond geleund. 'Moet je kijken wat een lekker ding. En in zijn eentje. Denk je dat hij op iemand wacht?'

'Vraag het hem,' opperde Aidan.

'Ik kan niet zomaar naar hem toe gaan en het hem vragen.'

'Zal ik het doen?'

Haar ogen vielen bijna uit haar hoofd. Ze greep hem beet. 'Wil je dat doen?'

'Tuurlijk.' We keken toe terwijl Aidan zich een weg baande door de menigte en iets tegen de adonis zei. De adonis zei iets terug en draaide zijn hoofd om naar ons groepje te kijken. Ze kletsten nog een beetje, waarna Aidan terugkwam... met de adonis in zijn kielzog.

'Godnogaantoe,' fluisterde Jacqui. 'Hij komt hierheen.'

Helaas bleek de adonis Burt te heten en van dichtbij had hij een vreemd, onbeweeglijk gezicht en nauwelijks interesse in Jacqui. Het resultaat was wél dat Aidan niet meer stuk kon bij Jacqui.

Geweldig. Iedereen kon het met elkaar vinden. Omdat Aidan echter twee keer met mijn vrienden was uitgeweest, moest ik Leon en Dana wel beter leren kennen. Ik had niet bepaald zin om beoordeeld en wellicht afgekeurd te worden. Maar in tegenstelling tot de laatste keer dat ik hen had ontmoet, behandelden ze me niet als een vrouw van bordkarton, en we hadden onverwacht een heel leuke avond – onverwacht wat mij betreft in elk geval.

Een paar dagen later gaven de Echte Mannen een Halloweenfeest, waarop zij, de Echte Mannen, verkleed gingen als zichzelf. Ik stond me af te vragen of Aidan zou komen totdat iemand voor me kwam staan met een laken over zijn hoofd. 'Boe!' zei hij.

'Jij ook boe,' zei ik.

Toen trok hij het laken weg en riep: 'Hé Anna, ik ben het!'

Het was Aidan, en we gilden het uit van verbazing en vreugde. (Niet dat het zo'n verrassing was om elkaar te zien, maar goed.) Ik sprong op hem af en hij greep me beet, zijn armen om mijn rug, onze benen verstrengeld, en er trok een rilling van verlangen door me heen. Hij voelde het ook, want zijn blik veranderde. Hij keek meteen ernstig. We hielden elkaars blik een eindeloos moment vast. Toen prikte Nells eigenaardige vriendin een hooivork in Aidans kont en werd de betovering verbroken.

Op dat moment had ik Aidan een keer of zeven, acht gezien en niet één keer had hij geprobeerd me te bespringen. Na elke date hadden we elkaar slechts één kus gegeven. Die was steeds beter geworden, van snel en stevig tot langzaam en zachter, maar verder dan een kus ging het niet.

Wilde ik meer? Ja. Wilde ik weten waarom hij zo terughoudend was? Ja. Maar ik hield me in en weerstond de verleiding elke keer dat ik terugkwam van een date waarbij ik weer niet was besprongen, Jacqui bij de schouders te pakken en haar jammerend te vragen wat er toch met hem aan de hand was. Wilde hij me niet? Was hij homo? Streng gelovig? Zo'n eikel die op De Ware wachtte?

Aidan belde me de dag na het Halloweenfeest. 'Het was leuk gisteravond.'

'Fijn dat je het leuk vond. Luister, zaterdagavond doet Shake mee aan de plaatselijke luchtgitaarkampioenschappen. We gaan allemaal mee, dat wordt lachen. Kom je ook?'

Een pauze. 'Anna... kunnen we even... praten?'

O jezus.

'Begrijp me niet verkeerd. Ik mag Jacqui en Rachel en Luke en

Shake en Leon en Dana en Nell en Nells eigenaardige vriendin heel erg graag. Maar ik wil jou zien, alleen wij met ons tweetjes.'

'Wanneer?'

'Zo snel mogelijk? Vanavond?'

Er borrelde een vreemd gevoel op in mijn maag.

Het werd nog sterker toen Aidan zei: 'Er zit een leuke Italiaan op West Eighty-fifth Street.'

Er zat wel meer dan een leuke Italiaan op West Eighty-fifth Street. Aidan woonde op West Eighty-fifth Street.

'Acht uur?' opperde hij.

'Oké.'

We werkten ons eten heel snel naar binnen. Anderhalf uur na binnenkomst zaten we al aan de koffie. We konden niet wachten om er weer vandoor te gaan. Hoe was het zover gekomen?

Omdat we niet met onze gedachten bij ons eten waren, dat was het. Ik was heel erg zenuwachtig, hoewel dat nergens voor nodig was. Toen Jacqui en ik net in New York waren aangekomen, hadden we een cursus verleidingstechnieken gevolgd. 'We zijn veel te onschuldig voor deze stad,' had Jacqui gezegd. 'New Yorkse vrouwen hebben veel meer ervaring. Als we niet kunnen paaldansen, slaan we nooit een kerel aan de haak.'

Ik was alleen voor de lol meegegaan. Wat mij betreft kon een man het verder wel vergeten als hij niet met me naar bed wilde omdat ik weigerde zijn *private dancer* te zijn. Maar de cursus was interessanter dan ik had verwacht en ik deed er een paar handige tips op om je uit te kleden. (Wanneer je je beha uittrekt, moet je die boven je hoofd rondzwaaien alsof je met een lasso een losgeslagen stier probeert binnen te halen. En als je je slipje naar beneden schuift, moet je je tenen raken en met je kont heen en weer schudden voor het gezicht van de gozer.)

In theorie had ik dus wel een paar seksuele trucjes die ik uit de kast kon halen. En toch... Toen Aidan mijn haar om een vinger wond en zei: 'Kom, dan gaan we naar mijn huis. We kijken even wie *The Apprentice* heeft gewonnen en dan kun jij aan je lange reis naar huis beginnen,' gingen alle kleine haartjes in mijn nek overeind staan. Ik dacht dat ik zou flauwvallen.

Toen hij de deur van zijn appartement opende, bleef ik in de gang staan luisteren. 'Waar is Marty vanavond?'

'Weg.'

'Hoe bedoel je, weg?'

Een aarzeling. 'Heel erg weg.'

'Hmmm.' Ik opende een deur en liep een slaapkamer in. Ik nam het kraakheldere, gladgestreken beddengoed in me op, de kaarsen die her en der stonden, de dauwfrisse geur. 'Is dit jouw slaapkamer?'

'Eh, ja.' Hij kwam achter me aan.

'Ziet het er hier altijd zo netjes uit?'

Stilte. 'Nee.'

Ik wierp hem een vluchtige blik toe en we lachten nerveus. Vervolgens werd zijn uitdrukking veel intenser en mijn maag draaide zich om. Ik liep door zijn kamer, pakte dingen op en zette ze weer neer.

De kaarsen op zijn nachtkastje waren van Candy Grrrl. 'O Aidan, die had je gratis van mij kunnen krijgen.'

'Anna?' zei hij zachtjes. Hij stond pal naast me, ik had hem niet horen naderen. Ik keek naar hem op.

'Fuck die kaarsen,' zei hij.

Hij liet zijn hand langs mijn hals en nek glijden, tot onder mijn haargrens. Rillingen liepen over mijn rug. Hij bracht zijn gezicht naar het mijne en kuste me. Aanvankelijk aarzelend, maar toen lieten we ons helemaal gaan. Ik werd overweldigd door zijn nabijheid, de ruwheid van zijn haar, de warmte van zijn lichaam door het dunne katoen van zijn overhemd. Ik ging met mijn duim langs zijn soepele kaak en met mijn vingers langs zijn ruggengraat. Mijn handpalm drukte ik tegen zijn heup.

De knopen van zijn overhemd waren geopend, en daar was zijn buik, plat en gespierd. Een streepje donker haar liep naar beneden... Ik zag dat mijn hand de knoop van zijn spijkerbroek losmaakte. Het was een reflex, iedereen zou het hebben gedaan.

Toen verstijfden we. Wat nu?

Mijn hand trilde een beetje. Ik keek naar hem op. Hij keek me smekend aan. Langzaam deed ik de rits naar beneden. Zijn erectie drukte tegen de spijkerstof.

Hij had slanke heupen, strakke billen en gespierde dijen. Hij was nog lekkerder dan ik me had voorgesteld. Hij boog zich over me heen. Zijn spieren spanden zich en hij pakte me uit alsof ik een cadeautje was.

'Je bent zo mooi, Anna,' zei hij, en hij bleef het maar herhalen. 'Je bent zo mooi.'

Zijn erectie voelde zijdezacht aan, zacht en hard tegelijk tussen mijn dijen. Hij kuste me over mijn hele lichaam, van mijn oogleden tot mijn knieholtes.

Alles wat ik had geleerd, was ik meteen weer vergeten. Ik was echt van plan geweest met mijn beha boven mijn hoofd te slingeren, maar op dat moment kwam het niet bij me op. Ik was met andere dingen bezig. Ik kom bijna nooit klaar als ik voor het eerst met iemand naar bed ga, maar wat hij met me deed... De trage bewegingen van zijn penis die tegen me aan drukte en bij me binnendrong, de hitte, het verlangen en het genot die steeds sterker werden, me dreigden te overspoelen...

We gingen steeds sneller en ik wilde meer.

'Sneller,' smeekte ik hem.

'Aidan, volgens mij ga ik...' Hij bewoog steeds sneller en mijn genot werd steeds groter, op weg naar het hoogtepunt. En toen, na een seconde van pure leegte, ontplofte ik. Golven van genot stroomden naar buiten en weer naar binnen, en mijn lijf schokte zachtjes na.

Toen kwam ook hij klaar, met zijn vingers verstrengeld in mijn haar, zijn ogen gesloten, op zijn gezicht een gekwelde uitdrukking. Hij zei mijn naam. 'Anna, Anna, Anna.'

Een tijdlang zeiden we geen woord. Glimmend van het zweet en gevloerd door genot hijgden we uit. In gedachten vertelde ik hem hoe fantastisch ik dat had gevonden. Maar ik zei niets, alles zou als een cliché klinken.

'Anna?'

'Mmm?'

Hij rolde van me af en zei: 'Dat was een van de beste dingen die me ooit is overkomen.'

Maar het was niet alleen geweldige seks. Ik had het gevoel dat ik hem kende. Ik had het gevoel dat hij van me hield. We vielen lepeltje lepeltje in slaap, zijn arm strak om mijn buik, mijn hand op zijn heup.

Ik werd wakker van een kopje dat vlak naast mijn oor op een schoteltje kletterde. 'Koffie,' zei hij. 'Tijd om op te staan.'

Ik hees mezelf uit mijn zalige sluimering en probeerde overeind te komen.

'Je bent al aangekleed,' zei ik verbaasd.

'Ja.' Hij ontweek mijn blik. Hij zat aan het voeteneind en trok zijn sokken aan. Hij keek naar beneden en zat met zijn rug naar me toe. Opeens was ik klaarwakker.

Ik had dit eerder meegemaakt en kende de regels: hou het luchtig, geef hem de ruimte, laat hem weer toenadering zoeken.

Godsamme, niks ervan. Ik verdien wel beter, dacht ik.

Ik nipte van mijn koffie. 'Kom je morgenavond nog? Shake's luchtgitaargedoe? Kom je?'

Zonder zich naar me om te draaien mompelde hij tegen zijn knieën dat hij dit weekend weg was.

Ik vergat adem te halen. Het voelde alsof ik een klap in mijn gezicht had gekregen. Ik had blijkbaar toch mijn tenen moeten aanraken en met mijn kont moeten schudden.

'Ik moet naar Boston, ik moet nog een paar dingen regelen.'

'Het zal wel.'

'Het zal wel?' Hij draaide zich om. Hij keek verbaasd.

'Ja, Aidan, het zal wel. Je gaat met me naar bed, gedraagt je heel vreemd en nu moet je dit weekend opeens weg. Het zal wel.'

Zijn gezicht werd lijkbleek. 'Anna, eh, luister. Ik geloof niet dat hier een juist moment voor is.' Er zat iets slechts aan te komen. Het einde van mij en Aidan. Net nu ik hem echt leuk begon te vinden. Klotezooi.

'Wat?' snauwde ik.

'Hoe zou je het vinden om, nou ja, om niemand anders meer te zien?'

'Niemand anders?'

Niemand anders zien is ongeveer hetzelfde als je verloven.

'Ja, alleen jij en ik. Ik weet niet of je nog met andere mannen uitgaat...'

Ik haalde mijn schouders op. Dat wist ik zelf ook niet. En er was een nog veel belangrijker vraag: 'Ga jij nog met andere vrouwen uit?'

Een korte stilte. 'Daarom moet ik naar Boston.'

16

Tijdens de vlucht van Dublin naar New York baarden mijn verwondingen af en toe opzien, maar dat was niets vergeleken met de opwinding die ze op de heenweg hadden veroorzaakt. Dat kwam vooral omdat Rachel zich als een meedogenloze beschermer opwierp, en tegen iedere passagier die te lang naar me keek, wel iets te zeggen had.

'Waarom ben je zo in verminkingen geïnteresseerd?' vroeg ze kwaad aan iemand die zich steeds omdraaide om naar me te kijken. 'Waar ben je bang voor?'

'Hou op,' zei ik tegen haar. 'Hij is nog maar zeven.'

Zodra we waren geland, onze bagage hadden opgehaald en naar buiten waren gegaan, was ik even bang om in een taxi te stappen. Ik beefde letterlijk van angst, maar Rachel zei: 'Dit is New York City. Je zult voortdurend taxi's moeten nemen. Ooit moet je het normale leven weer oppakken. Waarom niet nu, nu ik er ben om voor je te zorgen?'

Ik had geen keus. Ik moest of die taxi in, of terug naar Dublin vliegen. Met knikkende knieën stapte ik in.

Tijdens de rit had Rachel het over andere dingen, dingen die nergens op sloegen, maar die wel voor afleiding zorgden. De dieetproblemen van beroemdheden. Beroemdheden die waren aangekomen. Beroemdheden die hun haarstylist een mep hadden verkocht. Ik werd er rustiger van.

Toen reden we over de brug naar Manhattan. Het verbaasde me een beetje dat alles er nog stond, dat alles nog gewoon draaide, dat Manhattan Manhattan nog was, ondanks alles wat er met mij was gebeurd.

En toen waren we in mijn buurtje, dat wat ze Mid-Village noemen. (West Village bezit charme en in East Village is het onrustig, daarom hebben makelaars de naam Mid-Village bedacht voor een buurt die een beetje onbestemd is. Maar met de hoge huren op Manhattan waren Aidan en ik ongelooflijk dankbaar dat we hier konden wonen, en niet ergens in een buitenwijk van de Bronx.)

Toen stonden we voor het appartementengebouw, en het kwam als zo'n schok dat het er nog stond dat mijn maag zich omdraaide en ik bang werd dat ik zou moeten overgeven.

Ook al sjouwde Rachel met mijn bagage, toch was het een hele uitdaging om met mijn pijnlijke knie de drie trappen op te klimmen, maar zodra ik de sleutel in het slot had gestoken – Rachel stond erop dat ik de deur moest openmaken, en niet zij – voelde ik dat er iemand was, en mijn knieën begaven het bijna van opluchting: hij was er nog. O, goddank. Maar het was Jacqui. Ze was zo lief geweest om langs te komen opdat ik geen leeg huis zou aantreffen, maar ik was zo teleurgesteld dat ik in elke kamer wilde kijken, voor het geval dat.

Niet dat er veel kamers waren om in te kijken. Er was de woonkamer met een klein keukentje, een badkamer (met een douche, geen bad) en aan de achterkant onze sombere slaapkamer met het smalle stuk glas met uitzicht op de luchtkoker (een echt raam kon er niet vanaf). Maar we hadden er iets gezelligs van gemaakt. Er stond een mooi, groot bed met een met houtsnijwerk versierd hoofdeinde, een bank die breed genoeg was om er samen op te liggen, en we waren voorzien van alle moderne gemakken, zoals geurkaarsen en een breedbeeld-tv.

Ik strompelde van kamer naar kamer. Ik keek zelfs achter het douchegordijn, maar hij was er niet. Maar zijn foto's hingen nog wel aan de muur; er was geen gedienstige geest geweest die ze had weggehaald.

Rachel en Jacqui deden of er niets vreemds aan de hand was, en toen lachte Jacqui en keek ik haar geschokt aan. 'Wat is er met je tanden gebeurd?'

'Een cadeautje van Lionel 9.' Dat was een rapper. 'Hij besloot om vier uur 's ochtends dat hij gouden jackets op zijn tanden moest hebben. Ik had een tandarts weten te vinden die bereid was daarvoor te zorgen. Lionel was zo dankbaar dat hij me twee gouden voortanden heeft geschonken. Ik vind ze vreselijk,' zei ze. 'Ik zie eruit als Dracula met blingbling. Maar ze kunnen er pas af als hij de stad uit is.'

Rachel klapte vrolijk in haar handen, en zei: 'Eten. We moeten iets eten. Wat zullen we doen?'

'Pizza?' vroeg Jacqui aan mij.
'Het maakt me niet uit. Ik ben niet degene met de gouden tanden.' Ik gaf haar de folder van Andretti. 'Bestel jij?'
'Dat kun jij beter doen,' zei Rachel.
Wezenloos keek ik haar aan.
'Sorry,' zei ze, slecht op haar gemak. 'Maar het is wel zo.'
'Als ik bestel, vergeten ze altijd de salade.'
'Dan moet het zeker zo zijn...'
Dus belde ik Andretti, en zoals ik al had voorspeld, vergaten ze de salade.
'Ik zei het toch,' zei ik, vermoeid en met iets van triomf. 'Ik had jullie gewaarschuwd.'
Maar ze gingen er verder niet op in.
Zodra we klaar waren met eten, haalde Jacqui een enorme stapel brieven tevoorschijn. 'De post.'
Ik nam de stapel aan, legde hem in de kast en deed de deur stevig dicht. Daar zou ik een andere keer wel naar kijken.
'Eh... ga je ze niet lezen?'
'Niet nu.'
Een ongemakkelijke stilte.
'Ik ben hier nog maar net,' zei ik verdedigend. 'Laat me nou maar even, ja?'
Het was vreemd om hen verenigd tegen mij te zien. Niet dat ze elkaar niet mogen – niet echt – maar Rachels motto was: 'Een leven zonder zelfonderzoek is de moeite niet waard', en dat van Jacqui was: 'We zijn hier toch niet lang, dus laten we het maar leuk hebben'.
Ze zeiden tegen mij nooit lelijke dingen over elkaar, maar als ze dat wel hadden gedaan, zou Rachel hebben gezegd dat Jacqui oppervlakkig was, en Jacqui zou hebben gezegd dat Rachel zich eens moest laten gaan.
De grote splijtzwam was Luke. Als Jacqui onder druk zou worden gezet, zou ze opbiechten dat ze vond dat Rachel Luke niet waard was omdat ze graag vroeg naar bed gaat.
Maar Rachel heeft ooit verklapt dat ze nog maar één zonde begaat, en dat is seks, en meteen stelde ik me haar en Luke voor die flink van bil gingen. Maar aan zulke dingen wil je niet te veel denken, zeker niet bij mensen die je kent.

Na een poosje verbrak ik de stilte en zei: 'En, Jacqui, hoe is het? Ben je al over Buzz heen?'

Buzz was Jacqui's ex. Het hele jaar door was hij gebruind, en hij beschikte over veel zelfvertrouwen en geld. Hij was ook ongelooflijk wreed – hij liet Jacqui uren in haar uppie in cafés en restaurants zitten, en dan zei hij dat ze zich had vergist in de plaats of de tijd.

Hij kon beweren dat roze groen was, gewoon om stennis te schoppen. Hij heeft geprobeerd samen met Jacqui en een hoertje een triootje te doen. Hij reed in een rode Porsche – echt iets voor patsers – en liet de man van de garage de wielen met een tandenborstel schoonmaken.

Jacqui zei altijd dat hij een klootzak was en dat ze het helemaal met hem had gehad – nee, echt, deze keer had ze het écht met hem gehad. Maar ze gaf hem altijd nog een laatste kans. Toen hij er op oudejaarsavond een punt achter zette, was ze helemaal van de kaart.

Jacqui kreeg geen kans om op mijn vraag te reageren. Alsof ik niets had gezegd, zei Rachel: 'Er staan veel berichten op je antwoordapparaat. We dachten dat je het misschien prettig zou vinden als er iemand bij was wanneer je ze afluistert.'

'Waarom niet?' zei ik. 'Zet maar aan.'

Er waren zevenendertig berichten. Allemaal van mensen die ik al heel lang niet meer had gezien.

'Anna, Anna, Anna...'

'Wie is dát?'

'Met Amber. Ik heb net gehoord...'

'Amber Penrose? Van haar heb ik al in geen maanden iets gehoord. Wis maar.'

'Maar wil je niet horen wat ze te zeggen heeft?' vroeg Jacqui, die het apparaat bediende.

'Ik hoef het niet te horen. Ik weet het zo ook wel. Zeg, ik zal goed onthouden wie er allemaal een bericht heeft ingesproken,' zei ik. 'Ik bel ze terug. Wis dat nou maar. De volgende.'

'Anna,' fluisterde iemand. 'Ik heb het net gehoord en ik kan het nauwelijks geloven...'

'Ja, al goed. Wissen.'

Rachel mompelde iets. Ik meende te horen: 'ontkenningsfase'. 'Schrijf dan tenminste op wie het zijn.'

'Ik heb geen pen.'

'Hier.' Ze gaf me een pen en een opschrijfboekje die ze zomaar ergens vandaan toverde, en ik schreef gehoorzaam de namen op van iedereen die had gebeld, en in ruil daarvoor hoefde ik hun blijken van medeleven niet aan te horen.

Toen dwongen Jacqui en Rachel me de computer aan te zetten en mijn mail op te halen. Er waren drieëntachtig mailtjes. Ik keek naar wie de afzenders waren. Ik wilde maar van één iemand een mailtje, maar diens naam stond niet op de lijst.

'Lezen.'

'Dat hoeft niet. Dat komt allemaal nog wel. Zeg, meisjes, het spijt me, maar ik heb slaap nodig. Morgen moet ik aan het werk.'

'Wat?' riep Rachel uit. 'Doe niet zo belachelijk. Je bent echt nog niet beter genoeg – geestelijk of lichamelijk – om weer naar je werk te kunnen. Je zit in de ontkenningsfase, je ontkent wat er is gebeurd. Je hebt hulp nodig, en dat meen ik echt.'

Ze ging maar door, en ik knikte alleen maar en zei doodkalm: 'Het spijt me.' Dat zegt zij ook als ze de wind van voren krijgt. Na een tijdje hield ze op met razen en tieren. Ze keek me met toegeknepen ogen aan en zei: 'Wat ben je van plan?'

'Rachel,' zei ik. 'Bedankt voor alles, maar ik kan alleen verder gaan als ik doe alsof er niets gebeurd is.'

'Je kunt niet naar je werk.'

'Ik moet wel.'

'Je kunt niet naar je werk.'

'Ik heb al gezegd dat ik zou komen.'

We waren terechtgekomen in een patstelling. Rachel is koppig, maar op dat moment was ik dat ook. Ik merkte dat ze op het punt stond toe te geven, dus daar maakte ik snel gebruik van. 'Luke zal zich afvragen waar je blijft.'

Ik probeerde hen met zachte dwang de deur uit te krijgen, maar allemachtig, ik dacht dat ze nooit zouden gaan. Bij de deur wilde Rachel nog per se een speech afsteken. Ze schraapte zelfs haar keel. 'Anna, ik weet niet precies wat je allemaal moet doormaken, maar toen ik opbiechtte dat ik verslaafd was, had ik echt het gevoel dat mijn leven voorbij was. Ik zette me eroverheen door te denken: ik ga niet aan de toekomst denken, niet eens aan volgende week. Ik ga uitsluitend bedenken hoe ik deze dag moet doorkomen. Je moet er hapklare brokken van maken, dan kun je de dag beter overzien.'

'Dank je. Mooi gezegd.' En nou oprotten, graag.

'Ik heb dat knuffelhondje in je bed gelegd,' zei Jacqui. 'Om je gezelschap te houden.'

'Dogly? Bedankt.'

Zodra ik er zeker van was dat ze echt weg waren en niet ineens door de deur zouden stormen om me in de gaten te houden, deed ik wat ik al uren zo dolgraag wilde doen: ik belde naar Aidans mobieltje. Ik werd regelrecht verbonden met zijn voicemail, maar toch was het zo'n opluchting om zijn stem te horen dat mijn benen slap werden.

'Aidan,' zei ik. 'Lieverd, ik ben weer in New York. In ons appartement, dan weet je waar je me kunt vinden. Ik hoop dat het goed met je gaat. Ik hou van je.'

Daarna schreef ik hem een e-mail.

Aan: Aidan_maddox@yahoo.com
Van: Goochelassistente@yahoo.com
Onderwerp: Ik ben er weer

Lieve Aidan,

Het is heel raar om je te schrijven. Ik heb je geloof ik nog nooit een echte brief geschreven. Honderden mailtjes, ja, om je te vragen wie de boodschappen zou doen of hoe laat we zouden afspreken; dat soort dingen, maar nooit zoals nu.

Ik ben weer thuis, maar dat weet je misschien al. Rachel en Jacqui kwamen langs – Jacqui heeft van een klant twee gouden voortanden gekregen – en we bestelden pizza bij Andretti. Zoals gewoonlijk vergaten ze de salade, maar we kregen wel een extra cola.

Ik hoop zo dat alles in orde is met je. Wees alsjeblieft niet bang, kom me alsjeblieft opzoeken of neem op de een of andere manier contact met me op.

Ik hou van je,
Anna

Ik las nog eens wat ik had geschreven. Was het luchtig genoeg? Ik wilde niet dat hij zou weten hoe bezorgd ik was, want wat hij moest doormaken was vast al moeilijk genoeg, en ik wilde hem niet verder belasten.

Vastberaden klikte ik op een toets om het bericht te verzenden, en ik voelde een steek vanaf mijn aangroeiende nagel door mijn arm trekken. Jezus, ik moest een beetje rustiger tikken, en de twee vingers niet gebruiken waarvan de nagels zo gehavend waren. Ik werd misselijk van de pijn, en dat leidde me even af van de gevoelens waardoor ik plotseling werd overspoeld. Iets als woede en verdriet omdat ik Aidan niet had kunnen beschermen – maar het duurde maar zo kort dat het al was verdwenen voordat ik het goed kon duiden.

In de slaapkamer lag aan Aidans kant van het bed Dogly ingestopt, het knuffelhondje dat hij als baby had gekregen. Dogly had lange hangoren, suikerzoete oogjes, een schattige uitdrukking, en zijn karamelkleurige bont was zo dik dat het meer op een schapenvacht leek. Niet zo jong meer – Aidan was per slot van rekening vijfendertig – maar niet slecht voor die leeftijd. 'Hij heeft veel behandelingen moeten ondergaan,' had Aidan me ooit verteld. 'Een ooglift, een collageeninjectie om zijn staart voller te maken, en oorliposuctie.'

'Nou, Dogly,' zei ik. 'Het valt allemaal niet mee, wat jij?'

Het was tijd om mijn laatste portie pillen van die dag in te nemen, en deze keer was ik dankbaar voor de pillen die je stemming beïnvloeden: de antidepressiva, de pijnstillers en de slaaptabletten. Terug zijn in New York was moeilijker dan ik had verwacht, en ik had daarbij alle hulp nodig die ik maar kon krijgen.

Maar zelfs helemaal vol met spul waar je een olifant nog mee plat zou krijgen, wilde ik niet in bed gaan liggen. Toen kreeg ik opeens iets wat voelde als een elektrische schok. Op de stoel in de slaapkamer zag ik zijn grijze trui liggen. Het leek net of hij die zojuist had uitgetrokken en op de stoel had gegooid. Voorzichtig pakte ik de trui en rook eraan. Zijn geur zat er nog een beetje aan, ik werd er duizelig van. Ik verborg mijn gezicht erin, en ik werd zo overdonderd door het gevoel dat hij er was en toch ook weer niet, dat ik er bijna in stikte.

Het was niet de heerlijke geur van zijn hals, of van zijn lendenen, waar alles sterker, zoeter en dierlijker ruikt, maar het was voldoende voor me om in bed te stappen. Ik sloot mijn ogen, en door de pillen voelde ik me doezelig. Maar in deze halfbewusteloze staat die vlak voor de echte bewusteloosheid komt, ontstond ineens een afschuwelijke scheur, en ik ving een glimp op van hoe verschrikkelijk het was wat er was gebeurd. Ik was terug in New York, hij was er niet en ik was alleen.

17

Ik sliep diep en droomloos, waarschijnlijk dankzij de pillen. Ik baande me door lagen van bewustzijn en wachtte bij elk ervan even voordat ik verder kon. Het had wel iets weg van omhoogkomen tijdens diepzeeduiken: je voorkomt de emotionele schok die je ervaart als je opeens door het oppervlak van slaap schiet, dus was ik redelijk kalm toen ik mijn ogen opende. Hij lag niet naast me en ik begreep dat.

Het eerste wat ik deed, was de computer aanzetten en mijn mails checken, in de hoop op een antwoord van hem. Ik had vijf nieuwe berichten en mijn adem stokte. Mijn hart ging wanhopig tekeer. Het eerste mailtje was een aanbieding voor kaartjes voor een concert van Justin Timberlake. Het volgende was van Leon. Hij had gehoord dat ik terug was en ik moest hem bellen. Claire mailde dat ze aan me dacht, een volgend mailtje was een aanbod om mijn penis te verlengen, en het vijfde was een geblokkeerd virus. Maar van Aidan nada.

Ontgoocheld liep ik naar de douche, en tot mijn schrik lukte het me nauwelijks om mijn lichaam nat te krijgen, om over mijn haar nog maar te zwijgen. De afgelopen acht of negen weken was alles voor me gedaan, waardoor ik niet had gemerkt hoe hulpeloos ik was. Ik had weer zo'n vervelend moment van inzicht: dit was op elk niveau veel te hoog gegrepen.

Ik pakte mijn douchegel en een herinnering trof me als een mokerslag: het was No Rough Stuff, de nieuwe scrubcrème van Candy Grrrl. Die laatste dag, weken geleden inmiddels, had ik die geprobeerd. Ik had me uitgebreid gescrubd met de crème die flinters limoen en peperkorrels bevatte, en toen ik uit de douche stapte, had ik Aidan gevraagd of ik lekker rook. Gewillig had hij aan me gesnuffeld. 'Heerlijk. Hoewel je tien minuten geleden nóg lekkerder rook.'

'Maar tien minuten geleden rook ik gewoon naar mezelf.'

'Precies.'

Ik moest me stevig vasthouden aan de wastafel totdat het gevoel was weggezakt. Ik klampte me vast met mijn goede hand totdat mijn knokkels net zo wit waren als het porselein.

Tijd om me aan te kleden. Ik werd nog moedelozer en Dogly keek vol medeleven toe. De godvergeten lijpheid van mijn kleding putte me uit, hanger na hanger, plus rek na rek vol kleurrijke schoenen en tassen. En het ergst van alles: de hoedjes. Ik werd bijna drieëndertig, ik was hier veel te oud voor. Ik moest dringend promotie maken. Hoe hoger in de voedselketen je kwam, des te vaker je gewone pakjes mocht dragen.

Aan: Aidan_maddox@yahoo.com
Van: Goochelassistente@yahoo.com
Onderwerp: Lijpe meid gaat weer aan het werk

Mijn outfit voor vandaag: zwarte suède laarzen, roze netkousen, vintagejurkje van zwart crêpe de Chine met witte polkadots, een roze driekwartjas (ook vintage) en een vlindertas. Ik hoor het je vragen: geen gek hoofddeksel? Maar natuurlijk: een zwarte baret, een beetje schuin op mijn hoofd. Al met al nog behoorlijk ingetogen, maar volgens mij kom ik er vandaag wel mee weg.

Ik hoop echt van je te horen.

Je Anna

Hij kreeg altijd een kick van mijn werkoutfit. Het ironische was dat hij zijn conservatieve pakken juist probeerde op te leuken met funky stropdassen en sokken: Warhol-motieven, roze rozen, striphelden. Ik probeerde juist wanhopig ingetogen en stemmig gekleed te gaan.

Terwijl ik online was, kreeg ik een idee: ik zou zijn horoscoop lezen om een idee te krijgen hoe het met hem ging. *Stars Online* voor Schorpioenen schreef:

Meestal blijf je kalm bij veranderingen, maar de laatste tijd hebben bepaalde gebeurtenissen je overweldigd. Veel van de drama's deze maand bereiken hun hoogtepunt tijdens de maansverduistering van donderdag. Hou tot die tijd al je opties open, maar leg je nergens op vast.

Dat stukje over bepaalde gebeurtenissen die hem overweldigd zouden hebben, baarde me zorgen. Ik voelde me hulpeloos en toen werd ik kwaad. Had er maar iets troostends gestaan. Ik ging een paar pagina's terug en klikte op *Stars Today*.

De zon schijnt op dat deel van je sterrenkaart dat gerelateerd is aan pure genotzucht. Je wilt vandaag je hedonistische kant laten zien. Zolang het binnen de wet is en je er niemand mee kwetst: geniet er met volle teugen van!

Die zinde me ook niet. Ik was wat mij betreft de enige die zijn hedonistische kant te zien kreeg. Ik klikte op *Hot Scopes!*

Weersta de verleiding voorbije plannen, relaties of hartstochten nieuw leven in te blazen. Je begint aan een nieuwe cyclus, en de komende weken zullen er allerlei spannende dingen op je pad komen!

Krijg nou wat! Ik wilde dat er helemaal niks spannends op zijn pad zou komen, tenzij ik het was. Ik dwong mezelf de computer uit te zetten. Voor je het wist, zat ik hier de hele dag te zoeken naar de horoscoop waardoor ik me beter zou voelen. Ik sprak nog een berichtje in op zijn voicemail en trok toen de deur achter me dicht. Op straat merkte ik dat ik trilde. Ik was het niet gewend alleen naar mijn werk te gaan. We namen altijd samen de subway. Hij stapte uit op Thirty-fourth Street en ik reed verder naar Fifty-ninth. En was New York altijd al zo luidruchtig geweest? Al die auto's die toeterden en mensen die schreeuwden en de piepende remmen van bussen, en ik was nog maar op Twelfth Street. Hoe erg zou het in de binnenstad zijn?

Ik liep richting de subway en bleef toen staan. Ik bedacht even hoe het daar beneden zou zijn. Overal trappen omhoog en omlaag. Mijn knie deed pijn, veel erger dan in Dublin. Ik had maar de helft van mijn gebruikelijke aantal pijnstillers genomen, omdat ik niet wilde wegdoezelen tijdens een vergadering. Ik schrok van de hoeveelheid pijn die de pijnstillers hadden onderdrukt.

Maar hoe moest ik anders naar mijn werk? Ik huiverde bij de gedachte aan een taxi. Vanaf het vliegveld was het me gelukt er een te nemen omdat Rachel bij me was geweest, maar ik was verlamd van angst bij de gedachte er in mijn eentje een te nemen.

Besluiteloos stond ik als aan de grond genageld en liet de opties de revue passeren. Teruggaan naar het appartement en daar de dag in mijn eentje doorbrengen? Dat was onverteerbaar.

Ik stond zo lang op het trottoir dat ik nieuwsgierige blikken van voorbijgangers begon te trekken. Als in een droom zag ik mezelf een taxi aanhouden en instappen. Deed ik dit echt? Ik was doodsbang. Met ogen als schoteltjes volgde ik de rest van het verkeer. Ik knipperde en kromp ineen wanneer een auto te dichtbij kwam. Als ik ze maar nauwkeurig genoeg volgde, zouden ze niet op me in rijden. Opeens sloeg mijn hart een paar slagen over. Daar was Aidan. Hij zat in een bus die stilstond voor een kruispunt. Ik zag hem slechts van opzij, maar hij was het, daar was geen twijfel over mogelijk. Zijn haar, zijn jukbeenderen, zijn neus. De herrie van de stad stierf weg, er bleef slechts een vaag geruis over. Ik graaide een beetje geld uit mijn portemonnee en reikte naar het portier, maar de bus schoot al naar voren. In paniek draaide ik me om en tuurde door de achterruit.

'Hé!' riep ik naar de taxichauffeur, maar wij kwamen ook weer op gang en waren inmiddels te ver weg. Het was te laat om te keren, en het verkeer naar het centrum stond muurvast. De moed zonk me in de schoenen: ik zou hem nooit meer inhalen.

'Ja?'

'Laat maar.'

Ik beefde als een riet door de schok die zijn aanblik teweeg had gebracht. Hij had niets in die bus te zoeken – hij ging volledig de verkeerde kant op als hij naar zijn werk ging.

Het kon hem niet zijn. Het moest iemand zijn geweest die op

hem leek. Sprekend op hem leek zelfs. Maar als hij het wel was geweest? Als dit mijn enige kans was geweest om hem te zien?

18

De mensen van de bewaking konden nauwelijks geloven dat ik weer aan het werk ging. Geen werknemer van McArthur on the Park was ooit zo lang afwezig geweest – echt nooit, niet voor vakanties, niet voor een 'reisje naar Arizona'; mensen die 'een reisje naar Arizona' maakten, kwamen nooit terug. Die mochten niet terugkomen.

'Hé, Morty, onze Ierse Anna is er weer.'

'O ja? Ierse Anna, we dachten dat je was ontslagen. En wat is er met je gezicht gebeurd?'

Omdat mijn rechterhand in het verband zat, gaven ze me een voorzichtige high five. Daarna voegde ik me bij de mensenmassa die naar de liften ging. Ik perste me in het metalen hokje, samen met al die mensen met een beker koffie in hun hand die hun best deden niemands blik te ontmoeten.

Op de achtendertigste verdieping schoven de liftdeuren zachtjes open. Ik werkte me naar voren en schoot als een flipperkastballetje uit de lift. Het hoogpolige roomkleurige tapijt was zacht en er hing een duur geurtje in de lucht. Opeens hoorde ik een stem: 'Welkom terug, Anna.' Ik schrok me dood. Het was Lauryn Pike, de accountmanager, en ze zag eruit alsof ze daar de hele nacht op me had staan wachten. Aarzelend stak ze haar hand naar me uit, alsof ze me eerst troostend had willen aanraken en zich vervolgens had bedacht. Ik was er blij om. Ik wilde niet worden aangeraakt. Ik wilde niet getroost worden.

'Je ziet er geweldig uit!' zei ze. 'Goed uitgerust. En je haar is gegroeid. Nou, klaar om aan de slag te gaan?'

Ik zag er vreselijk uit, maar als ze dat had gezegd, zou ze veel van mij door de vingers hebben moeten zien.

Goed, even iets over Lauryn. Ze is broodmager, ze heeft het altijd koud, ze heeft veel donshaar op haar armen en ze draagt een lelijk bruin vest dat net zo harig is als haar armen. Dat vest slaat ze aldoor om zich heen in een poging haar ondervoede lijf warm te houden. Ze straalt iets maniakaals uit en haar ogen puilen uit als die van een begeesterde tv-dominee. (Of misschien werkt haar schildklier te snel.) Als ik beautyredactrice was en ik zag Lauryn op me afkomen om me een artikel over Candy Grrrl in de maag te splitsen, zou ik me onder mijn bureau verstoppen. En toch lukt het haar veel aandacht in de media te krijgen. Van mannen krijgt ze ook veel aandacht. Ondanks de uitpuilende ogen, de scherpe ellebogen en de knokige knieën wordt ze vaak door knappe kerels meegetroond voor een weekendje op de eilanden. Daar snap ik nou echt niets van.

Ik snap het niet omdat het helemaal niet makkelijk is om in New York een man te strikken, zelfs niet voor vrouwen zonder uitpuilende ogen. Het is vergelijkbaar met die slonzige groepjes vrouwen die na de Apocalyps vermoeid door de rokende puinhopen van een stad sjokken, op zoek naar bruikbare spullen, zoals in *Mad Max*. En Lauryn is ook al niet bijzonder aardig. Haar werk is het allerbelangrijkst voor haar, en als iemand anders een succesje boekt, krijgt zij het gevoel dat ze heeft gefaald. Toen er in *Lucky* een groot artikel verscheen over Lancôme Superlash-mascara in dezelfde maand dat er iets in stond over Candy Grrrl's Flutter-by, keilde ze een leeg flesje Snapple tegen de muur.

Plotseling werd ik doodsbang dat ik mijn werk niet meer zou aankunnen, maar ik zei: 'Ik ben er helemaal klaar voor, Lauryn.'

'Mooi zo! Want we hebben het momenteel erg druk.'

'Zeg maar wat ik kan doen.'

'Natuurlijk. En Anna, laat het me wel even weten als het je te veel wordt, hè?' Dat was niet vriendelijk bedoeld. Ik moest haar laten weten wanneer ze me moest ontslaan. 'Enne... wanneer is dat ding op je gezicht genezen?' Ze houden hier niet van lichamelijke onvolkomenheden. 'En je arm? Wanneer mag het gips eraf?' Toen zag ze dat mijn vingers in het verband zaten. 'Wat is dat nou?'

'Afgerukte nagels.'

'Jezus,' zei ze. 'Ik geloof dat ik moet overgeven.'

Ze ging zitten en haalde een paar keer diep adem, maar ze hoefde niet te kotsen. Om te kunnen kotsen moet er eerst iets in je maag zitten, en dat was bij haar natuurlijk niet het geval.

'Daar moet je iets aan doen. Je moet naar een nagelstudio. Nu meteen.'

'Ja maar... Oké.'

Iets zilverigs trok mijn aandacht. Het was Teenie. Ze droeg een zilverkleurige overall met laarzen van oranje plastic. Haar haar was blauw, want dat paste bij haar blauwe glitterlippen. Teenie is van Koreaanse afkomst en te lijp voor woorden. Toch ben ik van alle mensen die voor McArthur werken het meest op háár gesteld; ze is zelfs een vriendin van me. Ze heeft me gebeld toen ik in Ierland was.

'Anna!' zei ze. 'Je bent terug! O, wat zit je haar leuk. Het is gegroeid.' Samen liepen we voorzichtig bij Lauryn weg, en toen zei Teenie zacht: 'Hoe is het met je, lieverd?'

'Prima.'

'Echt?' Vragend trok ze een blauwe glitterwenkbrauw op.

Tersluiks keek ik even naar Lauryn. We waren ver genoeg van haar vandaan, ze kon ons niet horen. 'Nou ja, het gaat niet echt prima. Maar Teenie, ik kan dit alleen aan als we net doen alsof er niets is veranderd.'

Ik wilde geen medelijden, want medelijden betekende dat het echt was gebeurd.

'Zullen we samen gaan lunchen?'

'Nee. Lauryn zegt dat ik iets aan mijn nagels moet laten doen.'

'Wat is daar dan mee?'

'Ik heb geen nagels meer. Maar ze groeien terug zo snel ze kunnen.'

'Getsie!'

'Ja, nogal,' zei ik, en ik liep naar mijn bureau toe.

Ik was nog nooit zo lang weggeweest, en alles was vertrouwd maar toch ook heel anders. De meisjes van het uitzendbureau hadden mijn spulletjes anders gezet, en iemand had de foto van Aidan in een bureaula gestopt. Daar werd ik even heel boos om. Ik haalde hem uit de la en zette hem met een klap op de plek waar hij altijd had gestaan. En zij maar zeggen dat ik in de ontkenningsfase zat...

'Jeetje, Anna, daar ben je weer!' Dat was Brooke Edison. Brooke is tweeëntwintig en schatrijk. Ze woont met haar pappie en mammie in een huis in de Upper East Side. Elke dag laat ze zich brengen en halen door een bedrijf. Ze gaat niet met de metro, ook niet met de taxi, maar ze wordt gereden in een Lincoln met airconditioning, gekoelde flesjes water en een beleefde chauffeur. Brooke hoeft eigenlijk helemaal niet te werken, ze doet het om de tijd te vullen voordat iemand een ring met een gigantische steen aan haar vinger schuift en met haar naar Connecticut vertrekt, waar ze een stationcar krijgt en drie volmaakte, hoogbegaafde kinderen.

Ze was ingehuurd als de juniormedewerker van Candy Grrrl, degene die zware dingen moet tillen zoals enveloppen vol gratis monsters voor tijdschriftredacties. Maar ze moet altijd eerder weg of ze komt later omdat ze liefdadigheidsvoorstellingen moet bijwonen, of uit eten moet met de directeur van het Guggenheim, of in de helikopter van David Hart naar de Hamptons moet vliegen.

Ze is lief, gewillig, best slim en ze kwijt zich uitstekend van haar taken. Als ze die taken tenminste uitvoert. En dat is zoals ik al zei niet zo vaak. Wij moeten voortdurend voor haar inspringen.

Ariella zal haar nooit ontslaan omdat ze iedereen kent; iedereen is wel haar peetmoeder, de beste vriend van haar vader of haar vroegere pianoleraar.

Ze liep naar me toe op de manier van een meisje dat een dure particuliere school in Europa heeft bezocht, en zwiepte met haar dikke, van nature prachtige haar, dat glansde van bevoorrechterijkeluisgezondheid. Ze heeft een gave huid en gebruikt nooit make-up. Als Teenie en ik dat deden, zouden we worden ontslagen, maar voor haar gelden andere regels. Brooke kleedt zich ook bepaald niet modieus, maar niemand die er iets van zegt. Op deze dag droeg ze een wijde broek van beige kasjmier en een geelbruin truitje, ook van kasjmier. Ik geloof niet dat ze weet dat er nog andere stoffen bestaan. Ze zeggen dat ze nog nooit iets bij Zara heeft gekocht. Ze koopt uitsluitend bij de drie B's: Bergdorf, Barneys en Bendel. Soms koopt haar vader kleren voor haar. Hij gaat in het weekend met haar shoppen en zegt: 'Doe je vader eens een plezier en laat me deze antieke tas/geborduurde Japanse jas/sandalen van Gina voor je kopen.'

Dit is geen giswerk, het is echt gebeurd. Op een zaterdag was

Franklin in Barneys zijn geld aan het uitgeven aan een sexy en armlastige jongen die Henk heette, in de hoop dat Henk het niet zou uitmaken, en ineens zag Franklin Brooke en haar pa (die rijker is dan de Heere) naar Chloe-tasjes kijken. Eerst dacht Franklin dat de oude baas Brookes vriend was, en hij ging bijna over zijn nek toen hij de verkoopster hoorde zeggen: 'Dag, meneer Edison.' Hij zei dat het iets pedofiels had, bijna incestueus. Volgens mij meende hij dat echt, want Franklin is ontzettend vals. Hij heeft aan iedereen de pest, behalve aan Henk, en soms denk ik dat hij ook een hekel aan hem heeft. (Henk is Franklins snoepje – een magere jongen met gluiperige ogen die zijn spijkerbroek onfatsoenlijk laag laat hangen en zo een strak, pezig kontje laat zien. In zijn haar zitten highlights van verschillende tinten, en hij laat het bij Frederic Fekkai in plakkerige sliertjes knippen. Hij is werkeloos, waarschijnlijk omdat hij al zijn tijd besteedt aan zijn kapsel. Franklin betaalt alles voor hem, maar soms blijft Henk een nachtje weg en gaat hij spelen met zijn schandknaapvriendjes. Ik mag Henk graag, hij is heel, heel grappig, maar als hij mijn vriend was, zou ik zeker zestien Xanaxjes per dag moeten slikken.)

Brooke draagt niet alleen altijd kleren van kasjmier, maar ook minstens vijf dingen van Tiffany. Natuurlijk draagt iedereen dingen van Tiffany, dat moet wel. Volgens mij word je uit New York verbannen als je dat niet doet.

Ze stak haar hand uit (met korte, glimmend gelakte nagels), knipperde niet eens met haar ogen toen ze mijn litteken zag en zei oprecht gemeend: 'Anna, ik vind het heel erg wat er is gebeurd.'

'Dank je.'

Daarna liep ze weg. Ze borduurde er niet op door, nee, ze ging precies goed met de netelige situatie om. Brooke gaat overal precies goed mee om. Ik heb nog nooit iemand ontmoet die zo goed weet wat gepast is en wat niet. Ze weet ook precies wat ze in verschillende omstandigheden moet dragen, en dat hangt allemaal bij haar in de kast. In drievoud. Ze leeft in een wereld met strenge regels en ze beschikt over het geld om daarnaar te leven. Ik vraag me vaak af hoe het zou zijn om Brooke te zijn.

Brooke heeft een vriendin die sprekend op haar lijkt, Bonnie Bacall, die voor Freddie & Frannie werkt, ook zo'n merk. Ze zijn hartsvriendinnen. Eigenlijk zijn ze best schattig, maar soms zijn ze

zonder het zelf te beseffen ook kwetsend of vals. Heel anders dan Lauryn, want die beseft het donders goed.
'Oké, meisjes,' zei Lauryn. 'Nu Anna klaar is met babbelen, hebben jullie misschien even tijd voor een briefing over Candy Grrrl.' (Dit op sarcastische toon.)

De hele dag keken ze naar me, maar nooit openlijk. Wanneer ik in de gang of op de toiletten meisjes van andere merken tegenkwam, keken ze me tersluiks aan. Ik wist dat ze over me zouden roddelen zodra ik weg was. Alsof ik er iets aan kon doen. Of alsof het besmettelijk was. Ik probeerde de spanning te breken door naar hen te lachen, maar dan keken ze alleen maar geschrokken weg.
Gelukkig is dit New York en kon het niemand écht schelen. Ik zou heel even in de belangstelling staan, en algauw zou het allemaal overwaaien.
Halverwege de ochtend nam Franklin me mee naar Ariella's kantoor, het Heilige der Heiligen, zodat ik haar kon bedanken dat ik niet was ontslagen. De hele muur was bedekt met foto's van haar met beroemdheden.
Gekleed in haar gebruikelijke blauwe powersuit nam ze mijn dankbetuiging in ontvangst. Ze knikte met haar ogen halfdicht. Er is niets wat me meer in verlegenheid brengt dan Ariella die zich gedraagt als *capo di tutti capi*. 'Misschien kun je een andere keer iets voor mij doen.' Of ze heeft een chronische keelontsteking, of ze mompelt expres net zo hees als Don Corleone. 'Als ik je nodig heb, kan ik dan op je rekenen?'
Maar ik werk al heel hard voor je, wilde ik zeggen. Voordat dit gebeurde, kreeg ik meer publiciteit dan een van mijn vier collega's, en ik wil ervoor zorgen dat dat weer het geval is. Ik heb al die tijd dat ik weg was geen cent van je gezien, en ik ben er nou ook niet zomaar even tussenuit geknepen.
'Natuurlijk, Ariella.'
'En laat iets aan je haar doen.'
Ze knikte naar Franklin in zijn smetteloze pak; het teken om me weer weg te brengen.
In de gang wreef Franklin met zijn keurig gemanicuurde duimnagel tussen zijn wenkbrauwen, over dat plekje waar hij rimpel-

tjes van het fronsen zou hebben als die niet om de zes weken werden weggebotoxt. 'Jezus,' verzuchtte hij. 'Ligt het aan mij of vind jij haar soms ook rijp voor de psychiater?'

'Ze is niet erger dan anders. Maar misschien kan ik nu niet zo goed oordelen.'

Hij plooide zijn gezicht in een meelevende uitdrukking. 'Ja, schat. Hoe gaat het met je, meissie?'

'Prima.' Het had geen zin er dieper op in te gaan. Andermans problemen interesseerden hem geen zier. Maar daar is hij heel eerlijk in, en daarom kon het me niet schelen. 'En hoe is het met jou? En met Henk?'

'Die maakt al mijn geld op en breekt mijn hart. Zeg, ik weet een mop. Wat is het verschil tussen Henks hand en zijn reet?'

'Je mag alleen het gat in Henks hand vullen?'

'Goed geraden.'

'Red je het financieel wel?'

'Eh...' Hij gaf me een schouderklopje, en de meelevende uitdrukking verdween van zijn gezicht. 'Pas goed op jezelf, meisje.'

Dat zal ik doen, dacht ik.

Franklin is dan wel grappig en bereid het over mijn privé-leven te hebben, maar toch is hij geen echte vriend. Hij is mijn baas. Hij is zelfs de baas van mijn baas. (Lauryn moet aan hem verslag uitbrengen.)

'Je hebt gehoord wat Ariella zei. Doe iets aan je haar. Ga maar naar Perry K.'

Net wat ik nodig heb: een ingewikkeld kapsel terwijl een van mijn handen nog nauwelijks bruikbaar is.

In de lunchpauze probeerde ik iets aan mijn nagels te laten doen, maar toen ik het verband eraf haalde en ze aan het meisje van de nagelstudio liet zien, trok ze wit weg en zei dat ze te kort waren om er kunstnagels op te plakken. Toen ik het slechte nieuws aan Lauryn overbracht, deed ze net alsof ik stond te liegen.

'Het meisje zei dat ik over een maand maar moest terugkomen,' zei ik zacht. 'Dan kan ze er wel iets mee doen.'

'Ja, hoor. Over Eye Eye Captain... Ik wil nog voor het weekend weten wat je met die promotiecampagne wilt.'

Als Lauryn zegt dat ze wil weten wat ik met die promotiecampagne wil, bedoelt ze dat alles volledig uitgewerkt moet zijn, met mededelingen voor de pers, spreadsheets, de budgettering en een door Scarlett Johansson ondertekend contract waarin staat dat ze het zó fijn vindt om het nieuwe gezicht van Candy Grrrl te zijn dat ze het voor niets wil doen.

'Ik doe mijn best.' Ik nam gauw plaats achter mijn bureau en las snel alles door wat met Eye Eye Captain te maken heeft.

Pas laat in de middag keek ik naar mijn e-mail. In tegenstelling tot de mail thuis waren mijn mailtjes op het werk geopend en beantwoord. Ik scrolde erdoorheen in een poging op de hoogte te blijven. Er waren veel mailtjes van redactrices die om producten vroegen waar de gierige teven vast nooit iets over gaan schrijven, of van mensen met wie ik promotiecampagnes heb gedaan, of van George (Mr Candy Grrrl) met stomme ideetjes. En toen leek het alsof mijn hart stilstond; hier had ik op gewacht. In vette letters – en dat betekent dat het ongelezen en onbeantwoord was – stond er een mailtje van Aidan.

Aan: AnnaW@CandyGrrrl.com
Van: Aidan_maddox@yahoo.com
Onderwerp: Vanavond

Heb je net geprobeerd te bellen, maar je was in gesprek. Ik wilde je nog even spreken voordat ik wegga. Tot vanavond. Heb eigenlijk niets bijzonders te melden, wilde alleen even zeggen dat ik van je hou en dat ik altijd en eeuwig van je zal blijven houden, wat er ook gebeurt.

A xxxxxxxxx

Ik las het nog eens door. Wat had dit te betekenen? Kwam hij vanavond bij me? En toen zag ik de datum: 16 februari. En het was al 20 april. Het was geen nieuw mailtje. De adrenaline die door mijn hoopvolle lijf pompte, kwam abrupt tot stilstand en trok zich vervolgens teleurgesteld terug. Ik was niet goed bij mijn hoofd, en daar kon ik alleen de pillen de schuld van geven. Dit mailtje moest zijn binnengefloept nadat ik was vertrokken voor onze afspraak van negen weken geleden. En omdat het duidelijk een persoonlijk mailtje was, had de uitzendkracht het niet geopend, maar het aan mij overgelaten om het te lezen.

19

De eerste keer dat ik de familie Maddox ontmoette

'Wat doe je met Thanksgiving?' had Aidan gevraagd.

'Weet ik nog niet.' Ik had er nog niet echt over nagedacht.

'Heb je zin om naar Boston te komen en het bij ons te vieren?'

'Eh, oké. Dank je. Weet je het zeker?' Een neutraal antwoord, hoewel ik besefte dat het een big deal was. Maar het bleek nog *bigger* dan ik had gedacht. Toen ik het aan mijn collega's vertelde, gingen ze door het lint.

'Hoe lang hebben jullie al iets?'

'Officieel sinds vrijdag.'

'Afgelopen vrijdag? Je bedoelt vijf dagen geleden? Maar dat is véél te snel.'

Volgens de ongeschreven regels voor daten in New York liep ik minstens zeven weken op de zaken vooruit. Het was verboden, wat zeg ik, tot dat moment werd het technisch zelfs onmogelijk geacht om zodra je het meermansdaten hebt afgeschaft direct over te gaan op het ontmoeten van zijn familie. Het was hoogst onorthodox. Heel erg ongebruikelijk. Er zou niets goeds van komen, orakelden ze allemaal, en ze schudden moedeloos het hoofd.

'Het is pas over vier weken,' protesteerde ik.

'Drieënhalf.'

Ik had geen behoefte aan hun geweeklaag. Ik had zo mijn eigen zorgen: Aidan had me over Janie verteld.

Het had een ontboezeming in de late avonduurtjes moeten zijn, maar door omstandigheden had het meer van een biecht in de vroege ochtend, de ochtend nadat we met elkaar naar bed waren geweest en hij zo raar tegen me had gedaan. Ik zou te laat op mijn werk komen, maar dat kon me niet schelen. Ik moest het weten.

In een notendop: Aidan en Janie hadden ongeveer honderdachtenzestig jaar iets gehad. Ze waren een paar kilometer van elkaar opgegroeid in Boston en hadden heel lang verkering gehad, vanaf de middelbare school. Ze gingen naar verschillende universiteiten en in goed overleg maakten ze het uit, maar toen ze drie jaar later weer in Boston kwamen, pakten ze de draad weer op. Tot hun dertigste waren ze dolverliefd op elkaar en ze gingen deel uitmaken van elkaars familie. Janie ging met de familie Maddox mee op zomervakantie naar Cape Cod en Aidan ging met Janies familie mee naar hun zomerhuisje in Bar Harbor. In de loop der jaren gingen Aidan en Janie een paar keer uit elkaar. Ze gingen uit met andere mensen, maar kwamen altijd weer bij elkaar terug.

De tijd verstreek en ze betrokken ieder hun eigen appartement. De toespelingen van hun familie op een huwelijk werden steeds serieuzer, tot Aidan anderhalf jaar voordat ik hem leerde kennen voor zijn werk werd overgeplaatst naar 'de grote stad'. (Iedereen heeft het over 'de grote stad' als het over New York gaat, waar ik niets van begrijp. Boston is toch echt geen gehucht met drie huizen en een café.)

Het kwam voor iedereen nogal als een schok, maar Aidan en Janie bleven elkaar eraan herinneren dat New York maar een paar uur vliegen was. Ze zouden elkaar elk weekend zien en in de tussentijd zou Aidan op zoek gaan naar een andere baan in Boston, en Janie zou solliciteren in NYC. Dus daar ging Aidan, en hij beloofde haar plechtig trouw te blijven.

'Je kunt wel raden wat er gebeurde,' zei hij.

Eigenlijk probeerde ik daar nog steeds achter te komen. Toen hij mij die eerste avond vroeg of ik met hem uit wilde, had hij de indruk gewekt dat hij beschikbaar was, ook al was dat dan voor meermansdaten. Had ik me laten overhalen iets te krijgen met de vriend van iemand anders?

'Je had de taxichauffeur in Manhattan nog niet betaald of je schuimde de bars al af, met je piemel in je hand?'

Hij glimlachte een beetje treurig. 'Niet echt. Maar inderdaad, ik ben met andere vrouwen naar bed gegaan.'

Wat voor hem spreekt, is dat hij weigerde de vele verleidingen van NYC de schuld te geven: de prachtige dames die cursussen hadden gevolgd en wisten hoe ze hun beha boven hun hoofd moesten rondslingeren alsof ze een losgeslagen stier wilden binnenhalen.

'Ik kan alleen mezelf de schuld geven,' zei hij mistroostig. 'Ik schaamde me zo dat ik mezelf wilde geselen. Dat oude katholieke schuldgevoel, je ontkomt er niet aan. Niet lachen, maar ik deed iets wat ik al heel lang niet meer had gedaan: ik ben te biecht gegaan.'

'O. Ben je een... praktiserende katholiek?'

Hij schudde zijn hoofd. 'Een herstellende katholiek. Maar ik voelde me zo belabberd dat ik alles zou hebben geprobeerd.'

Ik wist niet wat ik moest zeggen.

'Janie verdient beter,' zei hij. 'Ze is geweldig, echt een lieve vrouw. Ze is heel positief ingesteld.'

Jezus. Ik moest het opnemen tegen een heilige.

'Toen ik je die dag leerde kennen, toen ik koffie over je morste, had ik me net voorgenomen – alwéér voorgenomen – Janie nu echt trouw te blijven. Ik meende het echt.'

Dus daarom had hij zo vreemd gedaan toen ik hem mee uit vroeg. Hij had niet bedankt of gezegd dat hij zich gevleid voelde, maar... In plaats daarvan had hij een en al wanhoop uitgestraald.

'En wat is er toen gebeurd?' vroeg ik boos. 'Ben ik een van je slippertjes? Moet je binnenkort weer naar de biechtstoel?'

'Nee. Nee, nee, nee, helemaal niet! Toen ik een maand later in Boston was, zei Janie dat we even afstand moesten nemen.'

'O?'

'Ja. En hoewel ze het niet met zoveel woorden zei, begreep ik dat ze van de andere vrouwen wist.'

Nogmaals: 'O?'

'Ja, ze kent me door en door. Ze zei dat we al veel te lang maar wat aanrommelden, en dat het nu alles of niets was. Een laatste poging om te zien of we voor elkaar bestemd waren. Snap je? We zouden uitgaan met anderen, doen wat we nog moesten doen, en dan kijken waar we uitkwamen.'

'En?'

'Ik had je kaartje verscheurd. Ik was zo bang dat ik je zou bellen dat ik mezelf nog dezelfde dag dwong het weg te gooien. Maar ik moest steeds aan je denken. Ik had je naam onthouden en waar je werkte, maar ik dacht dat het te laat was om te bellen. Weet je, ik was die avond bijna niet naar dat feest gegaan, en toen ik je daar zag praten met die eikel, tóén pas geloofde ik in God. Toen ik je zag, was het net alsof… iemand me een hijs gaf met een honkbalknuppel.' Hij zag eruit alsof hij elk moment kon overgeven. 'Ik wil je niet bang maken, Anna, maar ik heb nog nooit zoiets voor iemand gevoeld.'

Ik zei niets. Ik voelde me zo schuldig. Maar ik kon er niets aan doen, ik voelde me ook een beetje… gevleid.

'Ik wilde eerst met Janie praten en dan met jou. Ik wist niet of je wel voor mij wilde gaan, maar het is echt helemaal voorbij tussen mij en Janie. Maar ik vind het vreselijk dat jij het eerder weet dan zij.'

Breek me de bek niet open.

En oppervlakkig als ik was, wilde ik weten hoe Janie eruitzag. Ik moest mijn lippen stevig op elkaar drukken, anders zou ik het vragen. Maar het werkte niet, er ontsnapte toch wat geluid. 'Mhoezziezruit?'

'Wat? Hoe ze eruitziet?' Hij keek opeens met een lege blik voor zich uit. 'Eh, je weet wel, knap, ze heeft…' Met zijn hand maakte hij een ronddraaiend gebaar. '… krullen.' Hij zweeg even. 'Nou ja, vroeger. De laatste tijd is het steil, geloof ik.'

Oké, hij had dus geen idee hoe ze eruitzag. Ze waren al zo lang samen dat hij niet eens meer de tijd nam om goed naar haar te kijken. Toch had ik een sterk voorgevoel: ik moest deze vrouw en de mate waarin Aidan aan haar was gehecht niet onderschatten. Ze hadden vijftien jaar lief en leed gedeeld, en als een boemerang keerde hij steeds weer naar haar terug.

Hij ging naar Boston en het hele weekend voelde ik me een beetje duizelig. Tegenstrijdige gedachten volgden elkaar op in een vicieuze cirkel. Tijdens de luchtgitaarkampioenschappen beschuldigde Shake me ervan dat ik niet had opgelet toen hij aan de beurt was geweest, en hij had gelijk. Ik had voor me uit zitten staren terwijl ik me afvroeg hoe Janie het zou opnemen. Ik verafschuwde mezelf omdat ik verantwoordelijk was voor iemands ellende. En hoe gek was ik eigenlijk op Aidan? Genoeg om namens mij een relatie van vijftien jaar te beëindigen? En als ik nu maar wat met hem aanklooide? Of wat als hij van gedachten veranderde en toch verder ging met Janie? Die gedachte boezemde me angst in. Ik was blijkbaar toch gek op hem. Echt heel erg gek. En wat zou er gebeuren als hij zijn piemel niet in zijn broek kon houden? Wat als hij niet alleen Janie ontrouw was, maar voortdurend de hort op ging? Ik moest vooral niet denken dat ik hem zou kunnen genezen. In plaats daarvan zou ik heel hard de andere kant op moeten rennen. Toen vroeg ik me weer af hoe Janie zich voelde.

Aidan stond zondagavond voor mijn deur. 'Ze nam het behoorlijk goed op.'

'Echt?' vroeg ik hoopvol.

'Ze zinspeelde erop dat ze... je weet wel... dat ze misschien ook iemand anders heeft leren kennen.'

Dat was een troost – ongeveer een halve seconde. Je weet hoe traag van begrip sommige mannen kunnen zijn. Janie had ongetwijfeld alles uit de kast gehaald om haar gezicht te redden, maar op dat moment liet ze waarschijnlijk een bad vollopen en haalde ze de scheermesjes uit het medicijnkastje.

Zodra het vliegtuig de grond van Logan raakte, vol verloren zonen en dochters die Thanksgiving kwamen vieren, vroeg ik aan Aidan: 'Hoeveel meisjes had je behalve Janie ook alweer meegenomen voor Thanksgiving?'

Hij dacht ongeveer een halfuur na, telde van alles na op zijn vingers en murmelde getallen, en zei tenslotte: 'Nul!'

Het was de vorige weken een vertrouwd ritueel geworden, maar nu ik daadwerkelijk in Boston was aangekomen, voelde ik me misselijk. 'Aidan, ik meen het. Ik had niet moeten komen. Ze zullen allemaal een hekel aan me hebben omdat ik Janie niet ben. De straat zal volstromen met boze Bostonezen die stenen naar jullie auto gooien en je moeder zal in mijn soep spugen.'

'Het komt allemaal best goed.' Hij kneep in mijn vingers. 'Ze lopen met je weg. Wacht maar.'

Zijn moeder, Dianne, haalde ons op van het vliegveld. Ze bekogelde me niet met stenen en gilde niet dat ik een indringster was. Ze omhelsde me en zei: 'Welkom in Boston.'

Ik vond haar geweldig. Ze reed een beetje verstrooid en kletste er vrolijk op los. We bereikten een buitenwijk die niet veel verschilde van die waarin ik was opgegroeid, qua demografie, auto's op de oprit en luidruchtige buren die ons aanstaarden alsof ze een stel vijandige dorpsgekken waren.

Het huis voelde ook meteen vertrouwd, met vreselijke tapijten vol krullerige patronen, meubels waarin je volledig wegzakte, en overal waar je keek sportbekers, bonte schilderijen en porseleinen prullaria. Ik voelde me onmiddellijk thuis.

Ik liet mijn tas in de gang op de grond vallen en mijn oog viel onmiddellijk op een foto aan de muur van een jongere Aidan die achter een meisje stond, met zijn armen om haar heen geslagen. Ik besefte meteen dat het Janie was. Hoe ze eruitzag? O, je weet wel, heel blij en vrolijk, zo zien mensen op foto's er toch altijd uit? Die in zilverkleurige fotolijstjes met sierkrullen in elk geval wel. Ik voelde me een beetje rillerig. Ze was mooi: donkere, lange pijpenkrullen (waarvan de schoonheid zelfs niet verpest werd door een knotje, bijeengehouden door een groene wokkel), en volmaakte tanden in een brede lach.

Maar hij was blijkbaar lang geleden genomen, gezien de wokkel en Aidans jeugdige enthousiasme – misschien was ze lelijk oud geworden.

Iemand riep: 'Pap, daar zijn ze!' Er ging een deur open en een jonge man kwam ons tegemoet. Hij was donker, gespierd en had een brede lach. Hij was héél erg knap. 'Hoi, ik ben Kevin, het jongere broertje.'

'En ik ben Anna.'

'Ja, we weten álles al over je.' Zijn lach deed me duizelen. 'Wauw. Heb je nog zussen die op je lijken?'

'Ja.' Ik dacht aan Helen. 'Maar je zou waarschijnlijk doodsbang voor haar zijn.'

Hij besefte niet dat ik een grapje maakte, en hij lachte, een daverende lach. 'Je bent gek. Dit wordt lachen.'

Daarna verscheen meneer Maddox, een slungelachtige man met een zachte, onvaste stem. Hij schudde me de hand, maar zei weinig. Ik vatte het niet persoonlijk op. Aidan had me gewaarschuwd dat wanneer hij wel praatte, het meestal over de Democratische Partij ging.

Kevin stond erop mijn tas naar mijn slaapkamer te brengen, een kamer die sprekend op de logeerkamer van mijn ouders leek. Ze hadden een bordje aan de deur kunnen hangen dat ze meededen aan een cultureel uitwisselingsprogramma. Schreeuwerige gordijnen, een bijpassende schreeuwerige quilt en een kast die was volgepropt met iemands oude kleren, en voor mij ongeveer vijf centimeter ruimte en twee hangertjes. Gelukkig bleef ik maar één nacht. (Aidan en ik wilden geen enkel risico nemen en ik had besloten tijdens het eerste bezoek niet te hard van stapel te lopen.)

Toen zag ik het. Op de toilettafel stond nog een foto van Aidan en Janie. Een 'bewegend' beeld, waarop ze naar elkaar toe draaiden en elkaar over een halve seconde zouden zoenen. Deze keer was er geen wokkel – Aidan hield haar haar uit haar gezicht.

Weer voelde ik me duizelig, en nadat ik er een paar minuten naar had staan staren, legde ik hem plat. Ik ging absoluut niet in deze kamer slapen onder het waakzame oog van Aidan en Janie vlak voordat ze elkaar zoenden. Er werd zacht op de deur geklopt en ik schrok schuldbewust op. Dianne kwam binnenslenteren met haar armen vol spullen. 'Schone handdoeken!' Haar oog viel direct op de omgekeerde foto. 'Verdomme! O, Anna. Die staat daar al jaren, al zo lang dat ik hem niet eens meer zie. Dat was niet handig van me.'

Ze pakte hem op, liep de kamer uit en kwam met lege handen terug.

'Het spijt me,' zei ze. 'Echt.'

Het leek haar oprecht te spijten dat ze me had gekwetst.

'We gaan zo eten, kom maar naar beneden als je klaar bent.'

Het eten was een ouderwets Thanksgiving-festijn: een enorme kalkoen, honderdduizend aardappels, groente, wijn, champagne, kristallen glazen en kaarsen, kortom: de hele santenkraam. De sfeer was heel aangenaam. Ik wist bijna honderd procent zeker dat mevrouw Maddox niet in mijn soep had gespuugd, en iedereen kletste er vrolijk op los. Zelfs meneer Maddox maakte een grap, en hoewel die over de Democratische Partij ging en ik hem niet begreep, lachte ik welwillend.

Er was maar één minpuntje: niet élke van de tientallen foto's aan de muren was van Aidan en Janie, maar er hingen er genoeg om me steeds even te laten opschrikken. In de loop der jaren was Janies haar korter geworden. Mooi. Mannen houden van vrouwen met lang haar. En ze was een beetje uitgedijd, maar ze zag er nog steeds heel vrolijk en aardig uit, het soort vrouw met wie andere vrouwen weglopen.

Ik was net bezig een mond vol kalkoen weg te werken, toen ik een foto zag hangen die ik over het hoofd had gezien, en mijn keel kneep weer even dicht. Ik nam een slok wijn om de zaak weer op gang te helpen, en de oude Maddox vroeg: 'Janie, lieverd, kun je me de gepofte aardappels even aangeven?'

Wíé?

Ik keek naar links en rechts, maar de schaal met aardappels stond voor me en de oude Maddox keek mijn kant op, dus kwam ik tot de conclusie dat hij het tegen mij moest hebben. Gehoorzaam gaf ik de schaal door, en Kevin gaf me een bemoedigend knipoogje. Aidan en Dianne keken onthutst en vormden met hun lippen het woord: 'Sorry'.

Maar twee tellen later zei Dianne: 'O Aidan, we kwamen Janies vader tegen in de ijzerhandel. Hij zei dat zijn schuurtje eindelijk af was en dat je moest komen kijken. Hoe lang geleden zijn jullie eraan begonnen?'

De oude Maddox leefde op. 'Je vraagt je misschien af wat hij in de ijzerhandel deed,' zei hij tegen Aidan. Hij keek opeens heel geamuseerd. Het zal de drank wel geweest zijn. 'Hij kocht verf. Wítte verf. Voor hun huisje in Bar Harbor. Hij heeft het één zomer aangezien, zoals je had gevraagd, maar we snappen nog steeds niet wat jullie bezielde om het roze te verven.'

Glimmend van plezier keek hij van Aidan naar mij, toen hij opeens een panische blik in zijn ogen kreeg. Dit is Janie niet, moet hij hebben gedacht.

Na het eten gingen Aidan en ik in de studeerkamer zitten. De sfeer was een beetje gespannen.

'Ik hoor hier niet, ik had niet moeten komen.'

'Niet waar! Echt niet. Het wordt vanzelf makkelijker. Sorry voor mijn vader, hij is een beetje... Hij bedoelt het goed, maar hij zit de helft van de tijd in zijn eigen wereldje.'

We keken zwijgend voor ons uit.

'Waar denk je aan?'vroeg hij.

'Aan het tapijt.' Dat had een grappig patroon van spiralen. 'Als je er lang genoeg naar staart, is het net of je ogen op springveren zitten. Alsof ze uit mijn hoofd schieten en dan weer terugveren.'

‘Ik heb meer het gevoel dat de vloer omhoogkomt en dan weer terugvalt.’

We zaten even vredig naar het tapijt te staren, en opeens waren we weer vriendjes.

‘Het komt wel goed,’ zei Aidan. ‘Je moet ze alleen de tijd gunnen. Alsjeblieft.’

‘Oké,’ zei ik. ‘Mijn ouders behandelden Shane ook altijd als familie.’

‘Waren ze op hem gesteld?’

‘Nou, nee... ze hadden eigenlijk een hekel aan hem. Maar ze behandelden hem toch als familie.’

De volgende dag gingen we naar het winkelcentrum. Rondhangen in het ouderlijk huis van je nieuwe vriend word je ook een keer zat. Je bent namelijk voortdurend gespitst op mijmeringen over zijn ex. Ik viel steeds binnen tijdens gesprekken als: ‘Herinner je je die vakantie op Cape Cod nog? Met zijn allen in de camper? Weet je nog dat Janie zus of zo deed?’

Maar eenmaal in het winkelcentrum werd ik al snel weer vrolijk. Als ik weg van huis ben, worden zelfs winkels waar ik me normaal te goed voor voel een avontuur. Ik ging naar Duane Reade, Express en nog een heel stel waardeloze zaken. Aidan kocht een souvenir van Boston voor me – een sneeuwbol – en zei toen: ‘We kunnen maar beter teruggaan.’

Dus stapten we in de auto, en we reden net van de parkeerplaats toen het gebeurde. Nog voordat Aidan onbewust een grappig geluidje maakte, merkte ik dat hij opeens één bonk spanning was.

Ik keek uit het raampje. Mijn blik schoot heen en weer, wanhopig op zoek naar wat hij had gezien. Een vrouw liep onze richting uit. Maar we reden al behoorlijk snel. We waren haar voorbij en mijn intuïtie zei: kijk achterom, kijk achterom, snel.

Ik keek achterom. De vrouw liep van ons vandaan. Ze droeg een spijkerbroek en, ik kon er niets aan doen, ze had een behoorlijk dikke kont. Ik had er natuurlijk trots op moeten zijn dat Aidan niet het soort kerel was dat zich te goed voelt voor meisjes met een dikke kont, maar ik had andere dingen aan mijn hoofd. Ze was vrij lang en had steil, donker haar tot op haar schouders.

Ze had een mooie tas, ik had hem bij Zara gezien. Sterker nog: ik had hem zelf ook bijna gekocht, maar ik had er al eentje die er heel erg op leek. Ik bleef kijken totdat ze de parkeerplaats op liep.

Ik draaide me weer om. 'Dat was Janie, hè?' Als hij op dat moment tegen me loog, zouden we geen toekomst samen hebben.

Hij knikte, een beetje nukkig. 'Ja, dat was Janie.'

'Wat een toeval.'

'Yep.'

Weer bij de familie Maddox dronk ik een kopje koffie voordat we naar het vliegveld gingen. Ik zag diverse dikke fotoalbums in de boekenkast staan, en stelde me opeens voor dat ze ruisend van de planken zweefden, hun pagina's openvlogen en de foto's opstegen en de kamer vulden als een vlucht vogels. Honderden foto's die langs me heen vlogen en verstrikt raakten in mijn haar. Foto's van talloze momenten uit het leven van Aidan en Janie. Aidan en Janie op het schoolfeest. Aidan en Janie tijdens hun diploma-uitreiking. Aidan en Janie op Cape Cod. Aidan en Janie tijdens het etentje voor Aidans dertigste verjaardag. Aidan en Janie tijdens de surpriseparty die Aidan had georganiseerd toen Janie was gepromoveerd. Aidan en Janie tijdens een schoolreünie. Aidan en Janie die met bowlen een prijs wonnen. Aidan en Janie op vakantie op Jamaica, samen oesters kokend, tijdens het afscheidsfeest voordat Aidan naar New York vertrok, terwijl ze het huis in Bar Harbor roze verfden...

Tijdens de terugvlucht waren we heel stil. Het was een vreselijke vergissing geweest, een risico dat de moeite waard was geweest, maar verkeerd had uitgepakt. Aidan was op veel vlakken een geweldige vent, maar hij had te veel bagage en te veel zaken die hij nog moest afronden. Hij hoorde in Boston bij Janie, en ik moest voor ogen houden dat, wat er ook zou gebeuren, hij altijd zou terugkeren naar haar en zij hem altijd zou terugnemen. Ze hadden te veel verleden, te veel gemeen.

Hij zag grauw van de spanning, en in de taxi van het vliegveld hield hij mijn hand zo stevig vast dat mijn vingers pijn deden. Hij probeerde te bedenken hoe hij moest vertellen dat het voorbij was, maar dat was niet nodig, ik wist precies hoe de vork in de steel zat.

De taxi zette me af bij mijn appartement. Ik kuste Aidan op de wang en zei: 'Pas goed op jezelf.'

Ik klauterde uit de taxi, maar hij riep me terug. 'Anna?'

'Ja?'

'Anna, wil je met me trouwen?'

Ik staarde hem een eeuwigheid aan en zei toen: 'Stel je niet zo aan,' waarna ik de deur dichtsloeg.

20

Aan: Aidan_maddox@yahoo.com
Van: Goochelassistente@yahoo.com
Onderwerp: Dit ga je leuk vinden!

Toen ik vandaag op mijn werk kwam (de tweede dag al) kwam ik Tabitha van Bergdorf Baby tegen. Ze keek naar mijn litteken en zei: 'Jezus, wat tof!' Toen drong het tot haar door dat het een écht litteken was en deinsde ze geschrokken achteruit. Ze trok haar schouderbladen bijna helemaal tot boven haar hoofd. Daarna ging ze linea recta naar de toiletten. Volgens mij moest ze overgeven.

Ik hoop dat alles goed met je is. Ik hou van je.

Je meisje, Anna

Aan: Aidan_maddox@yahoo.com
Van: Goochelassistente@yahoo.com
Onderwerp: Dit ga je ook leuk vinden!

Op het werk denken ze dat ik naar Arizona ben geweest. Na de lunch liep ik terug met Teenie, en toen stond er een meisje van EarthSource in de lift dat zei dat ze me al een hele tijd niet meer had gezien. Ik zei: 'Nee, ik ben de stad uit geweest.'

Ik dacht dat iedereen hier wel zou weten wat er was gebeurd, maar kennelijk leven die meisjes van EarthSource in een andere dimensie. Misschien ligt het aan hun dieet van taugé. Ze vroeg hoe lang ik weg was geweest, en ik zei: 'Twee maanden.' Toen keek ze me betekenisvol aan en zei heel zacht iets. Ik moest me helemaal naar haar grof geweven schort van jute buigen en zeggen: 'Sorry, wat zei je?' Dus toen zei ze het weer, en deze keer kon ik het wel verstaan. Ze zei: 'Vandaag is vandaag, morgen is morgen.'

Eh... ja.

Ik hoop dat het goed met je gaat, ik moet steeds aan je denken.

Ik hou van je.

Je meisje, Anna

Aan: Aidan_maddox@yahoo.com
Van: Goochelassistente@yahoo.com
Onderwerp: Kleren van donderdag

Een geel popeline bloesje à la Doris Day, met daaronder een zwarte legging met blauwe hartjes. Een spijkerjasje met afgeknipte mouwen, en de blauwe pumps waarvan jij zei dat je nog nooit zulke spitse neuzen had gezien, zo spits dat de laatste tien centimeter onzichtbaar zijn. Vandaag geen hoedje, om mezelf eens te verwennen.

Ik hou van je.

Je meisje, Anna

Ik schreef hem drie of vier mailtjes per dag, altijd heel luchtig en opgewekt. Ik wilde niet dat hij zich schuldig zou gaan voelen omdat ik zo wanhopig graag iets van hem wilde horen. Het was beter om de communicatielijnen open te houden, zodat hij contact met me kon opnemen wanneer dat mogelijk was. Ik las ook elke dag zijn horoscoop om te proberen erachter te komen hoe het met hem was. Op *Stars Online* stond:

Zorg dat anderen je niet tot overhaaste beslissingen dwingen omdat zij duidelijkheid willen. Omdat je pas begin mei zult weten wat de mogelijkheden zijn, kun je hen beter laten wachten.

Dat beviel me niet, daarom ging ik naar *Hot Scopes!*

Carrièrebewuste Schorpioenen kunnen rekenen op een zakenreis naar het buitenland. Het is mogelijk dat je een aantrekkelijke onbekende tegen het lijf loopt die een andere taal spreekt. Wie of wat hij of zij ook blijkt te zijn, je zult tot je genoegen merken dat de wereld maar klein is!

Dat beviel me nog minder. Ik moest ervan huilen. Gauw surfte ik naar *Stars Today.*

Als je plannen maakt, zal dat alleen maar op teleurstellingen uitlopen. Leg je niet vast, en halverwege mei zul je zoveel vertrouwen hebben dat je je zult afvragen waar je je druk over maakte.

Dat was beter. Geen aantrekkelijke onbekenden. Ik stak mijn voeten in mijn spitse blauwe pumps en pakte de sleutels, maar bij de deur bleef ik staan en ik liep terug naar de telefoon. Ik wilde hem even op zijn mobieltje bellen. Alweer. Het was een genot om zijn stem te horen, ook al was het maar dat ingesproken bericht. Het was vergelijkbaar met een groot stuk chocola wanneer je een enorme behoefte aan suiker hebt.

21

De beste oogverzorgingsproducten voor landrotten!

Ik staarde naar mijn scherm en nam een slok koffie. Nee, de koffie hielp niet – het zinnetje sloeg nog steeds nergens op. Ik wiste het en staarde naar mijn lege scherm, alsof ik zo inspiratie probeerde af te dwingen. Ik probeerde een persbericht te schrijven voor Eye Eye Captain, onze nieuwe reeks oogverzorgingsproducten, en probeerde woordgrappen te verzinnen over muiterij, zeewater, piraterij, rum en andere scheepsgerelateerde zaken. Maar het ging voor geen meter. Ik had Aidan die ochtend weer gezien, op weg naar mijn werk. Deze keer liep hij op Fifth Avenue. Hij droeg een jas die ik niet herkende. Hij had tijd gehad om nieuwe kleren te kopen maar niet om me te bellen? Ook deze keer reed de taxi te snel, dus liet ik de chauffeur niet stoppen. Maar nu wenste ik vurig dat ik dat wel had gedaan, en de spijt verstoorde mijn concentratie. Of misschien waren het de pijnstillers. Iéts vulde mijn hoofd in elk geval met watten.

Ik tikte 'Eye Eye Captain,' en toen kwam er helemaal niets meer uit mijn vingers. Jezus, ik moest mijn zaakjes echt op orde zien te krijgen. Ik had immers niet langer de lage functie van junior accountmanager (die had Brooke nu). Ik was assistent-senior accountmanager en ik had verantwoordelijkheden.

Hoe ik promotie maakte

De zomer dat ik bij Candy Grrrl kwam werken, raakte onze Iced Sorbet Über-gloss, die je vollere lippen gaf, overal ter wereld uitverkocht. Er werd bij cosmeticacounters om gevochten. Nou ja, niet echt. In werkelijkheid was er in een warenhuis in Seattle een klein handgemeen geweest tussen twee zussen over de laatste Candy Grrrl-gloss in het noordwesten van de Verenigde Staten. Het was echter vreedzaam opgelost. Volgens mij zou degene die de gloss uiteindelijk kreeg die avond babysitten bij de ander. Maar een slimme meid (ik) wist van het voorval (bijna) een nieuwsverhaal te maken. Ik stelde een persbericht op met de ronkende kop: 'Stoeien om Candy Grrrl', en de goden moeten me gunstig gezind zijn geweest, want zowel de *New York Post* als de *New York Sun* pikte het op. De regionale kranten volgden, en er was een itempje op CNN. Het was namelijk augustus, komkommertijd. Maar er was inmiddels zoveel buzz gegenereerd dat er écht schermutselingen plaatsvonden bij de counters van Candy Grrrl. Bij de Bloomingdales in Manhattan duwde een vrouw een ander met haar schouder opzij, en de opzij geduwde vrouw zei: 'Hé! Wat krijgen we nou? Het is je kleur niet eens!'

Toen maakte Jay Leno een grap (die nogal flauw was, maar wat maakt het uit) over mensen die hun pistool trokken bij stands van Candy Grrrl, en het netto-effect van alle publiciteit was dat ik promotie kreeg. Wendell, de persoon die ik verving bij Candy Grrrl, werd overgeplaatst naar Visage, ons norse Franse merk, en ze was blij dat ze haar roze vilthoedjes en gekke schoenen kon opgeven. Ze droeg nu kokerrokken en sterk getailleerde jasjes.

Ik tikte nogmaals 'Eye Eye Captain'. Ik begon hem inmiddels echt te knijpen. Ik was drie dagen terug op mijn werk en ik had nog geen fatsoenlijk persbericht geproduceerd. Ik besefte dat ik had gehoopt dat alles direct weer zijn gangetje zou gaan, maar dat was niet zo. Ik voelde me alsof ik in een droom probeerde te rennen, met loodzware benen. Mijn hoofd weigerde te denken, mijn lichaam deed pijn, alles voelde aan alsof de wereld van zijn as was geschoten.

Drie kwartier later had ik het volgende op mijn scherm staan:

Kom aan boord, mannen!
Je kunt op volle zee varen, maar Eye Eye Captain
is de meest effectieve, meest geavanceerde
oogverzorging die je kunt vinden.
Wallen onder je ogen? Kielhaal ze!
Zwellingen in de ochtend? Gooi ze overboord!
Kraaienpootjes en rimpels? Spoel ze de voeten!
Die papegaai op je schouder? Sorry, dat is toch echt
jouw probleem.

Teenie keek over mijn schouder naar het scherm. 'Ho ho hó!' zei ze meelevend.

'Je had mijn andere probeersels eens moeten zien.'

'Je bent net terug, je moet er nog in komen.'

'En ik zit zwaar onder de medicijnen.'

'Het wordt wel makkelijker. Zal ik er even naar kijken?'

Teenie deed haar best om me te helpen, maar ze had zo haar eigen zorgen: ze was verantwoordelijk voor de afgeleide lijnen, Candy For A Baby en Candy Man. Maar goed, met slechts twaalf producten in de kinderlijn en tien in de mannenlijn had ze niet half zoveel verantwoordelijkheid als ik. (Achtenvijftig producten, in ontelbare kleurenschema's, en er kwamen voortdurend nieuwe bij. We leken elke week wel iets nieuws te lanceren.)

Lauryn kwam binnen rennen en gilde: 'Is dat persbericht al af?'

'Het komt eraan,' zei ik, terwijl Teenie in mijn oor mompelde:

'Eerst wordt het vet verbrand. Vervolgens het weefsel, uiteindelijk verdwijnen de spieren en ten slotte de organen. Op dat moment begint het lichaam zichzelf te verteren. Gaat dat domme mens ooit nog eten?' Teenie studeerde in de avonduren geneeskunde, en deelde graag haar kennis.

Ik printte mijn belabberde persbericht uit en liep naar Lauryns bureau, klaar om vernederd te worden.

Lauryn en ik deelden de verantwoordelijkheid voor Candy Grrrl's publiciteit als volgt: ík deed al het werk en verzon alle ideeen. Zíj maakte mijn leven tot een hel, kreeg twee keer zoveel betaald en kreeg alle lof.

Ik deed het tweederangswerk: ik viel beautyredactrices lastig, nam hen mee uit lunchen, vertelde hun hoe geweldig de producten van Candy Grrrl waren en haalde hen over een stukje van vier zinnetjes en een foto op hun pagina met beautynieuws te plaatsen. Dit was een enorm belangrijk deel van mijn baan, zozeer zelfs dat mijn prestaties systematisch werden bijgehouden. De hoeveelheid aandacht in tijdschriften werd opgeteld en vervolgens vergeleken met het bedrag dat we hadden moeten uitgeven aan advertenties om dezelfde hoeveelheid aandacht te krijgen.

Mijn doelstelling dit jaar lag twaalf procent hoger dan vorig jaar, maar ik had tijdens mijn twee maanden in Ierland geen beautyredactrice kunnen lastigvallen. Het zou niet meevallen de achterstand in te lopen. Zouden Ariella, Candace of George Biggly een oogje toeknijpen? Waarschijnlijk niet. En waarom zouden ze ook, objectief bezien?

Ik overhandigde Lauryn mijn persbericht voor Eye Eye Captain. Ze had genoeg aan een vluchtige blik.

'Dit is bagger.' Ze wierp het terug naar me.

Dat was prima. Ik moest haar altijd twee pogingen laten zien; mijn eerste schrijfsel verwierp ze, vervolgens verwierp ze mijn tweede, waarna ze het derde meestal accepteerde.

Vervelend misschien, maar het was fijn om te weten waar ik stond.

Ik ging pas om halfzeven naar huis, en toen ik thuiskwam, had ik een e-mail van mijn moeder. Dat was een primeur.

Aan: Goochelassisente@yahoo.com
Van: Familiewalsh@eircom.net
Onderwerp: De vrouw en haar hond

Lieve Anna,

Ik hoop dat het goed met je gaat. Vergeet niet dat je altijd weer naar huis kunt komen, dan zullen wij voor je zorgen. Ik schrijf je in verband met de vrouw en de hond die een kleine boodschap deed bij ons hek.

Jezus, wat heb ik voor beerput opengetrokken?

Ik geef toe dat we dachten dat je je van alles inbeeldde door de pillen die je gebruikte. Maar ik ben niet bang om de hand in eigen boezem te steken (rare uitdrukking eigenlijk) en toe te geven dat ik het mis had. Helen en ik hebben haar de afgelopen paar dagen in de gaten gehouden en het is duidelijk dat ze haar hond inderdaad aanspoort tegen ons hek te plassen. Dat wilde ik je even laten weten. We hebben haar nog niet kunnen identificeren. Zoals je weet is het een oude vrouw, en wat mij betreft zien alle oude vrouwen er hetzelfde uit. Zoals je weet heeft je zus Helen een krachtige verrekijker, die je vader heeft betaald. Maar ik mag hem niet gebruiken, ze zegt dat ik het gangbare tarief voor haar tijd moet betalen. Dat vind ik niet eerlijk. Als je haar spreekt, moet je maar zeggen dat ik dat heb gezegd. En als ze een 'scoop' heeft over de identiteit van de vrouw, moet je het me laten weten.

Liefs van je moeder,

Mam

22

Minder dan een week nadat Aidan me ten huwelijk had gevraagd, deed hij dat weer, deze keer met een ring waarvan ik ooit had gezegd dat ik hem mooi vond. Het was echt een prachtige ring: van platina met diamantjes gezet in de vorm van een ster. Ik ging helemaal over de rooie.

'Hou daarmee op,' zei ik. 'Niet zo overhaast. We hebben een rotweekend gehad. Je overdrijft.'

Ik ging naar huis en vertelde Jacqui wat er was gebeurd.

'Een ring?' riep ze uit. 'Gaan jullie trouwen?'

'Ik niet.'

'Waarom niet?'

'Waarom zou ik?'

'Nou, omdat hij je heeft gevraagd, bijvoorbeeld?' Kregel zei ze: 'Het was een grapje. Nou ja, min of meer. Waarom wil je niet met hem trouwen?'

Onsamenhangend ratelde ik: 'Ten eerste omdat ik hem nauwelijks ken en omdat ik al veel te vaak impulsief heb gehandeld. Ten tweede omdat Aidan ingewikkeld in elkaar zit, en ik niet voor therapeut wil spelen. Ten derde omdat jij, Jacqui Staniforth, ooit hebt gezegd – en je hebt vast groot gelijk – dat hij waarschijnlijk moeite zal hebben zich te binden. Stel dat hij me ontrouw is?'

'Nee, daar heeft het allemaal niets mee te maken,' zei Jacqui. 'Het gaat om iets heel anders. Ten eerste ben je een laatbloeier. En dat houdt in,' zei ze nogal hard, 'dat terwijl iedere andere single vrouw van onze leeftijd dolgraag wil trouwen, zelfs met een dwerg met drie ogen die zijn neus moet scheren, jij zo naïef bent dat je vindt dat je niet moet trouwen met de eerste de beste kerel die je vraagt. Ja, je kent hem inderdaad nauwelijks! Ja, hij zit ingewikkeld in elkaar. Ja, misschien kost het hem moeite zijn broek aan te houden. Maar Anna Walsh, je weet zelf niet hoe ontzéttend veel mazzel je hebt!'

Ik wachtte totdat ze klaar was met schreeuwen.

'Sorry,' zei ze blozend. Ze ademde sneller dan normaal. 'Ik ging een beetje over de rooie. Het spijt me, Anna. Dat hij twee ogen en een goede lengte heeft, en er geen haar op zijn neus groeit, is geen reden om met hem te trouwen. Absoluut niet.'

'Dank je.'

'Maar je houdt van hem,' zei ze beschuldigend. 'En hij houdt van jou. Ik weet dat het snel is gegaan, maar hij meent het, hoor.'

De volgende keer dat hij met de ring op de proppen kwam, zei ik: 'Hou daar alsjeblieft mee op.'

'Ik kan er niks aan doen.'

'Waarom wil je met me trouwen?'

Hij slaakte een zucht. 'Ik kan alle redenen wel opnoemen, maar dat is niet genoeg. Je ruikt heerlijk, je bent dapper, je bent dol op Dogly, je bent grappig, je bent slim, je ziet er echt heel erg goed uit, je praat met een leuk accent, je trekt grappige conclusies, zoals toen we het hadden over het verjaarscadeau voor mijn moeder dat we per expresse naar Boston wilden sturen, en toen zei jij ineens: "Iemand die aan een postzegel likt ziet er echt niet sexy uit..."' Hij maakte een hulpeloos gebaar. 'Maar het is nog veel en veel meer. Heel, heel veel meer.'

'Waarom zijn je gevoelens voor mij anders dan de gevoelens die je voor Janie had?'

'Ik wil geen nare dingen over Janie zeggen, want ze was echt heel leuk. Maar in vergelijking met jou...' Hij knipte met zijn vingers. 'Goed, laat ik het dan zo zeggen: heb je wel eens heel erge kiespijn gehad? Zo erg dat het lijkt of er iemand door je hoofd staat te boren, zo erg dat je nauwelijks meer uit je ogen kunt kijken? Ja? Nou, op die heel intense manier hou ik van jou.'

'En Janie?'

'Janie? Janie is meer zoiets als wanneer je je hoofd tegen een lage deurpost stoot. Vervelend, maar niet ondraaglijk. Begrijp je een beetje wat ik bedoel?'

'Vreemd genoeg wel.'

Het was wel duidelijk dat ik de eerste keer dat we elkaar spraken al had gevoeld dat het tussen ons klikte. En toen we elkaar na zeven weken toevallig weer tegen het lijf liepen, leek het een 'teken' dat we voor elkaar bestemd waren, maar ik wilde niet afhankelijk zijn van 'tekens', maar van feiten.

Feit 1: Ik kon niet ontkennen dat hij me van slag maakte. Ik had dan wel volgehouden dat we elkaar nauwelijks kenden, maar vanbinnen had ik het gevoel dat ik hem heel goed kende. En dat was prettig.

Feit 2: Wat ik voor hem voelde, was iets wat ik al heel lang niet meer voor een man had gevoeld. Ik vermoedde dat ik stapelverliefd op hem was, en dat beangstigde me.

Feit 3: Ik hecht grote waarde aan loyaliteit, en in veel opzichten was Aidan erg loyaal. Hij behandelde Jacqui en Rachel, en zelfs Luke en de Echte Mannen, als vrienden. Hij leefde mee met mijn successen op het werk, en hij had al de pest aan Lauryn voordat hij haar ook maar had gezien.

Feit 4: Ik liet me niet van de wijs brengen door het lichamelijke aspect, want op die manier kun je op zoveel mannen vallen. Maar toch konden we niet van elkaar afblijven (maar dat heeft er natuurlijk niets mee te maken).

Op papier kon ik heel wat afvinken. Het probleem was Janie. Ik kon het Aidan niet vergeven dat hij haar had gedumpt.

Maar toen ik het daar met Jacqui over had, zei ze: 'Hij heeft haar gedumpt voor jóú!'

'Toch is het verkeerd. Ze hebben heel lang een relatie gehad, en mij kent hij nog maar net.'

'Luister nou eens goed naar me,' zei ze heel ernstig. 'Je hoort heel vaak van mensen die een jarenlange relatie hebben, en dan raakt het uit en trouwen ze binnen de kortste keren met een ander. Dat hebben we toch zeker ook meegemaakt? Weet je nog van Faith en Hal? Na elf jaar verbrak ze de relatie en bijna meteen – zo leek het althans – trouwde hij met die Zweedse. Iedereen zei dat hij dat van de weeromstuit deed, maar ze zijn nog steeds gelukkig getrouwd en hebben drie kinderen. Als het zo snel gaat, denkt iedereen dat het ook wel gauw uit zal gaan, maar vaak hebben ze het bij het verkeerde eind, vaak pakt het goed uit. Ik heb het gevoel dat hier ook zoiets aan de hand is. Je hoeft niet eerst eeuwen met iemand om te gaan voordat je het zeker weet. Soms gebeurt het als bij toverslag. Je weet toch wat ze zeggen? Soms wéét je het gewoon?'

Ik knikte. Ja, dat had ik ook wel eens horen zeggen.

'Nou, wéét jij het?'

'Nee.'

Ze zuchtte diep en mompelde: 'Allemachtig.'

'Al die tijd dat ik met Janie was, heb ik haar nooit ten huwelijk gevraagd,' zei Aidan. 'En zij heeft mij ook niet gevraagd.'

'Dat maakt me niet uit,' zei ik. 'Ik vind het al erg genoeg dat je zo snel een punt achter die relatie hebt gezet, en al die huwelijksaanzoeken zijn me gewoon te veel.'

'Waar ben je zo bang voor?'

'Och, je weet wel, de gebruikelijke dingen. Dat ik nooit meer met een ander naar bed zal kunnen, dat ik geen onderdeel van zo'n echtpaar wil worden dat elkaars zinnen afmaakt. Enzovoort, enzovoort.'

Maar waar ik in werkelijkheid bang voor was, was dat het niet zou lukken, dat hij er met iemand anders vandoor zou gaan, of erger nog, zou teruggaan naar Janie. Daar zou ik helemaal kapot van zijn. Want wanneer je zoveel houdt van iemand als ik vermoedde dat ik van Aidan hield, val je na afloop in een zwart gat.

'Ik ben bang dat het helemaal verkeerd zal gaan,' biechtte ik op. 'Dat we een hekel aan elkaar krijgen en nooit meer ergens op kunnen vertrouwen. Dat zou ik niet kunnen verdragen. Ik zou zo'n opgedirkte slet worden die bij het ontbijt al aan de drank gaat en met de glazenwasser het bed in duikt.'

'Anna, het gaat niet verkeerd, dat beloof ik je. Wat wij hebben, is goed. Beter kan het niet. Dat weet jij ook.'

Soms wist ik dat inderdaad. En dat maakte me juist zo bang dat ik ja zou zeggen. Het was net zoiets als op een hoog gebouw staan en de aandrang krijgen eraf te springen.

'Goed, als je niet met me wilt trouwen, wil je dan wel met me op vakantie?'

'Dat weet ik niet,' zei ik. 'Dat moet ik eerst met Jacqui overleggen.'

'Een sprong in het diepe,' zei Jacqui. 'Het kan op een ramp uitlopen, vastzitten in het buitenland en elkaar niets meer te zeggen hebben. Ik vind dat je het er maar op moet wagen.'

Ik zei dat ik meeging op voorwaarde dat hij me niet ten huwelijk zou vragen. 'Afgesproken,' zei hij.

De kerstdagen bracht ik door in Ierland, en toen ik terugkwam, gingen Aidan en ik een weekje naar Mexico.

Na de winterse kou van het grauwe New York waren de witte stranden en blauwe luchten adembenemend. Het deed bijna pijn aan de ogen. Maar het fijnste was toch om dag en nacht bij Aidan te kunnen zijn. Het was seks, seks en nog meer seks. Meteen bij het wakker worden en natuurlijk voordat we gingen slapen, en in de tijd daartussen ook nog.

Om ervoor te zorgen dat we ook eens uit bed kwamen, gingen we het stoffige plaatsje verkennen. We besloten een duikcursus voor beginners te volgen. Twee hasjrokende kerels uit Californië waren de baas van de duikschool, en de cursus was spotgoedkoop. Achteraf gezien had er misschien een belletje moeten gaan rinkelen. Ook het contract dat we moesten ondertekenen had een waarschuwing moeten zijn, want we moesten tekenen dat we hen niet aansprakelijk zouden stellen als we doodgingen, gewond raakten, werden aangevallen door haaien, posttraumatische stress zouden krijgen, onze tenen stootten, onze protheses kwijtraakten en nog veel meer.

Maar daar zaten we niet mee, want we hadden grote lol in een oefenzwembadje met negen andere beginnelingen. We maakten een rondje met onze duim en wijsvinger, we giechelden en stootten elkaar aan alsof we weer in de schoolbanken zaten.

Op de derde dag mochten we voor het eerst in zee duiken, en hoewel we maar vier meter onder het wateroppervlak waren, bevonden we ons in een heel andere wereld. Een vredige wereld waar je alleen jezelf hoort ademen, en waar alles zich sierlijk beweegt. Zwemmen door blauw water is net zoiets als zweven in blauw licht. Het water was glashelder en het zonlicht drong helemaal door tot op het witte zand op de bodem.

Aidan en ik waren als betoverd. Hand in hand zwommen we langs teer koraal en vissen in alle mogelijke kleurcombinaties: geel met zwarte stippen, oranje met witte strepen, en vreemd transparante, kleurloze vissen. Hele scholen zwommen in formatie voorbij. Aidan wees op iets. Haaien. Drie haaien die bij de rand van het rif zwommen. Ze zagen er vals en slechtgehumeurd uit, alsof ze leren jasjes droegen. Deze haaien zijn meestal niet gevaarlijk, maar toch ging mijn hart sneller kloppen.

Toen haalden we voor de grap ons mondstuk uit onze mond en gebruikten elkaars reserveslang, zodat we één geheel werden, net zoiets als geliefden in films uit de jaren dertig die met verstrengelde armen champagne uit elkaars glas drinken (altijd uit van die platte champagneglazen zodat de champagne over de rand klotst).

'Goh, dat was geweldig,' merkte Aidan naderhand enthousiast op. 'Net als in *Finding Nemo*. Weet je wat dat wil zeggen, Anna? Het betekent dat we iets gemeen hebben, een gezamenlijke interesse.'

Ik dacht dat hij me weer ten huwelijk wilde vragen, dus keek ik hem vuil aan. Hij zei: 'Wat is er?', en ik zei: 'Niets.'

De laatste dag moest de grote klapper worden. We mochten dieper duiken, en dat hield in dat we tijdens het afdalen rekening moesten houden met de druk. Om de vijf meter moesten we twee minuten blijven hangen terwijl er iets met onze ontspanners of zo gebeurde. We hadden al in ondiep water geoefend, maar deze keer was het allemaal echt.

Maar onderweg in de boot ging het mis: Aidan was verkouden geworden, en hoewel hij deed alsof er niets aan de hand was, merkte de instructeur het toch op en mocht Aidan niet duiken.

'Als je verkouden bent, kunnen je oren zich niet aan de luchtdruk aanpassen. Sorry, maar je mag niet naar beneden.'

Aidan was zo teleurgesteld dat ik besloot om ook niet te gaan. 'Ik ga liever terug naar de cabana om met je te vrijen. Dat hebben we al een heel uur niet meer gedaan.'

'Je kunt toch ook eerst duiken en daarna naar de cabana gaan om met me te vrijen? Jij kunt allebei doen. Kom op, Anna, je wilde dolgraag duiken, en na afloop kun je me er alles over vertellen.'

Omdat Aidan niet mocht duiken, moest ik een andere 'buddy' hebben. Vreselijk woord: buddy. Mijn buddy werd een kerel die op het strand een boek had gelezen dat heette: *Leef je eigen leven*. Hij was hier in zijn uppie met vakantie, en bij de andere duiken was de instructeur zijn buddy geweest.

We kregen nog een paar laatste instructies en toen doken we van de boot af om rond te spartelen in die stille andere wereld. Meneer Eigen Leven wilde niet hand in hand met mij, maar dat kwam goed uit, omdat ik ook niet hand in hand met hem wilde. We zwommen al een paar minuten over de bodem toen het tot me doordrong dat er bij de laatste twee keer inademen geen lucht door de slang was gekomen. Ik ademde voor de zekerheid nog eens in, maar nee hoor, niks. Het kwam als net zo'n verrassing als wanneer de bus haarlak op is, iets waar ik nooit op voorbereid ben. Ik duw maar op het nippeltje en denk: dat ding kan toch niet leeg zijn? Maar dat is hij wel, en dan dringt het tot me door dat ik beter niet meer op de nippel kan drukken omdat het kreng anders misschien zou ontploffen.

Op de display stond dat ik nog voor bijna een halfuur lucht had, maar ik kreeg niets binnen. Waarschijnlijk was er iets mis met de slang. Dus pakte ik de reserveslang, en toen daar ook niets uit kwam, werd ik echt bang.

Ik tikte meneer Eigen Leven aan en maakte het gebaar voor Geen Lucht. (Een snijdend gebaar over je hals, net zoiets als ze bij de maffia gebruiken wanneer ze met iemand willen afrekenen.) Pas toen ik zijn reserveslang wilde pakken om heerlijke zuurstof op te zuigen, merkte ik dat hij er geen had. Hij had geen reserveslang bij zich! De klootzak! Ik wist precies wat er was gebeurd: hij had de reserveslang losgemaakt om duidelijk te maken dat hij echt helemaal zijn eigen leven leefde. Inwendig had hij waarschijnlijk trots gememoreerd: ik kan het allemaal alleen; ik ben van niemand afhankelijk en niemand is afhankelijk van mij.

Nou, jammer voor hem, maar omdat hij zijn reserveslang ergens had laten slingeren, moest hij mij zijn mondstuk even geven. Ik gebaarde dat hij dat moest doen, maar toen hij het mondstuk uit zijn mond wilde halen, raakte hij ineens in paniek. Zelfs door de duikbril heen kon ik het zien. Hij leek precies op Bilbo die de Ring aan de jonge Frodo moet overhandigen. Hij wist dat het moest, maar hij kon het niet over zijn hart verkrijgen.

Meneer Eigen Leven was te bang om ook maar eventjes zelf zonder lucht te zitten. Zijn ene hand klemde hij om zijn slang, en met de andere wees hij naar boven. Daarna zwom hij tot mijn grote schrik bij me vandaan, met zijn hand nog steeds beschermend om de slang.

De anderen waren verder gezwommen, ik zag hen nog net in de verte verdwijnen. Er was niemand die me kon helpen. Het was allemaal heel onwerkelijk.

Ik bevond me op een diepte van vijftien meter en ik had geen lucht. Ik voelde al dat water op me drukken. Tot nu toe was het water gewichtloos geweest, maar plotseling was het dodelijk geworden.

Ik werd zo bang dat het voelde alsof ik droomde. Naar boven, dacht ik, ik moet naar boven.

Ik trapte me naar boven. Mijn longen barstten bijna, en ik ging maar naar boven, waarbij ik alle regels met voeten trad. Ik dacht steeds: ik ga dood en dat is mijn eigen schuld omdat ik me heb ingeschreven voor een goedkope duikcursus.

Elke vijf meter moest ik eigenlijk blijven wachten om me aan de druk aan te passen. Twee minuten moest ik wachten. Ze konden de pot op met hun twee minuten; twee seconden was al te veel.

Ik steeg op langs een verbaasde school anemoonvissen in de hoop gauw de oppervlakte te bereiken. Mijn oren suisden en er flitsten beelden door mijn hoofd. Ineens wist ik wat er aan de hand was: mijn leven speelde zich voor mijn ogen af. Shit, dacht ik, ik ga echt dood.

Mijn leven speelde zich niet in de juiste volgorde af. Ik zag onverwachte dingen, dingen waaraan ik al jaren niet meer had gedacht. Of eigenlijk nooit. Ik zag mezelf geboren worden, en ik vond het erg aardig van mijn moeder dat ze zo haar best deed. Daarna zag ik Shane, en ik dacht dat ik veel te lang met hem was omgegaan.

Waarom moest ik doodgaan? Nou ja, waarom niet? Er zijn zes miljard mensen op de wereld, en ik was net zo onbelangrijk als zij. Er gingen voortdurend mensen dood, dus waarom ik niet?

Maar het was wel jammer, want als ik nog een kans zou krijgen, zou ik...

En net toen ik dacht dat mijn hoofd zou barsten, brak ik door de grens tussen de twee werelden heen. Het lawaai en het felle licht kwamen als een klap, een golf sloeg tegen mijn oor. Ik rukte de duikbril af en hapte naar adem, naar heerlijke zuurstof. Het verbaasde me dat ik niet dood was.

Het volgende wat ik me herinner, is dat ik op mijn rug in de boot lag, nog steeds wanhopig naar adem snakkend. Aidan boog zich over me heen. Hij zag er zowel bang als opgelucht uit. Met heel veel moeite lukte het me iets te zeggen. 'Oké,' bracht ik hijgend uit. 'Ik trouw wel met je.'

23

Met een schok werd ik in de duisternis wakker. Mijn hart ging als een gek tekeer. Het licht was al aangeknipt voordat ik besefte dat ik dat zelf had gedaan. Ik was klaarwakker en lag op de bank. Ik was in slaap gevallen in mijn werkkleding, omdat ik het moment waarop ik alleen naar bed moest steeds weer had uitgesteld.

Iets had me gewekt. Wat had ik gehoord? Het geluid van een sleutel in de deur? Of was de deur zelfs open en dicht gegaan? Ik wist alleen dat ik niet alleen was. Je weet het gewoon wanneer iemand anders zich in jouw ruimte bevindt, het voelt anders aan.

Het moest Aidan wel zijn. Hij was teruggekomen. En hoewel ik opgewonden was, was ik ook een beetje bang. Vanuit mijn ooghoeken zag ik bij het raam iets bewegen, iets snels en schaduwigs. Ik draaide me vliegensvlug om, maar er was niets te zien.

Ik stond op. Er was niemand in de woonkamer, niemand in de keuken, dus moest ik wel naar de slaapkamer. Zwetend duwde ik de deur open. Ik reikte naar de lichtknop, bijna verlamd van angst dat in het donker een hand de mijne zou grijpen. Wat was die lange, smalle vorm bij de kast? Toen sloeg ik op de lichtknop en de kamer stroomde vol licht. De duistere, onheilspellende vorm bleek niets kwaadaardiger dan onze boekenplank.

Ik hoorde mijn eigen schokkerige ademhaling en deed het licht in de badkamer aan. Met een ruk trok ik het douchegordijn met golfpatroon weg. Ook niemand.

Wat had me dan gewekt?

Ik besefte dat ik hem kon ruiken. Hij vulde de kleine ruimte. De paniek keerde terug en mijn ogen schoten heen en weer, op zoek naar... naar wat eigenlijk? Ik durfde niet in de spiegel te kijken, voor het geval iemand anders terug zou staren. Op dat moment zag ik dat zijn toilettas van de volle plank op de grond was gegleden. Er waren spullen uit gevallen en een flesje was gebroken. Ik hurkte. Ik kon Aidan niet ruiken; het was zijn aftershave, meer niet.

Oké. Hoe was de toilettas dan gevallen? Deze appartementen waren oud en krakkemikkig. Iemand die zijn voordeur dichtsloeg kon al genoeg schokgolven veroorzaken om in een ander appartement een overhangende toilettas van een richel op de grond te duwen. Daar was niets mysterieus aan.

Ik ging een stoffer halen om het gebroken glas op te vegen, maar in de keuken werd ik opgewacht door een andere geur, zoet, poederachtig en beklemmend. Nerveus snoof ik de geur op. Het was een vers geplukte bloem. Ik herkende de geur, ik kon alleen niet... En toen wist ik het. Het waren lelies, een geur die ik afschuwelijk vind, zo zwaar en muf, als de dood.

Angstig keek ik rond. Waar kwam die geur vandaan? Er waren geen vers geplukte bloemen in het appartement. Maar de geur was onmiskenbaar. Ik beeldde het me niet in. Het was echt, de lucht was drukkend en weeïg.

Nadat ik het gebroken flesje had opgeveegd, durfde ik niet opnieuw te gaan slapen, dus zette ik de tv aan. Nadat ik alle gekken op de kabelzenders was afgegaan, stuitte ik op een aflevering van *Knight Rider* die ik nog niet had gezien. Na een tijdje viel ik weer half in slaap. Ik droomde dat ik wakker was en dat Aidan de deur opende en binnen kwam lopen.

'Aidan, je bent teruggekomen! Ik wist het wel.'

'Ik blijf maar even, lieverd,' zei hij. 'Maar ik moet je iets belangrijks vertellen.'

'Ik weet het. Zeg het maar, ik kan het wel aan.'

'Betaal de huur, je bent te laat.'

'Dat is het?'

'Dat is het.'

'Maar ik dacht...'

'De aanmaning ligt in de kast, bij de rest van de post. Het spijt me, ik weet dat je die niet wilt openen, maar zoek die in elk geval. Raak ons appartement niet kwijt. Hou je haaks, lieverd.'

24

‘Anna, waar ben je?’ Het was Rachel.

‘Op mijn werk.’

‘Het is vrijdag, tien over acht! Je bent nog geen week terug, je moet het langzaam opbouwen.’

‘Dat weet ik, maar ik heb heel veel te doen, en het gaat zo sloom.’

Het hielp ook niet erg dat ik ’s nachts naar *Knight Rider* had gekeken in plaats van te slapen. De hele dag voelde ik me sloom; uitgeput en traag. Lauryn overstelpte me met werk, Franklin zeurde dat ik iets aan mijn haar moest laten doen, en om het allemaal nog erger te maken dacht een heel stel meisjes van EarthSource dat ik aan de drank was.

Een van hen – Koo? Aroon? Zo’n soort sukkelige naam in elk geval – kwam ’s ochtends naar mijn bureau en nodigde me uit voor een lunchbijeenkomst – van de AA – samen met nog een paar meisjes van McArthur die droog stonden.

De moed zonk me in mijn glittergympen met plateauzolen. Wat vermoeiend... ‘Dank je,’ zei ik. ‘Dat is heel aardig van je...’ Ik wilde haar naam zeggen, maar die herinnerde ik me niet meer, daarom maakte ik maar een soort koerend geluidje. ‘Maar ik ben geen alcoholist.’

‘Zit je nog in de ontkenningsfase?’ Ze schudde verdrietig haar hoofd met het steile haar met de scheiding in het midden. ‘De eerste stap is je probleem onder ogen zien, Anna.’

‘Oké.’ Ik ging er voor het gemak maar in mee.

‘Je moet het zelf willen. Je bent het waard, Anna. Als je wilt drinken, moet je het zelf weten, maar als je wilt stoppen, staan we klaar voor je.’

‘Dank je. Dat is lief van jullie.’ En hoepel nou verdomme op voordat Lauryn hierheen komt.

Rachel zei: ‘Er komen Echte Mannen om scrabble te spelen. Dat lijkt me voor jou een makkelijke manier om weer onder de mensen te komen. Denk je dat je dat aankunt?’

Of ik dat aankon? Ik wilde niet alleen zijn. Maar ik wilde ook niet onder de mensen zijn. Het was een begrijpelijke paradox; ik wilde gewoon bij Aidan zijn.

Ik had nog nooit zoveel uitnodigingen gekregen als in de vier dagen dat ik nu in New York terug was. Iedereen was top, maar ik had alleen Jacqui en Rachel nog maar gesproken (en Luke, omdat hij bij Rachel hoorde). Ik moest nog heel veel mensen bellen: Leon en Dana; Ornesto, onze bovenbuurman; Aidans moeder... Maar dat kwam allemaal nog wel.

Ik zette de computer uit en stapte buiten in een taxi. Daar had ik al een klein beetje minder moeite mee. Onderweg belde ik Jacqui en nodigde haar uit.

'Scrabbelen met Echte Mannen? Ik steek mezelf nog liever in de fik. Maar toch bedankt.'

Afgezien van Luke had Jacqui geen tijd voor Echte Mannen.

Luke liet me binnen. Hoewel hij zijn haar korter droeg dan toen hij Rachel leerde kennen, zag hij er toch nog uit als een echte rocker met die iets te krappe spijkerbroek. Mijn blik wordt altijd onweerstaanbaar naar zijn kruis getrokken. Daar kan ik niets aan doen. Het is net zoiets als dat iedereen tegen mijn littekens praat in plaats van tegen mij.

'Kom binnen,' zei hij uitnodigend tegen mijn litteken. 'Rachel staat onder de douche.'

'Oké,' zei ik tegen zijn kruis.

Rachel en Luke hebben een appartementje in de East Village. Volgens New Yorkse begrippen is het ruim. Dat wil zeggen dat je in het midden van de woonkamer kunt staan zonder de muren aan te raken. Ze wonen hier al lang, bijna vijf jaar, en het is er erg gezellig en knus, vol spulletjes met herinneringen: quilts en kussentjes die zijn geborduurd door verslaafden die Rachel heeft geholpen, schelpen die Luke heeft meegenomen van de picknick om te vieren dat Rachel al vier jaar clean was. Dat soort dingen. De lampen wierpen een zacht licht, en het rook naar de bloemen in de vaas op de salontafel.

'Bier, wijn, water?' vroeg Luke.

'Water,' zei ik tegen zijn kruis. Ik was bang dat ik niet meer zou kunnen ophouden als ik eenmaal aan alcohol begon.

De bel ging. 'Daar heb je Joey,' zei Luke. Joey is zijn beste vriend. 'Kun je dat echt wel aan?'

Ik probeerde naar Lukes gezicht te kijken, echt waar, maar mijn ogen dwaalden langs zijn borst toch weer naar die bobbel af. 'Ja hoor.'

Even later kwam Joey binnen. Hij deed de deur achter zich dicht met een sierlijke beweging van zijn voet, pakte een stoel, draaide die om, trok hem naar zich toe en ging erop zitten, met zijn benen aan weerskanten van de rugleuning. Hij slaagde erin zijn broek niet te scheuren of zijn ballen te pletten. Knap, hoor.

'Zeg Anna, het spijt me van... Nou ja, hartstikke rot voor je.' Hij zou me tenminste niet smoren in blijken van medeleven. Prima.

Even keek hij strak naar mijn litteken, vervolgens haalde hij een pakje sigaretten tevoorschijn, tikte ertegen op een speciale manier, en toen vloog er met een boog een sigaret uit die tussen zijn lippen terechtkwam. In een vloeiende beweging ging hij met een lucifer over de bakstenen muur en op het moment dat hij wilde opsteken, klonk uit een ander vertrek Rachels stem: 'Nee, Joey.'

Hij verstarde met de brandende lucifer in zijn hand, en met de sigaret tussen zijn lippen mompelde hij: 'Ik wist niet dat ze al thuis was.'

'Ja, ik ben thuis. Weg met die sigaret, Joey.'

'Shit,' zei hij, en hij wapperde de lucifer uit omdat de vlam te dicht bij zijn vingers was gekomen. Langzaam stopte hij de sigaret terug in het pakje, daarna keek hij somber voor zich uit.

Maar dat had niets te maken met het feit dat hij van Rachel niet mocht roken. Joey kijkt altijd zo.

Meestal kijkt hij erg ontevreden. Wanneer mensen hem net leren kennen, zeggen ze vaak fel: 'Wat heeft die gozer toch?'

Joey kan uiterst hatelijk uit de hoek komen. Bijvoorbeeld wanneer iemand zich een nieuw kapsel heeft laten aanmeten en iedereen dat bejubelt, kan Joey ineens zeggen: 'Je moet schadevergoeding aan die kapper vragen.'

Vaak zegt hij ook helemaal niets. Dan zit hij iedereen met tot spleetjes geknepen ogen aan te kijken, zijn lippen op elkaar geperst. Er beweegt dan een spiertje bij zijn kaak. Dat maakt dat veel vrouwen hem aantrekkelijk vinden. Ik weet precies wanneer ze niet meer denken dat hij een mopperkont is, maar hem leuk gaan vinden, want dan zeggen ze ineens: 'Het is me nooit eerder opgevallen, maar vind je ook niet dat Joey op Jon Bon Jovi lijkt?'

Voor zover ik weet heeft hij nog nooit een langdurige relatie gehad, maar hij heeft wel met veel vrouwen geslapen, onder wie familieleden van me. Met mijn zus Helen bijvoorbeeld, toen ze voor mannenverslindster speelde. Ze zei dat hij ermee door kon, en uit haar mond is dat een groot compliment.

Rachel zegt dat hij last heeft van onderhuidse woede. Mensen die niets van onderhuidse woede weten, zeggen: 'Die Joey is een ongemanierde plurk.'

Even later kwamen Gaz en Shake, de kampioen luchtgitaarspelen. Ze deden hun best om niet naar mijn litteken te kijken. Dat deden ze door zich op een punt tien centimeter boven mijn hoofd te richten wanneer ze met me praatten. Maar ze bedoelden het goed. Gaz, een kale lieverd met een bierbuik – en ook al niet de slimste, maar dat doet er niet toe – trok me in een stevige omhelzing tegen zijn zachte buik aan. 'Jezus, Anna, wat rot voor je.'

'Ja,' zei Shake, en hij schudde zijn warrige haar naar achteren. Hij mag best trots zijn op die bos haar, en aan dat schudden ermee heeft hij zijn bijnaam te danken. 'Hartstikke rot.' Daarna omhelsde hij me zonder me aan te kijken.

Ik liet het allemaal maar over me heen komen. Het moest nu eenmaal. Nu ik weer terug was, moest ik vroeg of laat iedereen weer onder ogen komen, en de eerste keer zou het altijd zo gaan.

'Hé, Anna, nog bedankt voor die haarmousse van Candy Grrrl,' zei Shake. 'Het werkt echt. Goed spul.'

'O, werkt het?' Ik had hem die mousse een paar maanden geleden gegeven. Voor de finale van het kampioenschap luchtgitaarspelen wilde hij zoveel mogelijk volume in zijn haar.

'En die spray! Helemaal top.'

'O, fijn. Zeg het maar wanneer je er meer van wilt.'

'Bedankt.'

Rachel kwam in een wolk van lavendel de badkamer uit. In het voorbijgaan lachte ze liefjes naar Joey; hij wierp een boze blik terug. Terwijl de kerels zich op het scrabbelen en het bier stortten, krulden wij ons op op de bank, in een hoekje met schemerig licht, en Rachel masseerde mijn hand.

Ik doezelde net zo'n beetje weg toen de bel nogmaals ging. Tot mijn verbazing was het Jacqui. Ze stormde naar binnen, sprankelend en babbelig. Ze had haar gouden tanden laten weghalen, ze had iets van Louis Vuitton gekregen en nu was ze op weg naar een preview.

'Hoi!' Ze wuifde naar de Echte Mannen aan tafel. 'Ik kan niet lang blijven. Maar omdat de preview maar een paar straten verderop is, dacht ik dat ik best even kon komen binnenwippen. En eens kijken hoe het met het scrabbelen gaat.'

'Moeten we ons nu vereerd voelen?' vroeg Joey lijzig. Hij zat met een lucifer tussen zijn tanden te peuteren.

Jacqui keek geërgerd. 'Joey, jij bent echt het zonnetje in huis.'

Ze kwam bij Rachel en mij staan. 'Waarom doet hij toch altijd zo vervelend?'

'Hij heeft niet zo'n hoge dunk van zichzelf,' zei Rachel.

'Dat kan ik hem niet kwalijk nemen,' zei Jacqui.

'Hij projecteert die woede op anderen,' ging Rachel verder.

'Ik snap het niet, hoor. Waarom kan hij niet gewoon doen? O shit, ik moet weg. Sorry dat ik jullie stoorde. Nog een prettige avond,' riep ze naar de tafel. 'Voor iedereen, behalve Joey.'

Ze ging weg en de mannen gingen verder met scrabbelen, maar ongeveer een halfuur later raakte ik half in paniek: ik voelde me bij deze mensen niet meer op mijn gemak.

'Ik denk dat ik nu maar naar huis ga,' zei ik. Ik probeerde mijn angst verborgen te houden.

Luke en Rachel keken me bezorgd aan. 'Ik kom wel met je mee om een taxi voor je aan te houden,' zei Rachel.

'Nee, jij bent niet aangekleed. Ik ga wel,' zei Luke.

'Nee, dat hoeft allemaal niet.' Verlangend keek ik naar de deur. Als ik hier niet gauw weg was, ontplofte ik nog.

'Weet je het zeker?'

'Heel zeker.'

'Wat doe je morgen?' vroeg Rachel.

'Ik ga 's middags met Jacqui shoppen.' De woorden tuimelden over mijn lippen.

'Heb je zin om 's avonds naar de film te gaan?'

'Ja,' zei Luke enthousiast. 'In de Angelica draait een digitaal gerestaureerde versie van *North By Northwest*.'

'Oké, leuk,' bracht ik gesmoord uit. 'Tot morgen dan maar.'

'Dag.'
'Dag.'
En toen ging de deur open en was ik vrij. Mijn hart klopte niet meer zo snel en ik kreeg weer lucht. Ik stond op de stoep en voelde dat het paniekgevoel zakte. Maar toen kwam het weer terug en dacht ik: jezus, kan ik niet eens meer gewoon bij mijn zusje zijn? En nou moet ik ook nog terug naar huis.

Wat een ellende; ik kon niet onder de mensen zijn en ik wilde ook niet alleen zijn. Plotseling zag ik alles vanuit een heel ander perspectief. Ik zag de wereld met al die miljoenen mensen die allemaal hun eigen plekje hadden. En toen zag ik mezelf; ik was mijn plaatsje in de wereld kwijt. Mijn plaatsje was vergaan.

Ik voelde me verloren.

En toen stond ik weer op de stoep. Wat moest ik doen?

Ik begon te lopen. Ik strompelde via een rare route verder, maar uiteindelijk stond ik toch voor mijn huis, want ik kon nergens anders heen. Toen ik op de stoep in mijn tas naar mijn sleutels zocht, hoorde ik iemand roepen: 'Wacht even, schat!'

Het was Ornesto, onze bovenbuurman, die in een knalrood pak kwam aanlopen. Shit.

Toen hij me had bereikt, zei hij beschuldigend: 'Ik heb je heel vaak gebeld, en ik heb heel vaak een bericht ingesproken.'

'Het spijt me, Ornesto, het spijt me echt.'

'Jezus, moet je dat gezicht zien! Allemachtig, schat, dat is niet mis!' Hij hield zijn neus bijna tegen mijn litteken, alsof hij een lijntje coke wilde snuiven, daarna sloeg hij zijn armen om me heen en trok me tegen zich aan. Gelukkig denkt Ornesto vooral aan zichzelf en veranderde hij algauw van onderwerp. 'Ik ga even naar huis, maar zo meteen ga ik weer op zoek naar...' Hij moest even adem halen om te kunnen roepen: 'SEXY MANNEN! Kom even een babbeltje maken terwijl ik mijn feestjurk aantrek.'

'Oké.'

In Ornesto's Thais ingerichte appartement zat naast een gouden Boeddhabeeld met een keukenmes een foto op de muur geprikt. Het mes ging recht door de lachende mond van een man. Het viel Ornesto op dat ik ernaar keek. 'Och jezus, dat heb je allemaal gemist. Dat is Bradley. Ik dacht dat hij De Ware was, maar je zou niet willen geloven wat die gozer me allemaal heeft geflikt.'

Ornesto heeft altijd pech met mannen. Ze bedriegen hem, ze jatten zijn dure pannen met dikke bodem, of ze gaan terug naar hun echtgenote. Wat zou er deze keer zijn gebeurd?

'Hij heeft me in elkaar geslagen.'

'Echt?'

'Heb je dan niet gezien dat ik een blauw oog heb?'

Trots liet hij het me zien. Ik zag alleen een vervaagde blauwe plek bij zijn wenkbrauw, maar hij was er zo blij mee dat ik een meelevend geluidje maakte. 'Wat erg!'

'Maar ik heb ook goed nieuws: ik zit op zangles! Mijn therapeut zei dat ik iets creatiefs moest gaan doen.' Ornesto werkt als assistent van een dierenarts. 'Mijn voicecoach zegt dat ik talent heb. Ze zegt dat ze nog nooit iemand heeft gekend die het ademen zo snel onder de knie had.'

'Leuk,' zei ik. Het had geen zin om echt geïnteresseerd te doen. Ornesto is behoorlijk wispelturig. Over een week zou hij ruzie met zijn voicecoach hebben en een afkeer van zingen hebben gekregen.

Ik keek om me heen. Ik rook iets... Toen zag ik het op de tafel staan. Een enorme bos bloemen. Lelies.

'Lelies?' zei ik.

'Ja, om mezelf te verwennen. Die kerels doen niet lief tegen me, dus moet ik dat zelf maar doen.'

'Wanneer heb je ze gekocht?'

Daar moest hij even over nadenken. 'Gisteren, geloof ik. Is daar iets mis mee?'

'Nee.' Maar ik vroeg me af of ik gisternacht soms Ornesto's lelies had geroken. De geur kon via de luchtkoker naar mijn keuken zijn gegaan. Was dat het? Had het helemaal niets met Aidan te maken gehad?

25

Ik droomde vroeger al over mijn bruiloft.

Het was het soort droom waaruit je midden in de nacht wakker schrikt, badend in het zweet, met bonkend hart. De ergste nachtmerrie die er is.

Ik zag het helemaal voor me. De maandenlange ruzie met mijn moeder over broccoli. Op de dag zelf zou ik me langs mijn zussen – stuk voor stuk bruidsmeisje – moeten vechten om een plekje voor de spiegel te bemachtigen en me op te maken. Helen zou ik moeten overhalen niet mijn jurk te dragen. Vervolgens zou pap me mompelend naar het altaar brengen: 'Ik voel me een ouwe lul in dit vest.' En op het punt dat hij me moest 'weggeven', zou hij zeggen: 'Hier, je mag 'r hebben. Ik hoef 'r niet meer.'

Maar een bijna-doodervaring brengt alles in perspectief. Ik was weer helemaal hersteld van mijn duikongeval. Ik moest even in een decompressiegeval zitten, en toen nog veel langer de verontschuldigingen aanhoren van meneer Eigen Leven. Hij was hevig ontdaan door het hele voorval. Ik kende niemand die zoveel bevestiging nodig had. Ik belde mijn moeder om haar te bedanken dat ze me had gebaard, en ze zei: 'Ik had geen keuze, of wel soms? Je zat erin, hoe zou je er anders uit komen?'

Toen zei ik tegen haar dat ik ging trouwen.

'Natuurlijk.'

'Nee, mam, echt. Wacht, ik geef hem wel even.'

Ik overhandigde Aidan de hoorn. Hij keek doodsbenauwd. 'Wat moet ik zeggen?'

'Zeg maar dat je met me wilt trouwen.'

'Oké. Hallo, mevrouw Walsh. Mag ik met uw dochter trouwen?' Hij luisterde even en gaf me toen de hoorn terug. 'Ze wil jou spreken.'

'Mam?'

'Wat is er mis met hem?'

'Niks.'

'Op het eerste gezicht niks, bedoel je. Heeft hij een baan?'

'Ja.'

'Is hij ergens aan verslaafd?'

'Nee.'

'Jezus, dit is weer eens heel wat anders. Hoe heet hij?'

'Aidan Maddox.'

'Iers?'

'Nee, Iers-Amerikaans. Hij komt uit Boston.'

'Net als JFK?'

'Net als JFK,' beaamde ik. Haar familie was gek op JFK, hij stond ongeveer gelijk aan de paus.

'Nou, kijk maar wat er met hém is gebeurd.'

Met een zucht wendde ik me tot Aidan. 'Mijn moeder laat me niet met je trouwen voor het geval je tijdens een rijtoer door Dallas in een open auto een kogel door je kop krijgt.'

'Rustig aan!' zei mam. 'Dat heb ik nooit gezegd. Maar dit is wel heel erg onverwacht allemaal. En je hebt wel vaker, eh, impulsieve dingen gedaan. Waarom heb je het met kerst niet over hem gehad?'

'Dat heb ik wel gedaan. Ik zei dat ik een vriend had die me maar bleef vragen of ik met hem wilde trouwen, maar Helen deed haar imitatie van Stephen Hawking die een ijsje eet, en niemand luisterde naar mij. Zoals gewoonlijk. Luister, bel Rachel anders. Zij heeft hem ontmoet. Zij zal een goed woordje voor hem doen.'

Een stilte. Een geniepige stilte. 'Heeft Luke hem al ontmoet?'

'Ja.'

'Dan vraag ik het Luke wel.'

'Doe dat.' Ze greep elk excuus aan om Luke te spreken.

'Gaan we echt trouwen?' vroeg ik Aidan.

'Natuurlijk.'

'Laten we het dan snel doen,' zei ik. 'Over drie maanden. Begin april?'

'Oké.'

In de datingregels van New York is na het afzweren van meermansdaten een verloving de volgende stap. Die moet na drie maanden plaatsvinden. Zodra het meermansdaten voorbij is, drukken de vrouwen een stopwatch in, en zodra het alarm na negentig dagen afgaat, roepen ze: 'Oké! Het is de hoogste tijd! Waar is mijn ring?'

Maar Aiden en ik braken alle records. Er zaten twee maanden tussen het einde van het meermansdaten en onze verloving, en drie maanden tussen verloving en bruiloft. En ik was niet eens zwanger.

Maar nadat ik de dood onder de golven in de ogen had gestaard, was ik een en al pit en energie, en het leek onzin om ook maar érgens op te wachten. Mijn dringende behoefte alles nu te doen, verdween na een paar weken, maar rond die tijd plukte ik overal en altijd de dag, waar ik maar kon.

'Waar zullen we het doen?' vroeg Aidan. 'New York? Dublin? Boston?'

'Geen van bovenstaande,' zei ik. 'Laten we naar County Clare gaan. De westkust van Ierland. Daar gingen we elke zomer met vakantie naartoe. Mijn vader komt ervandaan. Het is er heerlijk.'

'Oké. Is er een hotel? Bel jij?'

Dus belde ik het plaatselijke hotel in Knockavoy, en mijn hart maakte een sprongetje toen ze zeiden dat ze plek voor ons hadden. Ik hing op en deinsde achteruit.

'Jezus,' zei ik tegen Aidan. 'Ik heb zojuist onze bruiloft geboekt. Volgens mij moet ik kotsen.'

Daarna ging alles heel snel. Ik besloot de menukaart over te laten aan mam, vanwege de grote broccoli-oorlog rond Claires trouwerij. (Een verbitterde impasse die bijna een week duurde, met mam die zei dat broccoli pretentieus was en niets meer dan omhooggevallen bloemkool, en Claire die gilde dat als ze haar lievelingsgroente niet op haar bruiloft mocht eten, wanneer ze dat dan wel mocht?) Ik zag het als volgt: het eten op bruiloften is sowieso walgelijk, dus waarom zou je ruzie zoeken over de vraag of je gasten smerige broccoli of oneetbare bloemkool voorgeschoteld moeten krijgen? 'Ga je gang, mam,' zei ik grootmoedig. 'Jij gaat over de catering.' Maar in de meest onschuldig ogende landschappen liggen mijnenvelden verscholen. Ik beging de vergissing voor te stellen dat we een vegetarische optie zouden moeten hebben, en daarop barstte de bom. Ze geloofde niet in vegetarisme. Ze hield vol dat het een gril was en dat mensen het alleen deden om iedereen zich ongemakkelijk te laten voelen.

'Prima, prima, laat maar,' zei ik. 'Zij kunnen de broodjes wel eten.'

Ik maakte me veel meer zorgen om de kwestie van de bruidsmeisjes. Ik dacht echt dat ik het niet zou overleven als mijn vier zussen ruzie zouden maken over kleuren, modellen en schoenen. Maar ik had een mazzeltje: Helen weigerde bruidsmeisje te zijn. Ze gelooft dat je nooit een bruid zult zijn als je meer dan twee keer bruidsmeisje bent geweest. 'Niet dat ik plannen heb,' zei ze, 'maar ik wil mijn opties openhouden.'

Toen mam dat hoorde, verbood ze Rachel bruidsmeisje te zijn, omdat dat zou verhinderen dat ze ooit met Luke zou trouwen, en na een topconferentie werd besloten dat ik géén bruidsmeisjes zou hebben, maar dat Claires drie kinderen bloemenmeisje zouden zijn. Zelfs Luka, haar zoon.

Verder was er nog de jurk. Ik had een beeld in mijn hoofd van wat ik wilde – een schuin gesneden, nauwsluitende jurk van satijn, maar die kon ik nergens vinden. Uiteindelijk werd hij ontworpen en vervaardigd door een kennis van Dana, een vrouw die gewoonlijk gordijnen maakte.

'Ik zie de krantenkoppen al voor me,' zei Aidan. 'Schandaal: New Yorkse bruid die géén jurk van Vera Wang draagt.'

En dan was er natuurlijk nog de gastenlijst.

'Vind je het goed als ik Janie uitnodig?' vroeg Aidan.

Dat was een lastige. Ik wilde haar er natuurlijk niet bij hebben als haar hart was gebroken, en als ze na de vraag 'Heeft iemand nog bezwaren?' zou opspringen en 'DAAR HAD IK MOETEN STAAN!!' ging krijsen.

Maar het zou fijn zijn als we elkaar konden leren kennen en beschaafd met elkaar konden omgaan.

'Natuurlijk. Je moet haar uitnodigen.'

Dat deed hij, maar we kregen een aardig briefje terug. Ze bedankte ons voor de uitnodiging, maar aangezien de bruiloft in Ierland werd gehouden, kon ze niet komen.

Ik wist niet of ik me opgelucht voelde of niet. Hoe dan ook, ze kwam niet, en daarmee was de kous af.

Of toch niet.

Toen ik naar onze cadeaulijst op internet ging, zag ik namelijk dat iemand die Janie Sorensen heette een cadeau voor ons had gekocht. Even dacht ik: wie is Janie Sorensen in godsnaam? Toen dacht ik: o, Jánie. Aidans Janie. Wat had ze voor ons gekocht? Ik klikte als een bezetene verder, en toen ik het zag, voelde ik me alsof iemand me in mijn maag had gestompt. Janie had een set keukenmessen voor ons gekocht. Heel scherpe, puntige, gevaarlijke messen. Eerlijk is eerlijk, we hadden ze op onze lijst gezet, maar waarom had ze geen kasjmier kleedje of een paar donzige kussens voor ons kunnen kopen, die ook op de lijst stonden? Ik zat naar het scherm te staren. Was dit een waarschuwing? Of zocht ik er te veel achter?

Later legde ik het voorzichtig aan Aidan voor. Hij lachte en zei: 'Dat is typisch haar gevoel voor humor.'

'Dus ze heeft het bewust gedaan?'

'O ja, waarschijnlijk wel. Maar je hoeft nergens bang voor te zijn.'

Daar bleef het echter niet bij.

Een paar weken later, op een vrijdagavond, was ik bij Aidan. Ik ging door de afhaalmenu's en riep suggesties naar hem. Hij deed zijn stropdas af en opende tegelijkertijd zijn post. Hij schrok van iets wat uit een van de enveloppen kwam. Ik voelde het aan de andere kant van de kamer.

'Wat is er?' vroeg ik, en ik staarde naar de kaart in zijn hand.

Hij zweeg, keek op en zei: 'Janie gaat trouwen.'

'Wat?'

'Janie gaat trouwen. Twee maanden na ons.'

Behoedzaam peilde ik zijn reactie. Hij lachte breeduit, en zei: 'Dat is geweldig. Echt geweldig.' Hij leek oprecht blij.

'Met wie trouwt ze?'

Hij haalde zijn schouders op. 'Ene Howard Wicks. Nooit van gehoord.'

'Zijn we uitgenodigd?'

'Nee. Ze trouwen op Fiji. Alleen naaste familie. Ze zei altijd dat ze op Fiji wilde trouwen.' Hij las de kaart nogmaals en zei: 'Ik ben echt blij voor haar.'

'Hebben ze een cadeaulijst?' vroeg ik.

'Ik weet het niet,' zei hij, 'maar kunnen we ze anders een wurgtouw of zo sturen? Of een mooi, groot kapmes misschien?'

Alhoewel we zoveel mogelijk delegeerden, waren de drie maanden voor de bruiloft enorm hectisch. Iedereen zei dat het onze eigen schuld was, dat we onszelf niet genoeg tijd hadden gegeven, maar ik vermoedde dat wanneer we onszelf een jaar hadden gegeven, we een jaar zouden hebben gestrest in plaats van drie maanden.

Maar het was het allemaal waard.

Op een heldere, winderige dag, in een kerk op een heuvel, trouwde ik met Aidan. De trompetnarcissen stonden in bloei, een felgele massa, heen en weer deinend in het frisse briesje. We werden omringd door lentegroene velden en in de verte glinsterde de bruisende zee.

Op de foto's die voor de kerk zijn genomen, lachen mannen met glimmende schoenen en vrouwen in pastelkleurige jurken. We zien er allemaal mooi en heel erg gelukkig uit.

26

Aan: Goochelassistente@yahoo.com
Van: Lucky_Star_PI@yahoo.ie
Onderwerp: Magnum PI

Anna, luister, er is iets vreselijks aan de hand. Je moet me helpen, maar je mag het aan niemand vertellen. De vreselijke waarheid is dat ik een snor heb. Die kwam zomaar opzetten, en het kan niet aan de overgang liggen, want ik ben nog maar negenentwintig. Het zal wel door het werk komen. Door al die uren in koude, natte bosjes ben ik een beest geworden, een harig beest met een vacht om warm te blijven. Ik heb nu alleen nog maar een snor, waardoor ik eruitzie als Magnum PI, maar het zal niet lang meer duren of ik ga op een lid van ZZ Top lijken, met een baard tot op mijn knieën. Ik hou van mijn werk, ik wil er niet mee stoppen. Wat moet ik aan die snor doen?

Stuur alsjeblieft iets. Stuur alles wat jullie in huis hebben. Dit is een noodgeval.

Je harige zusje, Helen

PS Ik hoop dat alles goed met je is

Candy Grrrl had geen producten tegen overtollige haargroei. Nog niet. Maar gezien hun plannen voor wereldoverheersing was dat slechts een kwestie van tijd. Ik mailde terug met het voorstel haar snor te bleken, en ik zei dat ik me al verheugde op de volgende aflevering van haar scenario.

Aan: Aidan_maddox@yahoo.com
Van: Goochelassistente@yahoo.com
Onderwerp: De kleren van maandag

Een roodsatijnen qipao (een Chinese jurk) met borduursel, een afgeknipte spijkerbroek en roodleren gympen. Mijn haar opgestoken met eetstokjes erin, een slim trucje om geen hoedje te hoeven dragen. Ik heb al zes dagen geen hoedje meer op gehad. Dat is een stille vorm van protest. Ik vraag me af hoe lang het nog duurt voordat het opvalt, want geloof me, het zal ze opvallen.

Ik zou heel graag iets van je willen horen. Ik hou van je.

Je meisje, Anna

Toen ik op kantoor kwam, bekeek Franklin me van top tot teen, en zijn blik bleef ietsje langer op mijn hoofd rusten. Hij besefte dat er iets ontbrak, maar was te geagiteerd om uit te vinden wat het was. Dat kwam omdat het tijd was voor de maandagochtendbespreking. Hij zou liever anderhalf uur in de hel hebben doorgebracht.

Ter voorbereiding riep Franklin zijn 'meisjes' bij elkaar. Dat zijn de mensen die werken voor Candy Grrrl, Bergdorf Baby, Bare, Kitty Loves Katie, EarthSource, Visage en Warpo (een nog flitsender merk dan Candy Grrrl – je wilt niet weten wat voor kleren zij moeten dragen. Ik was altijd bang dat ik daar naartoe zou worden overgeplaatst).

'Goed werk,' zei Franklin tegen Tabitha. Er was veel over Bergdorf Baby's nieuwe nachtserum geschreven, en belangrijker nog, in de weekendbijlage van de *New York Times* had er een foto bij gestaan.

Tegen Lauryn en mij zei hij: 'We moeten alles weer op het goede spoor zien te krijgen, dames.'

'Jawel, maar...' begon Lauryn.

'Ik weet wat er aan de hand is,' zei Franklin. 'Maar jullie moeten de achterstand inhalen. Jullie moeten flink aanpakken.'

Lauryn keek me tersluiks aan. Ze was iets met me van plan. Ze ging proberen mij te laten werken aan haar ideetjes over artikelen, terwijl ik juist onderschriften voor foto's moest verzinnen, en leuke kopjes voor artikelen, en achterstallig werk inhalen. Wie van ons zou als winnaar uit de strijd komen?

We dromden de directiekamer in. We waren er allemaal, alle veertien merken. Sommige vrouwen hielden kranten en tijdschriften vast. Dat waren de bofkonten die iets gepubliceerd hadden gekregen. Zelf had ik twee bladzijden bij me. Niet uit de krant, natuurlijk. Toen ik weg was, had kennelijk niemand de moeite genomen de lastige beautyredactrices op de hoogte te houden. Ik snap niet wat die uitzendkrachten hier hebben gedaan. Maar omdat er veel tijd verstrijkt voordat een glossy daadwerkelijk in het schap ligt, was er toch resultaat van het geslijm dat ik maanden geleden had gedaan. Het is net zoiets als in september bollen in de grond zetten en de volgende lente bloemen te zien verschijnen.

Tegen de muur probeerden ze zich onzichtbaar te maken. Je kon de angst bijna ruiken. Zelfs ik was zenuwachtig, en dat had ik niet verwacht. Na wat er was gebeurd, zou je toch denken dat het me niet meer uitmaakte om in het openbaar op het matje te worden geroepen. Het was zeker een pavlovreactie; op maandagochtend in dit vertrek staan was stimulus genoeg om bang te worden.

De maandagochtenden waren vreselijk. Ik wist dat ze voor iedereen vreselijk waren, maar voor ons waren ze extra erg omdat ons succes afhing van wat er in de weekendbijlagen was verschenen. Je kon het zo duidelijk zíén.

Als de beautyredactrice niet had gedaan wat ze had beloofd en er niets in de krant stond, gaven meisjes vlak voor de bespreking wel eens over.

Terwijl we onze plaatsen innamen, deed Ariella net alsof we niet bestonden. Ze zat aan het hoofd van de lange tafel een glossy door te bladeren. Toen zag ik welke het was; dat zagen we allemaal tegelijkertijd. Het was de *Femme* van deze maand. Shit. Die was nog niet eens te koop. Ze had een presentexemplaar gekregen, en geen van ons wist wat erin stond. Maar daar zouden we gauw genoeg achter komen. 'Dames, kom binnen, kijk eens hier. Zien jullie wat ik zie? Ik zie Clarins. Ik zie Clinique. Ik zie Lancôme. Ik zie verdomme zelfs Revlon. Maar wat ik niet zie...'

Wie zou het zijn? Het kon iedereen zijn. Wie zouden we moeten zien?

'Visage!'

Arme Wendell. We sloegen onze ogen neer, gegeneerd maar o zo blij dat deze beker aan ons voorbijging.

'Wil je het erover hebben, Wendell?' vroeg Ariella. 'Over de duurste campagne die we ooit op poten hebben gezet? Waar hebben we die bloedzuigers van een beautyredactrices naartoe gevlogen? Kun je me dat even in herinnering brengen?'

'Naar Tahiti.' Wendells stem was nauwelijks hoorbaar.

'Tahiti? Tahíti! Zelfs ík ben verdomme nog nooit op Tahiti geweest. En wat krijgen we daarvoor terug? Nog geen berichtje in een kadertje! Wat heb je met haar gedaan, Wendell? Heb je over haar heen gekotst? Ben je met haar vriend naar bed geweest?'

'Ze was van plan er een kwartpagina aan te besteden, maar toen kwam Tokyo Babe met hun nieuwe oogcrème, en daar gaf de hoofdredactrice de voorkeur aan omdat Tokyo Babe zoveel adverteert.'

'Kom niet met smoesjes bij me aanzetten. Als een ander merk wordt genoemd, heb jij gefaald. Je bent een mislukkeling. Je hebt gefaald, Wendell. Niet omdat je niet voldoende je best hebt gedaan, maar omdat je niet innemend genoeg was. Ze mogen je niet. Ben je aangekomen?'

'Nee, ik...'

'Nou, er is iets héél erg mis!'

Het is vreselijk, maar het is wel waar. In de pr draait het vaak om persoonlijke verhoudingen. Als een redactrice je graag mag, heb je meer kans dat er iets over jouw product verschijnt. Maar als een groot merk dreigt een advertentie van twintig mille terug te trekken als er geen lovend artikel over dat merk verschijnt, kun je weinig doen.

Na het hoofdprogramma – de vernedering van Wendell – gingen we verder met de andere punten op de agenda. Dan vergelijkt Ariella de merken met elkaar. Als het ene merk er goed vanaf komt, is dat een gelegenheid om op het falen van een ander te wijzen. Ze vond het leuk om Franklin uit te spelen tegen Mary-Jane, de coördinator van de andere zeven merken. En toen was het weer voorbij voor deze week.

Terwijl iedereen door de deur dromde, hoorde ik mompelen: 'Dat viel wel mee. Ze is wel eens erger geweest.'

Het fijne aan de maandagochtendbespreking is dat zodra die voorbij is, de week er alleen maar beter op kan worden.

27

Aan: Goochelassistente@yahoo.com
Van: Lucky_Star_Pl@yahoo.ie
Onderwerp: Snor

Heb het kreng gebleekt. Blond, maar nog steeds aanwezig. Zie eruit als (mannelijke) Duitse pornoster. Mam noemt me Gunter de Grommer. Ze is door het dólle heen. Nog tips?
Je harige zus, Helen
PS Sinds wanneer kent zij pornosterren?

Aan: Lucky_Star_Pl@yahoo.ie
Van: Goochelassistente@yahoo.com
Onderwerp: Snor

Probeer Immac.

Aan: Aidan_maddox@yahoo.com
Van: Goochelassistente@yahoo.com
Onderwerp: Aan de beterende hand

Vandaag is het gips eraf gegaan. Mijn arm ziet er niet meer uit als een arm, het is een miezerig, gekrompen geval en heel erg harig, bijna net zo harig als de armen van Lauryn. Met mijn knie gaat het behoorlijk goed (en die is niet harig). Zelfs mijn nagels groeien. Het is nu alleen mijn gezicht nog.
Ik hou van je,
Je meisje, Anna

Aan: Aidan_maddox@yahoo.com
Van: Goochelassistente@yahoo.com
Onderwerp: Mijn naam is Anna

Vandaag heeft iemand een lijst met bijeenkomsten van de AA op mijn bureau gelegd. Anoniem, als het ware.

Liefs,

Je meisje, Anna

Aan: Aidan_maddox@yahoo.com
Van: Goochelassistente@yahoo.com
Onderwerp: Nieuw kapsel!

Ik smeekte Sailor om een kapsel waar ik weinig werk aan had, maar hij zei dat wie mooi wil zijn pijn moet lijden, en hij gaf me een 'vooruitstrevend', naar voren geborsteld, warrig geval. Het enige goede eraan is dat het een groot deel van mijn litteken bedekt. Maar wanneer ik het zelf probeer te föhnen, wordt het zo'n ramp dat ik weer hoedjes zal moeten dragen. Het was duidelijk één groot complot.

Ik hou van je,

Je meisje, Anna

De hele week maakte ik dagen van twaalf, dertien uur op mijn werk, en op de een of andere manier was er genoeg tijd verstreken en was het vrijdagavond. Maar ik had mezelf nog niet binnengelaten en mijn sleutels neergelegd, of ik zag het verwijtend knipperende lampje van mijn antwoordapparaat. Kut. Hoe erg was het? Hoeveel berichten? Ik bleef staan waar ik stond en leunde naar voren om te kijken: drie berichten. Ik keek naar Dogly's vriendelijke gezicht en zei: 'Wedden dat ze allemaal van Leon zijn?'

Hij had me gebombardeerd met berichten. Echt gebombardeerd. Ik was er op het werk een paar keer bijna ingestonken toen hij zijn nummer had achtergehouden, maar tot dusver was het me gelukt hem niet te spreken. Ik zou hem binnenkort moeten terugbellen; het was slechts een kwestie van tijd voordat hij persoonlijk voor de deur zou staan, of, nog veel enger, Dana op me af zou sturen. Maar ik kon het gewoon niet opbrengen, nog niet in elk geval.

In plaats daarvan zette ik de computer aan, en mijn hart maakte een sprongetje toen ik zag dat ik twee nieuwe mails had. Hoopvol hield ik mijn adem in, maar de eerste was van Helen.

Aan: Goochelassistente@yahoo.com
Van: Lucky_Star_PI@yahoo.ie
Onderwerp: Immac

De stank!! Brandend vlees! Het groeit alweer aan, maar prikkelig en... en... net fokking stoppels! Ik verander in een man.

Ik opperde dat ze moest waxen. De tweede mail was van mam. Dat was de tweede keer in één leven! Wat kon er aan de hand zijn?

Aan: Goochelassisente@yahoo.com
Van: Familiewalsh@eircom.net
Onderwerp: Helens snor

Wat heb je Helen in hemelsnaam verteld dat ze moest doen met die ontharingstroep? Godsamme, wat een stank! Mensen aan de deur begonnen erover. De jongen die het melkgeld komt ophalen (een snotjong) zei, en hier is geen woord van gelogen: 'Jezus, mevrouw, heeft u een wind gelaten?' Dat geloof je toch niet? Ik heb nog nooit in mijn leven een wind gelaten.

Wat betreft de vrouw en haar hond: ik hou je nog steeds op de hoogte, zoals dat heet. Er zijn behoorlijk wat verwikkelingen geweest. Vanochtend lag ik op de loer. Ze komt gewoonlijk om tien over negen, dus wachtte ik haar op. Zodra ze kwam opdagen, deed ik of ik de vuilnisbak buiten zette, wat ik een goede list vond, hoewel de vuilnis maandag komt en het je vaders taak is.

'Het is er een mooie ochtend voor,' zeg ik, en ik bedoelde een mooie ochtend om je hond tegen het hek van een onschuldige te laten piesen. De vrouw trekt meteen aan de riem en zegt: 'Kom op, Zoe.' Nu hebben we een aanwijzing. Wat een naam voor een hond! Toen gebeurde er iets vreselijks. De vrouw wierp me een blik toe. We keken elkaar in de ogen, en je weet dat ik weinig fantasie heb, Anna, maar ik wist dat ik oog in oog stond met het Kwaad.

Liefs van je moeder,

Mam

PS Over een paar weken gaan je vader en ik twee weken naar de Algarve. Dat wordt genieten. Niet zoals in het Cipriani in Venetië natuurlijk (niet dat ik dat zou weten), maar toch best fijn. Terwijl we weg zijn, slaapt Helen bij Maggie en Garv, zoals jullie ze steevast noemen. Dat betekent dat het lastig zal worden om de oude vrouw in de gaten te houden, maar aangezien ze me zo kwaad aankeek, is dat waarschijnlijk maar beter ook.

Aan de andere kant van de kamer bleef het lampje van het antwoordapparaat beschuldigend knipperen. Ga weg, ga weg, dacht ik, waarom kwel je me zo? Ik wilde dat ik die kloteberichten kon wissen zonder ze afgeluisterd te hebben, maar dat stond het apparaat niet toe, dus drukte ik op 'afspelen', en beende naar de badkamer. Onderweg hoorde ik: 'Anna, met Leon. Ik weet dat dit moeilijk voor je is, maar voor mij is het ook moeilijk. Ik moet je zien...'

Om hem te overstemmen, zette ik de kraan met zulke Niagaraanse kracht open dat de voorkant van mijn jurk in één tel doorweekt was. Ik stapte naar achteren, telde tot drieëntwintig, en draaide de kraan toen voorzichtig iets zachter, maar ik hoorde Leon zeggen: '... ook mijn verdriet...' en met een razendsnelle draai van mijn pols gooide ik de kraan weer open tot een stortvloed, telde tot zeven en een half, draaide hem weer zachter, hoorde: '... we kunnen elkaar helpen...' en zette de kraan weer voluit open. Het was alsof ik een radio afstemde en signalen oppikte. Radio Leon.

Uiteindelijk was hij uitgepraat. Ik sloop de badkamer uit en drukte op 'wissen'.

'Alle berichten gewist,' zei het apparaat.

'Bedankt,' antwoordde ik.

Aan: Goochelassistente@yahoo.com
Van: Lucky_Star_PI@yahoo.ie
Onderwerp: Mijn snor

Heb hem gewaxt. Nog erger! Fout! Bovenlip voelt vreemd glad aan, waardoor rest van gezicht superharig lijkt. Zie eruit als die enge mannetjes die wel een baard maar geen snor hebben. Afrikaanse boeren of Pakistaanse imams.

PS Geen tips meer.

Op zaterdag nodigde Rachel me uit om naar haar en Luke te komen – een aanbod dat ik niet kon weigeren. Tenzij ik een goedbedoelde preek wilde aanhoren.

Ik vermaakte me best, totdat ik na een paar uur werd overvallen door een paniekgevoel dat beangstigend vertrouwd begon te worden: ik moest weg.

Rachel liet me pas gaan nadat ze me aan een kruisverhoor over mijn plannen voor zondag had onderworpen, maar ik had mijn antwoord al klaar: Jacqui had geregeld dat zij en ik naar een kuuroord zouden gaan dat Cocoon heette. Ze had gezegd dat het me goed zou doen.

En dat was ook zo. Op de aromatherapeute na die me vertelde dat ik de meest gespannen persoon was die ze ooit had behandeld, en de pedicure die klaagde dat ze mijn teennagels pas kon lakken als ik mijn voet stilhield.

Toen was het zondagavond; ik had weer een weekend overleefd. Maar in plaats van opluchting te voelen, werd ik overvallen door een afschuwelijk gevoel van wanhoop. Er moest snel iets gebeuren.

28

Eindelijk is het gebeurd. Aidan is gekomen.

Tweeënhalve week nadat ik uit Ierland was teruggekomen, zat ik achter mijn bureau aan het kwartaalverslag te werken toen hij zomaar binnenwandelde. De vreugde hem weer te zien was als de warmte van de middagzon. Ik was buiten mezelf van blijdschap.

'Dat werd tijd!' riep ik uit.

Hij kwam op een hoekje van het bureau zitten en grijnsde breed. Hij zag er opgetogen en tegelijkertijd verlegen uit. 'Ben je blij me te zien?' vroeg hij.

'Jezus, Aidan, ik ben dolgelukkig! Ik kan het nauwelijks geloven. Ik was al bang dat ik je nooit meer zou zien.' Hij droeg dezelfde kleren als die hij had aangehad op de dag dat we elkaar leerden kennen. 'Maar hoe heb je het voor elkaar gekregen?'

'Wat bedoel je? Ik ben gewoon naar binnen gelopen.'

'Maar Aidan...' Het was me net te binnen geschoten. 'Je bent dood.'

Ik schrok wakker. Ik lag op de bank. Licht van buiten zette de kamer in een paarse gloed. Er klonk ook lawaai. Schreeuwende mensen, zware bassen vanuit een overdreven lange limousine. De bassen bleven bonken totdat het stoplicht op groen sprong en de auto optrok.

Ik sloot mijn ogen en kwam meteen weer in dezelfde droom terecht.

Aidan grijnsde niet meer, hij zag er verdrietig uit. Ik vroeg: 'Heeft niemand je verteld dat je dood bent?'

'Nee.'

'Daar was ik al bang voor. Waar ben je geweest?'

'O, overal en nergens. Ik heb je in Ierland gezien.'

'Echt? Waarom heb je niets gezegd?'

'Je logeerde bij je familie. Ik wilde me niet opdringen.'

'Maar nu ben jij mijn familie.'

Toen ik weer wakker werd, was het vijf uur. Buiten, achter de rolgordijnen, werd het al licht, maar op straat was het stil. Ik wilde Rachel spreken. Zij was de enige die me kon helpen.

'Sorry dat ik je wakker maak.'

'Ik was al wakker.' Waarschijnlijk loog ze, maar het zou ook kunnen dat het waar was. Soms staat ze voor dag en dauw op om naar een bijeenkomst van de AV te gaan, Anonieme Verslaafden.

'Gaat het?' Ze probeerde een geeuw te onderdrukken.

'Kunnen we ergens afspreken?'

'Tuurlijk. Nu meteen? Zal ik naar je toe komen?'

'Nee.' Ik moest het huis uit.

'Bij Jenni's dan?' Jenni's was een koffietent die dag en nacht open was. Door haar verleden kent Rachel heel veel van dat soort tenten. 'Ik zie je daar over een halfuur.'

Ik trok kleren aan en rende naar buiten. Ik kon geen moment langer binnen blijven.

In de taxi zag ik hem over Fourteenth Street lopen, maar deze keer wist ik dat hij het niet was.

Ik was veel te vroeg bij Jenni's. Ik bestelde een koffie en probeerde iets van het gesprek te verstaan dat vier uitgemergelde, knappe mannen in het zwart voerden. Helaas ving ik maar af en toe iets op. 'High worden...' 'Mijn buik vol van de liefde...' 'Een klein beetje teriyaki, oen.'

Toen kwam Rachel binnen. 'Ik ben hier al een hele tijd niet meer geweest,' zei ze terwijl ze een nerveuze blik op de mannen wierp. 'Er komen veel herinneringen boven.' Ze ging zitten en bestelde groene thee. 'Anna, gaat het een beetje? Is er iets gebeurd?'

'Ik heb over Aidan gedroomd.'

'Dat is heel normaal, dat hoort zo. Het is net zoiets als hem overal zien. Wat droomde je precies?'

'Ik droomde dat hij dood was.'

Er viel een korte stilte. 'Maar Anna, hij ís ook dood.'

'Dat weet ik.'

Weer een korte stilte. 'Maar je doet net alsof je het niet weet. Anna, het spijt me, maar net doen alsof alles bij het oude is, verandert niets aan wat er is gebeurd.'

'Maar ik wil niet dat hij dood is.'

Haar ogen vulden zich met tranen. 'Natuurlijk wil je dat niet! Hij was je echtgenoot, de man...'

'Rachel, zeg alsjeblieft niet: was. Ik vind het afschuwelijk om in de verleden tijd over hem te praten. En het gaat niet over mij, ik maak me zorgen over hém. Ik ben zo bang dat hij helemaal uit zijn bol gaat wanneer hij hoort wat er is gebeurd. Hij zal zo kwaad zijn en bang, en ik kan niets voor hem doen. Rachel,' zei ik, en plotseling kon ik het niet meer verdragen, 'Aidan zal het verschrikkelijk vinden dat hij dood is.'

29

Rachel keek me glazig aan. Alsof ze niet naar me luisterde. Toen besefte ik dat ze in shock was. Was ik er zo erg aan toe?

'We hadden zoveel plannen,' zei ik. 'We zouden pas doodgaan als we tachtig waren. En hij was bezorgd om me, hij wilde voor me zorgen, en als hij dat niet meer kan, gaat hij over de rooie. En hij was zo sterk en gezond, Rachel, hij was bijna nooit ziek. Hij trekt het echt niet om dood te zijn.'

'Nou, eh... wacht even.' Dit was nog nooit eerder gebeurd: Rachel had bij emotionele problemen altijd een theorie klaar. 'Anna, dit gaat me boven de pet. Je hebt professionele hulp nodig, iemand die hierin gespecialiseerd is. Rouwbegeleiding. Ik heb een boek over het verliezen van een dierbare meegenomen. Daar heb je misschien iets aan, maar je moet echt met een expert praten...'

'Rachel, ik wil hem alleen maar spreken. Meer niet. Ik moet er niet aan denken dat hij ergens vastzit op een vreselijke plek en geen contact met me kan opnemen. Ik bedoel, waar ís hij? Waar is hij naartoe gegaan?'

Haar ogen werden groter naarmate de verbijstering op haar gezicht toenam. 'Anna, ik denk echt...'

De mannen in het zwart gingen weg, en terwijl ze langs ons tafeltje liepen, viel de blik van een van hen op Rachel. Hij deed een paar passen terug.

Hij had een mager gezicht waarvan de huid pokdalig was van oude acnelittekens, en hij had gekwelde bruine ogen en lang donker haar. Hij zou niet misstaan in de Red Hot Chili Peppers.

'Hé!' zei hij. 'Ken ik jou niet ergens van? De bijeenkomsten in St. Mark's Place? Rachel, toch? Ik ben Angelo. Hoe gaat het met je? Nog steeds een innerlijk conflict?'

'Nee,' antwoordde Rachel bars. Ze straalde zo sterk 'je timing kon niet beroerder zijn' uit, dat je het bijna kon zien trillen in de lucht.

'En? Ga je met hem trouwen?'

'Ja.' Nog barser. Maar ze kon het niet laten haar hand naar hem uit te steken zodat hij haar verlovingsring kon bewonderen.

'Wauw. Je gaat trouwen. Nou, gefeliciteerd. Hij heeft mazzel.'

Toen keek hij naar mij. Een blik vol mededogen. 'O, meisje toch,' zei hij. 'Het valt niet mee, hè?'

'Zat je mee te luisteren?' Rachels barsheid was terug, heviger dan ooit.

'Nee. Maar het is nogal...' Hij haalde zijn schouders op. '... duidelijk.' Tegen mij zei hij: 'Je moet bij de dag leven.'

'Dit is geen verslaafde. Dit is mijn zusje.'

'Dan moet ze nog wel bij de dag leven.'

Ik ging naar kantoor met de gedachte dat Aidan dood was. Aidan was dood. Ik besefte het nu pas. Ik bedoel, ik wist wel dat hij dood was, maar ik had nooit geloofd dat het blijvend zou zijn.

Als een schim bewoog ik me door de gang, en toen Franklin 'Goeiemorgen, Anna, hoe gaat het?' riep, wilde ik antwoorden: 'Goed, alleen is mijn echtgenoot dood terwijl we nog geen jaar getrouwd waren. Ja, ik weet dat je dat allang weet, maar ik besef het nu pas.'

Maar het had geen zin om iets te zeggen, voor de rest was het oud nieuws, zij hadden het al verwerkt.

We waren op weg naar een restaurant, alleen hij en ik, en wat me nog het meest pijn deed was dat we dat bijna nooit deden. Een restaurant was voor een gezellig avondje uit met andere mensen, maar als we samen waren, kropen we meestal tegen elkaar op de bank en lieten we eten bezorgen.

Als we die avond thuis waren gebleven, zou hij nog leven. Sterker nog, we waren bijna niet gegaan. Hij had gereserveerd bij het Tamarind, maar ik had hem gevraagd het af te zeggen omdat we twee avonden ervoor al uit eten waren geweest, voor Valentijnsdag. Maar het leek zoveel voor hem te betekenen dat ik had toegegeven.

Dus stond ik op straat te wachten totdat hij me kwam ophalen. Gealarmeerd door getoeter, gepiep en geschreeuwde krachttermen zag ik een gele taxi door drie banen verkeer scheuren en op me afkomen. En daar was Aidan. Hij trok een bang gezicht en stak zeven vingers naar me op. Een zeven. Een halvegare. Ons persoonlijke systeem om gestoorde taxichauffeurs mee te beoordelen.

Met mijn lippen vormde ik de woorden 'Een zeven? Goed gedaan.'

Hij lachte, en dat maakte me blij. Hij was een paar dagen een beetje down geweest: een paar avonden eerder had hij een telefoontje gehad – iets van zijn werk – en dat had zijn humeur verpest.

Met een ruk kwam de taxi voor me tot stilstand, ik sprong erin en voordat ik mijn portier dicht had kunnen trekken, schoten we met piepende banden het verkeer weer in. Ik werd tegen Aidan aan gesmeten en hij slaagde erin me te kussen voordat ik weer naar de andere kant vloog. 'Een zeven?' vroeg ik geestdriftig. 'Dat is alweer een tijdje geleden. Vertel.'

Hij schudde zijn hoofd bewonderend en fluisterde: 'Hij is goed, Anna, deze is echt goed. Hij heeft prinses Diana gezien in zijn supermarkt. Ze kocht een literfles cola en twaalf donuts.'

'Welke smaak?'

'Een gemengde doos. En vorig jaar zag hij het gezicht van Martin Luther King in een tomaat. Zijn buren moesten vijf dollar dokken om hem te mogen zien, maar toen begon de tomaat te schimmelen...'

Zonder waarschuwing schoten we Fifty-third Street op, en we werden met kracht tegen het rechterportier gesmeten. Ik greep Aidan vast. 'En dan is er natuurlijk nog zijn rijvaardigheid. Hou je vast.'

Grappig genoeg was het ongeluk niet de schuld van onze chauffeur, die toch echt een zeven was. Sterker nog, het bleek uiteindelijk niemands fout te zijn. Terwijl we door de opeengepakte auto's snelden van mensen die uit hun werk kwamen, kletsten Aidan en ik een beetje over ons appartement en wat een zwijn onze huisbaas was. We waren ons volkomen onbewust van de gebeurtenissen op de kruising: een vrouw die opeens de straat over schoot, een Armeense taxichauffeur die een ruk aan zijn stuur gaf om haar niet te raken, en zijn voorwiel dat in een plasje olie terechtkwam dat daar lag sinds eerder die dag een auto panne had gekregen en het op de weg had gebraakt. In zalige onwetendheid zei ik: 'Waarom verven we anders niet de...' toen we in een andere dimensie terechtkwamen. Met brute kracht boorde een andere taxi zich in de zijkant van de onze, en de voorbumper probeerde op onze achterbank te komen. Echt iets wat alleen in een nachtmerrie gebeurt. Mijn hoofd hoorde van alles knarsen en kraken, en toen schoten we tollend de weg over, alsof we in een op hol geslagen draaimolen zaten.

De schok was, en is nog steeds, onbeschrijflijk. Door de botsing brak Aidan zijn bekken en zes van zijn ribben, en raakte hij levensgevaarlijk gewond aan zijn lever, nieren, alvleesklier en milt.

Ik zag het allemaal gebeuren, in slowmotion natuurlijk: het verbrijzelde glas dat als regen uit de lucht viel, het scheurende metaal, het kleine straaltje bloed uit Aidans mond en zijn verbaasde blik. Ik wist niet dat hij stervende was, ik wist niet dat hij over een kwartier dood zou zijn, ik dacht alleen dat we boos moesten zijn dat een of andere klootzak die véél te snel had gereden ons had geramd.

Op straat hoorde ik mensen schreeuwen. Iemand riep: 'Jezus, godsallejezus!' en benen en voeten schoten langs me heen. Ik zag een paar rode laarzen met lange, dunne hakken. Rode laarzen zijn echt een statement, dacht ik wazig. Ik herinner me ze nog zo levendig dat ik ze met gemak uit een rij willekeurige laarzen zou kunnen pikken. Sommige details zijn voorgoed in mijn geheugen geprent.

Ik had heel veel geluk gehad, zei iedereen later. 'Geluk' omdat Aidan de klap had opgevangen. Tegen de tijd dat Aidans lichaam de andere wagen had afgeremd, had die bijna al zijn energie verloren. De andere taxi had nog net genoeg kracht om mijn rechterarm te breken en mijn knie te ontwrichten. Er was natuurlijk indirecte schade – het metaal in ons dak verboog en scheurde en trok een diepe groef in mijn gezicht en het scheurende metaal van de deur rukte twee van mijn nagels af. Maar ik ging niet dood.

Onze chauffeur had nog geen schrammetje. Toen het eeuwigdurende rondtollen eindelijk stopte, stapte hij uit en keek hij naar ons door het gat waar zijn raampje had gezeten. Hij deinsde achteruit en boog voorover. Ik vroeg me af wat hij deed. Controleerde hij zijn banden? Door de geluiden die hij maakte, besefte ik dat hij overgaf.

'De ambulance komt eraan, vriend,' hoorde ik een mannenstem zeggen, en ik vroeg me af of ik het echt had gehoord of dat ik het me had ingebeeld. Eventjes was alles merkwaardig vreedzaam.

Aidan en ik keken elkaar ongelovig aan, en hij zei: 'Gaat het, lieverd?'

'Ja, en met jou?'

'Ja.' Maar zijn stem klonk vreemd, een beetje gorgelig.

Aan de voorkant van zijn overhemd en stropdas zat een kleverige, donkerrode bloedvlek, en ik was van streek omdat het zo'n mooie das was, een van zijn favorieten. 'Maak je over die das maar geen zorgen,' zei ik. 'We kopen wel een nieuwe.'

'Heb je ergens pijn?' vroeg hij.

'Nee.' Op dat moment voelde ik niets. Die goeie ouwe shock, de grote beschermer, loodst ons door het ondraaglijke heen. 'En jij?'

'Een beetje.' Ik besefte direct dat het veel was.

Van ver weg hoorde ik sirenes. Ze kwamen dichterbij en klonken steeds luider, totdat ze opeens ophielden. Die zijn voor ons, dacht ik. Ik had nooit gedacht dat zoiets ons zou overkomen.

Aidan werd uit de verwrongen auto gehaald, en toen bevonden we ons in de ambulance en leek alles in sneltreinvaart te gaan. We waren in het ziekenhuis en lagen op verschillende brancards, en we werden met een noodgang door gangen gereden en iedereen behandelde ons alsof we de belangrijkste patiënten waren.

Ik gaf onze verzekeringsgegevens, die ik me glashelder herinnerde, zelfs onze registratienummers. Ik wist niet eens dat ik die kende. Ik werd gevraagd iets te ondertekenen, maar dat ging niet, aangezien mijn rechterarm en hand kapot waren, en ze zeiden dat het goed was.

'Wat bent u van deze patiënt?' werd me gevraagd. 'Zijn vrouw? Zijn vriendin?'

'Allebei,' antwoordde Aidan, met die gorgelige stem.

Toen ze hem in vliegende vaart naar de operatiekamer brachten, wist ik nog steeds niet dat hij stervende was. Ik wist dat hij gewond was, maar ik besefte niet dat hij niet meer opgeknapt kon worden.

'Zorg dat alles goed komt met hem,' zei ik tegen de chirurg, een kleine, gebruinde man.

'Het spijt me,' zei hij. 'Hij redt het waarschijnlijk niet.'

Mijn mond viel open. Pardon? Een halfuur eerder waren we nog op weg naar een restaurant geweest. En nu vertelde deze zongebruinde man me dat hij het waarschijnlijk niet ging redden.

En hij redde het niet. Hij stierf heel snel, nog geen tien minuten later.

Tegen die tijd begonnen mijn hand, arm en gezicht pijn te doen. Ik was al snel zo wazig van de pijn dat ik me nauwelijks mijn naam kon herinneren. Proberen te begrijpen dat Aidan zojuist was gestorven, was hetzelfde als mezelf een heel nieuwe kleur inbeelden. Rachel kwam binnen met Luke; iemand moest hen hebben gebeld. Maar toen ik haar zag, dacht ik dat zij ook een ongeluk had gehad. Waarom zouden ze anders in het ziekenhuis zijn? Ik raakte ervan in de war. Rond dat moment kreeg ik een pijnstiller toegediend, waarschijnlijk morfine, en toen pas kwam het in me op naar de andere chauffeur te vragen, degene die ons had geramd.

Zijn naam was Elin. Hij had beide armen gebroken, maar verder was hij ongedeerd. Iedereen drukte me op het hart dat het ongeluk niet zijn schuld was. Er waren honderdduizend getuigen die stelden dat hij 'geen keuze' had gehad en wel een slinger aan zijn stuur had móéten geven om de vrouw te ontwijken, en dat het pure, onvervalste pech was dat de olie precies op dat stukje weg was terechtgekomen.

Ik bleef twee dagen in het ziekenhuis, en het enige wat ik me kan herinneren is een onafgebroken stroom mensen. Aidans ouders en Kevin kwamen overgevlogen uit Boston. Mam, pap, Helen en Maggie kwamen uit Ierland. Dana en Leon – die zo hard huilde dat hij ook een kalmeringsmiddel kreeg toegediend – Jacqui, Rachel, Luke, Ornesto, Teenie, Franklin, Marty, mensen van Aidans werk, en twee politieagenten, die me een verklaring afnamen. Zelfs Elin, de chauffeur, kwam langs. Hij zat bibberend en huilend naast mijn bed, met beide armen in het gips, en bleef zich maar verontschuldigen. Ik kon deze man op geen enkele manier haten – hij zou de rest van zijn leven nachtmerries hebben en waarschijnlijk nooit meer achter het stuur kruipen. Maar door mijn medelijden met Elin wist ik niet goed wat ik moest doen: wie kon ik dan wel de schuld geven van Aidans dood?

Toen zaten we in een vliegtuig naar Boston, vervolgens waren we op de begrafenis. Die leek op onze bruiloft, maar dan de nachtmerrie-versie ervan. Ik werd in een rolstoel het middenpad door gereden en zag gezichten die ik in geen tijden had gezien. Het voelde als een droom waarin een willekeurige groep mensen om onverklaarbare redenen bijeen is.

Toen zat ik weer in een vliegtuig, vervolgens sliep ik in Ierland in de woonkamer, en toen was ik weer in New York, en ik had net pas onder ogen gezien wat er werkelijk was gebeurd.

Deel 2

1

Uit: *Ik kom nooit meer terug* door Dorothea K. Lincoln:

Een week nadat mijn man was overleden, zat ik in de serre te bladeren in de National Enquirer *– het enige waarop ik me nog kon concentreren – toen er door het open raam een vlinder naar binnen vloog. Het was een onverbeterlijk mooie vlinder met een ingewikkeld rood, blauw en wit patroon. Terwijl ik er verwonderd naar keek, fladderde hij door de kamer en kwam even neer op de stereo, een potplant – als om me eraan te herinneren dat ik die water moest geven! – en op de oude stoel van mijn man. Daarna vloog hij naar de* National Enquirer *en kwam daar bijna met een plof op neer. Hij leek te zeggen: 'Wat is dat nou, Dorothea?' (Het is interessant om te vermelden dat mijn man dat roddelblaadje niet in huis duldde.)*

De tv stond afgestemd op As the World Turns, *maar de vlinder ging boven de afstandsbediening fladderen. Het was alsof hij me iets wilde zeggen... Wilde hij soms naar een andere zender kijken? 'Oké, jochie,' zei ik. 'Ik doe mijn best.'*

Ik zapte langs een paar zenders, en toen ik bij Fox Sports *kwam, ging het schitterende insect op mijn hand zitten, alsof het me vertelde dat het zo goed was. Daarna nam de vlinder op mijn schouder plaats en keek een halfuurtje naar de US Open. Er heerste een vredige stemming in de serre. Toen Ernie Els drie onder par had gespeeld, fladderde de vlinder naar het raam, bleef nog even op de vensterbank zitten als om afscheid te nemen, en vloog toen weg in de helderblauwe lucht. Ik twijfelde er niet aan of mijn overleden man was bij me op bezoek gekomen. Hij had me laten weten dat hij nog bij me was en dat hij altijd bij me zou blijven. Van andere nabestaanden heb ik dergelijke ervaringen gehoord.*

Ik legde het boek neer, ging rechtop zitten, keek om me heen in de woonkamer en dacht: waar blijft míjn vlinder?

In de vijf à zes weken sinds het gesprek in de vroege uurtjes met Rachel in Jenni's was er niet veel veranderd. Ik werkte tot laat, maar er kwam weinig uit mijn vingers, ik sliep nog steeds op de bank en Aidan was nog steeds dood.

De dagelijkse gang van zaken was als volgt: ik werd heel vroeg wakker, belde Aidan op zijn mobieltje, ging naar mijn werk en bleef daar minstens tien uur, ik kwam thuis, ik belde Aidan weer, ik fantaseerde dat hij toch niet dood was, ik huilde een paar uur, viel in slaap, werd wakker en deed dit alles nog eens over.

Huilen was prettig, maar het was lastig er de tijd voor te vinden omdat het zo lang duurde voordat ik weer toonbaar was. In de ochtend kon het niet omdat ik niet helemaal betraand naar mijn werk kon. In de lunchpauze kon het ook niet. Maar 's avonds kon het wel, en daar keek ik naar uit.

Ik sleepte me door de dag, en het enige wat me op de been hield, was de hoop dat de volgende dag beter zou zijn. Maar dat was niet zo. Elke dag was precies hetzelfde. Afschuwelijk, ongelooflijk. Net alsof ik een verkeerde deur had genomen naar een leven waar alles hetzelfde was, op iets enorm belangrijks na.

Ik had gehoopt dat de nachtmerrie zou verdwijnen als ik naar New York ging en het normale leven weer oppakte, mijn vrienden zag en aan het werk was. Maar zo ging het niet. Het werk en mijn vrienden waren onderdeel van de nachtmerrie geworden.

Deze ochtend werd ik zoals altijd heel vroeg wakker. Er was altijd een moment waarop ik me afvroeg wat er voor rottigs was. En dan herinnerde ik het me weer.

Ik ging weer liggen, en voelde overal pijn. Ik stelde me voor dat het zo moest voelen om reumatiek of artritis te hebben. De eerste keer dat mijn botten pijn deden, dacht ik dat het misschien een virus was, of misschien een bijverschijnsel van het ongeluk. Maar mijn dokter zei dat het lichamelijke pijn was, veroorzaakt door verdriet. En dat het heel normaal was. Dat kwam als een schok. Op verdriet was ik voorbereid, maar niet op lichamelijke pijn.

Ik zag er ook nog eens verschrikkelijk uit: mijn nagels braken steeds af, mijn haar was dof, en ook al kon ik mijn hand leggen op allerlei soorten scrubcrèmes en moisturizers, toch voelde mijn huid als schuurpapier.

Ik nam een paar pijnstillers in en zette de tv aan, maar toen ik niets boeiends kon vinden, pakte ik *Ik kom nooit meer terug* weer op. Leuke titel, trouwens, echt opwekkend. Daar zullen de nabestaanden zich echt vrolijker door gaan voelen.

Het was er een van de stortvloed aan boeken die Claire uit Londen stuurde, die Ornesto voor de deur legde, of die Rachel, Teenie, Marty en Nell me hadden gegeven. Er was er zelfs eentje bij van Nells eigenaardige vriendin. Ook al kon ik me niet echt concentreren om meer dan een alinea per keer te lezen, toch was het me opgevallen dat er veel vlinders in voorkwamen. Maar voor mij was er geen vlinder.

Vreemd genoeg was ik niet erg dol op vlinders. Ik vond het moeilijk om dat toe te geven, want iedereen houdt van vlinders, en niet van vlinders houden is net zoiets als zeggen dat je niet van Michael Palin, dolfijnen of aardbeien houdt. Maar ik heb vlinders altijd een beetje stiekem gevonden; per slot van rekening zijn het motten in mooie jasjes. En ja, motten zijn eng. Met hun vleugels maken ze een naar, droog geluid. Maar ze zijn in elk geval eerlijk: ze zijn bruin en saai, en ook stom omdat ze altijd in de vlam van de kaars vliegen. Alles bij elkaar genomen is er weinig wat in hun voordeel spreekt, maar ze doen zich nooit anders voor dan ze zijn.

En die vrouw met die dominante man dan? Nou, die was ze mooi kwijt. En hoe kon ik een vrouw geloven die iets beschrijft als 'onverbeterlijk mooi'?

Maar sinds ik die boeken was gaan lezen, zocht ik met mijn blik toch overal naar vlinders, duiven of vreemde katten die er eerder niet waren geweest. Ik zocht wanhopig naar een teken dat Aidan nog bij me was, maar tot dusver was me niets opgevallen.

Vaak wordt gezegd dat het definitieve van de dood moeilijk te bevatten is. Maar wat mij zo dwarszat, was dat ik niet wist waar Aidan was gebleven. Ik bedoel, hij moest toch érgens zijn...

Zijn meningen, zijn gedachten, herinneringen, gevoelens en hoop, alles wat hem maakte tot wat hij was, wat hem zo uniek maakte – dat kon toch niet allemaal weg zijn?

Ik begreep best dat wat Aidan Aidan maakte zich niet langer in zijn gecremeerde lichaam bevond, maar zijn persoonlijkheid, zijn ziel of hoe je het ook wilt noemen, dat kon niet zomaar verdwenen zijn. Er was te veel wat niet zomaar kon verdwijnen: het feit dat hij *Catcher in the Rye* geen mooi boek vond terwijl iedereen het geweldig vindt; die rare manier van lopen omdat zijn ene been een klein beetje langer was dan het andere; het zingen van het smurfenlied terwijl hij zich schoor. Hij was zo vitaal en zo... ja, zo vol leven. Hij moest gewoon ergens zijn, het was alleen maar zaak om hem te vinden.

Ik zag hem nog vaak op straat lopen, maar ik kon nu aanvaarden dat hij het niet was. Ik las nog steeds zijn horoscoop. In gedachten praatte ik nog met hem. Ik mailde hem en ik belde naar zijn mobieltje, maar ik wist dat ik niets van hem zou horen. Maar soms vergat ik dat hij dood was. Dat bedoel ik letterlijk. Meestal gebeurde het wanneer ik 's avonds thuis was, na mijn werk. Plotseling merkte ik dan dat ik op hem zat te wachten. Of er gebeurde iets grappigs, en vervolgens dacht ik: dat moet ik Aidan vertellen. En dan drong het in alle hevigheid tot me door, en brak het zweet me uit en zag ik zwarte vlekken voor mijn ogen. Aidan was er niet meer. Hij was weg van deze aarde, hij leefde niet meer en was ergens waar ik hem nooit zou kunnen vinden.

Tot nog toe had ik altijd gedacht dat je niets ergers kan overkomen dan dat iemand van wie je houdt plotsklaps verdwijnt.

Maar dit was erger. Als hij gevangen was genomen, ontvoerd of zelfs maar de benen had genomen, zou ik hoop hebben gehad dat hij ooit zou terugkomen.

Ik voelde me ook verschrikkelijk schuldig. Zijn leven was voortijdig en wreed ten einde gekomen, en ik was nog hier. Ik leefde nog, ik was gezond, ik ging naar mijn werk, ik zag mijn vrienden. Zijn lichaam had de klap opgevangen, en daarom kreeg ik het gevoel dat hij was gestorven opdat ik verder kon leven, en dat was een rotgevoel. Het was net alsof ik hem de rest van zijn leven had afgepikt. Ik dacht echt dat het beter zou zijn geweest als ik ook was doodgegaan, want ik schaamde me te erg om verder te leven terwijl hij dood was.

Ik fantaseerde vaak dat hij nog leefde. Dat hij ergens in een parallel universum niet was gestorven – dat die taxi die dag niet op ons was ingereden, dat we gewoon verder leefden, dat we de veertig jaar of zo die we nog hadden samen waren, zonder te beseffen dat we aan iets vreselijks waren ontsnapt, zonder ook maar iets te weten van het verdriet dat ons bespaard was gebleven. Ik werkte die fantasieën tot in de kleinste details uit – welke kleren we droegen, hoe laat we naar ons werk gingen, wat we aten – en wanneer ik 's nachts niet kon slapen, hielden die fantasieën me gezelschap.

Maar hoe zat het met hem? Wat ging er door hem heen? Ik vond het verschrikkelijk dat hij in zijn eentje moest doormaken wat hij moest doormaken, en ik wist dat hij zijn uiterste best zou doen om contact met me op te nemen. We waren onafscheidelijk geweest, we hadden elkaar wel tien keer op een dag gebeld of gemaild, en elke seconde dat we vrij waren, waren we bij elkaar geweest. Ik wist dus dat hij het ook afschuwelijk zou vinden dat we gescheiden waren, waar hij ook was. Ik zou er alles voor over hebben gehad om te weten dat het goed met hem ging.

Waar ben je, dacht ik steeds.

Tijdens de rouwdienst had de priester onzin verkondigd over dat Aidan naar 'een betere plek' was gegaan. Onzin. Ik was het er zo absoluut niet mee eens dat ik wel kon gillen, maar ik zat helemaal in het verband, ik was half platgespoten en mijn familie zat om me heen, daarom kreeg ik er de kans niet toe.

Voordat Aidan stierf, kende ik geen dode mensen. Goed, mijn opa's en oma's waren gestorven, maar dat viel te verwachten. Zij waren oud, hun tijd was gekomen. Maar Aidan was jong, sterk en knap. Het was helemaal verkeerd.

Toen mijn grootouders overleden, was ik te jong – of kon het me niet genoeg schelen – om me af te vragen of ze echt naar de hemel waren gegaan (of naar de hel; dat zou me van oma Maguire niet hebben verbaasd). Nu werd ik gedwongen om na te denken over het hiernamaals, en ik vond het angstaanjagend dat daar geen zekerheid over bestond.

Als tiener had ik verlangd naar een band met een of ander spiritueel wezen. Niet met de katholieke God met wie ik was opgegroeid, want die was gewoon te saai voor woorden. Die God was er voor iedereen (mits ze Iers waren). Maar de vage, universele god van de dromenvangers, chakra's en rokken met franje, daar zag ik wel iets in. Vooral omdat je daar van alles aan kon toevoegen: reiki, kristallen, guarana. De lijst was eindeloos, als het maar spiritueel was. Ik was gefascineerd door het toeval en buitenaardse gebeurtenissen. Eigenlijk alles wat het leven een beetje spannender maakte. Ik leerde mezelf de tarot leggen, en daar was ik aardig goed in. Ik wilde graag geloven dat ik helderziend was, maar achteraf gezien was ik er goed in omdat ik de handleiding aandachtig had gelezen en de betekenissen van de symbolen uit mijn hoofd had geleerd. Trouwens, de meeste mensen willen toch alleen maar weten of ze verkering krijgen.

Een paar jaar geleden was ik opgehouden met de tarot, maar ik geloofde nog steeds in een vaag 'iets'. Als ik niet kreeg wat ik wilde – een baan, een spijkerbroek in de juiste maat, of als ik de bus miste – zei ik dat het nu eenmaal zo moest zijn, alsof er een godheid bestond, een welwillende poppenspeler die de touwtjes in handen had, die voor ieder van ons een verhaal had bedacht. Een godheid die het kon schelen welke kleren we aanhadden.

Maar nu stond ik met mijn rug tegen de muur. Nu het erop aankwam, merkte ik dat ik niet wist wat ik geloofde. Ik geloofde niet dat Aidan in de hemel was. Ik geloofde totaal niet in de hemel. Ik geloofde zelfs niet in God. Er was niets waar ik me aan kon vasthouden.

Ik maakte me klaar om naar mijn werk te gaan. Ik belde hem op zoals ik elke ochtend deed, en toen gilde ik ineens in het niets: 'Waar ben je? Waar ben je? *Waar ben je?*'

2

Aan: Goochelassistente@yahoo.com
Van: Familiewalsh@eircom.net
Onderwerp: Grote boodschappen!

Lieve Anna,

Ik hoop dat het goed met je gaat. Hier is de hele situatie met het oude vrouwtje en haar hond van kwaad tot erger gegaan. Sinds we zijn teruggekomen uit de Algarve hadden we haar niet meer gezien of gehoord. Vind je het gek dat we dachten dat we van haar af waren? Maar het ziet ernaar uit dat ze zich alleen aan het hergroeperen was. Vanochtend was ze er weer, en hoe! Ze kwam vroeg en liet haar hond een grote boodschap doen. Je vader trapte er middenin toen hij de krant ging kopen.

Zoals je weet onderneemt hij niet gauw actie, maar dit ging zelfs hem te ver. Hij zegt dat we dit tot op de bodem gaan uitzoeken. Helen en haar vaardigheden zullen daar een rol bij spelen. Gelukkig ergert zij zich ook kapot en ze zegt dat ze ons gratis zal helpen. Een hond die tegen je hek pist, dat kan gebeuren, zegt ze, maar hondenpoep is een heel ander verhaal.

Liefs van je moeder,
Mam

PS Wat zou erachter kunnen zitten? Zoals je weet, heb ik geen vijanden. Zou het soms iets met Helen te maken hebben?

PPS We hadden trouwens toch al een terug-van-vakantiedipje, vooral sinds je vaders verbrande huid ontstoken is geraakt, en na dit gedoe met die hond zijn we helemaal down. Begrijp me niet verkeerd, maar ik hoop dat je nog wel even zoet bent daar. Het zou nu weinig zin hebben om naar huis te komen. We kunnen onszelf al nauwelijks opvrolijken, laat staan jou.

Aan: Goochelassistente@yahoo.com
Van: Lucky_Star_PI@yahoo.ie
Onderwerp: Verbrande ouder

Pap en mam zijn terug uit de Algarve. Pap is enorm verbrand. Ziet eruit als de Singing Detective. Heel erg grappig.

3

Op de gebruikelijke tijd werd ik wakker van die stekende pijn: om vijf uur 's ochtends. Werktuiglijk nam ik een paar pijnstillers, daarna bleef ik stil liggen met mijn ogen stijf dicht. Ik stelde me voor dat ik in bed lag met Aidan naast me. Ik hoefde alleen maar mijn hand uit te strekken en dan kon ik hem aanraken. Hij zou warm en slaperig zijn, en hij zou zijn armen om me heen slaan zonder echt wakker te worden. Mijn fantasie was zo gedetailleerd en overtuigend dat ik hem kon ruiken. Ik geloofde bijna dat ik hem hoorde ademen. Dus toen ik mijn ogen open deed en zag dat ik niet in bed lag en dat er niets was op de plek waar Aidan zou moeten zijn, slaakte ik een rauwe kreet. Ik klonk net als een gewond dier. Ik krulde mezelf op, trok Dogly tegen me aan en probeerde het verdriet weg te wiegen. Toen dat niet lukte, zette ik de tv aan. *Dallas*. Twee afleveringen achter elkaar. Misschien zou dat helpen.

Even na zevenen was *Dallas* afgelopen. Laat genoeg om me klaar te maken om naar mijn werk te gaan. Meestal probeerde ik om er niet voor achten te zijn, maar soms kon ik het niet verdragen om thuis wakker te liggen en zat ik al om halfzeven achter mijn bureau.

Heel af en toe kon ik mezelf in het werk verliezen. Dan ging ik ergens naartoe waar de fantasie het overnam en ik ophield mezelf te zijn. Eventjes.

Zo leuk was het echter allemaal niet. Er waren ook nog de Lunches. Zelfs voordat Aidan stierf, was ik al doodsbang voor de Lunches. Met beautyredactrices naar dure restaurants gaan hoorde bij mijn werk. Ik moest twee à drie keer per week gaan lunchen, en dat was lastig omdat er een felle strijd gaande was over wie het minste at. Soms namen de redactrices een collega mee, en dan waren er nog meer mensen die nauwelijks iets aten van het ene dessert dat we voor ons allemaal gezamenlijk hadden besteld. Het leek wel een bokswedstrijd: wie zou de eerste klap uitdelen? Wie prikte het eerste vorkje? Argwanend keken we elkaar aan, maar omdat ik de gastvrouw was, was het volgens de regels mijn taak om te beginnen. Maar veel mocht ik er niet van eten, want als je te veel at, verloren ze hun respect voor je.

De maand nadat ik was teruggekomen, bleven de Lunches me bespaard. Niet uit medelijden, maar omdat mijn litteken er zo akelig uitzag dat Ariella niet wilde dat ik onder de mensen kwam. Maar dankzij de capsules met vitamine E en een goed dekkende camouflagestift was ik toonbaar geworden, en de lunches stonden weer op het menu.

Ik sloeg me erdoorheen door Brooke mee te nemen, als ze tenminste beschikbaar was. Ze was echt een geschenk uit de hemel. Door haar talent om mensen op hun gemak te stellen vielen mijn onhandige pogingen om gastvrouw te spelen niet zo op. Ze maakte indruk op de redactrices met verhalen over haar leven vol glamour zonder opschepperig te klinken, en ik probeerde te lachen en brokken voedsel door mijn tegenwerkende keel te krijgen. Soms – iets te vaak naar mijn zin – vergat ik het eerste vorkje van het dessert te nemen. De punt chocoladetaart met slagroom stond daar maar midden op tafel, en uiteindelijk zei Brooke dan: 'Nou, ik weet niet hoe het met jullie zit, maar ik wil dolgraag eens een hapje van dit zalige ding proeven.' En dan betraden de vorken het slagveld.

Ik dwong mezelf te douchen. Daarna pakte ik de telefoon om naar Aidans mobieltje te bellen. En toen gebeurde het. Ik zat opgekruld in de stoel te wachten op zijn troostende stem. Maar in plaats van het ingesproken bericht te horen, klonk er een raar piepgeluid. Had ik het verkeerde nummer ingetoetst? Ik kreeg een angstig voorgevoel, en mijn handen trilden zo erg dat ik nauwelijks de knopjes kon indrukken. Met ingehouden adem hoopte ik dat alles in orde zou zijn. Ik wachtte op zijn stem, maar ik hoorde alleen weer dat piepgeluid. Zijn mobieltje deed het niet meer.

Omdat ik de rekening niet had betaald.

Ik had aldoor gedacht dat zijn mobieltje het nog deed vanwege een soort vriendelijk kosmisch gebaar. Maar het was omdat hij vooruit had betaald. En nu was het abonnement beëindigd omdat ik niet had gedokt.

Met uitzondering van de huur had ik geen enkele rekening betaald. Leon en ik moesten het nog over mijn financiële situatie hebben; dat was nog niet gebeurd omdat Leon zo moest huilen.

In paniek probeerde ik Aidans nummer op kantoor, maar iemand anders – iemand die uiteraard niet Aidan was – nam op met: 'Andrew Russell.' Ik hing op. Shit.

Shit, shit, shit.

Ik voelde me zo duizelig dat ik bang werd dat ik zou flauwvallen. 'Hoe moet ik nou contact met hem opnemen?' vroeg ik aan de kamer.

Ik was afhankelijk van dat twee keer daags bellen, van dat twee keer daags zijn stem horen. Uiteraard had hij nooit iets teruggezegd, maar toch had het me geholpen. Ik was er zo half en half door gaan geloven dat we regelmatig contact hielden.

Ik wilde hem zo ontzettend graag spreken dat ik het gevoel had dat ik zou barsten. In een mum van tijd was ik doorweekt van het zweet, en ik moest naar de wc rennen om over te geven.

Ik moest hem spreken. Ik zou er alles voor over hebben, zelfs mijn leven, als ik hem ook maar vijf minuutjes mocht spreken.

4

Ik douchte nogmaals, kleedde me aan – een jurkje van Pucci met een krullerig patroon en een jasje van Goodwill – en was inmiddels zo laat voor mijn werk dat ik Lauryn belde en zei dat ik meteen naar mijn afspraak van tien uur zou gaan.

Ik was op zoek naar promotiemateriaal voor You Glow Girl! (Een highlighter. Meer valt er niet over te zeggen. Het was een 'zachte' lancering, d.w.z. niet veel geld om te besteden.) Met de beperkte financiële middelen overwoog ik voor alle beautyredactrices een lamp te kopen (en zo slim in te haken op het 'glow'-thema.)

Ik had een afspraak met een groothandelaar op West Forty-first Street die ongebruikelijke lampen importeerde. Lampen die eruitzagen als halo's – je klemt ze aan je spiegel en je ziet jezelf weergegeven als een heilige; of met vleugels zodat je op een engel lijkt – mits je jezelf correct positioneert. Of rode neonlampen met de tekst SELECT BAR, voor als je graag in Williamsburg zou willen wonen.

De taxi zette me aan de verkeerde kant van de straat af, en terwijl ik stond te wachten om over te steken, zag ik een man die ik kende. Automatisch knikte ik hem toe. Toen besefte ik dat ik niet wist wáár ik hem van kende, en ik was bang dat ik een beroemdheid had herkend. Dat had Rachel ook een keer gedaan: ze had Susan Sarandon op straat aangesproken en haar doorgezaagd over waar ze haar eerder had gezien. Gingen ze naar dezelfde sportschool? Was ze een vriendin van Bill? Had ze haar gezien bij de dermatoloog? Toen zei Rachel heel zachtjes: '*Thelma and Louise,*' waarna ze geschrokken terugdeinsde.

Maar de onbekende man bleef staan en begon tegen me te praten.

'Hé, meisje,' zei hij. 'Hoe gaat-ie?'

'Goed.' Ik knikte wanhopig.

'Jij bent toch de zus van Rachel? Ik ben Angelo. We hebben elkaar een keer 's ochtends vroeg ontmoet, in Jenni's.'

Hoe had ik hem kunnen vergeten? Hij zag er zo ongebruikelijk uit, met zijn uitgemergelde, ingevallen gezicht, donkere, diepliggende ogen, zijn lange haar, en zijn Red Hot Chili Peppers-achtige aantrekkingskracht.

'Gaat het al wat beter?' vroeg hij.

'Nee, ik voel me belabberd. Vooral vandaag.'

'Zullen we ergens koffie gaan drinken?'

'Ik kan niet, ik heb een afspraak.'

'Ik geef je mijn nummer wel. Bel me maar als je een keer wilt praten.'

'Dank je, maar ik ben geen verslaafde.'

'Dat geeft niet. Ik zal het je niet kwalijk nemen.'

Hij krabbelde iets op een stukje papier. Futloos pakte ik het aan, en ik zei: 'Ik heet Anna.'

'Anna,' herhaalde hij. 'Pas goed op jezelf. Gewéldige outfit, trouwens.'

'Dag,' zei ik, en ik liet het stukje papier onder in mijn tas vallen.

Ik ging naar mijn afspraak, maar ik was niet in vorm. Ik kon niet genoeg interesse opbrengen om keihard te onderhandelen met de man van de kunstige lampen, en ik vertrok zonder concrete afspraken te hebben gemaakt.

Weer buiten kuierde ik langs de straat, op zoek naar een taxi. Een man overhandigde me een blaadje. Gewoonlijk gooi ik die in de eerste vuilnisbak die ik tegenkom, want in deze buurt zijn het altijd flyers voor de uitverkoop van 'designers', als lokkertje voor toeristen. Om de een of andere reden wierp ik hier echter een blik op.

HET DOMEIN VAN DE PSYCHE

Wat brengt de toekomst?
Ontvang de antwoorden uit het hiernamaals.
Via een medium met de ware gave van helderziendheid.

Bel Morna

Onder aan het blaadje stond een telefoonnummer, en opeens was ik door het dolle heen van opwinding. *Antwoorden uit het hiernamaals.* Ik bleef midden op het trottoir staan, en veroorzaakte een minikettingbotsing. 'Trut,' zei iemand. 'Toerist,' (een veel ergere belediging) beet iemand anders me toe.

'Sorry,' zei ik. 'Sorry, sorry.' Ik liep uit de stroom mensen, zocht de beschutting van een portiek, haalde mijn mobieltje uit mijn tas en tikte het nummer in met vingers die trilden van hoopvolle verwachting. Een vrouw nam op.

'Spreek ik met Morna?' vroeg ik.

'Ja.'

'Ik wil graag een afspraak met u maken.'

'Kun je nu meteen komen? Er heeft iemand afgebeld.'

'Natuurlijk! Ja! Absoluut.' Mijn werk kon wel wachten.

Morna vertelde me hoe ik bij een appartement twee straten verderop moest komen.

Ik ging omhoog in de schokkerige lift, en mijn bloed gonsde zo hard in mijn oren dat ik me afvroeg hoe het zou voelen om een hartaanval te hebben.

Hoe groot was de kans om op Forty-first Street een flyer te krijgen die géén uitverkoop van een designer aankondigde? En om meteen een afspraak te kunnen maken met Morna? Dit was toch zeker voorbestemd?

Eventjes stond ik mezelf toe in gedachten mijn grootste hoop uit te spreken. En als ze je nu eens weet te bereiken, Aidan? Als we ook echt met elkaar in contact konden komen? Als ik je nu eens te spreken krijg?

Bijna in tranen van opwinding en met een mengeling van hoop en wanhoop belde ik aan bij Morna's appartement.

Achter de deur klonk een stem. 'Wie is daar?'

'Ik ben Anna. Ik heb net gebeld.'

Kettingen werden ratelend losgemaakt en sleutels werden met doffe klikken in zware sloten gedraaid, en eindelijk ging de deur open. In mijn toestand van veel te hoopvolle verwachting had ik me Morna voorgesteld in een golvend gewaad met een zee van kralen, en met slecht geknipt grijzend haar en een dikke laag kohl rond wijze, oude ogen, en ze zou wonen in een flauw verlicht appartement vol rood fluwelen kleedjes en lampen met franje.

Maar dit was een doodgewone vrouw van een jaar of vijfendertig in een donkerblauw trainingspak. Haar haar kon wel een wasbeurt gebruiken, en ik kon niet zien hoe wijs en oud haar ogen eruitzagen omdat ze elk oogcontact vermeed.

Haar appartement was ook een teleurstelling. Op een tv in de hoek schalde een talkshow, overal op de vloer lag speelgoed en er hing een sterke geur van geroosterd brood.

Morna draaide het geluid van de tv zacht, gebaarde naar een kruk bij de ontbijtbar en zei: 'Vijftig dollar per kwartier.'

Dat was niet weinig, maar ik was zo high dat ik alleen maar kon uitbrengen: 'Oké.'

Mijn adem kwam met horten en stoten, en ik dacht dat Morna wel zou merken dat ik over mijn toeren was, en me navenant zou behandelen. Maar ze klom op een kruk aan de andere kant van de ontbijtbar en overhandigde me een pak tarotkaarten. 'Pak maar.'

Ik aarzelde. 'Kunt u in plaats van tarot te leggen misschien contact opnemen met...' Hoe moest ik het zeggen? 'Iemand die gestorven is?'

'Dat kost meer.'

'Hoeveel?'

Ze nam me eens goed op. 'Vijftig?'

Ik aarzelde. Het ging niet om het geld, maar ik had het plotselinge, onaangename vermoeden dat ik werd bedrogen. Dat deze vrouw niet echt paranormaal begaafd was, maar een bedriegster die onschuldige toeristen een loer draaide.

'Veertig,' zei ze, waarmee ze mijn vermoedens bevestigde.

'Het gaat niet om het geld,' zei ik, en in mijn ogen welden tranen op. Hoop was overgegaan in teleurstelling. 'Maar als u geen medium bent, zeg dat dan alstublieft. Dit is belangrijk.'

'Ja hoor, ik ben een medium.'

'Kunt u in contact komen met mensen die overleden zijn?' vroeg ik met klem.

'Ja. Zullen we verder gaan?'

Wat had ik te verliezen? Ik knikte.

'Oké, even kijken wat we hebben.' Ze drukte haar vingers tegen haar slapen.

'Je bent Iers, hè?'

'Inderdaad.' Ergens had ik gewild dat ik had gezegd dat ik Oezbeeks was. Ik wilde haar liever geen informatie geven die ze niet fysiek van me af kon lezen, maar ik wilde ook niets doen om dit te verpesten.

Ze wierp een scherpe blik op mijn kleding en mijn littekens, en kwam uiteindelijk uit bij mijn trouwring.

'Ik heb hier iemand.'

Mijn opwinding bereikte een hoogtepunt.

'Een vrouw.'

Mijn opwinding ebde weer weg.

'Je grootmoeder.'

'Welke grootmoeder?'

'Ze zegt dat ze... Mary heet?'

Ik schudde mijn hoofd. Ik had geen oma die Mary heette.

'Bridget?'

Ik schudde nogmaals mijn hoofd.

'Bridie?'

'Nee,' zei ik verontschuldigend. Ik vind het vreselijk als dit soort mensen het mis heeft. Ik krijg dan last van plaatsvervangende schaamte.

'Maggie? Ann? Maeve? Kathleen? Sinéad?'

Morna dreunde elke Ierse naam op die ze ooit had gehoord of gelezen, in films als *Ryan's Daughter* en op cd's van Sinéad O'Connor, maar de naam van een van mijn oma's zat er niet bij.

'Sorry,' zei ik. Ik wilde niet dat ze ontmoedigd raakte en me zou vragen weg te gaan. 'Laat de naam maar zitten. Vertel me iets anders, wat hoort u nog meer?'

'Oké. Ze geven niet altijd de juiste naam, maar het is echt je grootmoeder. Ik zie haar duidelijk voor me. Ze zegt dat ze heel blij is om van je te horen. Ze is heel petieterig, danst rond op laarzen en draagt een gebloemd schort over een dirndljurk. Ze heeft grijs haar in een knot in haar nek en een klein rond brilletje.'

'Ik denk niet dat dat mijn oma is,' zei ik. 'Volgens mij is dat de oma uit de *Beverly Hillbillies*.'

Ik wilde niet sarcastisch zijn, maar vanbinnen streden hoop en wanhoop nog steeds om voorrang, en deze tijdverspilling trok ik echt niet.

En als je oma Maguire ooit had ontmoet, met haar zwarte tanden, haar pijp en haar neiging de honden op ons af te sturen, of oma Walsh, die naar je gromde als je haar parfum probeerde af te pakken (ze dronk het wanneer ze alle andere flessen hadden leeggegoten in de gootsteen), zou je die nooit verwarren met het omatje dat Morna beschreef.

Morna keek me aan, ze had mijn sarcasme opgemerkt. 'Met wie wil je dan praten?'

Ik opende mijn mond, haalde diep en schokkerig adem, wat overging in een snik. 'Mijn echtgenoot. Mijn echtgenoot is gestorven.' De tranen gutsten opeens over mijn gezicht. 'Ik wil hem spreken.'

Ik rommelde in mijn tas, op zoek naar een zakdoekje. Morna drukte intussen haar vingers weer tegen haar slapen. 'Het spijt me,' zei ze. 'Er komt niets door. Maar daar is een reden voor.'

Mijn hoofd schoot omhoog. 'Wat?'

'Er hangt een vreselijke energie om je heen. Iemand heeft iets slechts over je uitgesproken, daardoor overkomen je nu al deze vreselijke dingen.'

Wat? 'Bedoelt u een soort vloek?'

'Een vloek is een sterk woord. Dat woord zou ik niet willen gebruiken, maar ja, het is zoiets als een vloek.'

'Kut!'

'Maak je geen zorgen, lieverd.' Voor het eerst glimlachte ze. 'Ik kan hem wegnemen.'

'Echt?'

'Tuurlijk. Ik vertel je toch geen slecht nieuws als ik je niet kan helpen?'

'Dank u, o dank u wel, bedankt.' Even dacht ik dat ik zou flauwvallen van dankbaarheid.

'Het lijkt erop alsof je voorbestemd was om hier vandaag te komen.'

Ik knikte, maar het bloed stolde in mijn aderen. Wat zou er gebeurd zijn als ik vandaag niet naar deze buurt was gekomen? Als ik de flyer niet had gekregen? Als ik hem direct in de prullenbak had gegooid?

'Hoe werkt het dan? Kunt u hem nu direct wegnemen?' Ik kon nauwelijks op adem komen.

'Ja, we kunnen het nu doen.'

'Geweldig! Kunnen we meteen beginnen?'

'Natuurlijk. Maar je moet begrijpen dat het geld kost om zo'n grote vloek te verwijderen.'

'O? Hoeveel?'

'Duizend dollar.'

Duizend dollar? Ik stond direct weer met beide benen op de grond. Deze vrouw was een opportunist. Wat kon ze doen dat duizend dollar kostte?

'Je móét dit doen, Anna. Je leven wordt alleen maar slechter als je dit niet oplost.'

'Mijn leven wordt zeker slechter als ik duizend dollar weggooi.'

'Oké, vijfhonderd,' zei Morna. 'Drie? Oké, voor tweehonderd dollar kan ik deze vloek wegnemen.'

'Waarom kunt u het nu voor tweehonderd dollar doen terwijl het net nog duizend was?'

'Omdat ik bang voor je ben, lieverd. Dit moet echt verwijderd worden, en wel nú, of er overkomt je echt iets vreselijks.'

Eventjes had ze me weer, ik verstijfde van angst. Maar wat kon er gebeuren? Het ergste wat ik kon verzinnen, was al gebeurd. Maar als er nu écht een vloek over me was uitgesproken? En als dat de reden van Aidans dood was geweest?

Ik werd heen en weer geslingerd tussen angst en scepsis. Mijn gedachten gingen alle kanten op, totdat ze werden onderbroken door het geluid van kinderen die op een deur bonkten en riepen of ze weer binnen mochten komen.

Ik was meteen weer bij zinnen en wist niet hoe snel ik weg moest komen. Ik was zo kwaad dat ik op weg naar beneden tegen de wand van de lift trapte. Ik was woedend op Morna, woedend op mezelf dat ik zo stom was geweest, en woedend op Aidan dat hij was gestorven en me in deze positie had gebracht. Weer op straat kon ik niet lang genoeg blijven stilstaan om een taxi aan te houden en ik beende helemaal naar Central Park, voortgedreven door hete, bittere razernij. Ik botste met mijn schouders tegen voetgangers op (de kleine in elk geval), bood niemand mijn excuses aan en bezorgde New York een slechte naam.

Ik zal wel gehuild hebben, want op de kruising van Times Square wees een klein meisje naar me, en zei: 'Kijk mama, een gekke vrouw.' Maar dat kan ook vanwege mijn kleding zijn geweest.

Tegen de tijd dat ik het kantoor bereikte, was ik gekalmeerd. Ik begreep wat er was gebeurd: ik had pech gehad. Ik was een beunhaas tegengekomen, iemand die zich op kwetsbare mensen stortte, en dan nog heel beroerd ook, want ik was zo kwetsbaar als de neten en zelfs ík was er niet ingestonken.

Ergens is er een medium dat me met je in contact zal brengen. Ik moet hem of haar alleen zien te vinden.

5

Aan: Goochelassistente@yahoo.com
Van: Familiewalsh@eircom.net
Onderwerp: Omelet sibérienne

Lieve Anna,

Ik hoop dat je een goed weekend hebt gehad. Als je Rachel ziet, wil je haar dan vertellen dat omelet sibérienne een prachtig toetje is? Er staan sterretjes op die de obers aansteken. Daarna doen ze het licht uit en lopen ermee naar je tafel. Weet je, ik jank niet gauw, maar toen ze dat deden op onze laatste avond in Portugal, was het zo mooi dat de tranen in mijn ogen sprongen.

Liefs van je moeder,
Mam

Ik nam aan dat die omelet sibérienne met de bruiloft te maken had. Rachel ging pas in maart trouwen, maar mam en zij maakten nu al ruzie. Ik wilde er voor geen goud bij betrokken raken. Rond het menu konden zich hele veldslagen afspelen.

Toch begon ik er die avond bijna over, omdat Rachel onverwacht langskwam. Ze kwam hoogst ongelegen, want ik wilde net gaan huilen.

'Hoi,' zei ik op mijn hoede. Ik had het kunnen verwachten, want ik had haar het hele weekend al ontlopen.

'Anna, ik maak me zorgen om je. Je moet echt minder hard gaan werken.'

Dat was een van Rachels stokpaardjes. Ze beweerde dat ik mijn werk gebruikte als smoesje om haar niet te hoeven spreken – of wie dan ook. Ze had gelijk; het viel me steeds moeilijker om onder de mensen te zijn. De meeste moeite had ik met mijn gezicht, want het was erg vermoeiend om steeds 'gewoon' te kijken.

Die arme Jacqui deed zo haar best om me op te vrolijken dat ze altijd klaarstond met grappige voorvallen op het werk. Ik werd doodmoe van al dat lachen en zeggen: 'Jezus, wat idioot.'

'Heb je het hele weekend gewerkt?' vroeg Rachel. 'Anna, dat is niet best.'

Wat moest ik zeggen? Ik kon haar moeilijk de waarheid vertellen, te weten dat ik zaterdag en zondag op internet had zitten surfen, op zoek naar helderzienden. En dat ik Aidan om een teken had gevraagd om aan te geven welke helderziende ik het best in de arm kon nemen.

'Het was een noodgeval.'

'Een noodgeval in de cosmeticabranche?'

'Jij gaat toch ook niet zonder lipgloss de deur uit?'

'O, nou begrijp ik het... Maar luister, ik wilde je even onder vier ogen spreken,' zei zè. 'Want via de telefoon schijn ik je niet te kunnen bereiken. Emotioneel, bedoel ik, niet dat je telefoon het niet doet.'

Dat wist ik ook wel. 'Ik weet het. Zeg, Rachel, wat zijn je plannen voor de bruiloft?' Als ze me te erg achter mijn broek zat, kon ik altijd nog zeggen: 'Omelet sibérienne.'

'Jezus,' zei ze. 'Plannen voor de bruiloft. Alsjeblieft, zeg.' Verontwaardigd riep ze uit: 'Luke en ik wilden een eenvoudige bruiloft! Met mensen die we aardig vinden. Met mensen die we kénnen. Maar mam wil half Ierland uitnodigen: honderden verre neven en nichten, en iedereen die ze op de golfbaan heeft leren kennen.'

'Misschien komen die wel niet. Misschien vinden ze het te ver.'

'Waarom dacht je dat ik in New York wilde trouwen?' Ze lachte rauw. 'Nou ja, denk maar niet dat je me daarmee kunt afleiden. Ik ben hiernaartoe gekomen omdat ik me zorgen over je maak. Je kunt je niet steeds achter je werk verstoppen en net doen alsof er niets is gebeurd. Je moet weer gaan vóélen. Als je weer gaat voelen, kom je eroverheen. Heb je cola light in huis?'

'Geen idee. Kijk maar in de ijskast. Hé, wat heb je met je wenkbrauwen gedaan?'

'Ik heb ze laten verven.'

'Leuk.'

'Dank je. Het is voor de bruiloft, ik wil weten of ik er niet allergisch voor ben. Op de grote dag wil ik liever niet met een opgezwollen gezicht rondlopen.' Ineens bleef ze staan en hield haar hoofd schuin alsof ze ergens naar luisterde. 'Wat is dat voor herrie?'

Ergens vlakbij brulde iemand zo hard hij kon: '*Gooooooold-fiiiinger!*'

'Dat is Ornesto. Hij is aan het oefenen.'

'Waar oefent hij dan op? Mensen zich het leplazarus laten schrikken?'

'Hij zingt. Hij zit op zangles. Zijn leraar zegt dat hij talent heeft.'

'*Heeeee's the maaaaan, the maaaan with the Midas touch!*'

'Doet hij dat vaak?'

'Bijna elke avond.'

'Houdt dat je niet wakker?' Rachel is een beetje neurotisch wat slapen betreft. Het had geen zin haar te vertellen dat ik toch nauwelijks sliep.

'*But doooon't go in!*'

'Was er cola light?'

'Nee. Er staat bijna niets in je ijskast. Lege boel. Anna, je moet naar een therapeut.'

'Om me te helpen cola light te kopen?'

'Grapjes maken is een bekende afleidingsmanoeuvre. Ik weet

een heel aardige therapeute die aan rouwverwerking doet. Heel professioneel. Ik weet zeker dat ze niets zal overbrieven van wat jij haar vertelt. Ik beloof dat ik er niet eens naar zal vragen.'

'Oké,' zei ik.

'Ga je naar haar toe? Geweldig.'

'Als ik me beter voel.'

'Allemachtig, dat bedoel ik nou net! Je zit maar te werken en te werken om het te vergeten...'

'Nee, ik probeer het niet te vergeten!' Dat was een afschuwelijke gedachte, het laatste wat ik wilde. 'Ik probeer...' Hoe moest ik het zeggen? 'Ik probeer een beetje afstand te nemen, zodat ik het me kan herinneren...' Ik zweeg even voordat ik verder ging. 'Zodat ik het me kan herinneren zonder te sterven van verdriet.'

Er waren dagen voorbijgegaan. Weken en maanden zelfs. Het was al half juni, en hij was in februari gestorven. Toch voelde het alsof ik net uit een nachtmerrie was ontwaakt, dat ik nog steeds in die halfbewusteloze toestand verkeerde tussen droom en werkelijkheid. Ik probeerde die werkelijkheid te grijpen, maar ik wist niet meer wat 'gewoon' was.

'*Golden words he will pour in your ear!*'

'Jezus, daar heb je hem weer.' Rachel keek bezorgd naar het plafond. 'Ik snap niet hoe je dat kunt verdragen. Echt niet.'

Ik haalde mijn schouders op. Ik vond het wel prettig. Het was een soort gezelschap zonder dat ik hem hoefde te spreken. Hij klopte vaak bij me aan, maar ik deed nooit open. Wanneer we elkaar in de gang tegen het lijf liepen, zei ik dat ik aan de slaappillen was en dat ik hem niet had gehoord. Een leugentje om bestwil; hij was gauw gekwetst.

'*But his lies can't disguise what you fear!*'

'Ik wil je iets vragen,' zei Rachel. 'Denk je wel eens aan zelfmoord?'

'Nee.' Ik keek in Rachels bezorgde gezicht. 'Hoezo? Waarom zou ik?'

'Nou... Het is heel normaal om te denken dat je niet meer verder kunt.'

'Jezus, ik kan het ook nooit goed doen!'

'Doe nou niet zo... Maar weet je misschien ook waarom je geen zelfmoordneigingen hebt?'

'Omdat... omdat... Als ik dood zou zijn, zou ik niet weten waar ik naartoe moest. Ik weet niet of ik naar dezelfde plek zou gaan als waar Aidan is. Als ik hier ben, voel ik me dicht bij hem. Kun je dat begrijpen?'

'Dus je hebt er wel over nagedacht?'

Ik was me voortdurend vaag bewust van het idee om niet meer te leven. Niet dat ik nou plannetjes had gemaakt, maar de gedachte was er wel. 'Ja.'

'O, dat is goed. Fijn om te horen.' Ze zag er echt opgelucht uit. 'Godzijdank.'

'It's the kisssss of death! From Goldfiiiiinger!'

'Zeg, wil je dat ik oordopjes voor je koop?'

'Nee, dat hoeft niet. Ik heb er geen last van.'

'This heart is cold. He loves only gold. Only gold. He loves gooooooold!'

'Jezus, ik ga weg. Laten we deze week samen uit eten gaan.'

'Ik ga woensdag al met Leon en Dana eten,' zei ik snel.

'Goed zo, meisje. Volgend weekend ben ik er niet, dan ga ik in retraite. Zullen we afspreken voor donderdag?'

Ze dwong me te knikken.

'Dag.'

Ik lag op de bank en probeerde weer in een huilstemming te komen. Boven was Ornesto nog uit volle borst aan het zingen, en daardoor kwam er een herinnering in me boven. Aidan en ik hadden ook wel eens gezongen. Niet echt serieus, gewoon voor de grap. Zoals die avond dat we eten bestelden van Balthazar. Ik vond het geweldig!

'Het is toch verbazingwekkend,' jubelde ik. 'Balthazar is een van de leukste restaurants in New York. Nee, van de hele wereld. En ze voelen er zich toch niet te goed voor om gewoon aan huis te bezorgen.'

'New York is geweldig,' zei Aidan.

'Absoluut,' beaamde ik. 'In Ierland heb je zoiets niet.'

'Waarom zijn er dan zoveel liedjes over hoe verdrietig het is om uit Ierland weg te trekken?'

'Tussen ons gezegd en gezwegen: ik zou het niet weten. Volgens mij zijn ze gewoon hartstikke gek.'

Aidan, wiens voorouders ook uit Ierland waren gekomen,

kende alle treurige emigrantenliedjes. Hij begon te zingen: '*Last night as I lay dreaming, I dreamt of Spancil Hill.*' Hij had best een goede zangstem, al was dat moeilijk te horen omdat hij met zijn smurfenstem zong, hoewel hij zich niet aan het scheren was.

'*I dreamt that I was back there and that thought, it made me ill...*'

'Zo gaat het helemaal niet!'

Maar Aidan ging gewoon verder met een zelfbedachte tekst. Hij vergat zelfs zijn smurfenstem te gebruiken en bezong uit volle borst de lof van New York, met de vele winkels, restaurants, musea en andere leuke dingen. Hij eindigde met een couplet over hoe heerlijk het was om in New York te worden gewekt door loeiende politiesirenes. Daarna maakte hij een diepe buiging en rende naar de slaapkamer.

'Kom terug!' riep ik. 'Dit is leuk!'

'Ik moet me eerst verkleden. Anders kan ik niet zingen.'

Hij kwam terug, gekleed in een afschuwelijke Aran-trui. Die was een huwelijkscadeau van tante Imelda, mams zus. Tante Imelda probeert haar nog steeds de loef af te steken. Mam had gezegd dat Imelda best wist dat die trui vreselijk was. Als Aidan die aanhad, leek het alsof hij een bierbuik had.

'Zet jij deze op?' Hij gooide me een pet van tweed toe; ook een cadeautje van tante Imelda.

'Goed. Maar nu is het mijn beurt.'

Op dezelfde melodie zong ik een zelfverzonnen tekst over dat ik de liefde in New York had gevonden.

'Jezus!' riep Aidan uit. 'Dat kun je goed. En het rijmt ook nog, min of meer.' Vervolgens maakte hij de gebaren van een rapper en bezong op moderne wijze de geneugten van het leven in New York.

De hele avond bleven we liedjes verzinnen over hoeveel fijner het in New York was dan in Ierland, en dat we helemaal niet verdrietig waren dat we door een oceaan waren gescheiden van het land van onze voorouders. Meestal rijmde het niet, maar het was wel grappig. Dat vonden wij, tenminste.

6

Leon en Dana stapten voor Diego's uit een taxi terwijl ik net mijn taxichauffeur betaalde. De timing was perfect. Dat gebeurde heel vaak toen Aidan nog leefde en we met zijn vieren afspraken.

Ze leken een woordenwisseling met hun taxichauffeur te hebben. Dat was niet de eerste keer.

'Lekker gereden, jongen,' zei Dana heel hard, terwijl ze zich naar het raampje van de chauffeur boog. 'Maar niet heus!'

Dana was niet op haar mondje gevallen. Overal waar ze kwam, trok ze veel aandacht, en haar lievelingszinnetje was: 'Het is vreselijk.' Ze zei het heel vaak, want ze vond veel dingen vreselijk, vooral wat haar werk betrof. Ze werkte als interieurontwerpster en vond dat al haar cliënten een wansmaak hadden.

'Laat mij nou maar even,' opperde Leon, niet erg overtuigend.

Naast Dana zag Leon er klein, mollig en gespannen uit. Of misschien wás hij wel gewoon klein, mollig en gespannen.

'Geen fooi, Leon,' gebood Dana. 'Leon. Geen. Fooi. Hij is helemaal verkeerd gereden!'

Leon negeerde haar en was druk in de weer met bankbiljetten.

'Wat een bullshit,' verzuchtte Dana. 'Dat is echt veel te veel!' Maar het was al te laat, de chauffeur had zijn hand om het geld gesloten.

'O, láát ook maar.' Dana draaide zich om op haar hakken van tien centimeter hoog en zwiepte met haar dikke, glanzende haar.

Toen zag Leon mij staan en hij begon te stralen. 'Hé, Anna!'

Leon en Aidan waren jeugdvrienden geweest, maar met Dana en mij erbij hadden we een volmaakt kwartet gevormd. Het had echt uitstekend tussen ons geklikt. Wanneer Dana niet riep dat dingen vreselijk of bullshit waren, was ze heel hartelijk en grappig. Met zijn vieren waren we weekendjes weg geweest. Vorige zomer hadden we een week doorgebracht in de Hamptons en in januari waren we gaan skiën in Utah.

We gingen ongeveer eens per week uit eten. Leon was gek op eten en altijd heel erg bezig met nieuwe restaurants. Ons 'ding' was om uitgebreide nieuwe identiteiten voor elkaar te verzinnen: dierenverzorger, winnaar van Pop Idol, goochelassistente, enzovoort. Daarna volgde het deel dat we het leukst vonden: onze dromen. Leon wenste dat hij een meter negentig was, bij de commando's zat en een meester in Krav Maga was (of hoe het ook heette). Dana wilde een onderdanig vrouwtje zijn, getrouwd met een rijke man die nooit thuis was terwijl zij als een directievoorzitter het huishouden runde. Ik wilde Ariella zijn. Maar dan aardig. En Aidan droomde ervan een honkballer te zijn, eentje die in de World Series de Boston Red Sox naar het kampioenschap sloeg.

Om de een of andere reden was het na mijn terugkeer uit Dublin het moeilijkst geweest om Leon onder ogen te komen. Ik was bang de volle omvang van zijn verdriet te zien, want dan zou ik mijn eigen verdriet zien.

Het probleem was dat Leon mij net zo wanhopig graag wilde zien als ik hem wanhopig graag níét wilde zien. Waarschijnlijk zag hij me als plaatsvervanger voor Aidan.

Ik had hem voortdurend ontweken, maar een paar weken geleden was ik gezwicht en had ingestemd met een afspraak. 'Ik reserveer wel bij Clinton's Fresh Foods,' had hij geopperd.

Ik was ontzet. Niet alleen bij de gedachte aan uitgaan, maar bij het idee dat we net zouden doen alsof we op een van onze avondjes uit waren.

'Anders kom ik wel gewoon naar jullie,' zei ik.

'Maar we gaan altijd uit eten,' had hij gezegd.

En ik dacht dat ík in de ontkenningsfase zat. Hij was erin geslaagd me over te halen nog een paar keer bij hen langs te komen om zijn hand vast te houden terwijl hij huilde en herinneringen ophaalde. Vanavond probeerden we echter een stapje verder te gaan en gingen we uit. Maar dus wel gewoon naar Diego's. Dat was een buurttentje, onze vaste stek, de plek waar we heen gingen in de (zeldzame) weken waarin er in Manhattan geen nieuw restaurant was geopend.

'Wat heb je voor me meegenomen?' Dana keek naar het Candy Grrrl-tasje in mijn hand.

'De nieuwste spullen.' Ik gaf het haar.

Dana wierp een vluchtige blik op de producten en bedankte me lauwtjes. Het probleem met Candy Grrrl was dat het niet duur genoeg voor haar was. 'Krijg je wel eens wat van die Visage?' vroeg ze. 'Dat is fijn spul.'

'Zullen we naar binnen gaan?' vroeg Leon. 'Ik barst van de honger.'

'Jij barst altijd van de honger.'

Diego zelf heette ons welkom. Hij was blij ons te zien. 'Hé, hallo! Dat is lang geleden.' Hij liet zijn ogen extra glimmen om te doen alsof hij mijn litteken niet zag. 'Tafel voor vier?'

'Vier,' zei Leon, en hij wees naar onze tafel. 'We zitten altijd daar.'

Diego begon menukaarten te pakken.

'Drie,' zeiden Dana en ik in koor.

'Vier,' herhaalde Leon. Er volgde een vreselijke stilte, waarna zijn gezicht betrok. 'Ja, we zijn met zijn drieën.'

'Drie?' vroeg Diego voor de zekerheid.

'Drie.'

Aan tafel kon Leon alleen maar huilen. 'Het spijt me, Anna,' bleef hij maar zeggen. Hij keek me aan door vingers die nat waren van de tranen. 'Echt, het spijt me.'

Diego kwam zwijgend en eerbiedig naar ons tafeltje. Zachtjes vroeg hij of we iets wilden drinken.

'Een Pepsi,' snikte Leon. 'Met een schijfje limoen, geen citroen. Als er geen limoen is, wil ik geen citroen.'

'Een chardonnay,' zei Dana.

'Voor mij ook.'

Toen Diego de drankjes bracht, mompelde hij: 'Zal ik de menukaarten weer meenemen?'

Leons hand schoot uit en hij drukte de menukaart plat op tafel. 'We zullen toch moeten eten.'

'Hij laat zich nergens door weerhouden,' zei Dana.

'Oké.' Diego trok zich terug. 'Geef maar een gil.'

Leon tuurde in zijn glas, nam een slokje en zei huilerig: 'Ik wist het. Dit is geen Pepsi. Dit is Coca-Cola.'

'O, kom óp zeg. Drink het nou maar gewoon,' zei Dana.

Zonder antwoord te geven pakte Leon zijn menukaart op en

begon hem uitvoerig te bestuderen. We konden hem erachter horen huilen.

Hij slaagde er lang genoeg in zich in te houden om hert te bestellen, maar stortte in toen hij tegen Diego zei: 'Maar zonder kappertjes.' Bijna loeiend voegde hij er nog aan toe: 'Daar houou... ik... niet... va-an.'

'Hij wordt er winderig van,' zei Dana.

'Ja hoor, bazuin het maar rond.'

Toen we eenmaal hadden besteld, kon Leon zich ontspannen en zich pas écht overgeven aan zijn tranen.

'Hij was mijn beste vriend, het beste maatje dat je je kunt wensen,' jammerde hij.

'Dat weet ze,' zei Dana. 'Ze was met hem getrouwd, weet je nog?'

'O, het spijt me, Anna, ik weet dat het voor jou ook erg is...'

'Het geeft niet.' Ik wilde niet met hem meedoen en kijken wie van ons het hardst kon huilen. Ik weet ook niet hoe ik het klaarspeelde, maar ik stond mezelf niet toe er stil bij te staan dat hij om Aidan huilde. Hij huilde gewoon en het had niets met mij te maken.

'Ik zou er alles voor over hebben om de klok terug te draaien. Om hem gewoon weer te zien, snap je?' Leon keek ons vragend aan, zijn gezicht nat van de tranen. 'Om even met hem te praten?'

Dat deed me eraan denken dat ik een medium nodig had. Misschien kende Dana er eentje. Voor haar werk ontmoette ze de meest uiteenlopende mensen.

'Hé,' zei ik. 'Kent een van jullie misschien een goed medium? Iemand die goed staat aangeschreven?'

De tranen op Leons wangen bleven even op hun plaats hangen.

'Een medium? Om met Aidan te praten? Jezus, wat moet jíj hem missen.' En daar ging hij weer.

'Anna, mediums zijn búllshit!' riep Dana. 'Bullshit! Ze beroven je van je geld en maken misbruik van je. Jij hebt rouwbegeleiding nodig.'

Leon hield lang genoeg op met huilen om te melden dat hij al iemand zag, drie keer per week. 'Hij zegt dat ik op de goede weg ben.'

De rest van de avond bleef hij huilen. Hij stopte alleen even om de donkere chocoladetaart met vanille-ijs te bestellen in plaats van de karamel die op de kaart stond. 'Dat zijn te veel smaken bij elkaar,' zei hij met een waterig glimlachje naar Diego.

7

...ze kwam in contact met mijn moeder, die haar vertelde waar ze haar trouwring had verstopt...

...ik kon afscheid nemen van mijn broer en het eindelijk afsluiten...

...ik was zo blij dat ik mijn man weer kon spreken, want ik miste hem verschrikkelijk...

Op het internet vond ik pagina na pagina met dit soort verklaringen.

Maar, vroeg ik Aidan, kan ik het wel vertrouwen? Die mediums kunnen het wel allemaal zelf hebben geschreven. Misschien zijn ze allemaal net zo inhalig als Morna. Kun je me geen teken geven? Kun je geen vlinder laten neerstrijken op de goede website of zoiets?

Tot mijn ergernis kwam er geen behulpzame vlinder. Wat ik nodig had, was een persoonlijke aanbeveling. Maar wie kon ik ernaar vragen? Ik bedoel, ik had liever niet dat iedereen ging denken dat ik gek was geworden. En dat zouden ze zeker denken. Rachel in elk geval wel. Ze zou net als Dana zeggen dat ik nodig in therapie moest. En Jacqui zou zeggen dat ik meer onder de mensen moest komen en dat alles dan binnen de kortste keren goed zou komen. Ornesto daarentegen ging vaak naar helderzienden die hem vertelden dat hij binnenkort de man van zijn dromen zou leren kennen. Ze zeiden er nooit bij dat de man van zijn dromen getrouwd was, losse handjes had of zijn goede pannen wilde stelen.

Misschien wist iemand op het werk er meer van? Teenie niet.

Intuïtief wist ik dat ze dat soort dingen onzin zou vinden. En Brooke zou diep geschokt zijn; haar soort mensen geloofde nergens in. Alleen in hun soort mensen.

De enige mensen op het werk die overbleven, waren de meisjes van EarthSource: Koo of Aroon of hoe ze ook mochten heten. Maar ik wilde niet te vriendschappelijk met hen worden voor het geval ik alsnog tegen mijn wil naar bijeenkomsten van de AA zou worden gesleurd.

Ontmoedigd haalde ik mijn mail op. Er was maar één mailtje, van Helen.

Aan: Goochelassistente@yahoo.com
Van: Lucky_Star_PI@yahoo.ie
Onderwerp: Baantje!

Anna, ik heb een baantje! Een echt baantje! In de misdaad! Dingdong! Gisteren gebeurde het allemaal.

Ik zat op kantoor met mijn voeten op het bureau. Ik dacht dat als ik er als een echte detective zou uitzien, er misschien iets anders zou komen dan een zaak met geheimzinnige hondendrollen. En toen, als bij toverslag, alsof ik het liet gebeuren gewoon door het te wíllen – misschien beschik ik wel over bijzondere krachten – parkeerde er buiten een auto op de dubbele streep. De parkeerwachten zijn hier erg op gespitst, dus ik verheugde me al op een leuke woordenwisseling. Toen viel het me op dat het nogal een misdadigersauto was, maar ik weet niet hoe ik dat wist. Intuïtie zeker.

De raampjes waren niet van rookglas, maar er zaten wel een soort roze draperieën voor, met ruches. Ik dacht: jezus! En toen stapten er twee kerels uit. Dingdong!

Forse, gezette kerels met leren jasjes, en bij hun borst een bobbel, om je te laten denken dat ze daar pistolen hadden, maar het kunnen net zo goed stokbroodjes zijn geweest. Maar goed, het was eens iets anders dan dames die van slag zijn, en die in kleine autootjes komen voorrijden omdat hun man hen niet meer wil berijden.

Nou, die kerels kwamen dus binnen, en de ene zegt: ‘Ben jij Helen Walsh?’

Ik zei: 'Jazeker!'
Ik had natuurlijk moeten zeggen: 'Wat gaat jullie dat aan?'
Maar ik wilde dit voor geen goud missen.
Ik kan je nu nog niet alles vertellen, het is allemaal nog gaande. Boeven, pistolen, afpersing, spierballentaal, hartstikke veel geld, en ze willen dat ik meedoe! Ik ga het allemaal opschrijven en dan stuur ik je een verslag. Het is veel toffer dan dat suffe scenario, veel spannender. Wacht maar op een lang, spannend mailtje.

Het klonk allemaal nogal vergezocht. Ik ging weer op Google zoeken naar vage dingen als: spreken met de doden, en: niet-inhalige mediums. En toen had ik eindelijk de hit waarop ik wachtte.

Kerk van de Spiritistische Communicatie

Ik klikte de site aan. Het leek een echte kerkgemeente te zijn die geloofde in contact met overledenen.
Ik kon het nauwelijks geloven.
Er waren ook afdelingen in New York. De meeste buiten de stad of in buitenwijken, maar er was er ook eentje op Manhattan, bij Tenth en Forty-fifth Street. Volgens de website was er zondag om twee uur een dienst.
Ik keek op mijn horloge. Kwart voor drie. Nee, hè? Ik was te laat voor de dienst van deze week. Ik had wel kunnen gillen van ergernis, maar dan zou Ornesto hebben gehoord dat ik thuis was en zou hij naar beneden komen om me lastig te vallen. Trouwens, hield ik mezelf voor terwijl ik diep ademhaalde om rustig te worden, ik kon er volgende week naartoe.
Bij de gedachte dat ik Aidan zou kunnen spreken, werd ik helemaal duizelig. Ik kreeg weer hoop, en daardoor dacht ik dat ik de wereld wel weer zou aankunnen. Voor de eerste keer sinds hij was gestorven, had ik zin om onder de mensen te komen.

Rachel was ergens in poederkwast-retraite, daarom belde ik Jacqui. Ik belde naar haar mobieltje omdat ze nooit thuis is, maar ik kreeg meteen haar voicemail. Tegen beter weten in belde ik naar haar huis, en ze nam nog op ook.
'Ben je thuis?' vroeg ik verwonderd.

'Ik lig in bed.' Haar stem klonk gesmoord.
'Ben je ziek?'
'Nee, ik ben aan het janken.'
'Hoezo?'
'Ik kwam Buzz gisteravond tegen in SoHo House. Hij was met een meisje dat eruitzag als een fotomodel. Hij wilde me aan haar voorstellen, maar hij kon niet op mijn naam komen.'
'Natuurlijk weet hij hoe je heet,' zei ik. 'Dat is nou typisch iets voor Buzz. Hij probeerde je gewoon te kleineren.'
'Ja?'
'Ja! Door te doen alsof je na een jaar verkering zo onbelangrijk voor hem bent dat hij niet meer weet hoe je heet.'
'Misschien. Maar ik voelde me er erg rot door, daarom blijf ik vandaag in bed met de gordijnen dicht.'
'Maar het is een prachtige dag. Je moet je niet in huis verstoppen.'
Ze lachte. 'Dat is wat ik aldoor tegen jou zeg.'
'Kom op, we gaan naar het park,' zei ik.
'Nee.'
'Ach toe...'
'Oké.'
'Jezus, je bent echt geweldig. Zo veerkrachtig.'
'Niet echt. Mijn pakje sigaretten is op, ik moet er toch uit. Tot over een halfuur.'

Ik pakte mijn sleutels en op dat moment ging de telefoon. Bij de deur luisterde ik wie het was. 'Dag lieverd,' klonk een vrouwenstem. 'Met Dianne.'

Mevrouw Maddox. Aidans moeder. Ik voelde me meteen schuldig omdat ik haar sinds de begrafenis niet meer had gebeld. Zij had mij ook niet gebeld, waarschijnlijk om dezelfde reden: we konden het niet. Toen ik in Ierland was, had mam haar een paar keer gebeld om haar op de hoogte te houden van mijn medische vooruitgang. Maar ze hoefde me niet te vertellen dat het moeilijke gesprekken waren, dat snapte ik zo ook wel.

'Ik heb naar Ierland gebeld, en toen hoorde ik dat je weer in de stad was. Wil je me bellen? We moeten beslissen wat we met de... de... de as...' Haar stem brak. Ik hoorde dat ze zichzelf in de hand probeerde te houden, maar ik hoorde ook gesnuffel. Ineens hing ze op.

Shit, dacht ik. Nou moet ik haar bellen. Ik had nog liever mijn eigen oor eraf geknaagd.

In het park was het waanzinnig druk. Ik vond een plekje op het gras en even later kwam Jacqui aangescharnierd. Ze droeg een heel kort rood spijkerjurkje, haar blonde haar zat in een paardenstaart en ze had haar roodbehuilde ogen verborgen achter een enorme Gucci-zonnebril. Ze zag er geweldig uit.

'Hij is een afschuwelijke man,' zei ik bij wijze van begroeting. 'Zijn auto is stom, en ik weet zeker dat hij mascara gebruikt.'

'Maar het is al meer dan een halfjaar uit. Waarom ben ik dan zo van streek? Ik heb al in geen tijden meer aan hem gedacht.'

Vermoeid strekte ze zich uit op het gras en draaide haar gezicht naar de zon.

'Als volgende vriend wil je zeker geen poederkwast, hè?' vroeg ik. 'Zo iemand zou nooit voorstellen om een triootje met een hoer te beginnen.'

'Nee. Om misselijk van te worden.'

'Maar al die niet-poederkwasten zijn vreselijk,' zei ik.

Buzz was de verpersoonlijking van een niet-poederkwast, en hij was een bruut.

Ze haalde haar schouders op. 'Ik weet precies op wat voor mannen ik val. Daar kan ik niets aan doen. Denk je dat ik een sigaret kan opsteken zonder gestenigd te worden door de antirookmaffia? Nou, ik ga het er maar op wagen.' Ze stak een sigaret op, inhaleerde diep, blies de rook luidruchtig uit en zei toen dromerig: 'Trouwens, ik krijg toch nooit meer een vriend.'

'Natuurlijk wel.'

'Ik wil geen vriend meer,' zei ze. 'Dat is me nooit eerder overkomen. Ik móést altijd een vriend hebben. Maar nu kan het me niet meer schelen. Eerst zijn ze altijd heel aardig zodat je niet doorhebt wat een klootzakken het eigenlijk zijn. Kijk nou naar Buzz. In het begin stuurde hij me zoveel bloemen dat ik wel een winkeltje had kunnen beginnen. Hoe kon ik nou weten dat hij de ergste klojo aller tijden zou blijken te zijn?'

'Maar...'

'Ik ga een hond nemen. Ik heb heel schattige hondjes gezien, labradoedels, een kruising tussen een labrador en een poedel. Anna, ze zijn zo lief. Net dwergpoedels, maar dan met een ruige vacht en de kop van een labrador. De ideale stadshonden, heel gewild.'

'Neem geen hond,' zei ik. 'Dat is de eerste stap naar een huis vol katten. Blijf hopen.'

'Het is al te laat. Ik heb geen hoop meer. Buzz heeft me iets te vaak teleurgesteld. Ik denk niet dat ik ooit nog een man zal kunnen vertrouwen.' Ze keek heel ernstig en zei toen theatraal: 'Ik ben getraumatiseerd.' Ineens lachte ze. 'Hoor mij nou, ik lijk Rachel wel! Shit. Kom, laten we iets leuks doen. Zodra ik deze sigaret op heb, kopen we een ijsje.'

'Oké.'

Ik sta altijd versteld van haar. Als ik ook maar half zo veerkrachtig was als zij, zou ik heel iemand anders zijn.

We bleven in het park totdat het frisjes werd, daarna gingen we naar mijn huis en bestelden eten van de Thai. We keken naar *Moonstruck* en bleken de tekst bijna helemaal uit ons hoofd te kennen.

Het was net als vroeger.

Bijna.

8

Aan: Goochelassistente@yahoo.com
Van: Lucky_Star_PI@yahoo.ie
Onderwerp: Baan!

Zoals ik al schreef, kwamen er twee sukkels van kleerkasten mijn kantoor in, en een van hen zegt: ben jij Helen Walsh?

Ik: En of ik dat ben!

(Anna, hier moet ik even melden dat ik veel gesprekken ga optekenen. Ze kloppen misschien niet woord voor woord, maar begrijp me goed: ik vertel het dan wel in mijn eigen woorden, maar ik overdrijf niet.)

Kleerkast nummer één: Iemand die wij kennen wil je graag spreken. We hebben instructies gekregen je naar hem toe te brengen. De auto staat voor.
Ik (terwijl ik me doodlach): Ik stap niet in een auto met twee mannen die ik niet ken. Probeer het nog eens op een zaterdagavond als ik zestien drankjes achter mijn knopen heb. En ik stap zeker niet in een auto met van die gordijntjes. (Weet je nog, er hingen van die vreselijke gevallen met ruches voor de achterruit.)
Kleerkast nummer één gooit een smak geld op tafel, van die nette bundeltjes met een stukje papier eromheen, net als bij de bank, en hij zegt: Wil je nú dan instappen?
Ik: Hoeveel is dat?
Hij (rolt met zijn ogen, omdat je het aan de dikte moet kunnen afzien): Eén mille.
Ik: Eén mille? Bedoel je duizend euro?
Hij: Ja.
Dingdong, kolere! Ik telde het na en het was inderdaad een rug.
Hij: Wil je nu dan instappen?
Ik: Dat hangt ervan af. Waar gaan we heen?
Hij: We gaan naar Mr Big.
Ik (opgewonden): Mr Big?! Uit *Sex and the City*?
Hij (vermoeid): Die kloteshow heeft topcriminelen alleen maar ellende bezorgd. De naam Mr Big moet angst en vrees inboezemen, maar in plaats daarvan denkt iedereen nu aan een goedgeklede, hoffelijke man...
Ik (hem onderbrekend): Die aan telefoonseks doet. En een wijngaard in Napa heeft.
Kleerkast nummer twee (die zijn mond voor de eerste keer opent): Hij gaat hem verkopen.
Ik en kleerkast nummer één draaien ons om en staren hem aan.
Kleerkast nummer twee: Hij verkoopt de wijngaard en verhuist terug naar Manhattan, waar hij samen met Carrie een huis gaat kopen.
Hij keek alsof hij me een hengst zou verkopen als ik hem tegen durfde te spreken, dus beaamde ik het. Het klopt trouwens.
Kleerkast nummer één: We hebben een paar nieuwe namen geprobeerd. We hebben een tijdje Mr Huge geprobeerd, maar dat sloeg niet echt aan. En Mr Gigantic schrapten we al na een dag. We

zijn nu dus weer terug bij Mr Big, maar nu moeten we bij elke nieuwe klus dat verhaal over *Sex and the City* aanhoren. Stap nou maar in.

Ik: Ik ga pas mee als jullie me vertellen waar we precies heen gaan. En denk maar niet dat je me kunt commanderen omdat ik toevallig klein ben. Ik zit op taekwondo. (Nou ja, heb met mam een keer één les gevolgd.)

Hij: O, echt? Waar? Wicklow Street? Ik geef daar les, grappig dat ik je daar nog nooit heb gezien. Maar goed, we gaan naar een biljartclub in Gardner Street. De machtigste man van de Dublinse onderwereld wil je spreken.

Zo'n uitnodiging kun je toch niet afslaan?

Ik stopte met lezen. Was dit echt? Het klonk net als Helens scenario, dat al snel in een la was beland. Maar dan veel beter. Ik stuurde haar een mailtje.

Aan: Lucky_Star_PI@yahoo.ie
Van: Goochelassistente@yahoo.com
Onderwerp: Leugens?

Helen, dat mailtje dat je me gestuurd hebt, is dat echt? Is ook maar iets daarvan echt gebeurd?

Ze reageerde onmiddellijk.

Aan: Goochelassistente@yahoo.com
Van: Lucky_Star_PI@yahoo.ie
Onderwerp: Geen leugens!

Zo waar als God leeft. Alles.

Oké, dacht ik, nog steeds niet helemaal overtuigd, en ik las verder.

Ik zat voorin de auto naast kleerkast nummer één. Kleerkast nummer twee zat achterin bij de schandelijke gordijntjes.
Ik: Heb je ook een naam, kleerkast nummer één?
Kleerkast nummer één: Colin.

Ik: En heeft kleerkast nummer twee ook een naam?
Hij: Nee. Hou het maar op: "Kleerkast".
Ik: Wie heeft die gordijntjes bedacht?
Hij: Mevrouw Big.
Ik: Er is een mevrouw Big?
Hij (aarzelend): Misschien niet meer. Daar wil de baas je over spreken.
En ik denk bij mezelf: klote. Had gedacht dat dit het begin van een nieuwe carrière was, maar het lijkt erop dat ik gewoon weer in natte bosjes moet gaan zitten. Met als enige verschil dat het de natte bosjes van drugsrunners en pooiers zijn. Niet dat dat het opwindender maakt. Nat bosje is nat bosje. Welkom terug, snor.
We stoppen voor een smerige biljartclub met van dat foute oranje licht. Colin brengt me naar achteren, naar een nis met banken waar de vulling uit puilt. Waarom zitten topcriminelen nooit eens op een leuke plek, zoals de Ice Bar in het Four Seasons?
In de nis zit een klein, keurig gekleed mannetje aan de schuimvulling te plukken. Hij was allesbehalve big. Keurig verzorgde borstelige snor, net als die van mij als die in bloei staat.
Hij kijkt op en zegt: Helen Walsh? Ga zitten. Wil je iets drinken?
Ik: Wat drinkt u?
Hij: Melk.
Ik: Getver. Doe mij maar een grasshopper.
Daar hou ik niet eens van. Ik vind crème de menthe hartstikke smerig, alsof je tandpasta zit te drinken, maar ik wilde het hem gewoon lastig maken.
Hij: Kenneth, een grasshopper voor mijn vriendin hier.
Kenneth (de barman): Een wat?
Mr Big: Een glas lucht, nou goed? Een grasshopper. Goed, juffrouw Walsh, ter zake. Alles wat hier wordt gezegd, blijft onder ons, ik vertel je dit in het grootste vertrouwen. Begrepen?
Ik: Mmmm.
Want ik ging het natuurlijk zodra ik thuis was aan mam vertellen, en nu vertel ik het aan jou.
Ik (naar Colin wijzend): En hij?
Mr Big: Op Colin kun je vertrouwen. Colin en ik hebben geen geheimen voor elkaar. Goed, het gaat om het volgende...

Vervolgens buigt hij zijn hoofd en slaat zijn handen voor zijn ogen, alsof hij gaat janken. Ik kijk opgewonden naar Colin. Hij kijkt bezorgd.

Colin: Gaat het, meneer? Wilt u dit liever een andere keer doen?

Mr Big (snikt luid, komt weer bij zinnen): Nee, nee, het gaat wel. Mevrouw Walsh, u moet weten dat ik heel erg op mijn vrouw Detta ben gesteld. Maar de laatste tijd is ze heel erg, hoe zal ik het zeggen... afstandelijk, en een aasgiertje heeft me ingefluisterd dat ze misschien iets te veel tijd doorbrengt met Racey O'Grady.

Ik kon me nauwelijks concentreren, want achter me hoorde ik het barpersoneel paniekerig overleggen... een grasshopper... nooit van gehoord... misschien is het zo'n nieuw biertje... kijk anders even in de kelder, Jason...

Ik (met harde stem): Laat maar, doe maar een cola light.

Ik (weer tegen Mr Big): Sorry, u had het over Speedy McGreevy.

Hij (met gefronste wenkbrauwen): Speedy McGreevy? Speedy McGreevy heeft hier niks mee te maken. Of wel? (Knijpt zijn ogen tot spleetjes.) Wat weet je? Wie heeft er gepraat?

Ik: Niemand. U had het over hem.

Hij: Ik had het niet over Speedy McGreevy, ik had het over Racey O'Grady. Speedy McGreevy is naar Argentinië gevlucht.

Ik: Sorry. Ga verder.

Hij: Racey en ik hebben elkaar de afgelopen paar jaar met rust gelaten. Hij heeft zijn territorium en ik het mijne. Een van de diensten die ik verleen is protectie.

Ik dacht even dat hij bodyguards bedoelde. Toen besefte ik dat hij het over afpersen had. Vreemd genoeg werd ik een beetje misselijk.

Hij: Om je een idee te geven met wat voor soort man je hier te maken hebt, mevrouw Walsh, moet ik u vertellen dat ik niet een of andere sukkel ben die een bouwplaats op komt lopen met een paar kerels met knuppels, op zoek naar de voorman. Ik ben een keurige zakenman. Ik heb contacten bij de dienst ruimtelijke ordening, bij vastgoedjuristen, bij banken. Ik heb connecties. Ik weet ruim van tevoren wat er gaat gebeuren, zodat de deal al rond is voordat de eerste steen wordt gelegd. Maar in de afgelopen zes weken heb ik twee afspraken met aannemers gehad om onze gebruikelijke overeenkomst te sluiten, en wat zeggen ze? Dat ze al beschermd worden. Dat vind ik interessant, juffrouw Walsh, want maar heel weinig mensen weten van deze regelingen. Meestal is er zelfs nog geen bouwvergunning.

Ik: Hoe weet u dat er geen lek zit bij ruimtelijke ordening? Of bij de aannemers?

Hij: Omdat er dan verscheidene lekken op verscheidene plekken zouden moeten zijn. Maar goed, alle betrokkenen zijn... (plechtige aarzeling)... ondervraagd. Ze weten van niks.

Ik: En u denkt dat Racey probeert zich op uw, eh... terrein te begeven? Waarom hij?

Hij: Omdat ze me dat hebben verteld, verdomme.

Ik: Wat denkt u dat er aan de hand is?

Hij: Als ik niet zo paranoïde was, zou ik denken dat Detta mijn ideeën doorspeelt aan Racey en dat ze me samen van de kaart proberen te vegen.

Ik: En als dat zo is?

Hij: Daar hoef jij je geen zorgen om te maken. Ik wil alleen maar dat jij Detta en Racey samen op de foto zet. Ik kan haar niet schaduwen en zij kent al mijn jongens en auto's.

Ik: En hoe kwam u bij mij terecht?

Ik dacht dat ik wel een legendarisch figuur in het Dublinse detectivewereldje moest zijn.

Hij: Gouden Gids.

Ik (teleurgesteld): O, oké.

Hij: Goed, over Detta: ze heeft klasse.

Moest aan die gordijntjes in de auto denken. Dacht het niet.

Hij: Detta behoort tot de top van de Dublinse onderwereld. Haar vader, Chinner Skinner?

Hij zei het alsof ik die moest kennen.

Hij: Chinner was degene die in Ierland de deuren heeft geopend voor heroïne. We moeten hem allemaal dankbaar zijn. Wat ik maar wil zeggen is dat Detta niet van gisteren is. Heb je een pistool?

Het verbaasde me dat hij het zo plompverloren zei. En moeten ze niet zeggen: 'Heb je een blaffer?'

Ik: Nee.

Hij: Regelen we voor je.
Ik denk bij mezelf: ik weet het niet, hoor…
Hij (stellig): Ik trakteer.
Ik (bedenk dat het beter is maar even mee te spelen): Oké.
Zoals je weet, geloof ik niet in angst, Anna. Angst is een uitvinding van mannen waardoor zij al het geld en de goede baantjes krijgen. Maar áls ik in angst geloofde, zou dit een goed moment zijn geweest om die gevoeld te hebben.
Ik: Waar heb ik een pistool voor nodig?
Hij: Omdat iemand je misschien wel neer gaat schieten.
Ik: Wie dan?
Hij: Mijn vrouw bijvoorbeeld? Of die klootzak van haar nieuwe vriend, Racey O'Grady. Of de moeder van haar nieuwe vriend. Tessie O'Grady, voor haar moet je echt oppassen, die hoef je niks te vertellen.
Colin (laat opeens weer van zich horen): Een legende in de onderwereld van Dublin.
Mr Big (met gefronste wenkbrauwen): Als ik iets van je wil…
Toen stond Mr 'Big' op. Nog kleiner dan ik had verwacht. Heel korte beentjes.
Mr Big: Ik heb nu een vergadering. Colin hier brengt je straks een paar spullen. Het pistool, meer geld en foto's van Detta en Racey en zo. Nog één ding, mevrouw Walsh, als u dit verkloot, zal ik niet blij zijn. En de laatste keer dat ik niet blij was met iemand – wanneer was dat, Colin? Afgelopen vrijdag? Nou ja, diegene heb ik aan die biljarttafel genageld.
Ik: U zelf? Of één van uw assistenten?
Hij: Ik zelf. Ik zou nooit iemand van mijn staf vragen iets te doen waar ik zelf niet toe bereid ben.
Ik: Maar dat is precies als in die film, *Ordinary Decent Criminal*. Had u uw fantasie niet kunnen gebruiken en hem ergens anders aan kunnen nagelen? De bar, bijvoorbeeld. Om er een persoonlijk tintje aan te geven, zeg maar. Niemand zit op een na-aper te wachten.
Hij keek me heel merkwaardig aan, en zoals ik al zei, Anna, het is maar goed dat ik niet in angst geloof, anders zou ik in mijn broek hebben gescheten.

En met die fascinerende opmerking sloot ze af. Ik scrolde als een idioot verder om te zien of er nog meer was, maar dit was het. Shit. Ik had me prima vermaakt. Hoe hard ze ook riep dat er geen woord van was gelogen, ik wist dat het zwaar overdreven was. Maar ze was zo grappig en onverschrokken en levenslustig dat ik er ongemerkt iets van overnam.

9

Ik keek nog eens op mijn horloge. Er waren vier minuten voorbijgegaan sinds de vorige keer dat ik had gekeken. Hoe kon dat? Het leek minstens een kwartier.

Ik was aan het ijsberen omdat ik zo opgewonden was. Ik wachtte totdat het tijd was om naar die spiritistische kerk te gaan, naar de zondagsdienst. Het had me erg veel moeite gekost het aan niemand te vertellen – niet aan Rachel, Jacqui, Teenie of Dana. Ik was dan ook bang dat ze me zouden vierendelen, en dat hielp om me mijn mond te laten houden.

Steeds weer liep ik van de woonkamer naar de slaapkamer terwijl ik inwendig onderhandelde met een god in wie ik niet meer geloofde. Als Aidan komt en iets tegen me zegt, dan zal ik... Dan zal ik wat? Dan zal ik weer in u geloven. Dat lijkt me een eerlijke ruil.

Zie je nou, zei ik tegen Aidan. Kijk eens wat ik heb beloofd? Zie je wat ik allemaal bereid ben te doen? Als ik jou was, zou ik maar komen opdagen.

Ik ging veel te vroeg van huis. Bij Forty-second en Seventh stapte ik uit de subway en ging lopend verder, langs Seventh, Eighth en Ninth Avenue, en mijn maag kneep zich samen van de spanning.

Hoe dichter ik bij de Hudson kwam, des te deprimerender alles eruitzag, met pakhuizen en meeuwen. Het was hier totaal anders dan op Fifth Avenue. De gebouwen waren lager en smaller, het leek wel alsof ze zich angstig bukten, bang om ergens door geraakt te worden. Het was hier ook kouder en het rook er zilt.

Hoe meer ik naar het westen liep, des te ongeruster ik werd.

Hier kon toch geen kerk staan? Wat moet ik doen, vroeg ik Aidan. Gewoon blijven lopen? Het werd nog erger toen ik het adres had gevonden: dit gebouw zag er echt niet uit als een kerk. Het leek eerder op een verbouwd pakhuis. En die verbouwing stelde ook weinig voor. Ik had een vreselijke vergissing begaan.

Maar op het bord in de lobby stond dat de Kerk van de Spiritistische Communicatie zich op de vijfde verdieping bevond.

Dus hij bestond wel.

Er liepen mensen langs, op weg naar de lift. Plotseling werd ik blij en rende ernaartoe. Ik wrong me ook de lift in. Er waren drie vrouwen van mijn leeftijd die er heel normaal uitzagen. De ene had een tas waarvan ik zou durven zweren dat die van Marc Jacobs was, en toen viel het me op dat een andere nagellak op had van – mijn adem stokte – Candy Grrrl. Chickachicka (lichtgeel). Nagellak van Candy Grrrl! Dat moest toch een teken zijn...

'Welke verdieping?' vroeg de Marc Jacobs-tas. Zij stond het dichtst bij de knopjes.

'De vijfde,' zei ik.

'Net als wij.' Ze glimlachte.

Ik glimlachte terug.

Kennelijk was het veel gebruikelijker om op zondagmiddag met de doden te spreken dan ik had gedacht.

Ik liep achter hen aan de lift uit, door een kale gang en een vertrek in dat vol vrouwen zat. Iedereen begroette elkaar, en een wezen in exotische kledij kwam op mij af. Ze had lang zwart haar, blote schouders, en droeg een lange rok met franje (even moest ik aan mijn tienertijd denken) en ze was behangen met gouden ornamenten van filigraan. Rond haar hals, om haar middel, om haar polsen, haar armen en haar vingers.

'Hoi,' zei ze. 'Buikdansen?'

'Pardon?'

'Ben je hier om te leren buikdansen?'

Pas toen viel het me op dat de andere vrouwen ook allemaal lange rokken vol belletjes droegen, met korte topjes en met pailletten bestikte schoentjes, en dat de vrouwen uit de lift snel hun gewone kleren uittrokken om zich in hun kleertjes met belletjes en franjes te hijsen.

'Nee, ik kom voor de Kerk van de Spiritistische Communicatie.'

Nou, daar had niemand van terug. Met tinkelende belletjes draaide iedereen zich met een ruk naar me om.

'Dan ben je verkeerd,' zei de leidster. 'Misschien verder de gang door.'

Bekeken door de filigraandames trok ik me terug. In de gang keek ik naar het nummer naast de deur. Nummer 506, en de mensen die met de doden spraken, zaten in kamer 514.

Ik liep verder door de gang. Aan weerskanten waren zaaltjes. In een daarvan zong een stel bejaarde dames 'If I Were a Rich Man'. In een ander vertrek zaten vier personen gebogen boven wat eruitzag als een scenario, en in een andere kamer zong een bariton iets over een winderige stad terwijl iemand anders hem op een keyboard begeleidde.

Allemaal amateurtoneel.

Dit moest het verkeerde adres zijn. Hier kon toch geen kerk tussen zitten? Ik keek nog eens op mijn papier. Kamer 514 stond er. En er wás een kamer 514. Helemaal aan het eind van de gang. Het zag er totaal niet uit als een kerk. Gewoon een kale kamer met een stoffige vloer waarop een stuk of tien keukenstoelen in een kringetje stonden.

Onzeker vroeg ik me af of ik niet beter kon weggaan. Ik bedoel, het was een rare bedoening.

Maar ik was wanhopig. En in alle eerlijkheid: ik was te vroeg. Veel te vroeg. En nu ik er toch was, kon ik net zo goed blijven wachten om te kijken of er nog meer mensen zouden komen.

Ik ging op een bankje in de gang zitten en amuseerde me door te kijken naar wat er in het vertrek aan de overkant gebeurde.

Acht enthousiaste kerels stampten in rotten van vier op de kale vloer, uit volle borst zingend. Ondertussen riep een pezige, oudere man aanwijzingen voor de choreografie.

'En draai en shimmy en naar voren en draai. Lachen, jongens, lachen, verdomme! En draai en shimmy en... Oké, hou maar op, stop, stop!' Het geluid van de piano stierf weg.

'Brandon,' zei de oudere man chagrijnig. 'Schat? Wat is er met je shimmy? Wat ik wil, is...' Hij boog zich voorover en maakte een vloeiende beweging met zijn schouders. 'En niet...' Onhandig bewoog hij zijn bovenlichaam, alsof hij zich door een mensenmassa wilde wringen.

'Het spijt me, Claude,' zei een van de jongens – duidelijk die arme Brandon, die de shimmy niet onder de knie had.

'Ik wil dít zien,' zei Claude uit de hoogte, en hij deed het voor: hij stond op zijn tenen, draaide zich snel rond en deed een split in de lucht. Ondertussen bleef die starre lach op zijn gezicht gepleisterd zitten. Heel eng. Toen hij klaar was, maakte hij een geveinsd nederige buiging met zijn armen uitgestrekt als de vleugels van een vliegtuig.

'Pardon,' hoorde ik een stem. 'Bent u hier voor de spiritisten?'

Met een ruk draaide ik mijn hoofd om. Een jonge man, waarschijnlijk van begin twintig, keek me met een gretige blik aan. Ik zag dat hij naar mijn litteken keek, maar er verscheen geen blik van afkeer in zijn ogen.

'Ja,' zei ik op mijn hoede.

'Geweldig. Het is altijd fijn om een nieuw gezicht te zien. Ik ben Nicholas.'

'Anna.'

Hij stak zijn hand uit, en omdat hij zo jong was, wist ik niet of hij gewoon mijn hand wilde schudden, of er zo'n ingewikkeld gedoe van wilde maken zoals jongeren dat doen. Maar het bleek dat hij niets bijzonders van plan was.

'De anderen zullen zo wel komen.'

Nicholas was mager en pezig, zijn spijkerbroek zakte bijna af. Hij had donker haar met veel gel in de plukjes, en hij droeg hoge rode laarzen en een T-shirt waarop stond: VREES NIET. VREES ECHT NIET. Om zijn polsen had hij van die gevlochten armbandjes, en hij had minstens drie forse zilveren ringen aan zijn vingers, en op zijn onderarm een tatoeage. Die herkende ik omdat het het meest gewilde symbool van het moment was, iets uit het Sanskriet wat betekende: de wereld is liefde, of: liefde is het antwoord.

Hij zag er heel normaal uit, maar dat is nou juist het probleem met New York. Waanzin manifesteert zich in allerlei vormen en formaten. Er zijn vooral veel stiekeme gekken. Ergens anders is het een stuk makkelijker. Daar lopen ze op straat te schreeuwen naar onzichtbare vijanden, of ze gaan gekleed als Napoleon naar de drogist om tandpasta te kopen. Je pikt ze er zo uit.

Nicholas knikte in de richting van de jongens die *South Pacific* instudeerden. 'Roem wordt duur betaald,' zei hij. 'Roem heeft een prijs. En die betalen ze nu.'

Hij zag er heel normaal uit. Hij klonk heel normaal. Plotseling vroeg ik me af waarom hij niet gewoon normaal zou kunnen zijn. Ik was hier ook en ik was ook niet abnormaal, alleen maar in de rouw en wanhopig.

Nu er eindelijk iemand was gekomen, wilde ik dolgraag een paar vragen stellen.

'Nicholas, ben je... ben je hier al vaker geweest?'

'Ja.'

'En wie verzorgt de contacten?'

'Leisl.'

'Die Leisl, hè, maakt ze echt contact met...' Ik wilde niet 'overledenen' zeggen. 'Met de geestenwereld?'

'Ja.' Het klonk verbaasd. 'Ja, natuurlijk.'

'Geeft ze boodschappen door van mensen... aan de andere kant?'

'Ja, die gave bezit ze. Mijn vader is twee jaar geleden overleden, en via Leisl heb ik hem de laatste twee jaar vaker gesproken dan in mijn hele verdere leven. Nu hij dood is, kunnen we veel beter met elkaar opschieten.'

Zomaar ineens voelde ik me misselijk van hoopvolle spanning.

'Mijn man is dood,' flapte ik eruit. 'Ik moet hem spreken.'

'Tuurlijk.' Nicholas knikte. 'Maar Leisl is geen telefoniste, hoor. Als de overledene geen contact wil maken, kan ze er niet als een jachthond achteraan.'

'Ik ben bij iemand anders geweest.' Ik praatte heel erg snel. 'Ze zei dat ze helderziende was, maar ze was gewoon een oplichtster. Ze zei dat er een vloek op me rustte die ze voor duizend dollar kon wegnemen.'

'Je moet heel voorzichtig zijn.' Hij schudde bedroefd zijn hoofd. 'Er zijn oplichters zat die kwetsbare mensen graag van hun geld af willen helpen. Leisl vraagt alleen maar geld om de huur te kunnen betalen. Ha, daar is ze!'

Leisl was een klein vrouwtje met O-benen. Ze was beladen met boodschappentassen, en in eentje daarvan zag ik een pak diepvrieslasagne. Daardoor waren er condensdruppeltjes aan de binnenkant van de tas ontstaan. Ze had een raar, uitgezakt krullenkapsel; een mislukte permanent.

Nicholas stelde me aan haar voor. 'Dit is Anna. Haar man is kort geleden overleden.'

Meteen zette Leisl haar tassen neer en sloeg haar armen stevig om me heen. Ze drukte mijn gezicht tegen haar hals, zodat ik door een dichte bos krullen moest ademen. 'Het komt wel goed, lieverd.'

'Dank je,' mompelde ik door een mondvol haar heen. Ik was bijna in tranen omdat ze zo lief deed.

Ze liet me los en zei: 'En daar hebben we Mackenzie.'

Ik draaide me om en zag een meisje door de gang lopen alsof ze zich op de catwalk bevond. Een Park Avenue-prinses, met geföhnd haar, een tasje van Dior en sandalen met zulke hoge plateauzolen dat de meeste mensen er hun enkels op zouden verzwikken.

'Komt zij ook hier?' vroeg ik.

'Ze komt elke week.'

Zo te zien zou ze niet eens in New York mogen zijn. Ze zou tot september in een huis in koloniale stijl op de Hamptons moeten blijven. Er rees hoop in me op. Mackenzie kon zich vast de allerbeste mediums veroorloven, maar ze kwam liever hier. Dan moest het wel goed zijn.

Achter Mackenzie aan sjokte een enorm lange kerel in een pak van een begrafenisondernemer. Zijn gezicht was groenig bleek. 'Dat is Ondode Fred,' fluisterde Nicholas. 'Kom op, laten we helpen alles op zijn plaats te zetten.'

Leisl had een bandje met griezelige cellomuziek in een tapedeck gestopt, en ze stak de kaarsen aan terwijl de mensen naar binnen stroomden.

Er was een slonzig meisje met een bol gezicht. Waarschijnlijk was ze jonger dan ik, maar ze zag eruit alsof ze de moed al had verloren. Er was ook een oudere heer, klein en fier, en met pommade in zijn haar. Verder waren er een paar oudere vrouwen met tics en broekbanden van elastiek. Maar een van hen droeg hoogst interessante sandalen die eruitzagen alsof ze van autobanden waren gemaakt. Hoe meer ik ernaar keek, des te leuker ik ze vond. Niet dat ik ze zelf zou willen dragen – dat ligt achter me – maar ze waren desalniettemin erg interessant.

Toen er nog een man binnenkwam, pakte Nicholas me beet en

zei: 'Dat is Mitch. Zijn vrouw is dood. Jullie hebben vast veel gemeen. Kom mee, dan stel ik je aan hem voor.'

Hij trok me met zich mee. 'Mitch, dit is Anna. Haar man is overleden. Een paar maanden geleden, toch? Ze is opgelicht door een suffe helderziende die zei dat er een vloek op haar rustte. Ik dacht dat jij haar wel kon helpen. Vertel haar maar eens over Neris Hemming.'

Mitch en ik keken elkaar aan, en het was net alsof ik schrikdraad aanraakte: *bzzzz*. Hij begreep het, hij was de enige die het begreep. Ik keek recht door zijn ogen heen in zijn sombere, verlaten ziel, en ik herkende wat ik daar zag.

10

Mensen gingen zitten en pakten de hand van degene die naast hen zat; ik slaagde erin tussen de bandsandalenvrouw en de pommadige vent te gaan zitten. Ik was blij dat ik niet de hand van Ondode Fred hoefde vast te houden.

Ik telde slechts twaalf aanwezigen, inclusief Leisl, maar met de flakkerende kaarsen en kreunende cellogeluiden op de achtergrond, voelde de sfeer goed aan. Echt een aangename plek voor de doden om van zich te laten horen.

Leisl hield een inleidend praatje. Ze heette me welkom, vertelde het een en ander over diep ademhalen en concentratie, en ze sprak de hoop uit dat de 'Geest' ons niet zou teleurstellen.

Toen viel er een stilte. Die maar bleef duren. En nog langer bleef duren. En nog langer. Ik werd ongedurig. Wanneer begon het nou? Ik opende een oog en keek vluchtig de kring langs. Het flakkerende licht van de kaarsen speelde met de gezichten.

Mitch keek mij aan; onze blikken troffen elkaar. Snel sloot ik mijn ogen weer.

Toen Leisl eindelijk iets zei, schrok ik op.

'Ik heb hier een lange man.' Mijn ogen schoten open en ik wilde mijn hand opsteken, alsof ik op school was. Die is voor mij! Die is voor mij!

'Een heel lange man met donker haar.' Mijn hoop vervloog weer. Niet voor mij.

'Klinkt als mijn moeder,' zei Ondode Fred. Zijn stem klonk traag en gorgelig.

Leisl maakte snel een herberekening. 'Sorry, Fred, ja, het is je moeder.'

'Een dijk van een wijf,' gorgelde Fred. 'Had goed geld kunnen verdienen met boksen.'

'Ze zegt dat je moet uitkijken als je in de metro stapt. Ze zegt dat je moet uitkijken, dat je kunt uitglijden.'

Na een korte stilte vroeg Fred: 'Dat is het?'

'Dat is het.'

'Bedankt, ma.'

'Nu krijg ik de vader van Nicholas door.' Leisl wendde zich tot Nicholas. 'Hij zegt... sorry, dit zijn zijn woorden, niet de mijne, dat hij pisnijdig op je is.'

'Dat is niet de eerste keer,' zei Nicholas met een grijns.

'Speelt er iets op je werk?'

Nicholas knikte.

'Je vader zegt dat je die andere vent de schuld geeft, maar je moet kijken in hoeverre jij zelf verantwoordelijk bent voor wat er is gebeurd.'

Nicholas rekte zich uit, strekte zijn armen uit boven zijn hoofd, krabde peinzend zijn borst. 'Ja, misschien wel. Hij zal wel gelijk hebben. Jammer. Dank je, pa.'

Er volgde weer een stilte, toen kwam er iemand door voor de bandsandalenvrouw, die Barb heette. Ze kreeg te horen dat ze raapzaadolie moest gaan gebruiken in haar dagelijks eten.

'Dat doe ik al,' zei Barb geërgerd.

'Méér raapzaadolie,' zei Leisl vlug.

'Oké.'

Een andere oude vrouw kreeg van haar overleden echtgenoot te horen dat ze 'moest blijven doen wat goed was'. De moeder van de jonge, slonzige vrouw zei tegen haar dat alles goed zou komen. Juan, de pommadige vent, kreeg te horen dat hij in het hier en nu moest leven, en de vrouw van Mitch zei dat ze blij was dat ze hem deze week iets meer had zien lachen.

Stuk voor stuk lege, vaag spiritueel klinkende clichés. Troostend, dat wel, maar ze kwamen duidelijk niet uit 'het hiernamaals'.

Dit is allemaal onzin, dacht ik verbitterd, en uitgerekend op dat moment zei Leisl: 'Anna, ik krijg iets voor jou door.'

Emoties gierden door mijn lijf. Ik kon wel overgeven, flauwvallen, door het zaaltje rennen. Dank je, Aidan, dank je, dank je, dacht ik.

'Het is een vrouw.' Shit. 'Een oudere vrouw, ze praat heel hard tegen me.' Leisl keek een beetje ontdaan. 'Ze schreeuwt bijna. En ze slaat met een stok op de grond om mijn aandacht te trekken.'

Jezus! Dat klonk als oma Maguire! Dat was precies wat ze vroeger deed als ze bij ons kwam logeren en naar het toilet moest. Ze sloeg dan met haar stok op de vloer van haar slaapkamer, totdat er iemand naar boven kwam om haar te helpen. Intussen zaten wij beneden strootjes te trekken. Ik was doodsbang voor haar. Dat waren we allemaal. Vooral als ze al een tijdje geen grote boodschap had gedaan.

Leisl zei: 'Ze zegt dat het over je hond gaat.'

Het duurde even voordat ik kon uitbrengen dat ik geen hond had. 'Ik heb wel een speelgoedhond, maar geen echte.'

'Je denkt erover er eentje te nemen.'

Echt? 'Nee hoor.'

Mackenzie riep opgewonden: 'Ik heb een hond! Het zal wel voor mij zijn.'

'Oké.' Leisl richtte zich tot Mackenzie. 'De Geest zegt dat hij meer beweging nodig heeft, hij wordt dik.'

'Maar ik laat hem elke dag uit. Nou ja, ik niet, mijn hondenuitlater. Ik zou mijn hond nóóit dik laten worden.'

Leisl keek vertwijfeld de ruimte rond. Iemand anders met een dikke hond?

Niemand.

Dit is belachelijk, dacht ik. Dit is echt belachelijk.

Opeens vloog de deur open. Het licht werd aangeknipt, waardoor we opschrokken, en vier of vijf enigszins mollige jongens renden zingend het zaaltje in. '*Oaklaho-o-oma! Where the...* Oeps. Sorry.' Vreemd genoeg zagen ze er allemaal hetzelfde uit.

De sfeer was verpest, en ik voelde me een beetje dwaas.

'Het zit erop voor vandaag,' zei Leisl. Iedereen stond op, gooide gekreukte dollarbiljetten in een schaal en blies de kaarsen uit.

11

In de gang voelde ik me zo verschrikkelijk teleurgesteld dat ik het niet kon verbergen.

'Nou?' vroeg Nicholas.

Stijfjes schudde ik mijn hoofd. Nee.

'Nee,' gaf hij meelevend toe. 'Bij jou gebeurde er niets.'

Leisl kwam de gang in gerend en pakte me vast. 'Het spijt me verschrikkelijk, lieverd. Ik wilde heel graag dat er voor jou iets zou doorkomen, maar deze dingen hebben we nu eenmaal niet in de hand.'

'Kunnen we niet proberen... Ik bedoel, ben je bereid een privé-afspraak te maken?' Misschien als al die overleden familieleden van andere mensen niet in Leisls oor fluisterden over raapolie en zo, dat Aidan dan ook eens iets kon zeggen.

Maar helaas schudde Leisl haar hoofd. 'In een een-op-een-situatie lukt het me niet. Ik heb de energie van de groep nodig.' Alleen daarom al had ik respect voor haar. Bijna vertrouwde ik haar.

'Maar soms komen er onverwachts berichten door, wanneer ik bijvoorbeeld thuis naar *Curb your enthusiasm* kijk. Als er iets doorkomt voor jou, laat ik het je weten.'

'Bedankt...'

Ik kon niets meer zeggen, want ineens verstijfde ze en kreeg ze een wazige blik in haar ogen. 'O, wauw, er komt nu al iets voor je. Wat zeg je me daarvan?'

Mijn knieën knikten.

'Ik zie een blond jongetje,' zei ze. 'Met een hoed op. Is dat je zoon? Nee, hij is je zoon niet, hij is... je neef.'

'Mijn neefje JJ. Maar hij leeft nog.'

'Dat weet ik, maar hij betekent veel voor je.'

Dank je, maar dat wist ik al, dacht ik.

'Hij zal nog belangrijker voor je worden.'

Wat bedoelde ze daarmee? Zou Maggie soms doodgaan en

moest ik met Garv trouwen en een stiefmoeder voor JJ en Holly zijn?

'Het spijt me, lieverd. Ik weet niet wat het betekent, ik geef alleen maar berichten door.' En weg liep ze door de gang, met haar lasagne, en met zulke O-benen dat het leek alsof ze Charlie Chaplins loopje imiteerde.

'Wat was dat nou?' vroeg Nicholas.

'Mijn neefje, zei ze.'

'Niet je overleden man.'

'Nee.'

'Nou, laten we Mitch maar eens roepen.' Mitch was diep in gesprek met Barb, de vrouw met de autobandsandalen. Voor iemand van in de zestig was ze eigenlijk best cool; afgezien van die sandalen had ze ook nog een schoudertas die eruitzag alsof die van cassettebandjes was gehaakt.

'Blijven jullie maar praten,' zei Barb hees. 'Ik ga buiten paffen. Het is toch niet te geloven... Ik heb meegelopen met de marsen voor burgerrechten van Martin Luther King. Ik heb me ingezet voor de vrouwenbeweging. En kijk nou eens? Ik moet me in portiekjes verstoppen om gewoon een sigaretje te kunnen roken. Waar is het toch misgegaan?' Ze lachte grimmig. 'Nou, jongens, tot volgende week.'

Mitch kwam bij ons staan.

'Oké,' zei Nicholas tegen mij. 'Vertel hem alles maar.'

Ik slikte. 'Mijn man is dood, en ik ben vandaag hiernaartoe gekomen in de hoop contact met hem te kunnen leggen. Ik wilde hem spreken. Ik wil weten waar hij is.' Mijn keel voelde dichtgeknepen. 'Ik wil weten of het goed met hem gaat.'

Mitch begreep het volkomen, dat zag ik aan hem.

'Ik heb haar verteld dat je wel eens naar Neris Hemming gaat,' zei Nicholas. 'Zij maakt toch contact met je vrouw, en spreekt zelfs met haar stem?'

Mitch glimlachte omdat Nicholas zo enthousiast deed. 'Ze spreekt niet met haar stem, maar ik heb Trish inderdaad gesproken. Ik ben bij heel veel mediums geweest, en bij deze was het raak.'

Mijn hart klopte sneller en mijn mond voelde droog. 'Mag ik haar telefoonnummer?'

'Natuurlijk.' Hij haalde een organizer tevoorschijn. 'Maar ze heeft het erg druk. Waarschijnlijk zul je lang moeten wachten op een afspraak.'

'Dat is niet erg.'

'En ze is duur. Het gaat je tweeduizend dollar kosten voor een halfuur.'

Daar schrok ik van. Tweeduizend dollar was nogal wat. Veel geld had ik niet. Aidan had nooit een levensverzekering afgesloten – ik trouwens ook niet – omdat we niet van plan waren om dood te gaan, en de huur was zo hoog dat mijn hele salaris daar bijna aan opging nu Aidan niet meer meebetaalde. We hadden gespaard voor een koophuis, maar om de een of andere reden stond dat geld nog een heel jaar vast, daarom leefde ik op creditcards en probeerde ik niet aan de groeiende schuld te denken. Maar voor Neris Hemming wilde ik me graag dieper in de schulden steken. Het maakte me niet uit wat het kostte.

Verbaasd keek Mitch naar zijn organizer. 'Het staat er niet in. Ik had toch kunnen zweren... Dat doe ik nou steeds, dingen kwijtraken.'

Ik ook. Ik dacht steeds dat iets in mijn tasje zat, om er vervolgens achter te komen dat dat niet zo was. Weer voelde ik een band met deze Mitch.

'Ik heb het nummer wel ergens,' zei hij. 'Thuis moet het ergens zijn. Zal ik het je volgende week geven?'

'Ik kan je ook mijn nummer geven, dan kun je me bellen als je het te pakken hebt.'

'Prima.' Hij nam mijn visitekaartje aan.

'Mag ik je iets vragen?' vroeg ik. 'Waarom kom je hier nog als je al iemand hebt gevonden die zo goed is?'

Nadenkend staarde hij voor zich uit. 'Toen ik via Neris met Trish had gepraat, kon ik heel veel loslaten. Maar ik weet het niet, het bevalt me hier wel. Leisl is op haar manier ook goed. Het is niet elke week raak, maar vaak genoeg. En iedereen hier heeft begrip voor hoe ik me voel. Alle anderen vinden dat het nou maar eens afgelopen moet zijn. Als ik hier ben, kan ik mezelf zijn.' Hij stopte mijn kaartje in zijn portemonnee. 'Ik bel je nog.'

'Graag,' zei ik.

Want ik kwam hier niet meer terug.

12

Maar toen ik later thuiskwam, vroeg ik me af of Leisl misschien tóch contact had gemaakt. De 'geest' of 'stem', of hoe je het ook wilt noemen, had wel degelijk een beetje als oma Maguire geklonken. En dan was er nog de connectie met de hond. Ik besefte dat het er nogal rommelig was uitgekomen, met al die praat over mijn hond die te dik werd (en helaas niet bleek te bestaan). Maar oma Maguire had wel degelijk hazewinden gehouden.

Het gerucht ging dat ze ermee naar bed ging. En dan bedoel ik ook écht naar bed gaan, als je begrijpt wat ik bedoel. Hoewel, nu ik erover nadenk, dat heb ik van Helen, en het is nooit door een betrouwbaarder bron bevestigd.

Als we bij oma Maguire op bezoek gingen, hoefde ik maar uit de auto te stappen en ze zei al: 'Toe maar, Gerry, toe maar, Martin.' (Vernoemd naar Gerry Adams en Martin McGuinness.) En twee magere schepsels schoten als twee bliksemschichten het huis uit en drukten me tegen de muur, een poot aan weerszijden van mijn gezicht. Ze blaften zo hard dat mijn oren pijn deden.

Intussen lachte oma Maguire zich een breuk. 'Je moet niet laten merken dat je bang bent!' gilde ze, en ze lachte zo hard dat ze met haar stok op de grond moest bonken. 'Ze kunnen ruiken dat je bang bent.'

Iedereen zei dat oma Maguire excentriek was, maar dat was ze alleen maar omdat ze de honden nooit op hen had afgestuurd. Dan zouden ze dat niet zo snel hebben gezegd.

En wat had Leisl gezegd over een blond neefje met een hoed op? Die had niet iedereen. Angst bekroop me en ik begon over JJ te piekeren. Had Leisl me willen waarschuwen? Was er iets mis met JJ? Ik bleef bang ijsberen, totdat ik geen keus meer had: ik moest wel bellen om te horen of alles goed was, ook al was het in Ierland één uur 's nachts.

Garv nam op.

Ik fluisterde: 'Heb ik je wakker gebeld?'

Hij fluisterde terug: 'Ja.'

'Het spijt me heel erg, Garv, maar kun je iets voor me doen? Kun je even kijken of alles goed is met JJ?'

'Hoe bedoel je, of alles goed is?'

'Dat hij leeft. Ademhaalt.'

'Goed. Blijf hangen.'

Ook als Aidan niet was doodgegaan, zou Garv me mijn zin hebben gegeven. Zo aardig was hij.

Hij legde de hoorn neer, en ik hoorde Maggie fluisterend vragen: 'Wie is dat?'

'Anna. Ze wil dat ik even bij JJ ga kijken.'

'Waarom?'

'Zomaar.'

Een halve minuut later was Garv terug. 'Niks aan de hand.'

'Sorry dat ik je wakker heb gemaakt.'

'Geeft niks.'

Ik voelde me weer een beetje dwaas en hing op. Tot zover Leisl.

Zodra ik had opgehangen, voelde ik me vreselijk wanhopig: ik móést Aidan spreken.

Als een bezetene zocht ik op internet naar Neris Hemming. Ze had haar eigen site, met letterlijk honderden dankbetuigingen. Er stonden ook stukjes over haar drie boeken. Ik wist helemaal niet dat ze boeken had geschreven, en nam me voor morgen direct naar de dichtstbijzijnde boekhandel te gaan. Ook stond er informatie over haar aanstaande tournee langs zevenentwintig steden; ze trad op voor wel duizend mensen in zalen in plaatsen als Cleveland en Portland, maar tot mijn grote teleurstelling kwam ze niet naar New York.

De dichtstbijzijnde stad was Raleigh in North Carolina. Daar ga ik heen, nam ik me opeens voor. Ik neem een dag vrij en vlieg erheen. Toen zag ik dat het uitverkocht was, en voelde ik me weer ellendig.

Ik moest een persoonlijke afspraak met haar maken. Ik klikte op elke link, maar het werd duidelijk dat ik via haar site niet met haar in contact kon komen. Mitch móést me dat telefoonnummer geven.

13

Ik probeerde me te herinneren of Aidan en ik ooit ruzie hadden gemaakt. Ik bedoel, dat moest haast wel. Ik moest geen halve heilige van hem maken omdat hij toevallig dood was gegaan. Het was belangrijk om me hem te herinneren zoals hij was geweest. Maar een echt knallende ruzie kon ik me niet herinneren; geen gegil of het keukenarsenaal dat naar elkaars hoofd werd gegooid.

Natuurlijk waren we het niet altijd met elkaar eens geweest. Ik werd soms jaloers vanwege Janie, en wanneer de naam Shane viel, kneep hij zijn lippen op elkaar en werd hij kribbig.

En dan was er natuurlijk die ochtend toen we ons klaarmaakten om naar ons werk te gaan, en zijn haar niet wilde zitten.

'Het wil niet zoals ik het wil,' klaagde hij terwijl hij een koppig plukje probeerde glad te strijken.

'Wat maakt het uit?' zei ik. 'Met dat plukje zie je er nog steeds leuk uit.'

Even klaarde zijn gezicht op, toen zei hij: 'Je bedoelt zeker leuk op zijn Iers: net een puppy. Niet leuk op zijn Amerikaans.'

'Leuk als aanbiddelijk.'

'Ik wil niet leuk of aanbiddelijk zijn,' bromde hij. 'Ik wil er gewoon goed uitzien. Ik wil net zo knap zijn als George Clooney.'

Hij legde de tube wax terug op de plank met iets meer kracht dan strikt noodzakelijk was, en dat ergerde me. Ik beschuldigde hem ervan dat hij ijdel was, en hij zei dat er willen uitzien als George Clooney niets met ijdelheid had te maken, dat het heel normaal was. Ik zei: 'O ja?' En hij zei: 'Ja!' Daarna stonden we samen in een gepikeerde stilte in de badkamer. Maar het was nog vroeg, en de vorige avond was het laat geworden. We waren moe, we moesten met tegenzin naar ons werk, en onder die omstandigheden was het allemaal heel begrijpelijk.

Er waren nog wel meer dingetjes. Hij kon er niet tegen als ik bezig was met de ingegroeide haartjes op mijn scheenbeen. Ik vond het leuk om te knijpen en met de pincet in de weer te zijn –

goed, eigenlijk is het walgelijk, maar ook heel bevredigend, geef het maar toe. Hij zei dan: 'Hè Anna, toe nou, je weet dat ik dat vreselijk vind.' En dan zei ik: 'Sorry,' en deed net alsof ik ermee ophield, maar stiekem ging ik ermee door, achter een kussen of een tijdschrift. Na een tijdje zei hij dan: 'Ik weet best dat je nog steeds bezig bent.'

En dan snauwde ik: 'Ik kan er niets aan doen! Het is... het is een hobby. Voor mij is het iets ontspannends.'

'Kun je niet gewoon een glas wijn drinken?' vroeg hij dan. Ik liep vervolgens stampvoetend naar de slaapkamer, waar ik iemand belde en ondertussen naar hartenlust haartjes uitrukte. Later kwam ik geheel in topvorm terug en waren we weer vriendjes.

Er was ook die keer dat we in de herfst naar Vermont waren gegaan om naar de herfstkleuren te kijken. Ik vond toen dat hij te veel foto's maakte. Ik vond dat hij elk rotblad moest kieken, en elke keer dat hij op het knopje drukte en ik dat zoemende geluid hoorde, werd ik kwaad.

Maar dat waren kleine dingetjes. Onze ergste ruzie ging over iets heel stoms: we hadden het over vakantieparken, en ik zei dat ik niet zo dol was op douchen in de buitenlucht. Hij vroeg waarom, en toen vertelde ik hem over Claire, die op safari in Botswana was geweest en terwijl ze onder de douche stond een baviaan had gezien die zich eens lekker aan het afrukken was.

'Dat kan niet,' zei Aidan. 'Dat verzint ze maar.'

'Nee, hoor,' zei ik. 'Als Claire het zegt, is het zo. Ze lijkt van geen kanten op Helen.'

(Eigenlijk was ik daar niet helemaal zeker van. Claire zou het best eens mooier hebben kunnen gemaakt dan het was.)

'Een baviaan zou nooit op die manier op een mens reageren,' hield Aidan vol. 'Hij zou een wijfjesbaviaan moeten bespieden.'

'Een wijfjesbaviaan zou niet onder de douche gaan staan.'

'Je weet best wat ik bedoel.'

Daarna ging het bergaf met de conversatie. Zo van: 'Wil je daarmee zeggen dat een baviaan mijn zusje niet aantrekkelijk zou vinden?' Maar ook toen hadden we een zware week achter de rug, we hadden allebei een slecht humeur en zouden wel over van alles ruzie hebben kunnen maken.

Maar echt, ergere ruzie hebben we nooit gehad.

Over zussen gesproken, Helen mailde me weer over haar nieuwe baan.

Aan: Goochelassistente@yahoo.com
Van: Lucky_star_PI@yahoo.ie
Onderwerp: Baan!

Colin de boef heeft een pistool voor me gekocht. Spannend, hoor! Stel je toch eens voor: ik met een pistool!

Ik wilde hem heel veel vragen. Vooral: hoe heet Mr Big echt? (Hier een stukje dialoog.)

Colin: Harry Gilliam.
Ik: Denk je echt dat er iets speelt tussen Mrs Big en die Racey O'Grady?
Colin: Ja. Waarschijnlijk wel. En als het waar is, zal Harry erg van streek zijn. Hij is gek op Detta. Detta Big is een echte dame, en Harry heeft altijd al gedacht dat ze te goed voor hem is. Nou ja, laten we maar gaan.
Ik: Waar naartoe?
Hij: Naar een schietclub.
Ik: Hoezo?
Hij: Daar kun je leren schieten.
Ik: Dat kan toch niet zo moeilijk zijn? Je richt dat ding en haalt de trekker over.
Hij (vermoeid): Kom nou maar mee.
We gingen naar een rare bunker in de heuvels rond Dublin, vol met mannen met aarde op hun gezicht en glazige ogen. Ze zagen eruit alsof ze een eigen militie in hun achtertuin hadden.
Het was helemaal niet moeilijk. Gewoon een paar keer het doel raken. (Alleen jammer dat het niet míjn doel was, haha.) Maar mijn schouder deed er behoorlijk pijn van. Niemand heeft me ooit verteld dat mensen neerschieten zo pijnlijk is. Nou ja, natuurlijk wel voor degene die wordt neergeschoten. (Haha.)

PS Maak je niet druk. Ik weet dat je op het ogenblik met de dood bezig bent, maar ik beloof je dat ik me niet laat neerschieten en dat ik zelf ook niemand zal neerschieten.

Dat verhaal over pistolen vond ik verontrustend, dus kwam dat laatste als een hele opluchting. Totdat ik zag wat ze nog meer had geschreven.

PPS Tenzij het boeven zijn.

Toch moest ik erom lachen. Waarschijnlijk moest ik het allemaal maar niet te serieus nemen. Wie weet hoe ze het had opgesmukt. Of gewoon verzonnen.

14

Maandagochtend. Wat betekende dat het tijd was voor de maandagochtendvergadering. En daar had je Franklin. Hij klapte in zijn handen en verzamelde zijn meisjes.

Op weg naar de directiekamer haakte Teenie haar arm in de mijne. Ze zag er bijna gewoon uit vandaag. Ze droeg een zilverkleurig, Barbarella-achtig hemdjurkje, met zilvergrijze sneakers die tot haar knieën kwamen. Alleen de zilver gespoten elleboog- en kniebeschermers wezen erop dat ze een beetje maf was.

'Komt dat zien, komt dat zien!' zei ze. 'Vernedering, gratis en voor niets!'

'Verlies je zelfrespect voor de ogen van je collega's,' zei ik.

'En laat je betuttelen door je ondergeschikten.'

Wij hadden makkelijk praten, met ons ging het goed. Ik scoorde behoorlijk veel publiciteit in kranten. Geen enorme verhalen, maar na elk weekend had ik wel iets om te laten zien of om over te vertellen. Misschien hadden de beautyredactrices wel medelijden met me, met mijn littekens en mijn dode echtgenoot. Geloof me, ik melkte het echt niet uit, want zoiets kon al snel tegen je worden gebruikt. Met mijn pech en mijn gehavende gezicht kon ik Candy Grrrl een slechte naam bezorgen.

Gewoonlijk overheerst na de maandagochtendvergadering het gevoel dat de week alleen maar beter kan worden. Maar vandaag niet. Vandaag was D-day voor Eye Eye Captain. Vandaag zouden honderdvijftig pakketjes met Eye Eye Captain worden samengesteld en ingepakt om morgen per koerier naar alle kranten en tijdschriften te worden gestuurd. De timing was van cruciaal belang; ze konden niet vandaag worden verstuurd, ze konden niet overmorgen worden verstuurd, ze móésten morgen worden verstuurd. Waarom? Omdat Lauryn een nieuwe guerrillatactiek uitprobeerde. In plaats van wat we gewoonlijk doen bij een lancering – alle beautyredactrices ruim op tijd waarschuwen – probeerden we het tegenovergestelde. Ze had alles nauwkeurig gepland: Eye Eye Captain zou op het bureau van elke belangrijke beautyredactrice liggen op het moment dat hun blad of krant op het punt stond gedrukt te worden. Het idee was om hen zodanig te overvallen met iets fris en nieuws, hun het idee te geven dat ze als eerste een nieuw product in huis hadden, dat ze iets anders eruit zouden knikkeren om ons alsnog een plekje te geven. Toegegeven, er kleefden risico's aan, maar Lauryn stond erop dat we het probeerden.

Het zou wel eens kunnen werken, want het was een heel nieuw concept: volledige oogverzorging in één setje. Drie verschillende producten, die op elkaar inwerkten en zo van elk de werkzaamheid vergrootten (dat zeiden we tenminste). Je had Pack Your Bags (een verkoelende gel tegen wallen en gezwollen ogen), Light Up Your Life (een lichtreflecterend concealerpotlood tegen donkere kringen), en Iron Out The Kinks (een luchtige mousse die rimpels in rook moest doen opgaan).

Er was maar één klein probleempje: de producten waren nog niet aangekomen van de fabrikanten in Indianapolis. Ze waren onderweg. Nee echt, ze kwamen eraan. Ze zouden er om elf uur zijn. Maar de klok sloeg elf en tikte verder. Lauryn pleegde een hysterisch telefoontje en kreeg de garantie dat de chauffeur in Pennsylvania was en er om één uur absoluut zou zijn. Eén uur werd twee uur, twee werd drie en drie werd vier. De chauffeur was blijkbaar verdwaald in Manhattan.

'Fucking heikneuter!' riep Lauryn. 'Dit is echt van de gekke.' Ze smeet de hoorn op de haak en keek naar mij. Op de een of andere manier was dit allemaal mijn schuld. We hadden alles pas op het nippertje af omdat ik zo brutaal was geweest een auto-ongeluk te krijgen en twee maanden niet gewerkt te hebben.

Pas na vijf uur werden de grote kartonnen dozen de directiekamer in gebracht. Iedereen vermeed elkaars blik, want we dachten allemaal hetzelfde: wie ging er overwerken, tot héél laat?

Brooke had een benefietgala, er moest dringend iets gered worden: walvissen, Venetië of olifanten met drie poten. Teenie moest naar school (en het was sowieso haar taak niet), en Lauryn zou waarschijnlijk nog eerder een driegangenmaaltijd nuttigen.

Ik was het haasje. Ik alleen.

Iedereen was er zo aan gewend dat ik overwerkte, dat ze niet eens vroegen of ik al plannen had, maar toevallig had ik afgesproken met Rachel. Ik was haar afgelopen weekend ontlopen door te zeggen dat ik moest doorwerken. En nu moest ik écht werken.

'Is het goed als ik even snel iemand bel? Ik moet mijn zusje afzeggen.'

Ik zei het zo sarcastisch dat er verbijsterde blikken werden gewisseld. Zo nu en dan kookte ik opeens van woede. Het was zo heftig dat ik er bijna brandwonden aan overhield en er razende woorden uit mijn mond stroomden.

'Eh, nee, ga je gang,' zei Lauryn.

Teenie hielp me de dozen opensnijden en we stalden de producten uit op de vergadertafel. En eerlijk is eerlijk, Brooke had al honderdvijftig persberichten in honderdvijftig luchtkussenenveloppen gestoken, hoewel ze bijna de hele middag weg was geweest omdat haar tante Geneviève (niet haar echte tante, maar een van haar moeders extreem rijke vriendinnen) in de stad was, en haar een lunch had aangeboden in een privéruimte van het Pierre.

En toen was iedereen weg. Het gebouw was stil, alleen de computers zoemden. Ik keek naar alle spullen op de tafel en werd overvallen door een gevoel van zelfmedelijden.

Ik dacht: je zult er wel van balen hoe ze me behandelen, Aidan.

Om te beginnen bekleedde ik de binnenkant van de enveloppen met vellen zilverlamé. Daar was ik tot na acht uur zoet mee. Vanwege mijn nagels ging het langzamer dan gewoonlijk. Toen werd ik een menselijke lopende band. Aan het ene uiteinde van de tafel plakte ik een geprint etiket op de envelop. Daarna pakte ik een Pack Your Bags van een stapel, van de volgende een Light Up Your Life, en van de derde een Iron Out The Kinks. Ik liet ze in de envelop vallen, pakte een handvol zilveren sterretjes, strooide ze erin, deed de envelop dicht, gooide hem in een hoek en begon weer van voren af aan.

Ik had al snel een soort ritme te pakken. Etiket, pak-pak-pak, laten vallen, sterretjes, dichtdoen, gooien. Etiket, pak-pak-pak, laten vallen, sterretjes, dichtdoen, gooien. Etiket, pak-pak-pak, laten vallen, sterretjes, dichtdoen, gooien. Etiket, pak-pak-pak, laten vallen, sterretjes, dichtdoen, gooien.

Het was heel kalmerend, en ik merkte pas veel later dat ik huilde. Maar goed, het was niet zozeer huilen als wel lekken. Tranen rolden geheel vanzelf over mijn wangen. Ik snikte niet, hapte niet naar adem, mijn schouders schokten niet, het was heel vreedzaam. Ik huilde totdat ik klaar was, en hoewel door mijn tranen de inkt uitliep op het etiket van het pakje voor *Femme*, ging er verder niets mis.

Toen ik de laatste envelop in de hoek gooide, was het middernacht. Alle honderdvijftig pakjes lagen klaar om de volgende ochtend bezorgd te worden.

Mijn taxichauffeur was behoorlijk gestoord. Hij had een enorme snor en lang, krullend haar, waar hij me maar over bleef doorzagen. Hij zei dat hij net Samson was: zijn kracht zat in zijn haar, en al zijn 'vrouwen' probeerden hem over te halen het af te knippen, omdat 'ze willen dat ik zwak ben'. Op de schaal van gestoorde taxichauffeurs scoorde hij met gemak een zeven, misschien zelfs wel een zevenenhalf, en ik had het gevoel dat Aidan hem had gestuurd: het was 's avonds laat, ik had zestien uur onafgebroken gewerkt en hij wilde me opvrolijken.

15

Er kwam weer een mailtje van Helen.

Aan: Goochelassistente@yahoo.com
Van: Lucky_Star_PI@yahoo.ie
Onderwerp: Baan!

Heb vandaag voor het eerst Detta Big geschaduwd. Ik zat in een heg in de achtertuin van haar vrijstaande huis in Stillorgan, met mijn verrekijker op haar slaapkamerraam gericht.

Ze is ongeveer vijftig, met een fors achterwerk, grote tieten en een leerachtig decolleté. Schouderlang blond krullend haar, waarschijnlijk heeft ze een setje Carmen-krullers.

Ze droeg hoge hakken en een roomkleurige gebreide (bouclé?) rok en trui. Ik zag geen hobbels en bobbels bij haar achterwerk, ook niet toen ik helemaal had ingezoomd. Waarschijnlijk draagt ze een korset van gietijzer. Ze lijkt nog het meest op een nieuwslezeres op leeftijd.

Om tien voor tien trok ze haar jas aan. We gingen uit. Ze liet de auto staan, een enorme zilverkleurige bmw (een auto zonder persoonlijkheid) en liep naar de kerk. Ze wilde een dienst bijwonen! Ik zat achteraan, blij even niet in een struik te hoeven zitten.

Daarna ging ze naar de tabakswinkel om de Herald, Take A Break, een pakje Benson & Hedges en een zakje pepermunt (Extra Sterk) te kopen. Vervolgens ging ze naar huis en ging ik weer in de struiken zitten. Ze zette water op, zette thee, ging voor de tv zitten, rookte en staarde voor zich uit. Om één uur stond ze op. Ik hoopte dat ze naar buiten zou gaan, maar nee, ze maakte een kopje soep met een geroosterd boterhammetje en ging daarmee voor de tv zitten. Ze rookte en staarde voor zich uit. Om een uur of vier stond ze weer op, en ik hoopte weer dat ze naar buiten zou komen. Maar nee, ze ging stofzuigen. Vol overgave. Maf, hè?

Na het stofzuigen ging ze naar de keuken, zette water op, zette thee en ging zitten roken en voor zich uit staren. Jezus, ik hoop dat het morgen spannender is.

Er was ook een mailtje van mam...

Aan: Goochelassistente@yahoo.com
Van: Familiewalsh@eircom.net
Onderwerp: Georganiseerde misdaad

Lieve Anna,

Het gaat hier helemaal niet goed. Onze huiselijke kwestie kan Helen niets meer schelen (de hondenpoep, weet je wel?).

Ze is aldoor bezig met haar nieuwe baan. Ze doet net alsof ze beter is dan wij omdat ze met notoire criminelen omgaat. Als ik had geweten dat mijn jongste dochter zo zou worden, na alle opofferingen die we ons hebben getroost om jullie naar school te sturen, zou ik jullie allemaal hebben thuisgehouden. Een ondankbaar kind is nog erger dan een slang aan je boezem koesteren. Ze zegt dat zij de boel in de gaten houdt, ze bespiedt de vrouw van een topcrimineel, en dat die vrouw leuk gekleed gaat voor iemand op leeftijd. Kan dat? En zou haar huis echt zo schoon zijn? En doet ze dat allemaal zelf? Zou het echt waar zijn, of zegt Helen dat maar om me van streek te maken?

Ik heb jouw camera geprobeerd, maar die is digitaal en zowel ik als je vader snapte er niks van. Hoe moeten we die oude taart betrappen? Maandag was ze er weer. Als je Helen mailt, wil je haar dan zeggen dat ze ons moet helpen? Ik weet dat je in de rouw bent, maar misschien luistert ze wel naar jou.

Liefs van je moeder,
Mam

16

Het bloed kwam totaal onverwacht. Ik was ongesteld geworden. Voor het eerst sinds het ongeluk.

Het was me nauwelijks opgevallen dat ik de afgelopen maanden niet ongesteld was geworden, en ik had me er niet druk om gemaakt, want ik wist dat het kwam door de schok en de verschrikkingen. Ik had geen seconde gedacht dat ik zwanger zou kunnen zijn, maar nu dacht ik in een opwelling van verdriet: ik zal nooit een kind van je krijgen.

We hadden niet moeten wachten. We hadden er meteen werk van moeten maken. Maar hoe hadden we kunnen weten hoe het zou lopen?

We hadden het er zelfs over gehad. Op een ochtend, vlak na ons huwelijk, kleedde ik me aan terwijl Aidan nog in bed lag, in zijn blote bast, zijn handen achter zijn hoofd. 'Anna,' zei hij, 'er is iets vreemds met me aan de hand.'

'Wat? Zijn hiernaast op het dak ruimtewezens geland?'

'Nee, luister. Al sinds mijn derde zijn de Boston Red Sox mijn grote liefde. Nu niet meer. Nu ben jij dat natuurlijk. Ik geef nog wel om ze, ergens hou ik denk ik nog wel van ze, maar ik ben niet meer verliefd op ze.'

Dit alles zei hij in bed, op een sombere, bedachtzame toon, terwijl hij naar het plafond staarde. 'Al die tijd heb ik nooit kinderen gewild. Nu wel. Met jou. Ik wil graag een miniatuurversie van jou.'

'En ik wil een miniatuurversie van jou. Maar Aidan, vergeet niet dat mijn familie niet spoort. Voor je het weet, steekt een krankzinnig gen de kop op.'

'Goed juist, dat lijkt me leuk. En we moeten ook aan Dogly denken. Dogly heeft een kind om zich heen nodig.' Hij kwam overeind en leunde op zijn elleboog. 'Ik meen het.'

'Van Dogly?'

'Nee, dat we een kind moeten nemen. Zo snel mogelijk. Wat zeg je ervan?'

Ik dacht dat ik het heerlijk zou vinden. 'Nu nog niet. Binnenkort. Snel. Over een paar jaar of zo. Als we een echt huis hebben.'

Aan: Goochelassistente@yahoo.com
Van: Familiewalsh@eircom.net
Onderwerp: Dit kan zo niet doorgaan.

Lieve Anna,

Ik hoop dat het goed met je gaat. Ik weet niet of je je beter of slechter zult voelen als je weet dat het hier ook niet heel best gaat. Er lagen vanochtend nog meer grote hondenboodschappen voor ons hek. Het is net alsof we belegerd worden. Gelukkig ging je vader er deze keer niet in staan, maar de melkboer wel en hij was heel erg nijdig. En onze relatie met hem is al zo ongemakkelijk sinds die keer dat we geen zuivelproducten meer gebruikten toen met dat stomme dieet van Helen, dat nog geen vijf minuten duurde omdat ze opeens besefte dat roomijs ook zuivel is. Het was al moeilijk genoeg hem toen over te halen weer langs te komen.

Liefs van je moeder,

Mam

17

De hele week wachtte ik gespannen op Mitch' telefoontje waarin hij me het nummer van Neris Hemming zou geven, maar de dagen gingen voorbij en er kwam niets. Daarom bedacht ik een plannetje: als hij zondag nog niet had gebeld, ging ik weer naar die kerk. Daardoor voelde ik me minder paniekerig en machteloos. Toen herinnerde ik me dat dit het weekend van 4 juli was: een feestdag. Stel dat hij de stad uit was? En toen voelde ik me toch weer paniekerig en machteloos.

Op het werk ging het ook niet lekker. Ik was waanzinnig pissig, en hoewel mijn knie officieel genezen was verklaard, liep ik erg onhandig, net alsof de ene kant van mijn lichaam zwaarder was dan de andere. Ik botste overal tegenaan. Ik stootte een koffiekopje om en de koffie liep in Lauryns bureaula. Tijdens een bespreking liet ik het witte schoolbord omvallen, en dat raakte Franklin in zijn kruis. Niet met een klap, maar toch stelde hij zich verschrikkelijk aan.

Maar deze ongelukjes stelden niets voor vergeleken met de ramp met Eye Eye Captain. Ik had zitten huilen boven het adreslabel van *Femme*, en daardoor was de inkt uitgelopen. Het pakket was onbestelbaar geworden en werd op dinsdagmiddag door de koerier weer bij ons bezorgd. Nadat het tijdschrift al ter perse was gegaan. Lauryn was nog steeds stiknijdig. Elke morgen wanneer ik uit de lift stapte, kon ik mijn voet nog niet op het tapijt zetten of ze gilde al over de gang: 'Weet je wel wat de oplage van *Femme* is? Weet je wel hoeveel vrouwen dat blad lezen?'

Franklin deed gezellig mee. 'Zonder ballen is een man helemaal niks!'

Vrijdagavond, toen ik in de tabakszaak de benodigdheden aanschafte voor een avondje janken, viel me ineens op waarom ik zo pissig was: ik had het bloedheet. Het winkeltje leek wel een oven.

'Het is erg warm,' zei ik tegen de man achter de toonbank.

Eigenlijk verwachtte ik geen antwoord te krijgen omdat ik niet zeker wist of hij wel Engels sprak, maar hij zei: 'Warm! Ja! Al veel dagen hittegolf!'

Veel dagen? Wat bedoelde hij daarmee? 'Wat... Wanneer is die hittegolf dan begonnen?'

'Hè?'

'Wanneer? Wanneer is het zo warm geworden?'

'Donderdag.'

'Donderdag?' Dan viel het nog wel mee.

'Dinsdag.'

'Dinsdag?' Daar schrok ik toch wel van.

'Zondag.'

'Nee, niet zondag.'

'Andere dag. Ik weet niet de naam.'

Verontrust liep ik met mijn tas vol snoep langzaam naar huis. Dat hittegolfgedoe was niet best. Ik was zo in mezelf gekeerd geweest dat ik er wel iets van had gemerkt, maar niet genoeg.

Ik maakte me grote zorgen. De hele week had ik rondgelopen in kleren die niet geschikt waren voor warm weer, ook op mijn werk. Ik zou toch niet... stinken?

Nadat ik zoals gewoonlijk drie uur had geslapen, werd ik zaterdagmorgen wakker met nat, zweterig haar. Shit. Het was dus waar: we hadden met een hittegolf te maken en het was zomer. Ik raakte meteen in paniek.

Ik wil niet dat het zomer is, dacht ik. Dan is het zo lang geleden dat je bent gestorven.

Ik had gedacht dat het juist prettig zou zijn wanneer er tijd was verstreken, zodat ik aan hem kon denken zonder bijna te sterven van verdriet. Maar nu het eenmaal juli was, wilde ik dat het eeuwig februari zou blijven.

De tijd heelt alle wonden, zeggen ze. Maar ik wilde niet dat mijn wonden heelden. Want dat zou betekenen dat ik hem in de steek liet.

De hitte was drukkend, het was te warm om iets te doen. De airconditioning moest worden geïnstalleerd, maar het was een enorm ding, zo groot als een televisietoestel. In de herfst had Aidan het apparaat op een hoge plank in de woonkamer gestald. Ik werd overspoeld door verdriet. Nu ben je er niet meer om hem eraf te halen, dacht ik.

Die ogenblikken waarop ik heel even vergat dat hij dood was waren een verschrikking, want dan moest ik het me allemaal weer herinneren. Het kwam steeds weer als een schok.

Wanneer zou het makkelijker worden? Zou het ooit makkelijker worden? Ik dacht vaak aan andere mensen die iets afschuwelijks was overkomen: overlevenden uit de concentratiekampen, vrouwen die verkracht waren, mensen die hun hele familie hadden verloren. Zij leidden vaak wat op het eerste gezicht een normaal leven leek. Ergens moesten ze zijn opgehouden met denken dat ze in een nachtmerrie rondliepen.

Ik ging gebukt onder de hitte en verdriet, en de tijd ging waanzinnig langzaam. Uiteindelijk zei ik tegen hem: 'Ik ga kennelijk niet dood van verdriet, maar misschien wel van de hitte.' Dus dwong ik mezelf om op te staan en de airconditioning te zoeken. Die lag op de hoogste plank van de woonkamer. Zelfs als ik op een stoel ging staan, kon ik er niet bij. En als ik er wel bij had gekund, zou het ding toch te zwaar zijn om te tillen.

Ornesto moest me maar helpen het ding naar beneden te krijgen. Ik wist dat hij thuis was, want hij zong al tien minuten zo hard als hij kon 'Diamonds are Forever'.

'Je ziet er mooi uit,' zei ik.

'Kom binnen,' zei hij. 'Laten we samen iets zingen.'

Ik schudde mijn hoofd. 'Ik moet een man hebben.'

Ornesto sperde zijn ogen open. 'Waar zullen we die gaan zoeken, schat?'

'Jij moet hem maar zijn.'

'Nou, ik weet het niet, hoor,' zei hij aarzelend. 'Wat moet die man doen?'

'Mijn airconditioning van een hoge plank halen en hem naar het raam dragen.'

'Weet je wat? Laten we Bubba van beneden vragen ons te helpen.'

'Bubba?'

'Ja, zoiets. Een grote kerel. Slecht gekleed. Hem maakt het niet uit dat hij nat van het zweet wordt. Kom op.' Ornesto ging me voor de trap af en klopte op de deur van nummer 10.

We hoorden een zware stem. 'Wie is daar?' Het klonk achterdochtig.

Ornesto en ik keken elkaar eens aan en moesten erg giechelen. 'Anna,' zei ik gesmoord. 'Anna van nummer 6.' Ik gaf Ornesto een por.

'En Ornesto van nummer 8.'

'Wat motten jullie? Me uitnodigen voor een tuinfeest?' Dat was nou echte New Yorkse humor. Een excuus om hardop te mogen lachen.

'Nee,' zei ik. 'Ik vroeg me af of u me zou willen helpen mijn airconditioning te verplaatsen.'

De deur ging open en daar stond een uitgezakte man van een jaar of vijftig met een hemd aan. 'Je hebt spierkracht nodig?'

'Eh... ja.'

'Lang geleden dat een vrouw dat tegen me heeft gezegd. Wacht, ik pak mijn sleutels.'

Met zijn drieën liepen we de trap op en mijn huis in. Daar wees ik hem de airconditioning op de hoge plank aan.

'Dat zou geen probleem mogen zijn,' zei Bubba.

'Ik help wel mee,' beloofde Ornesto.

'Ja, hoor.' Maar het klonk vriendelijk.

Bubba ging op de stoel staan, en Ornesto hield die opzichtig voor hem vast. Hij maakte ook veel bemoedigende opmerkingen, zoals: 'Ja, je hebt hem. Ja, ja... Bijna, nog een klein eindje, ja, ja, zo gaat-ie goed.'

Toen was de airconditioning beneden. Hij werd naar het raam gesleurd, de stekker werd in het stopcontact gestoken en als door een wonder stroomde er koude lucht het huis in. O, wat was ik daar dankbaar voor!

Ik bedankte Bubba hartelijk en vroeg toen: 'Wilt u misschien een biertje?'

'Eugene.' Hij stak zijn hand uit.

'Anna.'

'Een biertje zou er wel ingaan.'

Gelukkig had ik een biertje in huis. Eentje. Wie weet hoe lang dat er al stond.

Terwijl Eugene tegen het aanrecht geleund zijn biertje opslurpte waarvan de uiterste houdbaarheidsdatum misschien al was verstreken, vroeg hij: 'Wat is er met die gozer gebeurd die hier woonde? Is hij verhuisd of zo?'

Er volgde een pijnlijke stilte. Ornesto en ik keken elkaar eens aan.

'Nee,' zei ik. 'Hij was mijn man.'

Ik zweeg. Ik kon het woord 'dood' niet over mijn lippen krijgen. Dat was taboe. Iedereen had het over mijn 'verlies' of over de 'tragedie', maar niemand zei ooit: dood. Daardoor kreeg ik vaak de neiging om te zeggen: 'Weet je, Aidan is doodgegaan. Hij is dóód. Dood, dood, dood, dood, dood, dood, dood, dood, dood, DOOD. Zo. Het is maar een woord, hoor. Je hoeft er niet bang voor te zijn.' Maar ik zei nooit iets. Zij konden er ook niets aan doen. We leren op school niet hoe we met de dood moeten omgaan, ook al overkomt het iedereen, ook al is het het enige in het leven waarvan we zeker kunnen zijn.

Ik haalde diep adem en gooide het er zomaar uit: 'Hij is dood.'

'Ach, dat spijt me nou voor je, meissie,' zei Eugene. 'Mijn vrouw is ook dood. Ik ben al vijf jaar weduwnaar.'

Jezus. Zo had ik het nog nooit bekeken. 'Ik ben weduwe.' Ik barstte in lachen uit.

Misschien klinkt het raar, maar zo had ik mezelf nog nooit genoemd. Ik had een beeld van weduwen als stokoude, knokige vrouwtjes met zwarte sluiers. Het enige wat ik met hen gemeen had, was die zwarte sluier, hoewel de mijne roze was.

Ik lachte totdat de tranen over mijn wangen biggelden. Maar het was geen goed soort lachen, en de kerels keken me verschrikt aan.

Eugene sloeg zijn armen om me heen, en Ornesto sloeg zijn armen om ons allebei; een vreemde, goedbedoelde groepsomhelzing. 'Het slijt, hoor,' beloofde Eugene. 'Echt waar, het slijt.'

18

Aan: *Goochelassistente@yahoo.com*
Van: Lucky_Star_PI@yahoo.ie
Onderwerp: Baan!

Ik schaam me diep, Anna. Detta Big schaduwen is de saaiste baan aller tijden! Je kunt de klok op haar gelijkzetten. Elke ochtend loopt ze om tien voor tien naar de kerk voor de mis van tien uur. Echt élke ochtend. Dat geloof je toch niet? Ze behoort tot de misdaadroyalty, zit tot haar nek in de afpersing en god mag weten wat nog meer, en gaat elke ochtend naar de kerk. Daarna naar de kiosk, waar ze een pakje Benson & Hedges en nog een paar andere dingen koopt. Soms een zakje colaflesjes, soms de nieuwe *Hello!*, een keer een zakje elastiekjes. Daarna gaat ze naar huis, zet thee en gaat voor de televisie zitten. Ze rookt een paar sigaretten en staart voor zich uit.

Eén keer ging ze na de mis naar de kiosk én naar de drogist, waar ze likdoornpleisters kocht. Ik dacht dat ik dood zou neervallen van opwinding.

Op een middag ging ze weg met haar bmw, en ik hoopte dat ze naar Racey O'Grady zou gaan. Maar ze ging naar de chiropodist. Ze heeft blijkbaar echt last van die likdoorns. Daarna weer naar huis, thee, roken, voor zich uit staren.

Een andere middag ging ze wandelen op de pier. Loopt ondanks likdoorns behoorlijk snel. Toen ze aan het einde was, ging ze op een bankje zitten, rookte een sigaret, staarde voor zich uit en ging toen weer naar huis. Niks onheilspellends. Beetje lichaamsbeweging, meer niet. Hoewel sommige mensen dat onheilspellend zouden noemen.

Ze ziet eruit alsof ze goed is in kaarten, alsof ze je het vel over de oren zou halen. Ze heeft heel veel lijntjes rond haar mond, van alle sigaretten, en ze werkt regelmatig haar lipliner bij. Gek op de zon, ze heeft er zo'n leerachtige huid van gekregen. Maar vergis je niet, ze is een aantrekkelijke vrouw, zeker voor haar leeftijd.

Ik hoef haar alleen overdag in de gaten te houden. Harry werkt van maandag tot en met vrijdag van negen tot vijf. Hij zegt dat het geen zin heeft topcrimineel te zijn als je niet zelf je tijd kunt indelen. De buren denken dat hij in de textielbusiness zit. Dus hoewel ik gek word van verveling, heb ik de avonden en weekends tenminste voor mezelf.

PS Hoe gaat het met je? Ik heb iets om je op te vrolijken: Aidan heeft je in elk geval niet verlaten voor een ander. Ik zou veel liever willen dat iemand doodging dan dat hij me belazerde. Maar goed, als iemand me belazerde, zou ik hem koud maken, dus het resultaat zou hetzelfde zijn.

Van iemand anders zou dit vreselijk harteloos hebben geleken. Maar dit was Helen. Dit gold als oprecht medeleven.

19

Zondagmorgen had ik nog steeds niets van Mitch gehoord. Ik legde me neer bij het onvermijdelijke en maakte me klaar om naar de spiritistische kerk te gaan. Weer was ik er veel te vroeg. Er zaten twee meisjes op de bank te wachten. Ik herkende hen niet van de vorige week, dus ging ik naast hen zitten en glimlachte op mijn hoede. Aan de overkant waren de jongens van *South Pacific* al druk bezig.

En toen schreed – ja, hij schreed echt – een kleine, knappe man het vertrek uit en zei tegen het meisje dat het dichtst bij de deur zat: 'Ik ben Merrill Dando, de regisseur. Heb je de foto's bij je?'

Actrices! Ze hadden helemaal niets met geesten te maken. Gelukkig maar dat ik niks had gezegd...

Het meisje gaf hem een gelige envelop. Merrill nam haar mee naar binnen, toen hoorde ik hen met stemverheffing praten en even later kwam ze zonder envelop weer naar buiten. Daarna mocht het andere meisje naar binnen.

Ik keek op mijn horloge. Het was bijna tijd. De anderen zouden nu wel gauw komen. Ik kreeg buikpijn toen ik het ondenkbare dacht: stel dat Mitch niet kwam?

Stel dat ik Neris Hemmings nummer nooit te pakken zou krijgen? Maar dat mocht ik niet denken. Mitch moest komen. Ik moest dat nummer krijgen.

De tweede actrice kwam naar buiten en verdween in de gang.

'Okidoki!' Die kerel Merrill wees met twee wijsvingers naar me, alsof hij me ermee wilde doorboren. 'Jij bent de laatste.' Hij bekeek me van top tot teen en vroeg toen: 'Waar zijn je foto's?'

'Ik heb geen foto's.'

Hij zuchtte diep. 'Hebben ze niet gezegd dat je foto's moest meenemen?'

'Nee.' Dat had niemand tegen me gezegd, toch?

'Wat is er met je gezicht gebeurd?'

'Auto-ongeluk.'

Hij floot. 'Nou, doe toch maar auditie.'

Er leek een misverstand te zijn ontstaan; hij dacht dat ik actrice was.

Merrill ging me voor naar binnen en overhandigde me een script. Ik dacht: och, waarom ook niet? Het leek me makkelijker dan het allemaal uit te leggen.

Ik las snel door wat er stond. Het bleek een melodramatisch toneelstuk te zijn à la Tennessee Williams dat in het Zuiden speelde, en het heette: *De zon komt nooit op*.

In de stoffige ruimte zaten twee bebaarde gozers achter een schragentafel. Merrill stelde hen voor als de producer en de casting director.

'Oké,' zei hij. 'Even een korte samenvatting: twee berooide zussen, een vader die net de pijp uit is, zodat ze tot over hun oren in de schulden zitten. Een van hen moet zien te trouwen om ze van de ondergang te redden. Maar juffrouw Martine, de mooie van de twee, is zwaar aan de drank. Jij speelt juffrouw Martine, en ik ben Edna, de lelijke, oudere zus. Want het is maar toneel, snap je?'

'Edna' en ik zaten op de 'veranda', die was gemaakt van twee kistjes, en we gebruikten een waaier omdat het zo verschrikkelijk warm was. Omdat het echt heel warm was, kostte dat geen moeite.

Eerste bedrijf

Bij het opgaan van het doek zitten twee jonge vrouwen op de veranda van een verwaarloosd huis in plantagestijl.

Een van de vrouwen – Martine – is een verwelkte, sombere schoonheid. Ze drinkt uit een glas en staart in het niets. De ander – Edna – is ouder en heeft iets mannelijks. Het is vroeg in de avond.

EDNA: Taylor komt nooit meer langs.

Martine draait zich om en kijkt haar verwijtend aan

MARTINE: Ik ben opgevoed om aangenaam met heren te kunnen converseren.

Edna wringt zenuwachtig haar handen

EDNA: Je bent uiterst charmant tegen je vrijers, lief zusje, echt heel charmant. Maar er komen geen vrijers meer. En als we het dak niet laten repareren, komt het hele zwikkie straks naar beneden als de toorn des Heeren.

Martine neemt nog een slokje

MARTINE: Och Heere, wat is het heet. Ik zou op de veranda kunnen gaan liggen en tot de Dag des Oordeels slapen.

Edna kijkt fronsend naar Martines glas

MARTINE: Hemeltjelief, kijk niet zo naar me!

EDNA: Je zit voortdurend aan papa's whisky. Mijn zus is een zuipschuit geworden!

MARTINE: Ik ben geen zuipschuit! (*Ze dept haar slapen met een wit zakdoekje)* Maar ik ben wel heel, heel erg moe.

Ik las de tekst van Martine op, en ik vond dat ik het er goed van afbracht. Vooral dat stukje: heel, heel erg moe.

'Dat ging goed.' Merrill klonk verbaasd. 'Ja, erg goed.'

'Erg goed,' zei een van de bebaarde gozers.

'Waar kunnen we je bereiken?'

Ik gaf Merrill een visitekaartje van Candy Grrrl.

'Mooi kaartje! Oké, we moeten hier weg. Elke zondag houdt een stelletje halvegaren hier een seance. Als je wilt kijken: ze zouden zo moeten komen.'

Ik kreeg een kop als een biet, maar ik zei maar niets.

Net als de vorige week was Nicholas de eerste die kwam. Deze keer stond er op zijn T-shirt: LIEVER DOOD DAN ONTEERD.

'Je bent er weer! Geweldig!'

Ik was zo ontroerd dat ik het niet over mijn hart kon verkrijgen hem te vertellen dat ik ervandoor zou gaan zodra Mitch me dat telefoonnummer had gegeven.

'Komt Mitch elke week?' vroeg ik.

'Bijna elke week. De meesten van ons komen bijna elke week.'

Omdat ik alleen met hem was, kon ik mijn nieuwsgierigheid bevredigen. 'Vertel eens waarom Mackenzie hier komt. Met wie probeert ze in contact te komen?'

'Ze is op zoek naar een testament dat verloren is gegaan. Haar kant van de familie zou recht op een enorme erfenis hebben. Maar ze heeft nog maar weinig tijd. Ze is aan haar laatste tien miljoen dollar begonnen.'

'Ik geloof er niets van.'

'Wat geloof je niet?'

'Alles.'

'Geloof het maar wel. Geloven is leuk.' Hij grijnsde. 'Kijk maar naar mij. Ik geloof in de vreemdste dingen en heb altijd lol.'

'Wat geloof je dan?'

'Ik geloof in bijna alles. Acupressuur, aromatherapie, ontvoeringen door buitenaardse wezens. En in doofpotaffaires van de regering, de kracht van mediteren, en dat Elvis nog leeft en in een Taco Bell in Noord-Dakota werkt. Je zegt het maar en ik geloof erin. Probeer het maar.'

'Eh... reïncarnatie?'

'Ja.'

'Dat Kennedy is vermoord door de CIA?'

'Ja.'

'Dat de piramiden zijn gebouwd door bezoekers uit de ruimte?'

'Ja.'

Met een gretige blik keek hij me aan, zo graag wilde hij steeds bevestigen dat hij in alles geloofde. Maar toen kwam Leisl aangelopen door de gang. Ze straalde helemaal toen ze me zag. 'Anna! Wat ben ik blij dat je weer bent gekomen.' Ze drukte mijn gezicht in haar permanent. 'Ik hoop echt dat je deze keer goede berichten krijgt.'

Steffi, het slonzige meisje, was de volgende die kwam. Ze lachte verlegen en zei dat ze blij was me te zien. Carmela, een van de bejaarde dames met elastiek in de broekband, zei dat ook, evenals de oogverblindende Mackenzie. Zelfs Ondode Fred leek verheugd te zijn me weer te zien.

Ik kreeg het er warm van, zo dankbaar was ik. Maar waar bleef Mitch?

Juan-met-de-pommade kwam eraan, en de toffe, oude Barb, en nog een paar elastieken broekbanden. Iedereen was er, behalve Mitch.

Alles stond klaar. De kaarsen flakkerden, en we gingen allemaal op een stoel in de kring zitten. Nog steeds geen Mitch. Ik vroeg me al af of ik Nicholas om Mitch' nummer zou durven vragen toen de deur openging.

Daar was hij.

'Net op tijd,' zei Leisl.

'Sorry.' Hij keek de kring rond en liet zijn blik op mij rusten. 'Anna, het spijt me dat ik je niet heb gebeld. Ik was je visitekaartje kwijt. Ik ben een echte rommelpot,' zei hij. 'Maar hier is het telefoonnummer.'

Hij gaf me een stukje wit papier. Ik vouwde het open en staarde naar het nummer dat erop stond geschreven. Tien waardevolle cijfertjes waarmee ik Aidan zou kunnen bereiken. Oké, nu kon ik hier weg.

Maar ik bleef waar ik was. Ze waren allemaal zo aardig tegen me dat het onbeleefd zou zijn om nu te vertrekken. En omdat ik er toch was en de cellomuziek op vol volume stond, begon ik te hopen dat er iets zou gebeuren. Ik dacht bij mezelf: stel dat je vandaag contact maakt en ik naar de pedicure ben?

20

Het eerste bericht was voor Mitch.

'Trish is hier,' zei Leisl met gesloten ogen. 'Ze ziet er engelachtig uit vandaag. Zo mooi, ik wou dat je haar kon zien. Mitch, ze wil dat ik tegen je zeg dat alles beter wordt. Ze zegt dat ze altijd bij je zal zijn, maar je moet wel verder met je leven.'

Mitch zag er asgrauw uit. 'Hoe dan?'

'Dat gaat vanzelf, je moet je er alleen voor openstellen.'

'Ja, maar dat lukt me niet,' zei Mitch. 'Trish,' zei hij, en ik schrok een beetje toen hij haar direct toesprak, 'ik wil helemaal niet verder, ik wil jou niet achterlaten.'

Er viel een stilte, en we schoven onrustig heen en weer op onze stoel. Na een tijdje nam Leisl het woord weer. 'Barb, wie is Phoebe?'

'Phoebe?' vroeg Barb met haar schorre stem. 'Krijg nou wat... Phoebe was een van mijn geliefden. We deelden een man, een beroemde schilder, meer kan ik niet zeggen, enzovoort, enzovoort. Zij was met hem getrouwd, ik naaide hem, toen dumpten we hem en toen kregen wij iets met elkaar. Een tijdje. Hihihi. Phoebe, lieverd, hoe gaat het met je?'

'Dit wil je vast niet horen.'

'Hoe weet jij dat?'

'Oké,' verzuchtte Leisl. 'Het spijt me, Barb, maar Phoebe wil tegen je zeggen, en dit zijn haar woorden: "Hij heeft nooit van je gehouden, het ging hem alleen maar om de seks."'

'Alleen maar om de seks? Wat bedoel je, alleen maar? Alles draait om seks!'

'Laten we verder gaan,' zei Leisl snel.

Dit is gekkenwerk, dacht ik. Een ordinaire scheldpartij vanuit het dodenrijk. Wat doe ik hier? Ik ben normaal en bij mijn volle verstand, en deze mensen zijn niet goed bij hun hoofd...

Toen zei Leisl: 'Ik krijg een man door...' en mijn hart sprong niet gewoon op, maar maakte radslagen. Het hield meteen weer op toen Leisl zei: '... die Frazer heet. Kent iemand die?'

'Ik!' zei Mackenzie, terwijl Leisl net zei: 'Mackenzie, het is voor jou, hij zegt dat hij je oom is.'

'Mijn oudoom. Cool! Waar is het testament dat is zoekgeraakt, oom Frazer?'

Leisl luisterde even en zei toen: 'Volgens hem is er helemaal geen zoekgeraakt testament.'

'Maar er moet een testament zijn!'

Leisl schudde haar hoofd. 'Hij lijkt heel erg zeker van zijn zaak.'

'Maar als er geen testament is, hoe kom ik dan aan geld?'

'Hij zegt dat je een baan moet zoeken.' Een stilte terwijl Leisl naar de stem in haar hoofd luisterde. 'Of met een rijke vent moet trouwen. Dat is belachelijk,' voegde ze er zelf aan toe.

Mackenzies gebruinde gezicht kleurde donkerrood. 'Zeg maar dat hij een dronken klootzak is die niet weet waar-ie het over heeft. Ik wil oudtante Morag spreken! Zij weet het wel.'

Leisl bleef met gesloten ogen zitten.

'Ik wil oudtante Morag spreken!' beval Mackenzie, alsof Leisl haar persoonlijke assistent was.

Ik had met Leisl te doen. Ze gaf dingen door die mensen niet wilden horen, en hoewel de boodschappen naar verluidt ergens anders vandaan kwamen, leek zij de schuld te krijgen.

'Hij is weg,' zei Leisl. 'En er komt niemand meer door.'

'Dit is bullshit,' riep Mackenzie. Ze snoof verontwaardigd en zei nog dat ze eigenlijk in de Hamptons had moeten zijn – ik wist het! – maar dat ze hier kwam om haar familie te helpen en...

'Sst,' zei Juan-met-de-pommade. 'Een beetje respect.'

Mackenzie sloeg haar hand voor haar mond. 'O, wat erg, sorry.' Toen daalde haar stem tot een fluistertoon. 'Sorry. Sorry, Leisl.'

Leisl bleef roerloos zitten. Ze had haar ogen al een tijdje niet geopend.

'Anna,' zei ze langzaam. 'Iemand wil je spreken.'

In een oogwenk glinsterde mijn voorhoofd van het zweet.

'Het is een man.'

Ik sloot mijn ogen en balde mijn vuisten. Alsjeblieft, o, alsjeblíéft.

'Maar het is niet je echtgenoot. Het is je grootvader.'

Altijd maar die grootouders!

'Hij zegt dat hij Mick heet.'

Mijn reet! Ik had geen grootvader die Mick heette. Maar wacht even, dacht ik, en mams vader dan, de echtgenoot van die vreselijke oma Maguire? Hoe heette hij? Ik herinnerde me hem niet omdat...

'Je hebt hem nooit gekend. Hij zegt dat hij vlak na je geboorte is overleden.'

Alle kleine haartjes op mijn armen gingen overeind staan, en de rillingen liepen over mijn rug. 'Dat klopt. Jezus. Is hij Aidan al tegengekomen? Daarboven? Of waar ze ook zijn?'

Leisl fronste haar wenkbrauwen en drukte haar vingers tegen haar slapen. 'Het spijt me, Anna, er komt iemand anders door, een vrouw. Ik raak hem kwijt.'

Ik wilde opspringen, haar hoofd vastgrijpen en roepen dat ze hem in godsnaam terug moest roepen en hem als-je-blieft naar Aidan moest vragen.

'Sorry, Anna, hij is er niet meer. De vrouw met de stok is terug, de kwade vrouw van vorige week, die het over je hond had.'

Oma Maguire? Ik had geen zin om met die oude heks te praten. Zij was waarschijnlijk degene die opa Mick had weggejaagd. De woorden waren mijn mond al uit voordat ik besefte dat ik ze zou zeggen: 'Zeg maar dat ze kan oprotten!'

Leisl kromp ineen, en toen nogmaals. 'Ze heeft een boodschap voor je.'

'Wat?'

'Ze zegt: "Rot zelf lekker op."'

Ik was sprakeloos.

'Sjonge.' Leisl zag er ontdaan uit.

Er hing een hoogst ongemakkelijke sfeer in de ruimte.

'Het spijt me heel erg,' zei Leisl. 'Dit is een vreemde dag. Normaal is dit een vreedzame plek. Veel boze energie vandaag. Zullen we ermee ophouden?'

We besloten verder te gaan, en de rest van de berichten, van Nicholas' vader, Steffi's moeder en de echtgenoot van Fran, veroorzaakten geen commotie.

Toen was het tijd, de Oklahoma-jongens hadden het zaaltje nodig. In de gang schoot ik Mitch nog even aan.

'Heel erg bedankt hiervoor.' Ik wees naar het stukje papier. 'Vind je het erg... mag ik je wat vragen over je sessie met Neris? Waardoor raakte je er bijvoorbeeld van overtuigd dat zij oprecht was?'

'Ze wist persoonlijke dingen die niemand anders kon weten. Trish en ik hadden bijnamen voor elkaar.' Hij glimlachte enigszins opgelaten. 'En Neris wist wat die waren.'

Dat klonk overtuigend.

'Zei Trish waar ze was?' Het begon een obsessie te worden: waar was Aidan?

'Ik heb het haar gevraagd, en ze zei dat ze het niet kon beschrijven op een manier die ik zou begrijpen. Ze zei dat het er niet zozeer om ging wáár ze was, maar meer om wát ze was geworden. Maar dat ze altijd bij me was. Ik vroeg haar of ze bang was, en ze zei van niet. Ze zei dat ze verdriet om me had, maar dat ze gelukkig was waar ze nu was. Ze zei dat ze wist dat het moeilijk was, maar dat ik haar niet langer moest zien als een onderbroken leven. Haar leven was afgerond.'

'Wat was... wat was er met Trish gebeurd?'

'Hoe ze is overleden? Een slagadergezwel. Op een vrijdagavond kwam ze thuis van haar werk, net als altijd. Ze was lerares, ze gaf Engels. Rond een uur of zeven zei ze dat ze duizelig en misselijk was, om acht uur was ze in coma, en om halftwee 's nachts stierf ze op de intensive care.' Hij zweeg even. Net als Aidan was Trish jong en onverwacht overleden. Geen wonder dat ik zo'n tastbare band met Mitch had gevoeld.

'Niemand had het kunnen voorkomen. Het had niet tijdens een onderzoek boven water kunnen komen. Ik kan er nog steeds niet bij.' Hij klónk ook verbijsterd. 'Het is allemaal zo snel gegaan. Te snel om te kunnen geloven. Snap je wat ik bedoel?'

Nou en of. 'Hoe lang is het geleden?'

'Bijna tien maanden. Aanstaande dinsdag tien maanden. Maar goed.' Hij zwaaide zijn sporttas over zijn schouder. 'Ik ga naar de sportschool.'

Hij zag eruit alsof hij vaak naar de sportschool ging. Zijn schouders en bovenlichaam hadden een gebalde kracht, alsof hij aan gewichtheffen deed. Misschien was het zijn manier om ermee om te gaan.

'Veel succes met Neris,' zei hij. 'Tot volgende week.'

21

Zodra ik thuis was, toetste ik het nummer van Neris Hemming in, maar ik kreeg een bericht dat hun kantooruren doordeweeks van negen tot zes waren. Ik gooide de telefoon neer, en in een opwelling van ijskoude woede riep ik uit: 'O, Aidan!'

Ik barstte in snikken uit, schokkend van frustratie, machteloosheid en een enorm verlangen.

Een paar minuten later veegde ik mijn gezicht af en zei deemoedig: 'Het spijt me.'

Ik zei: 'Het spijt me' tegen elke foto van Aidan in het hele huis. Het was niet zijn schuld dat Neris Hemmings kantoor op zondag gesloten was. En omdat het dit weekend een feestdag was, zouden ze maandag ook wel niet open zijn.

Ik besloot om dinsdag vanaf mijn werk te bellen. Ik was zo bang dat ik het nummer zou kwijtraken dat ik het opschreef op naar ik hoopte onverwachte plekken, voor het geval er zou worden ingebroken door een dief die het had voorzien op het nummer van Neris Hemming. Ik voerde het in in mijn organizer, ik schreef het op een bonnetje en verstopte dat in mijn ondergoedla, ik schreef het op het schutblad van *Ik kom nooit meer terug* (nooit meer terug? Dat zouden we nog wel eens zien!) en ik wilde het schrijven in de deksel van een heel oude beker Ben and Jerry's Chunky Monkey, maar de pen weigerde dienst op het gladde, koude karton, dus daarom zette ik de beker maar weer terug in het vriesvak.

Wat nu?

Ik verzamelde de moed om Aidans ouders te bellen. Dianne had gebeld toen ik er niet was. Op de een of andere manier – geen idee hoe het was ontstaan, want ik wilde het helemaal niet – was het gewoonte geworden dat ze me in het weekend belde. Ik toetste het nummer in, kneep mijn ogen stijf dicht en smeekte inwendig: neem niet op, neem niet op, o, neem alsjeblieft niet op. Maar Dianne nam verdomme wel op. Ze slaakte een zucht. 'O, Anna.'

'Hoe gaat het met je, Dianne?'

'Niet zo goed, Anna. Ik ben behoorlijk depressief. Ik zat aan Thanksgiving te denken.'

'Maar het is nog maar juli, en Thanksgiving is in november!'

'Ik wil het dit jaar overslaan. Eigenlijk wil ik gewoon weg, in mijn eentje, ergens naartoe waar ze niet aan Thanksgiving doen. Thanksgiving vier je met je familie. Ik zou het niet kunnen verdragen.'

Ze begon zachtjes te huilen. 'Het verlies van een kind is een ondraaglijk verdriet. Jij komt nog wel iemand anders tegen, Anna, maar mijn kind krijg ik nooit meer terug.'

Dit gebeurde wel vaker. Ze deed net alsof het een wedstrijdje was wie het meeste verdriet had. Wie heeft er meer recht op om helemaal onder verdriet gebukt te gaan? De moeder of de echtgenote?

'Ik kom niet iemand anders tegen,' zei ik.

'Maar het zou wel kunnen, Anna. Het zóú kunnen. Dat bedoel ik nou.'

'Hoe gaat het met meneer Maddox?' Ik kon niet aan hem denken onder zijn voornaam.

'Hij gaat ermee om zoals hij met alles omgaat. Hij begraaft zich in zijn werk. Ik zou nog meer emotionele steun van een kind van drie krijgen.' Ze lachte, en dat klonk nogal eng. 'Weet je, ik zit er zo'n beetje doorheen.'

Ik wist wat ze zou gaan doen. Ze zou naar een kuuroord voor vrouwen gaan, waar ze allemaal naakt rondlopen, elkaar met blauwe verf beschilderen, vrouwelijke godheden aanbidden en trots zijn dat hun tieten op hun navel hangen. Als ze niet bij het licht van de volle maan op een open plek dansen, steken ze wel de draak met mannen. En wanneer ze terugkwam in Boston, zou ze haar grijze haren niet meer laten bijkleuren en weigeren nog maaltijden voor meneer Maddox te bereiden. Ze zou zelfs een Harley kunnen kopen en haar haar laten afscheren. Dan kon ze mooi meerijden met de motorlesbo's in een parade van Gay Pride.

'Ik moet ophangen, Dianne. Pas goed op jezelf. We hebben het een andere keer wel over de as.' Daar hadden we nog steeds geen oplossing voor.

'Ja,' reageerde ze vermoeid. 'Oké.'

Klaar voor deze week! Wat een opluchting! Met een heerlijk licht gevoel belde ik mam. Ik wilde weten of ik inderdaad een opa had die Mick heette. Stel dat dat zo was? Betekende dat dat Leisl een echt medium was? Ik wist al dat ze berichten voor de anderen doorkreeg – maar ze was op de hoogte van hun achtergrond, ze wist wat ze graag wilden horen.

Maar over mij wist ze nagenoeg niets. Goed, erg lastig kon het niet zijn om in een Ierse familie iemand aan te treffen die Mick heet. Had ze het geraden? Maar het was moeilijker te verklaren hoe ze wist dat ik hem nooit had gekend... Of had ze dat ook geraden?

Mam nam op met een ademloos: 'Hallo?'

'Met mij, Anna.'

'Anna. Lieverd! Wat is er?'
'Niks. Ik wilde gewoon even een babbeltje maken.'
'Een babbeltje?'
'Ja. Dat is toch niet zo raar?'
'Iedereen weet toch dat we zondagavond rond deze tijd naar *Midsomer Murders* kijken? Niemand belt ons dan.'
'Sorry, dat wist ik niet. Oké, dan bel ik later nog wel.'
'Nee, nee, niet ophangen. Deze aflevering hebben we al eens gezien.'
'O, oké. Eh... herinner je je de echtgenoot van oma Maguire nog?'
Ze zweeg even. 'Mijn vader, bedoel je?'
'Ja! Sorry mam, ja, inderdaad. Hoe heette hij? Michael? Mick?'
Weer een korte stilte. 'Waarom wil je dat weten? Waar ben je mee bezig?'
'Niks. Was het Mick?'
'Ja.' Het kwam er aarzelend uit.
Ik kreeg helemaal kippenvel. Jezus, Leisl had gelijk.
'En ik heb hem nooit gekend? Hij ging dood voordat ik werd geboren?'
'Twee maanden daarna.'
Ik gloeide over mijn hele lichaam. Dat kon Leisl niet zomaar hebben geraden. Maar als ze echt met de doden kon praten, waarom had Aidan dan nog niets gezegd?
'Waar ben je mee bezig?' vroeg mam achterdochtig.
'Nergens mee.'
'Wat spook je uit?' vroeg ze met stemverheffing.
'Niks, dat zei ik toch!'

22

Via een reeks ingenieuze leugens – ik had tegen Rachel gezegd dat ik naar Teenie ging, tegen Teenie had ik gezegd dat ik de dag zou doorbrengen met Jacqui, en ik zei tegen Jacqui dat ik iets met Rachel zou gaan doen – slaagde ik erin op Onafhankelijkheidsdag niet naar barbecues op dakterrassen te gaan en miste ik het vuurwerk. Ik vermaakte me intussen prima. Ik zat in het briesje van mijn airconditioning en keek naar herhalingen van *The Dukes of Hazzard*, *Quantum Leap* en *M*A*S*H*.

Ik vond het fijn, nee, héérlijk, om in ons appartement te zijn. Daar voelde ik me het meest met hem verbonden. God weet hoeveel moeite we ervoor hadden gedaan. Ik weet dat het een cliché is dat het moeilijk is om in Manhattan iets fatsoenlijks te vinden, maar het is een cliché omdat het waar is. Het hoogst bereikbare was een 'groot, licht en ruim appartement', maar je moest bloeden voor elke centimeter vloerplank en raam. Uiteindelijk namen de meesten genoegen met 'benauwd, donker hok, kilometers van een metrostation'.

Nadat Aidan en ik ons hadden verloofd, gingen we op zoek, maar het was onmogelijk. Na een paar vruchteloze weken liepen we op een avond langs het raam van een makelaar. Er hing een foto van een 'lichte, ruime loft'. Hij lag in een buurt die we leuk vonden, en, veel belangrijker nog, we konden het betalen.

Overtuigd dat deze loft ons lot was, belden we de volgende dag voor een bezichtiging. We waren binnen, dachten we. Eindelijk zouden we een huis hebben! We waren zo zeker van onze zaak dat we voor twee maanden aan huur meenamen. Je kon het ons niet kwalijk nemen dat we onszelf behoorlijk slim vonden.

'We worden een heel gewoon stel,' zei ik in de metro. 'Met een mooi appartement en vrienden die komen eten. En in het weekend gaan we op antiekjacht.' (Ik had slechts een vaag idee van wat 'antiekjacht' precies inhield, maar iedereen deed het.)

Toen we bij het appartement aankwamen, liepen er echter nog negen stellen rond. Het was er zo klein dat we er nauwelijks allemaal in pasten, en terwijl we met zijn twintigen korzelig tegen elkaar opbotsten en in de rij moesten staan om in kasten te kijken en de douche te inspecteren, keek de makelaar met een geamuseerd glimlachje toe. Na een tijdje klapte hij in zijn handen en vroeg om aandacht. 'Hebben jullie allemaal rond kunnen kijken?'

'Ja,' klonk het van alle kanten.

'Jullie vinden het allemaal prachtig, toch?'

Weer instemmend geroezemoes.

'Oké, we spreken het volgende af. Jullie zijn goed volk. Ik ga nu terug naar mijn kantoor, en het eerste stel dat daar aankomt met drie maanden huur, krijgt het.'

Iedereen verstijfde. Die vent bedoelde toch zeker niet... Maar jawel: het stel dat alle andere voor was en het snelst zevenenveertig straten verderop kon komen, kreeg het appartement.

Het was net een realityprogramma in het klein, en drie of vier mannen zaten al klem in de deuropening in hun haast om weg te komen.

Aidan en ik staarden elkaar vol afschuw aan: dit was walgelijk. En in een flits zag ik wat er op het punt stond te gebeuren: Aidan ging zich ook in het gewoel storten. Ik wist dat hij het niet wilde, maar voor mij was hij ertoe bereid. Voordat hij op de deur af stoof, drukte ik een hand tegen zijn borst en hield hem tegen.

Met een knikje naar het gedrang en met lippen die nauwelijks bewogen, zei ik: 'Ik woon nog liever in de Bronx.' (Wat betekende dat je net zo goed in de hel zou willen wonen.)

Er daagde een diepgaand besef. Net zo zachtjes antwoordde hij: 'Begrepen, sergeant.'

De ruimte was al leeg. De enige mensen die er nog waren, waren de makelaar en wij. De anderen probeerden al wanhopig een taxi aan te houden, stormden de trappen van het metrostation af, klaar om over de kaartautomaten te springen, of renden – nee, echt – zevenenveertig straten door.

'We gaan heeeeeel laaaaangzaam weg,' zei ik tegen Aidan.

'Over en uit.'

De makelaar merkte dat we treuzelden. Met een ruk keek hij op van zijn koffertje, wat hij daarin ook aan het doen was. Hij stond zich er waarschijnlijk in af te trekken, besloten we later. 'Hé! Ik zou maar opschieten als ik jullie was. Of willen jullie dit appartement niet?'

Aidan hield zijn blik vast en zei op treurige toon, alsof het hem heel erg speet: 'Niet zó graag, vriend.'

Weer op straat kreeg ik spijt van onze principiële houding. Op dat moment begon ik pas te beseffen dat we het appartement niet zouden krijgen. (In gedachten waren we er al in getrokken en hadden we een plant gekocht.)

Aidan kneep in mijn hand. 'Ik weet dat je de pest in hebt, lieverd. Maar we verzinnen wel iets. We gaan iets moois vinden.'

'Dat weet ik.'

Het was een merkwaardige troost om te weten dat Aidan en ik hetzelfde waren, dat we dezelfde waarden deelden.

'Wij hebben die killersmentaliteit niet,' zei ik.

Het was alsof ik hem een klap had gegeven. Hij deinsde achteruit. 'Het spijt me, lieverd,' zei hij.

'Nee,' zei ik. 'Nee. Ik vind dat vreselijk. Alleen het beste is goed genoeg. En mensen die een killersmentaliteit hebben, zijn meestal een beetje raar. Ze zijn altijd gespannen, kunnen niet relaxen.'

'Ja, en heb je gemerkt dat ze te snel eten?'

'Ze trouwen als ze tussen twee squashafspraken in "een gaatje" hebben.'

'En ze hebben een dwangmatige neiging om elke vier minuten visitekaartjes uit te wisselen.'

'En ze scheiden per mail.'

'Nee, sms.'

'Zo willen we toch niet zijn?'

Maar we moesten nog steeds ergens wonen.

'We moeten beter nadenken,' zei ik.

'Nee, we moeten slímmer nadenken. Ik heb een plan.'

Hij legde het uit: de volgende keer dat dezelfde makelaars een bezichtiging hadden van een plek die we ons konden veroorloven, zouden we voorbereid zijn met drie maanden huur op zak en een auto die we voor het huis zouden parkeren.

'We zorgen ervoor dat de vent ons vaak voorbij ziet lopen, vooral mij. En als hij bijna iedereen bijeenroept, doe ik alsof ik een telefoontje krijg en loop ik naar buiten om op te nemen. Zodra ik de deur uit ben, ren ik naar beneden, stap in en scheur naar zijn kantoor. Laten we hopen dat hij niet merkt dat ik er niet meer ben.'

'Maar als hij op kantoor aankomt, zit jij er al en ik nog niet,' zei ik. 'Moeten we niet als stel komen opdagen? Is dat niet tegen de regels?'

'Het zijn zíjn stomme regels, we kunnen niet gearresteerd worden als we ze breken of zo. Oké, even denken, even denken... ik weet het!' Hij knipte met zijn vingers. 'Als ik op zijn kantoor kom, zeg ik dat jij weg bent omdat je verpleegster bent, en dat onderweg een man een hartaanval kreeg en jij hem hebt geholpen. Ja,' knikte hij peinzend. 'Dat is mijn verhaal. We bezorgen hem zo'n schuldgevoel dat hij ons dat appartement wel móét geven.'

'Ik hoop dat je niet alsnog de killersmentaliteit krijgt,' zei ik geschrokken.

'Voor deze ene keer. We zien wel of het werkt.'

En vreemd genoeg werkte het.

Hoewel niet precies zoals we hadden gehoopt. De makelaar zei tegen Aidan: 'Ik weet dat je vals hebt gespeeld. Ik weet dat je liegt. Maar je hebt ballen, dat mag ik wel. Jullie mogen het hebben.'

'Ik voelde me bezoedeld,' zei Aidan na afloop opgelaten. 'Echt een beetje vies. "Je hebt ballen, dat mag ik wel." Ik ben afgezakt naar zijn niveau.'

'Ja, ja, dat is vreselijk,' zei ik. 'Maar we hebben een appartement! Een plek om te wonen! Je komt er wel overheen.'

23

'Met het kantoor van Neris Hemming.'

'Jezus, niet te geloven dat ik jullie eindelijk te pakken heb!' Ik was zo overdonderd dat ik aan één stuk door ratelde. 'Ik zit op mijn werk en ik heb al uren geprobeerd jullie te bereiken, maar ik kreeg steeds dat bericht. En zodra het negen uur was, kreeg ik de ingesprektoon, en het bleef maar in gesprek. Ik ben er nu zo aan gewend om op te hangen en opnieuw te bellen dat toen ik uw stem hoorde, ik per ongeluk bijna had opgehangen...'

'Mag ik je naam, schat?'

'Anna Walsh.'

Ik wist dat het stom was, maar ik had fantasietjes gehad over dat ze mijn naam zou horen en meteen zou zeggen: 'O, natuurlijk, Anna Walsh!' Vervolgens zou ze op haar bureau snuffelen in de stapels berichten van overledenen, en dan zeggen: 'Ja, ik heb hier een bericht van iemand die Aidan Maddox heet. Hij zegt dat het hem spijt dat hij zo plotseling is gestorven, maar hij is altijd bij je en wil dolgraag met je praten.'

'A-n-n-a W-a-l-s-h.' Ik hoorde haar op haar toetsenbord rammelen.

'U bent niet Neris zelf, hè?'

'Nee, ik ben haar assistente. Ik ben absoluut geen medium. Telefoonnummer en e-mailadres?'

Ik gaf ze op, zij herhaalde alles, en toen zei ze: 'We nemen contact met je op.' Maar ik wilde niet dat het gesprek zo zou aflopen; ik wilde iets horen, het maakte niet uit wat.

'Weet je, mijn man is dood.' De tranen biggelden over mijn wangen, en ik boog mijn hoofd zodat Lauryn het niet kon zien.

'Ja, schat.'

'Denk je echt dat Neris me met hem in contact kan brengen?'

'Ik zei toch dat je van ons zou horen?'

'Jawel, maar...'

'Leuk u gesproken te hebben.'

En toen hing ze op, en kwam Franklin eraan. Hij klapte in zijn handen om de meisjes bij elkaar te roepen voor de maandagochtendvergadering, ook al was het dinsdag.

Ik kreeg nog steeds veel aandacht in de pers. Dus kwam het nogal als een schok toen Ariella aan het hoofd van de tafel zei: 'Wat is er met jou, Anna?'

Shit. Ik was ervan uitgegaan dat ik ongemerkt opereerde. Effectief, maar niet zo effectief dat Ariella er iets van kon zeggen.

Maar al die lange uren op het werk kwamen nu van pas. Ik kon een bevredigend antwoord geven: 'Ik werk momenteel aan een groot project. Candy Grrrl gaat naar de Superzaterdag in de Hamptons.'

Superzaterdag is een liefdadigheidsgebeuren waar veel beroemdheden zich laten zien, en waar veel over wordt geschreven. Het was begonnen door ontwerpsters als Donna Karan die er hun kleding verkochten, en was uitgegroeid tot hét evenement van Hampton. Het publiek (het publiek op de Hamptons, dus sowieso exclusief) moest toegangsgeld betalen – en niet zo weinig ook, iets van zevenhonderd dollar – en zodra je binnen was, kon je voor een habbekrats designerkleding kopen. Er werden ook dingetjes weggegeven, je kon een schoonheidsbehandeling krijgen, er werden spullen verloot en bij het weggaan kreeg je nog een tas vol toffe cadeautjes mee.

'Onze kraam wordt twee keer zo groot als die van vorig jaar. We geven strandtassen van Candy Grrrl weg, en let op: Candace komt in hoogst eigen persoon om de make-overs te doen. Dat alleen al moet mensen lokken.'

Daar had Ariella niet van terug, dus richtte ze haar pijlen op Wendell: 'Jij doet ook mee aan Superzaterdag? Komt er bij jou ook een wereldberoemd visagist?'

'Dokter De Groot komt,' zei Wendell.

Dokter De Groot was de dermatoloog voor Visage. Ik had nog nooit zo'n stokoud mannetje gezien – eigenlijk was hij angstaanjagend – en hij nam zijn werk mee naar huis. We dachten allemaal dat hij zijn chemische peelings en restylane-injecties op zichzelf uitprobeerde. Misschien deed hij voor de badkamerspiegel ook wel eens iets aan plastische chirurgie. Hij glom en zijn gezicht stond strak en zag er vreemd scheef uit. Met mijn toegetakelde gezicht mag ik daar eigenlijk niets over zeggen, maar echt hoor, niemand die hem tegenkwam zou ooit nog Visage gebruiken.

'Het spook van de opera?' vroeg Ariella. 'Vraag hem dan wel een zak over zijn hoofd te trekken.'

Wendell knikte heftig. 'Oké.'

Ariella zakte in elkaar. Er was niemand meer om de huid vol te schelden; we kweten ons te goed van onze taken. 'Jullie kunnen nu wel gaan,' zei ze met een knikje. 'Gauw, wegwezen, ik heb het erg druk.'

Terug op de werkplek stond er een berichtje op de voicemail: 'Hoi, met Merrill Dando van Merrill Dando Productions. Zondag heb je Martine gespeeld voor onze productie *De zon komt nooit op*. We waren erg tevreden over je.'

Ik kreeg de rol!

'Maar niet tevreden genoeg om je de rol aan te bieden. We vonden dat je niet genoeg liet zien dat Martine echt wanhópig was.'

Mijn mond viel open. Hoe durfden ze! Als íémand wanhopig was, was ik het wel. Maar dit had niets met mijn wanhoop te maken; ik was afgewezen vanwege de littekens in mijn gezicht.

'We gaan door met een andere actrice, maar als ze tegenvalt, nemen we weer contact met je op.'

Ik had de rol niet echt gewild, maar hun kritiek op mijn wanhoop en de onuitgesproken kritiek op mijn gezicht maakten de dag er niet beter op. Maar toen ik thuiskwam, was er een mailtje gekomen, en plotseling brak de zon door de wolken.

Aan: Goochelassistente@yahoo.com
Van: Paranormale_producties@yahoo.com
Onderwerp: Neris Hemming

U heeft ons verzocht een persoonlijke afspraak met Neris Hemming te maken. Helaas heeft mevrouw Hemming het erg druk en is ze de komende paar maanden volgeboekt. Zodra de gelegenheid zich voordoet, zullen we contact met u opnemen voor een telefonisch gesprek van een halfuur. De kosten hiervan bedragen $2500. Betaling gaarne per creditcard.

Jemig, dat was een heel stuk duurder geworden sinds Mitch haar had gesproken. Niet dat dat ertoe deed. Ik was dolblij dat ze hadden gereageerd. Kon ik haar maar nu meteen spreken...

Aan: Paranormale_producties@yahoo.com
Van: Goochelassistente@yahoo.com
Onderwerp: Een paar maanden?

Wat bedoelt u met: *een paar maanden?*

Ik bedoel, het is zo vaag. Ik moet plannen maken, ik moet kunnen aftellen tot het moment waarop ik je eindelijk kan spreken.

Aan: Goochelassistente@yahoo.com
Van: Paranormale_producties@yahoo.com
Onderwerp: Re: Een paar maanden?

Meestal tussen de tien en twaalf weken, maar dit kan niet worden gegarandeerd. Het is slechts een schatting. Gelieve hier rekening mee te houden mocht u gerechtelijke stappen willen ondernemen.

Hè? Stapten mensen naar de rechter omdat ze Neris Hemming niet binnen de beloofde termijn konden spreken? Maar ik wist hoe wanhopig ikzelf was. Ik kon me voorstellen dat mensen over de rooie gingen als ze op een bepaalde dag met hun geliefde wilden praten en het niet doorging.

Er was een bijlage bij met juridisch jargon. Het kwam erop neer dat als je van Neris niet te horen kreeg wat je wilde, je haar daarvoor niet verantwoordelijk kon houden. En hoewel zij een afspraak zomaar mocht afzeggen, was jij je geld kwijt wanneer jij het liet afweten.

Er was ook een mailtje van Helen:

Aan: Goochelassistente@yahoo.com
Van: Lucky_star_PI@yahoo.ie
Onderwerp: Saaiheid

Eindelijk eens iets anders! Detta ging in de onpersoonlijke bmw naar Donnybrook om naar een foute kledingzaak te gaan. Je weet wel, zo'n boetiekje voor rijke dames op leeftijd. Met alleen maar een naam zoals Monique of Lucrezia, en met maar zestien kledingstukken in huis, en foute verkoopsters op leeftijd die zeggen: 'Deze lelijke, foute spullen zijn net aangekomen uit Italië. Zijn ze niet geweldig?' En: 'Dit geel zou je geweldig staan, Annette, het maakt je tanden nóg geler.'

Ik ging niet naar binnen, ik bleef buiten als een soort dakloze, ten eerste omdat de winkel te klein was en Detta me meteen zou hebben gezien, en ten tweede omdat wanneer je eenmaal in zo'n winkel staat en zonder iets te kopen weer wilt weggaan, ze je met een sluipschuttersgeweer in de rug schieten.

24

Vrijdag 9 juli, mijn verjaardag. Ik werd drieëndertig. Om het nog erger te maken, zat ik niet rustig thuis mijn ogen uit mijn hoofd te huilen, ik werd gedwongen 'een lekker avondje uit te gaan'.

Rachel wilde per se dat mijn eerste verjaardag zonder Aidan een heerlijke aangelegenheid zou worden: een geweldig restaurant met geweldige cadeaus met geweldige mensen die van me hielden. Het werd vast een vreselijke nachtmerrie.

Ik had haar gesmeekt er nog eens goed over na te denken. Ik herinnerde haar eraan hoeveel moeite ik had me onder de mensen te begeven. Het zou ondraaglijk zijn om ergens het middelpunt te zijn, maar ze was niet te vermurwen.

Ik was laat thuis van mijn werk. Jacqui zou me over tien minuten komen ophalen, en ik was in de verste verte nog niet klaar. Sterker nog: ik had geen idee waar ik moest beginnen. Tanden, besloot ik. Ik zou mijn tanden poetsen. Maar toen ik een tandenborstel oppakte, trok er een afschuwelijke pijnscheut door mijn arm, alsof ik onder stroom werd gezet. De pijn trok vervolgens door mijn ribben en mijn beenmerg. Ik had nog steeds artritis/reuma-achtige pijn, maar de afgelopen dagen waren daar die stroomstoten bijgekomen. De dokter had ook hierover gezegd dat het 'normaal' was, dat het allemaal deel uitmaakte van het rouwproces.

De bel ging. Ze was vroeg. 'Shit.' Ik smeet mijn tandenborstel in de wastafel.

Jacqui wierp een vluchtige blik op me en zei: 'Mooi, je bent klaar.'

Ik droeg mijn werkkleding nog (een roze ballerina-achtig rokje, roze hemdje, gaashandschoenen zonder vingers, en balletschoenen waarop bloemen waren geborduurd), maar aangezien mijn werkkleding feestelijker was dan de feestkleding van de meeste mensen, besloot ik dat het er wel mee door kon.

Terwijl de taxi zich een weg door het vrijdagavondverkeer baande, dacht ik: ik kom naar je toe. Je zult er vanavond zijn, je komt direct uit je werk naar het restaurant. Je zult je blauwe pak dragen en je das hebben afgedaan, en als Jacqui en ik binnenkomen, zul je naar me knipogen om te laten zien dat ik me netjes moet gedragen en eerst alle anderen moet begroeten, dat we elkaar niet direct kunnen aflebberen, maar die knipoog zal alles duidelijk maken. Die zal zeggen: wacht maar tot we thuis zijn... 'Hmmm?'

Jacqui had me iets gevraagd.

'Goeie zonnebrandcrème,' herhaalde ze. 'Op zijn minst factor 20. Steel je er eentje voor me?'

'Ja hoor, tuurlijk, wat je maar wilt.' Ik probeerde me weer terug te trekken in mijn gedachten. We zullen heel beleefd met iedereen een praatje maken, maar dan zul je iets kleins en intiems doen, iets wat ik met niemand hoef te delen – misschien loop je langs en wrijf je even zachtjes met je duim over mijn handpalm, of...

Jacqui had weer iets gezegd, en eventjes was ik geïrriteerd. Ik vond het zo fijn om in mijn gedachten te verdwalen dat ik het steeds moeilijker vond om met andere mensen te zijn. Hád ik eens fijne gedachten, dan zei altijd wel iemand iets waardoor ik terug werd gesleurd naar hun versie van de werkelijkheid, de versie waarin Aidan dood was.

'Sorry. Wat zei je?'

'We zijn er,' herhaalde ze.

'Inderdaad,' zei ik verbaasd.

Geflankeerd door Jacqui, als een gevangene met verlof, liep ik La Vie en Seine binnen, waar een hele groep mensen me opwachtte: Rachel, Luke, Joey, Gaz, Shake, Teenie, Leon, Dana, Dana's zus Natalie, Aidans oude huisgenoot Marty, Nell, maar godzijdank niet Nells eigenaardige vriendin. Ze stonden in een groepje, dronken champagne uit flûtes en toen ze me zagen, deden ze net alsof ze het niet in hun broek deden. Er klonk voorzichtig gejuich en iemand zei veel te vrolijk: 'Daar heb je de jarige jet.' Iemand anders reikte me een flûte aan, die ik in één keer achterover probeerde te slaan. Maar die gevallen zijn zo smal dat ik mijn hoofd helemaal naar achteren moest brengen. Het glas kleefde aan mijn gezicht en liet een volmaakte cirkel achter op mijn wang en over mijn neus.

Iedereen keek me lachend aan, en ik had geen idee wat ik eens zou kunnen zeggen. Dit was nog veel erger dan ik had verwacht. Ik had het gevoel dat ik midden in een woestijn stond, en iedereen steeds verder van me vandaan bewoog.

'Kom, we gaan zitten,' zei Rachel.

Aan tafel deden mijn kaken al snel zeer van het geforceerde lachen. Ik pakte een nieuw glas champagne – ik wist niet zeker of het van mij was, maar ik kon het niet laten – en dronk er zoveel mogelijk van zonder dat het zich weer aan mijn gezicht zoog. Tot dat moment had ik me ingehouden met drinken, ik was bang dat ik het veel te lekker zou vinden. Het zag ernaar uit dat ik gelijk had gehad.

Terwijl ik de kleverige champagne van mijn kin veegde, besefte ik dat naast me een ober geduldig stond te wachten totdat hij me een menu kon overhandigen. 'O jezus, sorry, bedankt,' mompelde ik, terwijl ik dacht: gedraag-je-normaal, gedraag-je-normaal.

Jacqui vertelde me hoe moeilijk het was om aan een labradoedel te komen, er waren er maar heel weinig van en ze werden inmiddels verkocht op de zwarte markt. Er waren er zelfs een stel ontvoerd en doorverkocht. Ik probeerde bij de les te blijven, maar Joey zat schuin tegenover haar en zong 'Uptown Girl', waarbij hij de tekst veranderde in hatelijke opmerkingen over Jacqui. '*Wannabe girl, she only hangs around with the rich and famous, she wishes she lived in Trump Towers, so her and Donald could be best buddies ...*'

Hij was heel vervelend – niets nieuws onder de zon – maar vanavond maakte hij er echt ongelooflijk veel werk van. Gewoonlijk kon je Joey met geen mogelijkheid overhalen te zingen. Toen viel het kwartje opeens... o jezus, hij viel op Jacqui.

Had ik iets gemist?

Jacqui slaagde er uitstekend in hem te negeren, maar hij werkte me op de zenuwen en ik vroeg hem of hij kon ophouden.

'Wat? O, sorry hoor.'

Ik kon heel veel maken: iedereen moest aardig tegen me zijn. Ik wist niet hoe lang dat zou duren, dus moest ik er zoveel mogelijk van profiteren.

'Het is mijn stem, hè?' vroeg Joey. 'Toondoof, altijd al geweest. Ze vragen je toch wel eens welke superkrachten je zou willen hebben? Dan zegt iedereen altijd dat ze onzichtbaar willen zijn. Ik zou willen dat ik kon zingen.'

Mijn blik werd getrokken door een mooie, jonge vrouw aan het tafeltje naast ons. Ze was heel erg New Yorks: keurig verzorgd en gekleed, met glanzend, geföhnd haar. Ze lachte en praatte geanimeerd met haar tafelgenoot, die er nogal saai uitzag. Haar glimmende nagels flitsten heen en weer om haar woorden te benadrukken. Ik zag haar shirt op en neer gaan terwijl ze inademde en uitademde. En toen nog eens. En toen nog eens. En toen nog eens. En toen nog eens. En toen nog eens. En toen nog eens. En toen nog eens. En toen nog eens. En toen nog eens. En toen nog eens. Ze haalde adem. Bleef in leven. En op een dag zou ze niet meer ademhalen. Op een dag zou er iets gebeuren en zou haar borstkas niet meer op en neer gaan. Dan zou ze dood zijn. Ik dacht aan al het leven dat plaatsvond onder haar huid: haar hart dat pompte en haar longen die omhoogkwamen en al haar bloed dat stroomde, en wat veroorzaakt dat en wat maakt dat het ophoudt...

Langzaam maar zeker besefte ik dat iedereen me aanstaarde.

'Gaat het, Anna?' vroeg Rachel.

'Eh...'

'Je zat zó naar die vrouw te staren.'

Jezus, ik begon mijn greep op de werkelijkheid te verliezen. Wat moest ik zeggen? 'Ja... ik vroeg me af of ze gebotoxt is.'

Iedereen draaide zich om en staarde naar haar.

'Tuurlijk.'

Ik voelde me vreselijk. Niet alleen omdat ik zeker wist dat ze geen botox had gehad – daar praatte ze veel te geanimeerd voor – maar ook omdat ik duidelijk nog niet fit genoeg was om uit te gaan.

Gaz kneep zachtjes in mijn schouder. 'Drink nog wat.' En ik besloot dat ik dat inderdaad zou doen. Iets sterks.

Toen mijn martini kwam, zei Gaz bemoedigend: 'Je doet het goed. Je doet het geweldig.'

'Weet je, Gaz?' zei ik, na een slok die hitte door mijn lijf deed gieren. 'Volgens mij doe ik het helemaal niet geweldig. Ik heb het... gevoel... dat ik door het verkeerde uiteinde van een telescoop naar de wereld kijk. Heb je je ooit zo gevoeld? Nee, geef maar geen antwoord. Je bent zo aardig, je zegt gewoon dat je inderdaad weet hoe dat is. Ik zal je vertellen hoe het voelt. Meestal, niet alleen vanavond, hoewel het vanavond heel erg is, voelt het alsof er aan mijn blik op de wereld is gerommeld, zodat iedereen veel verder weg lijkt. Snap je?' Ik nam nog een grote slok van mijn martini. 'De enige momenten waarop ik me min of meer normaal voel, zijn op mijn werk, maar dat komt omdat ik daar niet mezelf ben, daar speel ik een rol. Ik zal je vertellen wat ik dacht toen ik naar die mooie vrouw keek. Ik dacht dat we op een dag allemaal dood zullen zijn, Gaz. Zij, ik, Rachel, Luke, jij Gaz, ja, jij ook. Ik pik jou er niet speciaal uit, Gaz, dat moet je echt niet denken, je weet hoe dol ik op je ben, ik wil alleen maar even zeggen dat je op een dag dood zult zijn. En misschien duurt het geen veertig jaar meer, of waar je ook van uitgaat. Het kan zomaar opeens voorbij zijn, Gaz.' Ik probeerde met mijn vingers te knippen, maar het lukte me niet. Zou ik al dronken zijn? 'Ik wil niet zwartgallig zijn en zeggen dat je elk moment dood kunt neervallen, Gaz, maar het is wel waar. Ik bedoel, kijk maar naar Aidan, hij is dood en hij was jonger dan jij, Gaz, een paar jaar jonger. Als hij dood kan gaan, kunnen wij dat ook, jij ook. Niet dat ik zwartgallig wil zijn, Gaz.'

Ik herinner me vaag dat hij me wanhopig aankeek terwijl ik maar bleef doorzaniken. Ik keek naar mezelf, alsof ik buiten mijn lichaam zweefde, maar ik kon niets doen om mezelf het zwijgen op te leggen. 'Ik ben drieëndertig, Gaz, ik ben vandaag drieëndertig geworden en mijn echtgenoot is dood en ik neem nog een martini, want als je geen martini kunt nemen als je echtgenoot dood is, wanneer dan wel?'

Zo ging ik nog een tijdje door. Ik merkte min of meer dat Gaz en Rachel een blik wisselden, maar pas toen Rachel opstond en overdreven vrolijk zei: 'Ik kom even bij je zitten, Anna, ik heb je de hele avond nog nauwelijks gesproken,' besefte ik dat iedereen medelijden met me had en elkaar bijna steekpenningen toestak om maar niet naast me te hoeven zitten.

'Het spijt me, Gaz.' Ik greep zijn hand vast. 'Ik kan er niks aan doen.'

'Hé. Je hoeft nergens spijt van te hebben.' Teder drukte hij een kus op mijn hoofd, maar toen rénde hij bijna weg. Een paar tellen later zat hij aan de bar en sloeg in een snelle teug een amberkleurig drankje achterover. Zijn glas raakte het gepolijste hout, hij zei met klem iets tegen de barkeeper, en het glas werd bijgevuld met de amberkleurige vloeistof, die weer in één enkele slok naar binnen ging.

Niemand hoefde me te vertellen dat de amberkleurige drank Jack Daniel's was.

25

Zaterdagochtend werd ik wakker met een afschuwelijke kater. Ik was rillerig, huilerig en alles deed pijn. De reumatiekachtige pijn was veel erger dan anders, en door de stekende pijnscheuten leek het alsof mijn botten in brand stonden.

Ik had ook vreselijke dorst.

Oude gewoontes zijn hardnekkig. Ik wilde Aidan aanstoten en zeggen: 'Als jij opstaat en een cola light voor me haalt, blijf ik voor altijd je vriendinnetje.'

Beelden van de vorige avond spookten door mijn hoofd – beelden van mensen die ik apart nam, en lange monologen die ik hield over sterfelijkheid – en ik kromp ineen van schaamte.

Heel even vermengde die schaamte zich met opstandigheid. Ik had Rachel toch gezegd dat ik het nog niet aankon, zoveel mensen om me heen? Ik had haar gewaarschuwd. Maar de schaamte kreeg de overhand, en er was niemand om te zeggen dat ik mezelf niet voor gek had gezet, dat het allemaal eigenlijk wel meeviel...

Hij was altijd zo aardig tegen me wanneer ik een kater had.

'Ik wou dat je hier was,' zei ik tegen het niets. 'Ik mis je heel erg. Ik mis je echt heel, heel, heel, heel, heel, heel erg.'

In al die tijd sinds hij was gestorven, had ik me niet zo eenzaam gevoeld, en de herinnering aan wat ik precies een jaar geleden had gedaan, was bijna ondraaglijk. Ik had zo'n fijne verjaardag gehad.

Een paar weken voor mijn verjaardag had hij gevraagd hoe ik het wilde vieren, en ik had geantwoord: 'Laten we weggaan. Een verrassing. Maar wel ergens waar geen cosmetica zijn, en ook geen antiekwinkeltjes.'

'Hou je niet van antiekwinkeltjes?' Hij klonk echt verbaasd, en dat kon ik me voorstellen. We waren twee keer op zondag antiekwinkeltjes buiten de stad af geweest, waar het krioelde van de stelletjes zoals wij.

'Ik heb mijn best gedaan.' Ik liet mijn hoofd hangen. 'Ik heb echt mijn best gedaan, maar ik zie liever strakke, moderne dingen in plaats van stinkende oude jukken met houtwurm. O,' voegde ik er nog aan toe, 'ik wil niet te ver weg van New York. Ik wil niet in de file staan.'

'Begrepen. Over en uit.'

Een paar weken later, op de dag voor mijn verjaardag, haalde hij me in een limousine van mijn werk (geen extra lange, gelukkig, maar een gewone limousine) en deed zo geheimzinnig over waar we naartoe zouden gaan dat hij me zelfs blinddoekte. We reden eindeloos lang door, ik dacht dat we al wel in New Jersey zouden zitten. Plotseling werd ik bang dat we naar Atlantic City zouden gaan en greep ik zijn arm beet.

'We zijn er bijna, lieveling.'

Maar toen hij me de blinddoek afdeed, waren we nog steeds in New York, zo'n twintig straten verwijderd van ons huis, om precies te zijn. We stonden voor een cool hotel in SoHo, met een kuurcentrum, en een restaurant waarvoor je drie maanden van tevoren moest reserveren – tenzij je hotelgast was, dan was er wel gewoon plaats. Ik had er vier maanden geleden een nieuw product gelanceerd, en thuis had ik hoog opgegeven van het mooie hotel. Ik had er graag eens willen logeren, maar dat was natuurlijk onmogelijk omdat ik er zo dichtbij woonde.

Toen ik uitstapte, werd ik bijna misselijk van opwinding. 'Hier wilde ik nou het liefst van alles zijn!' riep ik uit. 'Maar dat besef ik nu pas.'

'Fijn. Goed om te horen.' Hij klonk gewoon, maar hij zag eruit alsof hij wel van trots uit elkaar kon barsten.

We aten in het geweldige restaurant, en de volgende twee dagen bleven we in bed. We kwamen alleen tussen onze dure lakens vandaan om even naar Prada te gaan. (Ik had besloten om maar niet van het kuurcentrum te genieten omdat de kans bestond dat ze me daar schoonheidsproducten wilden aansmeren.) Het was allemaal als een sprookje geweest.

En moet je nou eens kijken...

Ik was de afgelopen avond dan wel dronken geweest, maar ik had wel gemerkt dat de sfeer aan tafel niet goed was. Ze is nog net zo erg als anders, hadden ze allemaal gedacht. Misschien nog wel erger. Gek, je zou toch denken dat ze er na vijf maanden wel een beetje overheen zou zijn gekomen...

Had ik er misschien na vijf maanden een beetje overheen moeten zijn? Leon was een heel stuk opgeknapt. Hij was vrolijker en hoefde niet voortdurend te huilen wanneer hij bij me in de buurt was. Maar *híj* had Dana, *híj* was niet alles kwijt.

Er kwam nog een beeld van de vorige avond bij me op: ik stond met Shake te praten over de voorrondes van de volgende luchtgitaarkampioenschappen.

'Ga ervoor,' had ik hem aangemoedigd. 'Ga er helemaal voor,

met elke vezel in je lijf, Shake. Want morgen kun je wel dood zijn. Of zelfs vanavond al.'

Hij had met zijn hoofd en zijn haar geschud, maar toen ik het over zijn naderende dood had, was hij gauw weggegaan.

Rachel had ervoor gezorgd dat ik me onder de gasten mengde en niet te lang met iemand praatte om de feestelijke stemming niet te verstoren. Maar ik denk toch dat ik iedereen een beetje in paniek had gebracht, want na het eten, toen we buiten stonden te overleggen wat we zouden gaan doen, staken de Echte Mannen nogal aangeschoten hun vuist in de lucht en brulden dat de nacht nog jong was, en dat ze gingen scrabbelen totdat de zon opkwam. Zelfs de kleine Leon brulde tegen de nachtelijke hemel. Ze waren naar de maan aan het huilen, ze wilden het leven ten volste leven.

'Ik heb ze bang gemaakt,' zei ik hardop. 'Aidan, ik heb ze bang gemaakt.' Plotseling leek het allemaal erg grappig – en vertroostend. Hij en ik deden dit samen. 'Wij hebben ze bang gemaakt.'

Wie weet wat ze allemaal hadden uitgespookt; ik was niet gebleven om het mee te maken. Met mijn armen vol feestelijk ingepakte geurkaarsen – werkelijk iedereen had me een geurkaars gegeven – was ik er stilletjes tussenuit geknepen, licht in het hoofd maar ook dankbaar dat ik de scène ontliep van 'rouwende vrouw gaat eerder weg'.

Het was te vroeg om iemand te bellen en te vragen wat ik had gemist, dus ging ik weer slapen – dat komt zelden voor (misschien moet ik eens vaker een kater hebben) – en toen ik wakker werd, voelde ik me een heel stuk beter. Ik zette de computer aan. Er was een mailtje van mam.

Aan: Goochelassistente@yahoo.com
Van: Familiewalsh@eircom.net
Onderwerp: Gefeliciteerd!

Lieve Anna,

Ik hoop dat het goed met je gaat en dat je een fijne verjaardag had. Ik weet nog dat je drieëndertig jaar geleden werd geboren. Alweer een meisje, zeiden we. Het is jammer dat je niet hier bent. We hebben toch taart gegeten. Chocoladetaart. Er was een markt om geld in te zamelen voor de renovatie van het protestantse kerkgebouw, en hoewel ik hen niet wil aanmoedigen, kan ik niet ontkennen dat ze lekkere taarten kunnen bakken.

Liefs van je moeder,

Mam

PS Als je Rachel ziet, zeg haar dan dat geen een van mijn zussen – echt geen een! – ooit van sugarsnapboontjes heeft gehoord.

PPS Is het echt waar dat Joey een beetje verkikkerd is op Jacqui? Iemand (Luke) heeft me verteld dat er een beetje 'wrijving' was ontstaan op je verjaarsfeestje. Is het echt waar dat Joey een van haar A's heeft gepikt met scrabbelen en die in zijn broek heeft gestoken? En dat hij toen zei dat als ze de A terug wilde, ze wist waar ze die kon vinden? Ik weet niet of Luke me voor de gek houdt of niet.

PPPS Zat die A in zijn broek of in zijn onderbroek? Want als de A in zijn onderbroek zat, hoop ik dat hij die naderhand nog heeft afgespoeld. Het is daar een broeinest van bacteriën. Je weet nooit wat je ervan zou kunnen krijgen. Vooral van Joey. Hij is erg actief.

Jezus, Aidan, wat hebben we allemaal gemist, dacht ik.

Ik staarde een tijdje naar het scherm, en toen belde ik Rachel.

'Ik heb een e-mail van mam gekregen.'

'O ja? Als het over die sugarsnaps gaat…'

'Nee, het ging over Joey en…'

'Jezus, hij ging echt over de schreef! Hij legde steeds woorden zoals "seks" en "geil", en dan keek hij Jacqui betekenisvol aan. Sinds wanneer vindt hij haar leuk?'

'Geen idee. Ik zou het niet weten. Raar, hoor. Mam zegt dat hij een A van Jacqui heeft gepikt en die in zijn onderbroek heeft gestopt.'

'Nee, dat is niet waar.'

'Waarom denkt ze dan dat hij…'

'Het was een J. Die is acht punten waard.'

'En toen?'

'Toen zei hij dat als ze hem terug wilde, ze wist wat haar te doen stond. En het siert haar dat ze haar mouwen opstroopte, zocht en hem eruit viste.'

Aan: Familiewalsh@eircom.net
Van: Goochelassistente@yahoo.com
Onderwerp: A in de broek?

Nee, Joey had geen A van Jacqui gepikt en die in zijn broek gestopt en gezegd dat als ze hem terug wilde, ze wist waar ze moest zoeken. Hij pikte een J, stopte die in zijn broek en zei dat als ze hem terug wilde, ze wist waar ze moest zoeken.

Liefs,
Anna

PS Het was in zijn onderbroek, niet gewoon in zijn broek.

PPS Ze heeft hem eruit gevist.

PPPS Ik weet niet of ze hem heeft afgespoeld.

Aan: Goochelassistente@yahoo.com
Van: Familiewalsh@eircom.net
Onderwerp: J in de broek

Je vader is erg van streek. Hij las per ongeluk je laatste mailtje omdat hij dacht dat dat voor hem bestemd was. (Maar wie mailt hem nou ooit?) Hij zegt dat hij Jacqui nooit meer recht in de ogen kan kijken. Hij is zichzelf niet, dat ligt aan het weer en dat gedoe met die hond.
Liefs van je moeder,
Mam

PS Dus ze heeft die J er echt uit gevist? Dan is ze potiger dan ik dacht. Ik zou het ook wel kunnen omdat ik vroeger gewend was de buikholte van kalkoenen leeg te halen, maar niet iedereen kan het.

Ik pakte de telefoon op. Ik móést Jacqui spreken. Het was ongelooflijk: Jacqui en Joey? Maar ik kreeg het antwoordapparaat. Shit!

'Waar ben je? Lig je met Joey tussen de lakens? Nee toch zeker? Bel me gauw!'

Ik sprak hetzelfde bericht in op de voicemail van haar mobieltje. Daarna ijsbeerde ik nagelbijtend rond om de tijd te doden. En toen kwam ik tot de ontdekking dat ik tien nagels had om te bijten. Ik had er zeker even niet op gelet, maar die twee nagels waren teruggegroeid.

Om vijf over vijf 's middags kwam Jacqui eindelijk boven water.

'Waar was je nou?' vroeg ik.

'In bed.' Ze klonk slaperig en zwoel.

'Wiens bed?'

'Het mijne.'

'Ben je alleen?'

Ze lachte en zei toen: 'Ja.'

'Echt?'

'Echt.'

'Ben je de hele nacht alleen geweest?'

'Ja.'

'En de hele dag?'

'Ja.'

Achteloos vroeg ik: 'Was het leuk gisteravond?'

'Jawel.'

Nog achtelozer vroeg ik: 'Vind je niet dat Joey een beetje op Jon Bon Jovi lijkt?'

Ze begon hard te lachen. Maar interessant genoeg gaf ze geen antwoord.

'Ik kom naar je toe,' zei ze.

Ze kwam met een witte broek waar de pijpen van waren afgeknipt (Donna Karan) en een piepklein wit T-shirt (Armani), waardoor je goed kon zien dat ze lange gebruinde armen en benen had, en over haar schouder had ze een blauwmetallic tasje van Balenciaga waar je ongeveer een maand huur voor zou moeten neertellen (cadeautje van een dankbare klant). Haar haar zat nog in de war alsof ze net uit bed kwam, en het leek erop dat ze haar make-up niet had verwijderd, maar dat stond juist wel leuk. Door de uitgelopen mascara en oogschaduw kreeg ze extra grote, dwingende ogen. Ze zag er echt uit als een strijkplank. Niet opgezet, uiteraard.

Dat zei ik tegen haar. Ja, ook dat van de strijkplank. Want als ík het niet zei, zou zij het wel doen.

Ze haalde haar schouders op over de loftuitingen. 'Aangekleed zie ik er nog wel oké uit, maar als je me voor de eerste keer in slipje en beha ziet, kun je behoorlijk schrikken.'

'Wie gaat je dan voor de eerste keer in slipje en beha zien?' vroeg ik.

'Niemand.'

'Helemaal niemand?'

'Nee.'

'Oké. Laten we pizza gaan eten.'

'Goed idee.' Even aarzelde ze. 'Maar eerst moet ik even bij Rachel en Luke langs. Ik heb iets laten liggen.'

Ik keek haar strak aan. 'Je gezonde verstand?'

'Nee.' Ze klonk geërgerd. 'Mijn mobieltje.'

Ik mompelde excuses.

Maar toen we bij Rachel en Luke kwamen, zie, wie lag daar op de bank en trapte somber met zijn laarzen tegen de bakstenen muur? Joey.

'Wist je dat hij hier zou zijn?' vroeg ik Jacqui.

'Nee.'

Toen Joey Jacqui zag, ging hij meteen rechtop zitten en streek zenuwachtig zijn haar uit zijn gezicht in een poging er beter uit te zien. 'Hé, Jacqui! Je hebt je mobieltje laten liggen. Ik heb je nog gebeld. Heb je mijn berichtje afgeluisterd? Ik zei dat ik het zou komen brengen als je dat wilde.'

Ik keek Jacqui aan. Dus ze had wel geweten dat hij hier zou zijn. Maar ze ontweek mijn blik.

'Hier is het.' Joey sprong op en pakte het van een plank.

Het was erg amusant hen te zien proberen aardig te zijn.

'Bedankt.' Jacqui nam het mobieltje aan zonder Joey echt aan te kijken. 'Anna en ik gaan pizza eten. Wie wil, mag mee.'

'Gaan we na de pizza scrabbelen?' vroeg ik.

Bij het horen van het woord 'scrabble' gebeurde er iets vreemds, alsof er ineens iets zinderde. Ja, er zinderde iets tussen Jacqui en Joey. Absoluut.

'Geen scrabble vanavond,' zei Rachel. 'Ik heb slaap nodig.'

Jacqui en ik gingen samen met de taxi naar huis. We zeiden niets. Uiteindelijk zei ze: 'Toe dan. Ik weet dat je iets wilt zeggen.'

'Mag ik iets vragen? Mam zei dat je je hand in zijn onderbroek stak om een letter te pakken...'

'Jezus!' Ze verborg haar gezicht in haar handen. 'Hoe weet moeder Walsh dat nou weer?'

'Ik denk dat Luke het haar heeft verteld. Maar het geeft niet, ze weet toch altijd al alles. Maar wat ik me afvraag: was het leuk?'

Daar moest ze een poosje over nadenken. 'Tamelijk leuk.'

'Tamelijk leuk? Of behoorlijk leuk?'

'Gewoon tamelijk leuk.'

'Was hij zacht of eh...'

'Eerst zacht. Later hard. Het duurde even voordat ik die letter had gevonden.'

Plotseling lachte ze ondeugend naar me.

'Ik heb iets waarover je kunt nadenken,' zei ik.

'O?'

'Jij zegt altijd dat kerels eerst heel aardig doen om te verbergen dat ze eigenlijk rotzakken zijn. Bij Joey weet je tenminste waar je aan toe bent. Hij is een humeurige klojo en doet zich nooit anders voor dan hij is.'

Daar moest Jacqui even over nadenken, en toen zei ze: 'Weet je, Anna, ik weet niet of dat wel een aanbeveling is.'

26

'Aidan? Dat spirituele gedoe? Moet ik daar vandaag heen?'

Niemand antwoordde. Er gebeurde niets. Hij bleef me slechts toelachen vanuit het fotolijstje, gevangen in een lang vervlogen moment.

'Goed dan,' zei ik. 'We sluiten een deal.' Ik scheurde een bladzijde uit een tijdschrift en verfrommelde die. 'Ik gooi deze prop in de prullenmand, en als ik mis, blijf ik thuis. Als ik raak gooi, ga ik.'

Ik sloot mijn ogen en gooide de prop. Ik opende mijn ogen weer en zag hem onder in de prullenmand liggen.

'Goed,' zei ik. 'Je wilt blijkbaar dat ik ga.'

Eerst moest ik een smoes verzinnen voor Rachel. Het was namelijk nog steeds bloedheet, en ze wilde naar het strand. Ik zei dat ik de hele dag naar een kuuroord ging, wat ze een goed idee leek te vinden. 'Maar volgende keer moet je het tegen mij of Jacqui zeggen, dan komen we met je mee.'

'Prima, prima,' zei ik, blij dat ik ermee weg was gekomen.

Nicholas wachtte me al op in de gang. Deze week stond er DOG IS MY CO-PILOT op zijn shirt. Hij las een boek dat *The Sirius Mystery* heette, en ik beging de vergissing hem te vragen waar het over ging.

'Vijfduizend jaar geleden kwamen amfibieachtige wezens uit de ruimte naar de aarde, en ze leerden de leden van de Dogon-stam in West-Afrika de geheimen van het heelal, en ook dat Sirius vergezeld wordt door Sirius B, een ster die zo compact is dat hij onzichtbaar is...'

'Dank je! Genoeg! Oké, geloof jij dat prinses Diana in een chauffeurscafé in New Mexico werkt?'

'Check. En ik geloof ook dat de koninklijke familie haar heeft vermoord. Zo goed ben ik in geloven. Ik ben een echte gelovige.'

'Roosevelt wist van tevoren over Pearl Harbour en liet het gebeuren omdat hij Amerika in een oorlog wilde storten?'

'Check.'

'De maanlanding is in scène gezet?'

'Check.'

Daar kwam Ondode Fred binnen gekuierd. Terwijl iedereen droop van het zweet, droeg hij zijn zwarte pak. Hij leek nergens last van te hebben. Daarna kwam Barb.

'Wat een hitte, hè?' zei ze.

Ze liet zich naast me op het bankje vallen, met haar dijen uit elkaar. Ze tilde de zoom van haar rok op en wapperde dat het een aard had. 'Een beetje frisse lucht daar beneden. Geen dag voor ondergoed, trouwens.'

Jezus. Vertelde ze me nu echt dat ze geen slipje droeg? Ik werd een beetje duizelig. Aidan was dood en ik was tot dit niveau afgezakt: ik hing rond met een stel rare snuiters.

Maar waren het wel rare snuiters? (Behalve Ondode Fred dan,

zo'n rare als hij zul je niet snel tegengekomen.) Waren deze mensen niet gewoon gebutst? Of blut, in geval van Mackenzie.

'Niet tegen de jongens zeggen.' Barb knipoogde en gebaarde naar de zoom van haar jurk. 'Ze zouden wild worden als ze wisten dat ik hieronder in mijn nakie zit.'

Aangezien de 'jongens' bestonden uit Nicholas en Ondode Fred, had ik zo mijn twijfels, maar ik hield mijn mond.

Ze droeg een doorknoopjurk en bij haar heupen was een stuk huid te zien. Ik wilde niet kijken. Ik deed mijn uiterste best om me in te houden, maar het was net als Luke en zijn kruis, de aantrekkingskracht was gewoon te sterk. Tegen mijn wil ving ik een glimp op van haar schaamhaar.

'Barb,' zei ik, op iets hogere toon dan gewoonlijk, terwijl ik mijn blik strak op haar gezicht richtte, 'waarom kom jij hier eigenlijk elke zondag?'

'Omdat alle interessante mensen die ik ken dood zijn. Een overdosis genomen, vermoord, of zelfmoord gepleegd, de hele rataplan.' Ze liet het klinken alsof mensen tegenwoordig niet meer wisten hoe ze fatsoenlijk moesten sterven. 'En ik kan nog geen twee seconden van Neris Hemmings tijd betalen.'

'Zou je haar willen spreken?'

'O ja. Zij is de beste.' Mijn hart maakte een sprongetje. Als Barb, met haar schorre stem en haar humeurigheid, zei dat Neris Hemming de beste was, dan moest ze dat wel zijn. 'Als íémand in contact kan komen met je echtgenoot, is het Neris Hemming wel.'

'Heb je haar gesproken?' Mitch was aangekomen.

'Met haar kantoor. Ze zeiden dat ik haar over acht tot tien weken te spreken zou krijgen.'

'Wauw, geweldig.'

Iedereen was het erover eens dat dat fantastisch was. Hun gelukswensen waren zo hartelijk en hun opwinding was zo oprecht dat ik vergat dat wat we vierden eigenlijk heel ongebruikelijk was.

We dromden allemaal de ruimte in en Leisl begon. Oudtante Morag kwam weer door voor Mackenzie en herhaalde dat er geen testament was. Nicholas' vader gaf hem advies over zijn baan. Hij leek me echt een aardige man. Heel betrokken. De vrouw van Juan-met-de-pommade zei dat hij goed moest eten. Carmela's echtgenoot zei dat ze moest overwegen een nieuw fornuis te kopen, dat het huidige onveilig was.

Toen zei Leisl: 'Barb, iemand wil je spreken. Zou het... het klinkt als...' Ze klonk een beetje verward. 'Wolfman?'

'Wolfman? O, Wolfgang! Mijn echtgenoot. Nou ja, een van mijn echtgenoten. Wat wil hij? Moet-ie weer iets van me?'

'Hij zegt... eh, zegt dit je iets? Verkoop het schilderij nog niet. De prijs zal omhoogschieten.'

'Dat zegt hij al jaren,' zei Barb korzelig. 'Waar moet ik anders van leven?'

Het uur liep op zijn eind en er was nog niemand voor mij doorgekomen, maar ik was nog steeds high van het feit dat ik contact had gelegd met Neris Hemming, dus vond ik het niet erg.

Ik nam afscheid van iedereen en voegde me bij een paar buikdanseressen in de rij voor de lift. Toen riep iemand mijn naam. Ik draaide me om. Het was Mitch.

'Hé Anna, moet je ergens heen?'

Ik schudde mijn hoofd.

'Zullen we iets gaan doen?'

'Zoals?'

'Ik weet het niet. Ergens koffie drinken?'

'Ik heb geen zin in koffie,' zei ik. Ik werd er de laatste tijd misselijk van. Ik was bang dat ik kruidenthee moest gaan drinken en dan het risico liep dat ik zo'n overdreven kalm persoon zou worden die het liefst pepermunt- en kamillebrouwsels drinkt.

Mitch keek me onbewogen aan. In het gunstigste geval had hij de ogen van een man die alles was kwijtgeraakt. Iemand die weigerde koffie met hem te gaan drinken deed hem niets.

'Laten we naar de dierentuin gaan.' Ik had geen idee waarom ik dat zei.

'De dierentuin?'

'Ja. Er is er een in Central Park.'

'Oké.'

Het was druk in de dierentuin. Er liepen gearmde verliefde stelletjes en uitwaaierende gezinnetjes met kinderwagens en peuters en ijsjes. Mitch en ik vielen niet op. Alleen als je vlak voor ons zou gaan staan, zou je merken dat we anders waren.

We begonnen met het regenwoud, waar vooral apen te zien waren, of primaten, of wat hun technische naam ook is. Er waren er behoorlijk veel. Ze slingerden van boom naar boom, krabden zichzelf en staarden chagrijnig voor zich uit. Er waren er te veel om mijn interesse vast te houden, en de enige die mijn aandacht trokken, waren de apen die met een knalrode kont naar het publiek schudden. 'Ze zien eruit alsof ze net hun kont hebben geschoren,' zei Mitch.

'Of alsof ze een Brazilian wax hebben gehad.' Ik keek hem aan om te kijken of ik moest uitleggen wat een Brazilian wax was, maar hij leek het te begrijpen.

Terwijl we stonden te kijken, viel een van de roodkonten van een tak en twee andere roodkonten kwamen eropaf en slaakten hoge, lachende gilletjes, wat de toeschouwers weer ontzettend leuk vonden. Ze schoten naar voren met hun camera's en ik verloor Mitch uit het oog. Pas toen ik om me heen keek en hem zocht, besefte ik dat ik nauwelijks wist hoe hij eruitzag.

'Ik ben hier,' hoorde ik hem zeggen, en ik keek weer in die twee poelen van somberheid. Ik probeerde voor een volgende keer een paar details op te slaan: hij had heel kort haar en een donkerblauw T-shirt – maar goed, dat droeg hij waarschijnlijk niet altíjd – en hij was iets ouder dan ik, ergens achter in de dertig, schatte ik.

'Zullen we verder gaan?' vroeg hij.

Ik vond het prima. Ik kon me toch nergens lang op concentreren. Opeens bevonden we ons op de poolcirkel.

'Trish was gek op ijsberen,' zei hij. 'Hoe vaak ik haar ook vertelde dat het valse mormels zijn.' Hij staarde naar ze. 'Maar ze zien er lief uit. Wat is jouw lievelingsdier?'

Hij overviel me. Ik wist niet of ik wel een lievelingsdier had.

'Pinguïns,' zei ik. Dat leek me een goed antwoord. 'Ik bedoel, ze doen zó hun best. Het moet niet meevallen om een pinguïn te zijn. Je kunt niet vliegen en je kunt nauwelijks lopen.'

'Maar je kunt wel zwemmen.'

'O ja. Dat was ik helemaal vergeten.'

'Wat was Aidans lievelingsdier?'

'Olifanten. Maar deze dierentuin heeft geen olifanten. Daarvoor moet je naar die in de Bronx.'

We kwamen net bij het bassin van de zeeleeuwen aan toen het voedertijd was. Een grote menigte, die vooral bestond uit gezinnen, stond te wachten. Er hing een voelbare opwinding in de lucht.

Toen drie mannen met kaplaarzen en rode overalls tevoorschijn kwamen met emmers vol vis, leek iedereen buiten zinnen te raken. 'Daar heb je ze! Daar heb je ze!' Iedereen dromde naar voren, overal klonk het geklik van tientallen camera's, en kinderen werden opgetild om alles beter te kunnen zien.

'Daar is er een, daar is er een!' Een glanzend grijszwart bakbeest schoot uit het water, strekte zich uit naar de vis en liet zich plat op zijn buik weer in het water vallen, waarbij hij een enorme golf veroorzaakte. De menigte slaakte zuchten van bewondering, kinderen gilden, camera's flitsten en vergeten ijsjes smolten, en temidden van dit alles keken Mitch en ik wezenloos toe, alsof we bordkartonnen versies van onszelf waren.

'Daar heb je er nog een, daar heb je er nog een! Kijk mama, daar heb je er nog een!'

De tweede zeeleeuw was nog groter dan de eerste, en met de plons die hij veroorzaakte bij zijn terugkeer in het water spatte hij de helft van de toeschouwers onder. Niet dat het iemand iets kon schelen. Het hoorde er allemaal bij.

Nadat de vierde zeeleeuw een vis had gegeten, keek Mitch me aan. 'Zullen we verder gaan?'

'Ja hoor.'

We liepen weg van de mensen die nog met grote ogen en ademloos stonden toe te kijken.

'En nu?' vroeg hij. Ik raadpleegde onze kaart. Kut. Pinguïns. Ik zou moeten doen alsof ik dolbij was ze eindelijk te zien, ze waren immers mijn lievelingsdieren.

Ik deed mijn uiterste best enthousiast te doen, totdat Mitch voorstelde door te lopen. We hadden nauwelijks iets tegen elkaar gezegd. Ik vond dat niet erg, maar ik wist bijna niets van hem, behalve dat zijn vrouw was gestorven.

'Heb je een baan?' vroeg ik. Het kwam er een beetje plompverloren uit.

'Ja,' zei hij.

We liepen verder. Hij ging er niet op door. Na een tijdje zwijgend gelopen te hebben, bleef hij opeens staan. Hij lachte zelfs. 'Jezus! Ik vergeet helemaal te zeggen wat voor baan. Daarom vroeg je het natuurlijk. Je vroeg je niet af of ik in de bijstand zat.'

'Eh, nee, nee,' stamelde ik. 'Als je het niet wilt...'

'Nee hoor, geen probleem. Het is een heel gewone vraag. Dat vragen mensen nu eenmaal. Goh, geen wonder dat niemand meer vraagt of ik bij ze kom eten. Je hebt niks aan me.'

'Helemaal niet,' zei ik. 'Ik ben degene die vergat dat pinguïns kunnen zwemmen.'

'Ik ontwerp en installeer home-entertainmentsystemen. Als je wilt, kan ik er wel meer over vertellen, maar het is nogal technisch.'

'Nee, laat maar, dank je. Ik zou me niet lang genoeg kunnen concentreren om het te begrijpen. Hé, we hebben de gematigde streken gemist: sneeuwapen, panda's, vlinders, eenden.'

'Eenden?'

'Ja, eenden. Die kunnen we echt niet overslaan. Kom.'

We liepen terug, bewonderden halfhartig de dieren uit de gematigde streken, besloten unaniem de kinderboerderij over te slaan, en opeens begonnen we dingen te herkennen. We waren weer aangekomen waar we waren begonnen. We hadden een rondje gelopen.

'Was dat het?' vroeg Mitch. 'Zijn we klaar?' Alsof het een verplicht nummertje was.

'Zo te zien wel.'

'Oké, ik ga naar de sportschool.' Hij zwaaide zijn sporttas over zijn schouder en beende naar de uitgang. 'Zie ik je volgende week weer?'

'Oké.'

Ik wachtte totdat hij uit zicht was. Hoewel ik de laatste paar uur met hem had doorgebracht, heb ik een hekel aan het 'valse-afscheid-syndroom': je hebt net hartelijk afscheid van iemand genomen die je nauwelijks kent, misschien zelfs wel een kus gegeven, en even later kom je diegene onverwacht weer tegen, bij de bushalte, of in het metrostation, of in dezelfde straat terwijl je een taxi probeert aan te houden. Ik weet niet waarom, maar dan kan ik wel door de grond zakken. Het vlotte gesprek dat je een paar minuten eerder hebt gevoerd is volledig vervluchtigd, en er hangt een gespannen sfeer. Je kijkt naar de rails en hoopt dat de trein zo snel mogelijk komt, godsamme, waar blijft-ie nou?

En als de trein, taxi of bus dan eindelijk komt, neem je nogmaals afscheid, en je probeert het jolig af te doen door vrolijk: 'Nou, tot ziens maar weer' te zeggen, maar het is niet half zo aangenaam als de vorige keer, en je vraagt je af of je weer een zoen moet geven. En als je dat doet, voelt het gekunsteld aan, en als je het niet doet, blijft er een vervelende nasmaak hangen. Net als een soufflé is een afscheid ook maar één keer goed. Een afscheid kun je niet opnieuw opwarmen.

Terwijl ik wachtte totdat ik er absoluut zeker van kon zijn dat ik kon gaan, keek ik naar de mensen die de dierentuin bleven binnenkomen, en ik dacht na over Mitch. Wat voor iemand was hij vroeger geweest? Hoe zou hij in de toekomst zijn? Ik wist dat ik niet de echte Mitch zag. Momenteel was hij niet meer dan zijn rouw. Net als ik. Ik was momenteel niet de echte Anna.

Opeens bedacht ik me iets: misschien zou ik dat nooit meer worden. Het enige wat alles weer zou kunnen maken zoals het was geweest, was als Aidan niet was gestorven, en dat was onmogelijk. Zou ik voorgoed met ingehouden adem wachten totdat de wereld zijn fout zou herstellen?

Ik keek op mijn horloge. Mitch was tien minuten weg. Ik dwong mezelf tot zestig te tellen, toen pas vond ik dat ik het erop kon wagen. Op straat keek ik een paar keer steels om me heen, maar hij was nergens te bekennen. Ik hield een taxi aan, en toen ik aankwam bij mijn appartement, voelde ik me lang niet slecht. Het grootste deel van de zondag had ik alvast gehad.

27

Voordat ik plaatsnam achter mijn bureau, ging ik eerst even naar het damestoilet, en daar trof ik iemand snikkend boven de wastafel aan. Omdat het maandagochtend was, was het niet ongebruikelijk om huilende mensen aan te treffen. Waarschijnlijk stond er in elk hokje iemand te kotsen omdat ze niet genoeg publiciteit hadden gekregen en op de maandagochtendvergadering de wind van voren zouden krijgen. Maar het verbaasde me dat Brooke Edison stond te janken. (Met een elegant taupe pakje aan, terwijl ik een cerise pakje uit de jaren vijftig droeg, met een jasje met boothals en een strak rokje. Daarbij droeg ik sokjes met roosjes erop, sandaaltjes van roze lakleer en een tas die eruitzag als een huis van twee verdiepingen.)

'Brooke! Wat is er?'

Ik kon nauwelijks geloven dat zij daar stond te snikken. Ik dacht dat het voor meisjes uit haar milieu verboden was om emoties te tonen.

'O, Anna...' bracht ze snikkend uit. 'Ik heb ruzie met mijn vader gehad.'

Jezus! Brooke Edison die ruzie met haar vader had? Ik moet toegeven: ik vond het heel opwindend. Het was fijn om te weten dat anderen ook wel eens problemen hebben. En misschien was Brooke toch normaler dan ik had gedacht.

'Het gaat om een jurk van Givenchy,' zei ze.

'Haute couture of confectie?'

'O... O!' Ze klonk alsof ze de vraag niet begreep. 'Haute couture, natuurlijk. En... en...'

'En hij wil die jurk niet voor je kopen,' opperde ik terwijl ik een pakje tissues uit mijn tas in de vorm van een huis haalde. Er stonden schoentjes op de tissues, en dat kwam als een schok. Echt alles wat ik had was opgeleukt.

'Nee,' zei ze, en ze sperde haar ogen wijd open. 'O, nee. Pap wil hem me juist geven, en ik zei dat ik al meer dan genoeg prachtige jurken in de kast had hangen.'

Ik keek haar alleen maar aan, met een raar gevoel vanbinnen.

'Ik zei dat er zoveel armoede in de wereld is, en dat ik echt niet nog een jurk nodig had. Maar hij vroeg wat er mis mee was om zijn kleine meisje graag op haar mooist te willen zien.' Er volgde een hernieuwde tranenvloed. 'Mijn vader is mijn beste vriend, snap je?'

Niet echt, maar ik knikte toch maar.

'Daarom is het zo erg als we ruzie hebben.'

'Nou, ik moet weg,' zei ik. 'Hou de tissues maar.'

Rijke mensen zijn echt heel anders, dacht ik. Ze zijn verdomme niet goed bij hun hoofd, de engerds.

Ik rende naar mijn kantoor, omdat ik mijn nieuwe inzicht met Teenie wilde delen.

Die avond kreeg ik een mailtje van Helen.

Aan: Goochelassistente@yahoo.com
Van: Lucky_Star_Pl@yahoo.ie
Onderwerp: Saaierigheid

Weer iets anders! Detta ging in een restaurant lunchen met 'de meisjes': drie andere vrouwen van ongeveer haar leeftijd, en misschien ook getrouwd met topcriminelen. Ze hadden Chanel-tasjes, helemaal fout, van die zwarte doorgestikte gevalletjes met een gouden ketting als draagband. Bah. Moest weer als een dakloze op straat rondhangen. Deze keer wilde iemand methadon van me kopen. Geen spoor echter van Racey O'Grady. Voor de zekerheid ging ik naar binnen om naar de plee te gaan (en ik moest echt pissen, hoor. In deze tak van werk grijp je elke kans). Ze zaten met zijn vieren in een wolk van parfum, ze waren zich aan het bezuipen en roddelden over hun echtgenoten. Toen ik naar binnen ging, gilde er eentje met holle ogen, donker haar en nagels net als die van Freddie Kruger: 'Hij kan in het donker zijn eigen reet nog niet vinden!'

Onderweg naar buiten zei eentje met een gezicht als een mandarijn (bol, oranje, met poriën als putdeksels): 'Dus toen zei ik tegen hem, ik zeg: "Je mag me best neuken, maar ík ga slapen!"'

Iedereen gilde het uit van het lachen, maar Detta niet. Ze rookte niet vanwege het rookverbod. Ze zag eruit alsof ze er graag eentje zou willen opsteken. Afwezig lachje en starende blik. Heb met mijn mobieltje een paar foto's genomen, voor het geval Harry Big het interessant zou vinden. Maar waarom zou hij geïnteresseerd zijn in die oude taarten? Het is allemaal verschrikkelijk saai, maar ik zal je zeggen, Anna, ik verdien er dik aan.

Er was ook een mailtje van mam.

Aan: Goochelassistente@yahoo.com
Van: Familiewalsh@eircom.net
Onderwerp: Nieuwste nieuwtje

Er is niets nieuws, verdomme. Helen zit de hele tijd in de heg van Mr Big. Wij worden nog steeds geplaagd door hondendrollen, twee keer per week. Zaterdag ga ik naar Knock. Ik ben al een hele tijd niet meer op bedevaart geweest, en ik heb daar nu behoefte aan omdat ik erg van streek ben door al die tegen mij gerichte vuiligheid. Ik draag het Smartelijke Geheim aan jou op, Anna, opdat Onze Lieve Heer je vrede schenkt en je leert aanvaarden wat er is gebeurd.

Liefs van je moeder,
Mam

PS Heeft Jacqui dat al gezegd van Jon Bon Jovi?

PPS Wil je tegen Rachel zeggen dat als ze roomkleurig wil dragen, ze dat moet doen. Het is haar bruiloft. Ik vind alleen dat roomkleurig bij een bruidsjurk een beetje smoezelig staat. Maar wie ben ik?

'Hoi Anna.' Er stond een bericht van een man op mijn antwoordapparaat. 'Met Kevin. Ik ben voor zaken in de stad.'

Het was Aidans broer. De moed zakte me in mijn schoenen.

Arme Kevin. Ik was erg op hem gesteld, maar ik wilde hem nog niet onder ogen komen. Zo goed kende ik hem niet. Wat moesten we zeggen? 'Het spijt me dat je broer dood is.' 'Bedankt, nou, het spijt me dat je man dood is.'?

Het was al moeilijk genoeg om elk weekend met mevrouw Maddox te telefoneren. Een hele avond met Kevin kon ik niet aan.

'Ik blijf tot het weekend, en ik logeer in het W,' ging hij verder. 'Misschien kunnen we een hapje gaan eten of zo. Wil je me bellen?'

Een beetje hulpeloos keek ik naar het antwoordapparaat. Sorry, Aidan, dacht ik, ik weet dat hij je broer is, maar ik ga heel onbeleefd niet terugbellen.

Aan: Goochelassistente@yahoo.com
Van: Lucky_Star_PI@yahoo.ie
Onderwerp: Update

Colin bracht me in de met gordijntjes met ruches geblindeerde auto naar Harry Big.

Ik (tegen Harry): Ik heb Detta al weken geschaduwd en ze heeft Racey O'Grady geen enkele keer ontmoet.
Hij: Nou en?
Ik: Nou, ik wil haar telefoon laten aftappen. Bij haar mobieltje heb ik uw hulp nodig, en ik wil ook afschriften van de rekeningen.
Hij (slecht op zijn gemak): Dat is een inbreuk op haar privacy.
Ik (terwijl ik denk: wat een ei): U betaalt me om haar dag in, dag uit te schaduwen, en verslag uit te brengen over elke sigaret die ze opsteekt…
Hij (ineens fel): Wat? Is ze weer gaan roken?
Ik: Begonnen? Ze paft aan één stuk door.
Hij: Maar ze zei dat ze was gestopt… Ze moet wel, vanwege haar bloeddruk. Hoeveel rookt ze?
Ik: Nou, toch wel een pakje per dag. Elke morgen na de mis koopt ze een pakje, maar misschien heeft ze nog meer pakjes in huis.
Hij (zichtbaar terneergeslagen): Zie je wel, ze liegt tegen me. Maar kom niet aan haar telefoon. Blijf haar in de gaten houden.

Jezus, Anna, ik ga bijna dood van verveling.

Ineens kwam er een gedachte bij me op.

Aan: Lucky_Star_PI@yahoo.ie
Van: Goochelassistente@yahoo.com
Onderwerp: Colin

Helen, hoe ziet die Colin eruit?

Aan: Goochelassistente@yahoo.com
Van: Lucky_Star_PI@yahoo.ie
Onderwerp: Colin

Groot, stevig, donker haar en sexy. Niet slecht. Ik vind hem het leukst als hij zijn pistool tussen de broekband van zijn spijkerbroek stopt. Sexy platte buik en ruimte om je hand in te steken. Diep erin, natuurlijk...

Zie je, dat is nou het verschil tussen Helen en mij. Ik zou bang zijn met dat pistool in zijn broekband; hij zou er per ongeluk een stukje van zichzelf mee af kunnen schieten.

Nu wil je zeker weten of ik op hem val. Ja, dus. Maar soms heeft hij het erover om zijn carrière in de misdaad te beëindigen, en dan vind ik hem een ei. Sexy beest of zacht ei? Ik weet het niet.

28

'Rachel, je móét naar het strand gaan,' zei ik. 'Want als je je portie zon niet krijgt, word je depressief, en "verlies je je weer helemaal in de drugs", zoals Helen het zo fijntjes onder woorden brengt.'

'Ja, maar...' protesteerde Rachel zwakjes.

'En ik kan niet mee, vanwege mijn litteken,' zei ik.

'Ik vind het echt rot voor je,' reageerde Rachel schuldbewust.

'Het geeft niet, het geeft niet.'

En het gaf ook niet. Ik wilde naar de spiritistische kerk. Al heel snel was het een vast onderdeel van mijn zondag geworden. Ik mocht de mensen die erheen gingen. Ze waren aardig en voor hen was ik niet Anna met haar drama – nou ja, misschien ook wel – maar zij hadden ook stuk voor stuk drama's achter de rug. Ik was net zoals zij.

Maar ik vertelde het aan niemand – vooral niet aan Rachel of Jacqui. Ze zouden het niet begrijpen. Ze zouden me misschien zelfs proberen tegen te houden. Gelukkig zou ik van Rachel weinig last hebben, want het mooie weer hield aan, en Jacqui's werktijden waren zo onregelmatig dat ik haar ook meestal wel kon ontlopen. Wat Leon en Dana betreft, die wilden me alleen 's avonds zien, als we naar een chic restaurant konden gaan.

Stuk voor stuk zaten ze weer op de banken in de gang.

Nicholas zag me aankomen. 'Cool! Daar heb je Miss Annie.' Vandaag stond er op zijn T-shirt: WINONA IS INNOCENT. Mitch zat tegen de muur geleund en boog naar voren om me te kunnen zien.

'Hé Peanut.' Hij strekte zijn been uit en tikte met zijn voet tegen de mijne. 'Hoe was je week?'

'O, je weet wel,' zei ik. 'En die van jou?'

'Hetzelfde.'

We gingen op onze stoelen in de kring zitten. De cello begon te kermen en verscheidene mensen kregen boodschappen, maar voor mij was er niets bij.

Toen zei Leisl langzaam: 'Anna... ik zie het kleine blonde jongetje weer. Ik krijg de letter J door.'

'Omdat hij JJ heet.'

'Hij wil heel graag met je praten.'

'Maar hij leeft nog! Hij kan met me praten wanneer hij maar wil!'

Na afloop sprak ik Leisl nog even aan. 'Waarom krijg ik boodschappen door van mijn neefje dat nog leeft? Of van mijn vreselijke oma? En niet van Aidan?'

'Daar heb ik geen antwoord op, Anna.' De ogen onder haar pluizige pony waren echt heel erg vriendelijk.

'Is er een soort wachttijd nadat iemand is gestorven voordat ze doorkomen of zo?'

'Niet dat ik weet,' zei ze.

'Heb je EVP al geprobeerd?' bromde Barb. '*Electronic voice phenomenon*?'

'Wat is dat?'

'De stemmen van de doden opnemen.'

'Als dat een grap is...'

'Het is geen grap!' Alle anderen wisten ook wat EVP was. Van alle kanten hoorde ik dat het een goed idee voor me zou zijn. 'Je moet het echt proberen.'

Op mijn hoede vroeg ik wat ik ervoor nodig had.

'Een gewone bandrecorder,' zei Barb. 'Gebruik een leeg cassettebandje. Druk de opnameknop in, ga naar een andere kamer, kom na een uurtje terug en luister je berichten af!'

'Het moet wel een stille kamer zijn,' zei Leisl.

'Wat niet meevalt in New York,' zei Nicholas.

'En je moet een positieve, optimistische, liefdevolle instelling hebben.' Dat was Leisl weer.

'Dat valt ook niet mee.'

'Je moet het doen als het volle maan is, na zonsondergang,' zei Mackenzie.

'Het liefst tijdens een onweersbui,' zei Nicholas. 'Vanwege de gravitatie-effecten.'

'Nicholas, ik ben niet in de stemming voor dat gestoorde bijgeloof van je.'

'Nee, dit is geen gestoord bijgeloof!' klonk het van verschillende kanten.

'Wat is gestoord bijgeloof?' hoorde ik Carmela vragen.

'Dit heeft een wetenschappelijke basis,' zei Nicholas. 'De doden bevinden zich in etherische golflengtes die veel hogere frequenties hebben dan de onze. We kunnen ze dus wel op band horen, maar we kunnen het niet horen als ze direct tegen ons praten.'

Ik vroeg of hij het wel eens had gedaan.

'Tuurlijk.'

'En je vader praatte tegen je.'

'Ja. Ik kon hem alleen moeilijk verstaan. Als je het terugluistert, moet je het bandje soms veel sneller of langzamer afdraaien.'

'Ja, soms praten ze heel snel,' zei Barb. 'En soms héél langzaam. Je moet heel goed luisteren.'

'Ik mail je wel wat je precies moet doen,' zei Nicholas.

Ik vroeg Mitch of hij het wel eens had geprobeerd.

'Nee, maar alleen omdat ik Trish al heb gesproken via Neris Hemming.'

'Wanneer is het weer volle maan?' vroeg Mackenzie.

'Je hebt hem net gemist,' zei Nicholas.

'Ach, wat jammer!' klonk het eensgezind. 'Maar in nog geen vier weken is er weer een. Dan kun je het doen.'

'Oké. Bedankt. Tot volgende week.'

Ik liep naar de uitgang en vroeg me af of Mitch me zou volgen.

Hij haalde me in voordat ik de lift bereikte. 'Hé Anna, moet je ergens heen?'

'Nee.'

'Zullen we iets doen?'

'Zoals?' Ik was benieuwd waar hij mee zou komen.
'Wat dacht je van het MoMa?'
Waarom ook niet? Ik woonde al drie jaar in New York en was er nog nooit geweest.

Op stap gaan met Mitch had veel van de voordelen van alleen zijn zonder ook echt alleen te zijn: ik hoefde bijvoorbeeld niet voortdurend te glimlachen voor het geval hij zich ongemakkelijk voelde met mijn echte gezicht. Gehaast liepen we van schilderij naar schilderij, en we spraken nauwelijks. Soms bevonden we ons zelfs in verschillende ruimtes, maar een onzichtbare draad verbond ons met elkaar.
Toen we alles hadden gezien, keek Mitch op zijn horloge.
'Kijk nou!' Hij klonk tevreden en lachte bijna. 'We hebben er twee uur over gedaan. De dag is bijna voorbij. Fijne week, Anna. Ik zie je volgende week weer.'

'Anna, neem eens op. Ik weet dat je er bent. Ik sta voor de deur, ik moet je spreken.'
Het was Jacqui. Ik greep de telefoon. 'Wat is er?'
'Laat me binnen.'
Ik drukte op de zoemer en hoorde haar de trap op stampen. Even later stormde ze binnen, een wirwar van ledematen. Ze keek verontrust.
'Is er iemand gestorven?' Dat was tegenwoordig mijn grootste zorg.
Ze kwam direct tot stilstand. 'Eh, nee.' Haar gelaatsuitdrukking veranderde. 'Nee, dit is iets... gewoons.'
Opeens was ze kwaad op me. Wat er ook aan de hand was, het was heel belangrijk voor haar, en ik had het gereduceerd tot iets onbenulligs omdat mijn echtgenoot was gestorven en niemand dat kon overtreffen.
'Sorry Jacqui, sorry, kom even zitten.'
'Nee, het spijt mij, ik heb je laten schrikken.'
'Goed, het spijt ons allebei. Vertel me nou maar wat er is.'
Ze ging op de bank zitten, naar voren geleund, haar onderarmen op haar dijen, haar knieën keurig tegen elkaar. Ze zag er precies uit als een Pixar-lamp. Als ze nu als een konijn door de kamer

zou hoppen, zou zelfs haar moeder moeite hebben ze uit elkaar te houden.

Ze staarde een tijdje wezenloos voor zich uit, in gedachten verzonken.

Uiteindelijk sprak ze. Eén woord. 'Joey.'

Nou ja, nu kon ik het in elk geval aan mam vertellen.

'Of, zoals ik hem noem,' zei ze, 'Norse Joey.' Ze slaakte een diepe zucht. 'Ik kom net bij hem vandaan.'

'Wat deed je daar?'

'We hebben gescrabbeld.'

Scrabbelen op zondagmiddag! Het deed een beetje pijn dat ze mij niet hadden uitgenodigd. Maar ik kon het hun niet kwalijk nemen. Ze hadden me honderdduizend keer uitgenodigd, en was ik ooit gekomen?

'Ik keek niet eens naar hem, maar ik zag hem vanuit mijn ooghoeken, en opeens dacht ik dat hij op... dat hij op...' Ze zweeg even, ademde huiverend in en riep het uit: 'Hij lijkt op Jon Bon Jovi!'

Gegeneerd sloeg ze haar handen voor haar gezicht.

'Rustig maar,' zei ik zachtjes. 'Ga verder. Jon Bon Jovi.'

'Ik weet wat dat betekent,' zei ze. 'Ik heb het met andere vrouwen zien gebeuren. Het ene moment zeggen ze dat hij wel iets weg heeft van Jon Bon Jovi, dat het ze nooit eerder is opgevallen, en even later zijn ze gek op hem. Ik wil niet gek op hem worden, hij spoort niet. En hij is niet eens aardig. Nors, dat is-ie.'

'Je hóéft niet gek op hem te worden. Je kunt gewoon beslissen dat je níét gek op hem wordt.'

'Is het zo simpel?'

'Ja!'

Nou ja, misschien.

'Mam?'

'Welke van jullie is dit?'

'Anna.'

Haar adem stokte. 'Nog nieuws over Jacqui en Joey?'

'Eigenlijk wel, ja! Daarom bel ik.'

'Ga door! Vertel!'

'Ze vindt dat hij op Jon Bon Jovi lijkt.'

'Dat was het dan. Game over.'

'Helemaal niet. Jacqui geeft zich niet zomaar gewonnen.'

'Hij bezorgt liefde een slechte naam.'

'Ja, dat zou je wel kunnen zeggen.'

'Nee, dat is een liedje,' fluisterde ze kwaad. '*You give love a bad name*. Een Echte Mannen-lied. Van Guns en Leopards, of hoe ze ook heten. Ik maakte een grapje.'

'Sorry,' zei ik. 'Sorry.'

'Heeft ze die hond al? Die labradoedel-dandy?'

'Nee.' Het was makkelijker om een kernkop te kopen, had ze gezegd. En hoe wist mam van die hond?

'Maar goed ook, dat arme beest zou niet veel aandacht krijgen nu ze gek is op Joey.'

'Ze is niet gek op Joey.'

'Wel waar, ze weet het alleen nog niet.'

29

Een paar avonden later zag ik Neris Hemming per ongeluk op tv! Ik zeg wel per ongeluk, maar het was duidelijk voorbestemd, vooral omdat ik steeds vaker naar de spirituele zender keek. Het was niet zomaar een verslag van een van haar optredens, het was een portret van een halfuur. Waarschijnlijk was ze ergens in de dertig, met schouderlange krullen, en ze droeg een blauw schortjurkje en zat opgekruld in een leunstoel te praten met een interviewer die niet in beeld kwam.

'Ik ben altijd in staat geweest om "anderen" te zien en te horen,' zei ze zacht. 'Ik had altijd vrienden en vriendinnen die verder niemand kon zien. En ik wist dat er dingen zouden gebeuren voordat ze daadwerkelijk gebeurden. Mijn moeder was vaak razend op me.'

'Maar toen gebeurde er iets waardoor uw moeder van gedachten veranderde,' zei de interviewer. 'Kunt u ons daar iets meer over vertellen?'

Neris sloot haar ogen om het zich helder voor de geest te halen.

'Het was een heel gewone ochtend. Ik kwam net onder de douche vandaan en droogde me af toen... Het is lastig te beschrijven, want alles werd ineens vaag, en toen was ik niet meer in de badkamer. Ik zag en voelde hete teer onder mijn voeten. Ongeveer tien meter bij me vandaan stond een enorme vrachtwagen in brand. Er kwam veel hitte vanaf. Ik rook benzine, en nog iets, iets angstaanjagends. Er stonden ook een heleboel auto's in brand. Het ergste was nog de lichamen die op de weg lagen. Ik wist niet hoe die mensen eraan toe waren. Het was afschuwelijk. En plotseling was ik terug in de badkamer met de handdoek in mijn handen. Ik wist niet wat me overkwam. Ik dacht dat ik gek was geworden. Ik werd erg bang. Ik riep mijn moeder en vertelde haar wat er was gebeurd. Ze maakte zich grote zorgen.'

'Ze geloofde u niet?'

'O nee! Ze dacht dat ik gek was geworden. Ze wilde dat ik naar het ziekenhuis ging. Die dag ging ik niet naar mijn werk. Ik was misselijk en ging terug naar bed. 's Avonds zette ik de televisie aan. Op het nieuws zag ik dat er een verschrikkelijk ongeluk was gebeurd, en het was precies wat ik had gezien. Een enorme vrachtwagen met chemicaliën was ontploft, andere auto's waren in brand gevlogen en er waren veel doden bij gevallen... Ik kon het nauwelijks geloven. Ik vroeg me echt af of ik niet gek was geworden.'

'Maar dat was niet het geval?'

Neris schudde haar hoofd. 'Nee. Ineens ging de telefoon. Het was mijn moeder. Ze zei: "Neris, we moeten eens praten."'

Dit wist ik allemaal al. Het stond in haar boek. Toch was het fascinerend om het uit haar eigen mond te horen.

Ik wist ook al wat er daarna was gebeurd. Haar moeder had besloten niet meer te zeggen dat Neris niet goed wijs was en begon in plaats daarvan optredens voor haar te regelen. Haar hele familie werkte voor haar. Haar vader was haar chauffeur en haar jongere zusje deed de boekingen. Haar ex-man werkte dan wel niet voor haar, maar hij had een rechtszaak tegen haar aangespannen waarin hij miljoenen van haar eiste, en dat was net zoiets.

'Iedereen zegt dat ze zelf ook zo graag over bovennatuurlijke gaven zouden willen beschikken,' zei Neris. 'Maar weet u, het valt niet mee. Ik noem het een gezegende vloek.'

Daarna kregen we beelden van een optreden. Neris stond op een gigantisch toneel, helemaal alleen. Ze zag er erg klein uit. 'Ik heb... ik krijg iets door voor... Is hier iemand die Vanessa heet?'

De camera dwaalde over de rijen publiek. Ergens achteraan stak iemand haar hand op en stond vervolgens op. Ze deed haar mond open en dicht, en Neris zei: 'Wacht even totdat de microfoon bij je is, lieverd.'

Een runner perste zich langs de stoelen. Toen de gezette vrouw de microfoon in handen had gekregen, zei Neris: 'Wil je ons vertellen hoe je heet? Ben jij Vanessa?'

'Ik ben Vanessa.'

'Vanessa, Scottie wil even hallo tegen je zeggen. Betekent dat iets voor je?'

De tranen biggelden over Vanessa's wangen, en ze mompelde iets.

'Wat zeg je, lieverd?'

'Scottie was mijn zoon.'

'Goed, lieverd, hij wil je laten weten dat hij niet heeft geleden.' Neris zette haar hand achter haar oor en zei: 'Hij zegt dat je gelijk had wat die fiets betreft. Betekent dat iets voor je?'

'Ja.' Vanessa liet haar hoofd hangen. 'Ik zei dat hij veel te hard reed.'

'Nou, dat weet hij nu ook. Hij zegt: "Mam, je had gelijk. Mam, jij krijgt het laatste woord."'

Ineens lachte Vanessa door haar tranen heen.

'Zo goed, lieverd?' vroeg Neris.

'Ja, dank u wel, dank u.' Vanessa ging weer zitten.

'Nee, ik moet jou bedanken omdat je je verhaal met ons hebt willen delen. Als je nu de microfoon zou willen teruggeven aan de...'

Vanessa hield de microfoon nog stevig omklemd. Met tegenzin stond ze hem af.

Terug naar Neris in de leunstoel. Ze zei: 'De mensen die naar mijn optredens komen, zijn allemaal op zoek naar een geliefde die is overgegaan. Ze gaan gebukt onder verdriet, en ik voel me verantwoordelijk voor hen. Maar soms...' Ze lachte even. 'Soms staan de geesten te dringen, en dan moet ik zeggen: "Rustig jongens, in de rij!"'

Ik keek er geboeid naar. Zoals zij het zei, klonk het allemaal zo normaal, zo mógelijk. En het ontroerde me dat ze er zo gewoon over deed. Als iemand me in contact met Aidan kon brengen, was zij het wel.

We kregen weer beelden van een van Neris' optredens te zien. Ze had een andere jurk aan, dus moest dit een ander optreden zijn. Vanaf het toneel zei ze: 'Ik heb een berichtje voor iemand die Ray heet.'

Ze liet haar blik door het theater dwalen. 'Is hier een Ray? Kom op, Ray, we weten dat je er bent.'

Een forse man stond op. Hij droeg een gigantisch geruit houthakkershemd, en zijn glanzende vetkuif werd met pommade in model gehouden. Hij zag eruit alsof hij wel door de grond kon zakken.

'Ben jij Ray?'

Hij knikte, en nam voorzichtig de microfoon aan van de runner.

'Ray,' zei Neris lachend. 'Ik heb gehoord dat je niet in dit spiritistische gedoe gelooft. Is dat zo?'

Ray zei iets onverstaanbaars.

'In de microfoon, lieverd.'

Ray boog zich over de microfoon heen en zei luid en duidelijk, alsof hij onder ede stond bij een moordzaak: 'Nee, mevrouw, ik geloof er niet in.'

'En je wilde vanavond niet komen, hè?'

'Nee, mevrouw, ik wilde niet komen.'

'Maar je bent toch gekomen omdat iemand je had gevraagd mee te gaan, hè?'

'Ja, mevrouw. Dat was Leeanne, mijn vrouw.'

We kregen de vrouw naast hem te zien, een verschrompeld mensje met hoog opgestoken blond haar, net een suikerspin. Dat zou dan wel Leeanne zijn.

'Weet je wie me dit allemaal vertelt?' vroeg Neris.

'Nee, mevrouw.'

'Je moeder.'

Ray zei niets, maar zijn gezicht werd uitdrukkingsloos, het gezicht van een stoere bink die zijn emoties niet wil tonen.

'Ze is niet gemakkelijk heengegaan, hè?' vroeg Neris zacht.

'Nee, mevrouw. Kanker. Met veel pijn.'

'Maar nu heeft ze geen pijn meer. Waar zij is, is het beter dan morfine, zegt ze. Ze zegt dat ze van je houdt en dat je een goede jongen bent, Ray.'

De tranen liepen over Rays verweerde wangen, en we kregen mensen te zien die ook huilden.

'Dank u wel, mevrouw,' zei Ray gesmoord. Hij ging weer zitten en kreeg schouderklopjes van de mensen om hem heen.

Daarna kregen we mensen te zien die uit de zaal de lobby in dromden. Ze zeiden dingen als: 'Ik kan u zeggen dat ik eerst geen vertrouwen in die vrouw had, maar nu beken ik graag mijn ongelijk.'

Iemand die eruitzag als een New Yorker zei: 'Ongelooflijk. Echt ongelooflijk.'

Iemand anders zei: 'Geweldig.' En nog iemand anders zei: 'Ik heb bericht van mijn man gekregen. Ik ben blij dat het goed met hem gaat. Dank je, Neris Hemming.'

Daar raakte ik pas echt opgewonden van. Ik wilde Neris absoluut een halfuur voor mezelf hebben. Een heel halfuur om met Aidan te kunnen praten.

30

Aan: *Goochelassistente@yahoo.com*
Van: Lucky_Star_PI@yahoo.ie
Onderwerp: Kloteweek

Ik heb een rampzalige week achter de rug, Anna. Mam is vorige week naar Knock geweest en kwam thuis met wijwater in een Evian-fles en die liet ze in de keuken staan. Zondagochtend had ik dorst, ik had de vorige avond flink doorgehaald. Ik sloeg het achterover en besefte toen pas dat het smerig smaakte en dat er gekke dingetjes in zweefden.

Twee uur later brul ik dat ik een emmer nodig heb. Ik kotste mijn ingewanden er zowat uit. Dacht dat ik doodging. Ik snak naar adem, kots gal, de hele mikmak. Gruwelijk. Erger dan de ergste kater. Lig op de vloer van de badkamer, handen om mijn buik, en smeek of iemand me uit mijn lijden wil verlossen.

Maandagochtend geef ik nog steeds net zo hard over. Ik kon onmogelijk tien uur in Detta's bosjes gaan zitten. De dokter kwam langs, zei dat ik ernstige voedselvergiftiging had en vier/vijf dagen uit de running zou zijn. Ik belde Colin en vertelde hem wat er was gebeurd. Hij lachte en zei dat hij het tegen Harry zou zeggen, maar dat die niet blij zou zijn. Twee tellen later belt Harry. Hij zet een keel op, dat hij een 'meer dan gunstig contract' met me heeft gesloten (dat klopt), en wat als Detta vandaag met Racey O'Grady incheckt in een hotel en ik er niet bij ben om het vast te leggen. Dan zou hij teleurgesteld zijn, en ik wist wat er gebeurde met mensen die hem teleurstelden. (Die worden vastgetimmerd aan een biljarttafel, voor het geval je dat was vergeten.) Dus zei ik: 'Wacht even.' Ik liep naar de wc om te kotsen, kwam terug en zei dat ik wel iets zou regelen.

Wat kon ik doen? Ik moest mam wel sturen. Ze smachtte er toch naar Detta's huis en haar kleren te zien. Dus daar ging ze, met een verrekijker en boterhammen en een kartonnen beker voor hoge nood. En je gelooft het niet, maar die donderdag vertoonde Detta zich in het openbaar met Racey O'Grady. (Misschien had Harry Big toch wel reden om paranoïde te zijn.) Ze spraken af in een restaurant in Ballsbridge. Opvallender plek kun je niet verzinnen. Ze waren zelfs zo beleefd om aan het raam te gaan zitten. Mam nam een hele trits foto's met het mobieltje. Ze kwam naar huis en we zetten ze op de computer. Blijkt dat mam helemaal niet weet hoe die camera werkt. Ze had de foto's gemaakt met de verkeerde kant van de telefoon en we hadden een heel stel close-ups van haar rok, de binnenkant van haar mouw en de helft van haar gezicht.

Een dieptepunt, dat snap je. Ik dacht echt dat ik vermoord zou worden. Overwoog even het land uit te vluchten, maar dacht toen: wat kan mij het ook schelen, hoe erg kan het nou zijn om vermoord te worden? Dus bel ik Colin weer, die me meeneemt naar Harry, die het verrassend goed opneemt. Hij slaakte een soort zucht en staarde een tijdje in zijn glas melk. Toen zei hij: 'Dit komt in de beste organisaties voor. Ga door met schaduwen.'

Maar eerlijk gezegd ben ik het zat, Anna. Deze klus is te saai, op de keren na dat ik bang ben om aan biljarttafels te worden getimmerd. Het enige interessante aan mijn werk is Colin.

Dus zeg ik tegen Harry: 'Als ik mijn moeders beschrijving mag geloven, zat Detta daar echt met Racey. Kun je Detta er niet gewoon mee confronteren?' En hij zegt: 'Ben je gek? Ben je niet goed snik? Je komt nooit aanzetten met halfslachtige beschuldigingen. Er gebeurt niks totdat ik bewijzen heb.'

Later zei Colin tegen me dat Harry de waarheid niet onder ogen wil zien. Er zullen nooit genoeg bewijzen zijn. Met andere woorden: ik zit de rest van mijn leven vast aan deze kloteklus.

Mam stond erop betaald te worden voor een week werk. Ik moest ook beloven dat ik op de loer blijf liggen voor vrouw met hond, en dat ik foto's van ze maak.

Er was ook een mailtje van mam.

Aan: Goochelassistente@yahoo.com
Van: Familiewalsh@eircom.net
Onderwerp: Moord

Lieve Anna,

Ik hoop dat het goed met je gaat. Ik heb een vreselijke week gehad. Helen heeft mijn wijwater uit Knock opgedronken, en ik had het beloofd aan Nuala Freeman. Die was nogal kwaad toen ik het haar vertelde. Kun je het haar kwalijk nemen? Ze is heel aardig voor me geweest, ze heeft zelfs een 'bootleg'-dvd van *The Passion of the Christ* voor me meegenomen toen ze die keer naar Medjagory was geweest (of hoe je het ook schrijft). Maar goed, Helen was er ziek als een hond van. Ik bood nog aan om haar ziek te melden, maar ze werd kwaad en zei dat je niet kunt afbellen als je voor een topcrimineel werkt. Ze zei dat ik voor haar moest invallen. Als ze in de knoei zit, weet ze me opeens wel te vinden. Ik had haar in de tang, en ik zei dat ik een oogje op Detta Big zou houden als zij beloofde om zodra ze beter was foto's te maken van die oude vrouw met haar hond. Maar goed, Helen komt rustig terug op haar woord.

Ik dacht dat Detta Big een opgedirkt gangsterliefje zou zijn, en dat ze in een zwijnenstal zou wonen. Maar haar huis was heel smaakvol ingericht, en haar kleren kosten bakken met geld, dat zie je er zo aan af. Ik geef het niet graag toe, maar het monster van de afgunst stak de kop op. Toen maakte ik met de verkeerde kant van de camera foto's van Racey O'Grady en werd Helen weer kwaad. Ze zei dat Mr Big haar zou vermoorden en dat ze dit land zou moeten ontvluchten. Toen kwam ze weer tot bedaren en zei ze dat iedereen de jeweetwel kon krijgen (en ze zei het gewoon), ze zou haar straf ondergaan. Haar vader zei dat ze heel dapper was en dat hij trots op haar was. Ik zei dat ik vond dat ze opgesloten zou moeten worden in een gekkenhuis, dat doodgaan geen grap is, dat onze Heer zelf er bang voor was geweest, en ik belde Claire om te kijken of zij een onderduikadres in Londen kon regelen. Maar Claire zei nee, dat Helen zou proberen het met Adam te doen, en dat ze kon (en ik citeer) opzouten.

Maar goed, Helen ging naar Mr Big en hij heeft haar niet vermoord. Eind goed, al goed, zeg maar. Maar na dat fiasco, de oude vrouw en het wijwater uit Knock, ben ik mezelf niet meer. Hoewel ik de foto's heb verknald, gaf Helen me een beetje bloedgeld, en ik zal kijken of ik me door shoppen iets beter ga voelen.

Liefs van je moeder,
Mam

PS Nog nieuws over Joey en Jacqui? Ik had nooit een stel in ze gezien, maar de vreemdste mensen leggen het met elkaar aan.

31

Mitch en ik stonden geduldig in de rij. Ik keek naar het meisje dat bij de ingang het geld in ontvangst nam. Ze droeg een soort balletpakje, laarzen zoals je die bij motorrijders ziet, en ze had een vlinderbril op met diamantjes. Ik rilde ervan; het deed me aan mijn werk denken.

Mitch en ik leken om de week een voorstel voor een zondags uitje te doen. Deze week was het mijn beurt, en ik had iets heel bijzonders verzonnen: een quiz in Washington Square, het park bij mij in de buurt. Het was iets met liefdadigheid, bedoeld om geld in te zamelen voor een beademingsapparaat of een rolstoel of zoiets (ik had moeite me op details te concentreren) voor de een of andere stakker wiens verzekering niets meer wilde ophoesten.

Het was geen beste dag. Mitch had niets van Trish gehoord, ik had van niemand iets gehoord, zelfs niet van oma Maguire, en Mackenzie was niet komen opdagen. Misschien had ze er tabak van en was ze naar de Hamptons vertrokken, waar ze hoorde, om die rijke gozer te zoeken die haar oudoom Frazer haar had aangeraden.

'Volgende!' zei Vlinderbril.

Mitch en ik stapten naar voren.

'Oké.' Ze plakte stickers op onze borst en gaf me een formulier. 'Jullie zijn team nummer 18. Waar zijn jullie partners?'

Onze partners? Mitch en ik keken elkaar eens aan. Wat moesten we zeggen?

'De andere twee,' drong ze aan. 'De twee om het team compleet te maken.'

'Ik... eh...' Ik hield mijn hoofd schuin en keek naar Mitch op, en hij keek met opengevallen mond terug.

Het meisje werd in verwarring gebracht door onze reactie, en ze zei ongeduldig: 'Vier per team. En ik zie er maar twee.'

'O... O! Jezus, natuurlijk. We zijn maar met zijn tweeën.'

'Dan is het toch twintig dollar. Het is een liefdadigheidsgebeuren.'

'Oké.' Ik gaf haar twintig dollar.

'Je hebt meer kans om te winnen als je met zijn vieren bent.'

'Een waarheid als een koe,' zei Mitch.

We wrongen ons tussen de blije, babbelende groepjes door die op het gras in de zon zaten totdat we een plekje hadden gevonden om te zitten. Toen keek ik Mitch aan. 'Ik had bijna gezegd dat ze dood waren.'

'Ik ook.'

'Kun je het je voorstellen? "Waar zijn jullie partners?" "Die zijn dood!"' zei ik. Ik werd er helemaal vrolijk van. '"Waar zijn jullie partners?" "Die zijn dood!"'

Ik moest zo lachen dat ik moest gaan liggen. Ik bleef maar lachen totdat ik iemand bezorgd hoorde vragen: 'Gaat het wel goed met haar?'

Toen probeerde ik mezelf in de hand te krijgen. 'Het spijt me, Mitch,' zei ik toen ik eindelijk weer ging zitten en de tranen van mijn slapen wiste. 'Het spijt me echt heel erg. Ik weet best dat het niet leuk is, maar...'

'Het geeft niet.' Hij sloeg me op mijn rug en ik kon weer een normale uitdrukking op mijn gezicht krijgen, al dacht ik af en toe: ze zijn dood. En dan schokten mijn schouders weer.

Mitch keek op zijn horloge. 'Het moet nou langzamerhand beginnen.' Het viel me op dat hij net als ik was: ook hij kon er niet tegen als er geen strak programma was. Er moest voortdurend iets gebeuren.

Alsof hij het had gehoord verscheen er een man in een glittersmoking met een microfoon en een papier waar zeker de vragen op stonden. Iedereen ging rechtop zitten.

'Volgens mij gaat het eindelijk beginnen,' zei Mitch.

Ik wilde net zeggen: gelukkig, toen ik iemand hoorde roepen: 'Hé, daar heb je Anna!'

Jezus! Ik keek om. Het was Ornesto, met twee Leuke Jongens die ik herkende omdat ik hen wel eens op de trap was tegengekomen. De aardige Eugene die mijn airconditioning had verplaatst, was er ook bij. Eugene droeg een enorm, ongestreken overhemd. Hij keek betekenisvol naar Mitch, stak zijn duim naar me op en knikte bemoedigend. Nee, toch? Dacht hij soms dat Mitch en ik...

Ornesto stond op. Hij kwam naar ons toe. Ontzet keek ik naar hem. Was ik echt zo stom geweest? Ik had kunnen weten dat ik hier bekenden tegen het lijf zou lopen. Niet dat ik iets te verbergen had. Mitch en ik hadden niets met elkaar, maar misschien zou niet iedereen dat begrijpen.

'Dames en heren,' klonk de stem van Glitterpak door de luidsprekers. 'Zijn jullie er klaar voor?' Hij zwengelde aan de standaard van de microfoon.

'Kom terug, Ornesto,' riepen de Leuke Jongens. 'Het gaat beginnen. Je kunt haar later ook nog spreken.'

Ga terug, dacht ik. Ga terug.

Even bleef hij besluiteloos staan, toen keerde hij tot mijn grote opluchting terug naar zijn maten.

‘Wie is dat?’ vroeg Mitch.

‘Mijn bovenbuurman.’

‘Eerste vraag,’ zei Glitterpak. ‘Wie zei: “Als ik het woord cultuur hoor, trek ik mijn pistool.”?’

‘Weet jij dat?’ vroeg ik Mitch.

‘Nee, jij?’

‘Nee.’

We keken elkaar hulpeloos aan terwijl om ons heen druk werd overlegd.

‘Göring,’ zei ik. ‘Hermann Göring.’

‘Hoe weet je dat?’

‘Ik hoorde ze het zeggen.’ Ik knikte naar het groepje naast ons.

‘Geweldig. Schrijf op.’

‘Volgende vraag! Wie was de regisseur van *Breakfast at Tiffany’s?*’

‘Weet jij dat?’ vroeg ik Mitch.

‘Nee, jij?’

‘Nee.’ Geërgerd zei ik: ‘Dit zijn hartstikke moeilijke vragen.’

‘Het meisje bij de ingang had gelijk,’ zei Mitch terneergeslagen. ‘Met zijn vieren maak je echt meer kans.’

Zwijgend zaten we daar, de enigen in het park die niet overlegden. Maar er was ook niets om te zeggen. Ik wist het niet en Mitch wist het niet. Wat hadden we te overleggen? Schaamteloos luisterden we de anderen af.

‘Blake Edwards,’ zei Mitch zacht. ‘Wie weet dat nou?’

Een meisje van het team naast ons keek om en wierp een strenge blik op ons. Ze had Mitch gehoord. Ze zei iets tegen haar teamgenoten, en die keken ons allemaal aan, gingen toen dichter bij elkaar zitten en praatten heel zacht verder. Mitch en ik keken beschaamd.

‘Onsportief, hoor,’ zei hij.

‘Nou en of. Het is toch voor een goed doel?’

Omdat we de antwoorden van de andere teams niet meer konden oppikken, waren we erg in het nadeel. Maar soms wisten we het antwoord zelf.

‘Wat is een patella?’

‘Iets voor in de keuken?’ vroeg Mitch. ‘Zo’n ding om het beslag mee uit de kom te schrapen?’

'Dat is een spatel. Een patella is een knieschijf,' zei ik opgewekt. 'Als je die ooit hebt ontwricht, onthoud je wel hoe hij heet.'

'Wat is de hoofdstad van Bhutan?'

Iedereen mompelde ontevreden, maar niemand had ooit van Bhutan gehoord, laat staan van de hoofdstad ervan. Afgezien van Mitch. 'Thimphu.'

'Echt?'

'Ja.'

'Hoe weet je dat?'

'Daar zijn Trish en ik op onze huwelijksreis naartoe gegaan.'

Het antwoord op de volgende zes vragen wisten we niet, maar toen zei Glitterpak: 'Babe Ruth werd door de eigenaar van de Red Sox verkocht om een musical op Broadway te kunnen financieren. Hoe heette die musical?'

Mitch haalde moedeloos zijn schouders op. 'Ik ben fan van de Yankees.'

'Geeft niks,' fluisterde ik opgewonden. 'Het is *No, No, Nanette.*'

'Hoe weet je dat?'

'Aidan is fan van de Red Sox.'

Nee. Dat kwam er verkeerd uit. Aidan wás fan van de Red Sox. Van schrik steeg ik op uit mijn lichaam. Het voelde bijna alsof ik op mezelf neerkeek terwijl ik in het park zat, alsof ik met een parachute in het verkeerde leven was terechtgekomen. Wat deed ik hier? Wie was die man met wie ik hier zat?

Terwijl de scores bij elkaar werden opgeteld, werd er een verloting gehouden. De prijzen waren door bedrijven uit de buurt ter beschikking gesteld. Ik won een zakje spijkers in allerlei formaten, en een stuk touw van zeven meter; dit alles een gift van de ijzerwarenwinkel. Mitch won een gratis piercing naar keuze van Tattoos and Screws, de bodyart-salon op de hoek van Eleventh en Third.

Daarna werd de uitslag bekend gemaakt. Team nummer 18 (Mitch en ik) had niet best gescoord: we waren op vijf na de laatste. Maar dat kon ons niets schelen. Het grootste gedeelte van de zondagmiddag waren we ermee zoet geweest, en dat was het enige wat telde.

'Oké.' Mitch stond op en hing zijn eeuwige tas om zijn schouder. 'Bedankt. Nu ga ik maar naar de sportschool. Tot volgende week.'

‘Ja, tot dan.’ Ik was blij dat hij wegging. Ik wilde hem uit de weg hebben voordat Ornesto zou komen.

Even later kwam Ornesto naar me toe, helemaal blij, en met reden: zijn team was vierde geworden, en in de loterij had hij een jaar lang gratis kleding stomen gewonnen.

‘Ach, hij is weg… Zeg Anna, wie was die gozer? Wie was die kanjer?’

‘Niemand.’

‘Nee, hij was niet niemand. Hij was bepaald een iemand.’

‘Helemaal niet. Hij is weduwnaar, net als Eugene.’

‘Kom op, schat, hij lijkt in de verste verte niet op Eugene. Ik heb zijn schouders gezien. Traint hij veel?’

Aarzelend haalde ik mijn schouders op. Ja, hij trainde veel. ‘Toe, Ornesto.’ Ik wilde niet dat Rachel, Jacqui of wie dan ook van Mitch wisten. Ze zouden kunnen denken dat het iets met romantiek had te maken, en dat was absoluut niet het geval. ‘Zijn vrouw is gestorven. We zijn alleen maar…’

‘Ja, ja, jullie troosten elkaar alleen maar.’ Zoals hij het zei, klonk het echt ranzig.

De enige troost die ik van Mitch kreeg, was dat hij begreep hoe ik me voelde. Ineens werd ik razend op Ornesto. Ik tierde tegen Ornesto, maar dan fluisterend omdat we ons in het openbaar bevonden: ‘Hoe durf je!’

Mijn gezicht werd rood en mijn ogen puilden uit. Geschrokken deinsde hij achteruit.

‘Ik hou van Aidan,’ fluistertierde ik. ‘Zonder hem voel ik me verloren. Ik moet niet aan een andere man dénken. Nooit!’

32

Candy Grrrl’s nieuws reeks reinigingsproducten heette Clean & Serene, en ik had een geniaal idee voor een persbericht: ik zou het opstellen in de vorm van de twaalf stappen van Anonieme Alcoholisten. Maar ik kende alleen de eerste:

1) Wij erkenden dat wij machteloos stonden tegenover de alcohol, dat ons leven stuurloos was geworden.

Ik veranderde het in:

1) Wij erkenden dat wij machteloos stonden tegenover onze vettige T-zone, dat onze huid onhandelbaar was geworden.

Ik was behoorlijk ingenomen met mezelf, maar om verder te komen, had ik alle twaalf stappen nodig. Ik probeerde Rachel te bereiken, maar dat lukte niet, dus met frisse tegenzin vroeg ik aan Koo/Aroon van EarthSource of ze ze voor me had. Ze opende de la van haar bureau en overhandigde me een boekje. 'Ze staan hier op de voorpagina!'

'Ik heb ze nodig voor een persbericht,' zei ik snel.

'Tuurlijk,' zei ze. Maar zodra ik wegliep, wendde ze zich tot een van haar collega's, en hun opgewonden gefluister en hoopvolle blikken baarden me zorgen. Shit. Dat was stom van me. Heel stom. Ik had weer een beerput opengetrokken. Ze dachten vast en zeker dat ik zou toegeven dat ik alcoholist was.

Toen Rachel terugbelde en ik uitlegde waarom ik had gebeld, zei ze: 'Je gaat echt te ver als je het twaalfstappenprogramma gebruikt om make-up aan te prijzen.'

'Make-upremóver,' zei ik.

'Maakt niet uit.'

Ze hing op. Terug naar af.

Impulsief belde ik Jacqui. 'Hoe gaat het met Norse Joey?' vroeg ik.

'O, prima, prima. Ik kan naar hem kijken en toegeven dat hij wel iets van Jon Bon Jovi heeft, maar het doet er verder niet toe. Ik vind hem niet leuk of zo.'

'Godzijdank!' Opeens werd ik overvallen door een gevoel van genegenheid, en ik wilde haar zien. 'Zullen we straks iets gaan doen?' vroeg ik. 'Een videootje huren of zo?'

'O, ik kan vanavond niet.'

Ik wachtte totdat ze me een reden gaf. Toen die niet kwam, vroeg ik wat ze ging doen.

'Ik ga pokeren.'

'Pokeren?'
'Ja.'
'Waar?'
'Bij Gaz.'
'Bij Gaz? Bedoel je bij Gaz en Jóey?'
Schoorvoetend gaf ze toe dat Joey inderdaad een woning deelde met Gaz.
'Mag ik ook meedoen?' vroeg ik.
Ik bedoel, ik dacht dat ze daar wel blij mee zou zijn. Ze zeurde al maanden aan mijn kop dat ik er vaker op uit moest.

Het punt was alleen dat Gaz er helemaal niet was. Alleen Joey was er, en hij leek niet bepaald blij me te zien. Ik bedoel, dat was hij nooit. Maar dit was een ander soort ongenoegen.
'Waar is Gaz?' vroeg ik.
'Weg.'
Ik keek naar Jacqui, maar ze ontweek mijn blik.
'Het ziet er gezellig uit hier,' zei ik. 'Mooie kaarsen. Ylangylang zie ik, héél sensueel. En hoe heten die bloemen?'
'Paradijsvogelbloemen,' mompelde Joey.
'Prachtig. Mag ik een van deze aardbeien?'
Norse stilte. 'Ga je gang.'
'Heerlijk! Rijp en sappig. Probeer maar, Jacqui. Kom hier, dan geef ik je er een. Waar is deze sjaal voor, Joey? Is het een... blinddoek?'
Hij maakte een bozig waar-heb-je-het-over-gebaar.
'Luister, ik ga ervandoor,' zei ik.
'Nee, blijf,' zei Jacqui. Ze keek naar Joey. 'We spelen poker, meer niet.'
'Ja, blijf,' zei Joey. Halfhartiger had het niet kunnen klinken.
'Blijf nou,' zei Jacqui. 'Echt Anna, het is geweldig om je weer een keer buitenshuis te zien.'
'Maar... weten jullie het zeker?'
'Ja.'
'Nou ja, het kan geen kwaad. En trouwens, kún je wel pokeren met zijn tweeën?'
'We zijn nu met zijn drieën,' zei Joey knorrig.
'Dat is waar. Maar vind je het goed als we niet pokeren?' vroeg

ik. 'Ik snap het gewoon niet. Je kunt het alleen goed doen als je rookt, het gaat alleen maar om het turen. Laten we een echt spel spelen. Laten we jokeren.'

Na een lange stilte, zei Joey: 'Ja, laten we jokeren.'

We gingen aan tafel zitten en Joey wierp ons elk zeven kaarten toe. Ik boog naar voren en staarde naar de kaarten. Toen vroeg ik: 'Vind je het erg om een lamp aan te doen? Ik kan mijn kaarten niet zien.'

Joey sprong met korte, schokkerige bewegingen op, ramde kwaad op de knop en liet zich weer in zijn stoel vallen.

'Dank je,' mompelde ik. Onder de felle lamp leken alle bloemen, kaarsen, aardbeien en chocola zich opeens een beetje te schamen.

'Zal ik ook de muziek uitzetten? Dan kun je je beter concentreren,' zei hij.

'Nee. Ik vind Ravels *Bolero* wel mooi, eigenlijk.'

Het speet me dat ik zijn verleidingspogingen verpestte, maar ik had niet beseft dat ik zou storen. Jacqui had min of meer gezegd dat Gaz er zou zijn. En zowel zij als Joey stond erop dat ik bleef, ook al meenden ze het geen van beiden.

Ik keek op van mijn kaarten, die trouwens uitstekend waren, en zag dat Joey openlijk naar Jacqui zat te staren. Hij was net een kat met een pluizig speeltje, hij was gebiologeerd. Zij was moeilijker te doorgronden; ze staarde niet naar hem zoals hij naar haar, maar ze was niet zo uitbundig als gewoonlijk. En ze was in elk geval niet met haar gedachten bij haar kaarten, want ik bleef maar winnen. 'Uit!' zei ik de eerste paar keren blij. Toen werd het gênant, en vervolgens een beetje saai.

Het was geen succesvolle avond en hij liep al vroeg ten einde.

'Die arme Gaz kan in elk geval weer terugkomen van waar Joey hem naar heeft verbannen,' zei ik tegen Jacqui terwijl we op de lift wachtten.

'We zijn vrienden, meer niet,' zei ze verdedigend.

Aan: Goochelassistente@yahoo.com
Van: Lucky_Star_Pl@yahoo.ie
Onderwerp: Goed nieuws

Heb twee weken vrij van Detta Big. God zij gedankt. Ze gaat naar Marbella met de meiden (gezamenlijke leeftijd drieduizendzeven jaar, als ik moet afgaan op die club met wie ik haar zag lunchen).

Harry: 'En je hoeft niet te denken dat je met haar meegaat op een volledig betaalde zonvakantie.'
Ik: Alsof ik naar die gribus wil.
Hij (gekwetst): Waarom niet? Wat is er mis mee?
Ik: Het zit er vol linke gasten die te veel goud dragen, gekocht met de winsten die ze onrechtmatig hebben verkregen. Costa del Foute Gasten.
Hij: Ik wist niet dat de middenklasse zo over Marbella dacht. We dachten dat jullie jaloers waren. Detta vindt het er heerlijk.
Kun je nagaan. (Dat zei ik natuurlijk niet hardop.)
Hij: Maar je hoeft niet te denken dat je klaar bent. Hou een oogje op Racey O'Grady. Zorg dat hij in het land blijft.

Aan: Goochelassistente@yahoo.com
Van: Familiewalsh@eircom.net
Onderwerp: Foto's!

Lieve Anna,

Ik hoop dat het goed met je gaat en sorry voor mijn gezanik in mijn vorige mail. Goed, we hebben eindelijk foto's van de vrouw en Zoe! Helen is een beste meid. Ze heeft zich verstopt in de bosjes en een rolletje volgeschoten. Ze wilde roepen dat we haar in de smiezen hadden, maar ik zei dat ze dat moest laten. Onzichtbaarheid zal in ons voordeel werken. De beste foto's neem ik aanstaande zondag mee naar de kerk. Dan vraag ik mensen of ze de vrouw of Zoe herkennen. De Heer sta die arme Zoe bij, zij kan er ook niets aan doen, honden hebben geen besef van goed en kwaad. Mensen hebben een geweten, dat onderscheidt ons van dieren. Hoewel Helen zegt dat het verschil is dat dieren geen hoge hakken kunnen dragen. Hoe dan ook, ik moet toegeven dat ik geen jota van de hele zaak begrijp. Het oude vrouwtje koestert duidelijk een soort wrok tegen ons.

Liefs van je moeder,
Mam

Aan: Goochelassistente@yahoo.com
Van: Lucky_Star_PI@yahoo.ie
Onderwerp: Racey O'Grady

Racey O'Grady woont in Dalkey, een chique buurt. Verbaasde me. Dacht dat alle topcriminelen bij elkaar zouden wonen, zodat ze de hele dag lekker konden buurten en kopjes kogels bij elkaar konden lenen, en tegen elkaar konden zeggen dat ze even naar de winkel moesten, of die ander dan even op hun gijzelaar wilde passen, enzovoort. Racey is erg gesteld op zijn privacy: groot huis, eigen terrein, elektronische omheining, hoge muren met van die scherpe punten.

Ik parkeerde een eindje verderop en de hele dag ging er niemand naar binnen of buiten. Zelfs geen postbode. Saaier kon het niet. Ik was echt bang dat Racey naar Marbella was en dat ik ook zou moeten. Om vijf uur gaat eindelijk het hek open, en daar had je Racey. Ziet er in het echt goed uit. Gebruind, lichtblauwe ogen, kwieke tred. Droeg helaas heel foute champignonkleurige schoenen, open overhemd en gouden ketting. Zag eruit als een voetbaltrainer, maar veel beter dan Mr Big.

Hij droeg een sporttas. Ik wist zeker dat die vol zagen, tangen en andere martelwerktuigen zat, maar hij ging naar de sportschool. Volgde hem (te voet) naar Killiney Castle, waar ze me niet binnen wilden laten omdat ik geen lid was. Ik zei dat ik overwoog lid te worden en of ik een rondleiding kon krijgen. Oké, zeiden ze, en toen ze me de zaal lieten zien, ging Racey daar met zijn aderige benen als een bezetene tekeer op het stepapparaat. De onschuld zelve. Hij vertrok een eeuwigheid later. Ik volgde hem, zat weer een uur in de auto, en dacht toen: krijg de schijt maar, vanavond gaat hij duidelijk niet meer naar Marbella, ik ga naar huis.

33

In de trein zaten Mitch en ik schouder aan schouder te zwijgen. We kwamen terug van het pretpark op Coney Island, waar we grimmig in allerlei attracties hadden gezeten. Maar dat deed er niet toe. We waren niet gegaan om ons te amuseren, maar om de tijd door te komen.

De trein nam een nogal scherpe bocht, en we vielen bijna van onze zitplaats af. Toen we weer rechtop waren gaan zitten, vroeg ik opeens: 'Hoe was jij eerst?'

'Eerst?'

'Ja, wat voor iemand was je?'

'Hoe ben ik nu?'

'Stilletjes. Je zegt niet zoveel.'

'Misschien praatte ik vroeger meer.' Hij dacht er even over na. 'Ja, gesprekken. Ik had een mening, ik praatte graag. En veel.' Hij klonk verbaasd. 'Over de waan van de dag, films, maakt niet uit wat.'

'Lachte je veel?'

'Lach ik nu dan niet? Oké. Ja, ik lachte veel. Hoe was jij eerst?'

'Ik weet het niet. Blijer. Zonniger. Hoopvol. Niet doodsbang. Ik vond het leuk om onder de mensen te zijn...'

Met een zucht deden we er het zwijgen weer toe.

Uiteindelijk zei ik: 'Denk je dat we ooit nog kunnen worden wie we waren?'

Daar dacht hij even over na. 'Dat wil ik niet. Dan zou het zijn alsof Trish nooit heeft bestaan.'

'Ik begrijp precies wat je bedoelt. Maar Mitch, moeten we eeuwig zo blijven?'

'Hoe bedoel je: zo?'

'Als... als een soort geesten. Net alsof wij ook dood zijn, maar niemand het ons nog heeft verteld.'

'We komen er wel overheen.' Na een korte stilte voegde hij eraan toe: 'We komen er beter uit, maar wel anders.'

'Hoe weet je dat?'
Hij glimlachte. 'Omdat ik het weet.'
'Oké.'
'Is het je opgevallen dat ik daarnet lachte?'
'O ja? Doe het nog eens?'
Hij vertrok zijn gezicht in een veel te opgewekte tandpastalach. 'En? Wat vind je ervan?'
'Je lijkt op een presentator van tv-spelletjes.'
'Ik moet gewoon veel oefenen.'

Aan: Goochelassistente@yahoo.com
Van: Familiewalsh@eircom.net
Onderwerp: Het laatste nieuws

Niemand die de mis bijwoonde, herkende de vrouw van de foto. Ik ga ermee naar de golf- en de bridgeclub, en als er dan nog geen resultaat is, ga ik naar de tv en probeer in zo'n programma te komen waar ze je vragen of je de dader van een misdaad herkent. Helen noemt het: de buren verlinken. Mevrouw Big is terug uit Marbella, en vanaf morgenochtend moet Helen weer in de bosjes zitten.
Liefs van je moeder,
Mam

34

'Ben je er klaar voor?' vroeg Nicholas. 'De volle maan vanavond?'
'Ja,' zei ik zachtjes, en ik drukte de hoorn nog steviger tegen mijn oor. Ik was op mijn werk, en hoewel het niet erg voor de hand lag dat iemand zou raden dat ik met iemand besprak dat ik de stem van mijn overleden echtgenoot ging opnemen, wilde ik geen enkel risico nemen.
'Heb je je cassetterecorder?'
'Ja.' Speciaal voor de gelegenheid aangeschaft.
'En je weet dat je pas na zonsondergang moet beginnen?'

'Ja. Ik weet alles.' Nicholas had me een enorme hoeveelheid informatie over het *electronic voice phenomenon* gestuurd. Tot mijn verbazing leken wetenschappers het serieus te nemen.

'O, dit geloof je trouwens niet!'

'Wat?'

'Volgens de weersverwachting is er tachtig procent kans op een onweersbui vanmiddag. Des te meer kans heb je dat Aidan iets tegen je gaat zeggen.'

'Echt?' Mijn maag kromp ineen van opwinding.

'Ja, echt. Succes. Bel me.'

Ik was gespannen en onrustig. Ik kon niet werken, ik kon alleen ijsberen en uit het raam staren. Aan het einde van de middag werd de lucht plotseling donkerpaars en voelde het klam en drukkend aan.

Teenie keek op van haar bureau. 'Volgens mij gaat het onweren.'

Het werd me allemaal te veel en ik moest even gaan zitten.

De lucht werd steeds donkerder, en ik hoopte dat het niet weer zou opklaren toen het eerste gerommel van onweer over Manhattan rolde. Ik slaakte een zucht van opluchting. Een paar seconden later werd de hemel opengespleten door een bliksemflits en de hemelsluizen openden zich.

Ik luisterde naar een sissende stortbui die de stad onderdompelde. Mijn hele lichaam trilde van hoopvolle verwachting, zelfs mijn lippen. Toen mijn telefoon ging, kon ik nauwelijks een woord uitbrengen. 'Pr-afdeling van Candy Grrrl, met Anna Walsh.'

Het was Nicholas weer. 'Ongelooflijk!' riep hij.

'Een volle maan én een onweersbui,' zei ik als verdoofd. 'Hoe groot is de kans dat die tegelijk plaatsvinden?'

'Nou, groter dan je misschien zou denken,' zei hij. 'Je weet toch dat de volle maan invloed heeft op de getijden, en...'

'Hou op, hou op! Ik wil het niet horen.'

'Sorry.'

Het volgende telefoontje was van Mitch. 'Veel succes vanavond.'

'Ongelooflijk hè, dat ze allebei tegelijk plaatsvinden?' vroeg ik.

'Ja. Het moet wel een teken zijn. Bel me straks maar als je wilt praten.'

Het volgende telefoontje was van Jacqui. 'Ik ben verliefd op Norse Joey.'

'En Norse Joey?'

'Norse Joey is verliefd op mij.'

'Ik wil het graag met eigen ogen zien. Kunnen we een keertje met zijn allen uit?'

Elke taxi in Manhattan zat vol of was besteld, en ik raakte doorweekt toen ik van het metrostation naar mijn appartement rende. De tas die ik boven mijn hoofd hield, bood geen enkele bescherming. Niet dat het me iets kon schelen, ik was door het dolle heen. Ik ijsbeerde door de kamer, droogde mijn haar met een handdoek en vroeg me af welke tijd officieel gold als na zonsondergang.

Toen het onweer was losgebarsten, was het donker geworden, maar ik vroeg me af of dat ook betekende dat het na zonsondergang was. Misschien was de zon wel geschrokken van de donder en bliksem, maar nog niet echt ondergegaan.

Ik wist niet of wat ik dacht wel logisch was, maar de instructies die Nicholas me had gestuurd waren heel gedetailleerd: de opname moest pas na zonsondergang beginnen, en ik kon het me niet veroorloven te smokkelen, want dan moest ik vier weken wachten op de volgende volle maan. Ik kon het niet meer aan om nog langer op Aidan te wachten, maar ik dwong mezelf te wachten totdat het tien uur was geweest. In gewone omstandigheden, zonder onweer, zou de zon dan absoluut onder zijn.

Ik zette de cassetterecorder in de slaapkamer, want die was ver van de voorkamer, die aan de straatkant lag. Het onweer was opgehouden, maar de regen viel nog steeds uit de hemel.

Om er zeker van te zijn dat alles werkte, zei ik een paar keer 'Test, test, een, twee.' Ik voelde me net een roadie van een rockband, maar het moest gebeuren, en ik zei het tenminste niet half mompelend, als een echte roadie. Daarna haalde ik diep adem en sprak ik in het microfoontje. 'Aidan, zeg alsjeblieft iets tegen me. Ik, eh... ga even weg, en als ik terugkom, hoop ik echt dat je een bericht voor me hebt achtergelaten.'

Toen liep ik op mijn tenen naar de woonkamer, waar ik met mijn voet wiegend naar de klok ging zitten kijken. Ik zou een uur wachten.

Toen de tijd voorbij was, liep ik op mijn tenen de kamer weer in. Het bandje was vol. Ik spoelde terug en drukte op Play, terwijl ik murmelde: 'Alsjeblieft, Aidan, alsjeblieft, Aidan, zeg me dat je een bericht hebt achtergelaten, alsjeblieft, Aidan, alsjeblieft.'

Ik schrok op toen ik mijn eigen stem weer hoorde, maar daarna bleef het stil. Ik luisterde gespannen, maar hoorde helemaal niets. Het enige geluid was het geruis van stilte.

Opeens liet het bandje zachtjes maar onmiskenbaar een hoge, schelle schreeuw horen. Ik deinsde geschrokken achteruit. Jezus, was dat Aidan? Waarom had hij geschreeuwd?

Mijn hart ging als een razende tekeer. Ik bracht mijn oor tot vlak voor de luidspreker. Er klonken ook andere geluiden. Vage, onsamenhangende geluiden, maar ook overduidelijk het geluid van een stem. Ik ving een woord op dat als 'men' klonk, gevolgd door een spookachtig 'oeoeoeh'.

Ik geloofde mijn oren niet. Ik droomde niet, dit gebeurde echt. Was ik er wel klaar voor? Het bloed gonsde in mijn oren, mijn handpalmen waren kletsnat en ik had overal kippenvel. Aidan had contact met me opgenomen. Het enige wat ik moest doen, was goed genoeg luisteren om te horen wat hij te zeggen had. Dank je, lieverd, dank je, dank je, dank je. De stem klonk hoger dan die van Aidan; ik had al gehoord dat dit kon gebeuren en dat ik het bandje sneller of langzamer moest afspelen om het beter te horen. Dat maakte het echter moeilijker iets begrijpelijks op te pikken, dus speelde ik het weer af op normale snelheid. Ik spande al mijn spieren, wanhopig proberend iets verstaanbaars op te vangen. Ik hoorde nog steeds alleen hier een geluid en daar een woord, toen ik uit het niets opeens een hele zin hoorde. Er was geen twijfel over mogelijk wat het was. Ik hoorde elk woord glashelder.

Het was: *'Ab-so-lutely soooaaak-ing wet!'*

Het was Ornesto. Boven. Die 'It's Raining Men' zong.

Zodra ik begreep wat het was, vielen alle vage, onduidelijke geluiden op hun plek.

'*Halleloooja! It's raining men! La la la la la la.*'

Even voelde ik niets. Helemaal niets. Ik had me nog nooit in een dergelijke situatie bevonden.

Ik bleef ik weet niet hoe lang in de donkere kamer zitten, liep toen naar de woonkamer en zette gedachteloos de tv aan.

35

Aan: Paranormale_producties@yahoo.com
Van: Goochelassistente@yahoo.com
Onderwerp: Neris Hemming

Ik heb op 6 juli contact met jullie opgenomen omdat ik mijn overleden echtgenoot Aidan wil spreken. Jullie bevestigden dat ik over tien tot twaalf weken een afspraak met Neris Hemming zou krijgen. Er zijn nu vijf weken voorbijgegaan, en ik vroeg me af of de afspraak naar een eerdere datum kan worden verschoven. Of dat jullie me überhaupt een datum kunnen geven, want dat zou het wachten een stuk makkelijker maken.

Bij voorbaat heel veel dank,
Anna Walsh

Impulsief schreef ik er nog een PS onder:

Sorry dat ik jullie hiermee lastigval. Ik weet dat Neris het heel erg druk heeft, maar ik ben ten einde raad.

De volgende dag kreeg ik een reactie:

Aan: Goochelassistente@yahoo.com
Van: Paranormale_producties@yahoo.com
Onderwerp: Re: Neris Hemming

Het is niet mogelijk uw afspraak naar een eerdere datum te verschuiven. Op dit moment is het niet mogelijk een datum voor uw afspraak vast te stellen. Ongeveer twee weken van tevoren wordt er contact met u opgenomen. Dank u wel voor uw interesse in Neris Hemming.

Met stomheid geslagen staarde ik naar het scherm. Ik had wel kunnen gillen, maar daar schoot ik niets mee op.

'Laten we zaterdagavond iets gaan doen,' stelde Jacqui voor.
'Zoals wat? Moet je niet pokeren met zijn tweeën?'
'Hou op.' Ze giechelde.
'Je giechelde.'
'Nietes.'
'Welles. Jacqui, je giechelde.'
Daar moest ze even over nadenken. 'Shit. Nou ja, laten we zaterdagavond iets gaan doen.'
'Ik kan niet. Ik moet naar de Superzaterdag in de Hamptons.'
'O, jij boft toch maar weer!'
Dat zei iedereen wanneer ik vertelde waar ik naartoe moest.
'Al die goedkope designerkleding!' zei Jacqui. 'Al die gratis spullen! En de feesten na afloop!'
Maar voor mij was het werk. *Werk*. En het is heel anders als het je werk is.

36

Op een heiige vrijdag stonden Teenie en ik in de file op de Long Island Expressway. De auto was volgestouwd met tientallen dozen vol spullen: in de kofferruimte, op de vloer, op onze schoot. We moesten alles zelf meebrengen, want als we het toevertrouwden aan koeriers, bestond er een reële kans dat het niet op tijd zou aankomen. (Of als we het de dag ervoor opstuurden, bestond er een reële kans dat het gejat zou worden.) Maar we klaagden niet: we hoefden tenminste niet net als vorig jaar met het pendelbusje.

Niet dat het een pretje was de uitlaatgassen van een miljoen auto's in te ademen; een van de raampjes moest open blijven omdat de drie kartonnen Candy Grrrl-decordoeken te lang waren en niet in de auto pasten.

'Tegen de tijd dat we er zijn, hebben we longkanker,' merkte Teenie op. 'Ooit de longen van een roker gezien?'

'Nee.'

'O, mooi!' Met zichtbaar plezier begon ze aan een smerige beschrijving, totdat de chauffeur – een lange man met de gele vingers van een fervent roker – zei: 'Hou alsjeblieft op. Ik voel me niet zo lekker.'

We kwamen pas na negenen aan bij The Harbor Inn. We moesten eerst de suite van Candace en George checken, om er zeker van te zijn dat die luxe genoeg was en dat ze bij aankomst champagne, een fruitmand, exotische bloemen en ambachtelijk vervaardigde bonbons konden verwachten. We schikten een paar kussentjes, streken het dekbed glad, kortom: we lieten niets aan het toeval over. Daarna aten we nog iets en gingen naar onze kamers om een paar uur te slapen.

De volgende ochtend waren we om zeven uur op de plek waar de beurs gehouden zou worden. Het publiek mocht om negen uur binnenkomen, en voor die tijd moesten we een mini-Candy Grrrl-winkeltje opbouwen.

Even na halfacht kwam Brooke. Ze was woensdag al aangekomen en sliep bij haar ouders in hun villa.

'Hé meiden!' zei ze. 'Kan ik helpen?'

Grappig genoeg meende ze het. Binnen een paar tellen stond ze op een ladder en hing ze de kartonnen borden van anderhalf bij drie meter aan het plafond. Toen vogelde ze uit hoe we de afzonderlijke stukken van de zwart gelakte displaytafel aan elkaar moesten klikken. Zeg wat je wilt over mensen voor wie rijkdom vanzelfsprekend is, maar Brooke was buitengewoon praktisch en behulpzaam.

Teenie en ik pakten intussen onze dozen met spullen uit. We promootten Protection Racket, onze nieuwe reeks zonnebrandcrèmes. Het zat in flesjes van (nep)glas, met stoppen van geslepen glas (oké, ook nep), als ouderwetse parfumflesjes, en de crèmes hadden allemaal een andere tint rood: de hoogste beschermingsfactor, 30, was bordeauxrood, en het liep af naar steeds lichtere kleuren, tot de laagste factor, 4, die lichtroze was. Ze waren schitterend.

We hadden ook honderden T-shirts en strandtassen van Candy Grrrl om weg te geven, ontelbare tasjes met monsters, en al onze andere producten, waarmee Candace haar make-overs kon doen.

Net toen we de laatste lipgloss in zijn display klikten, kwam Lauryn aan.

'Hoi,' zei ze. Haar uitpuilende ogen schoten heen en weer, op zoek naar iets om te bekritiseren. Teleurgesteld zag ze dat alles in orde was, dus draaide ze zich naar de wachtende menigte, die ze als een hunkerende jager scande.

'Ik ga even...'

'Ja,' mompelde Teenie toen ze weg was. 'Ga jij maar een beroemde kont zoeken om te likken.'

Brooke gierde het uit van het lachen. 'Jullie zijn zó grappig!'

Rond tien uur werden we bijna onder de voet gelopen. Er was veel belangstelling voor Protection Racket, maar iedereen wilde weten of je huid er roze van zou worden.

'O nee,' zeiden we keer op keer, 'de kleur verdwijnt op de huid.'

'De kleur verdwijnt op de huid.'

'De kleur verdwijnt op de huid.'

'De kleur verdwijnt op de huid.'

Zo nu en dan hoorde je een verbaasde bekakte stem: 'O, hallo Brooke! Je werkt, wat schattig! Hoe gaat het met je moeder?'

We deden goede zaken met het weggeven van strandtassen (iets minder met de T-shirts, maar goed), en alle drie gaven we tientallen make-uptips: over huidtype, lievelingskleuren, enzovoort, waarna we die vrouwen een flinke hoeveelheid monsters in de maag splitsten.

We lachten voortdurend, en ik kreeg vreselijke kramp in mijn kaken.

'Opeenhoping van melkzuur,' zei Teenie. 'Dat krijg je als je een spier uitput.'

De tijd vloog voorbij, totdat Teenie zei: 'Shit! Het is bijna twaalf uur. Waar zijn de vrouwen die zo gek zijn dat ze Candace willen ontmoeten?'

Candace zou om twaalf uur komen. We hadden geadverteerd in de lokale kranten, en het was elk kwartier omgeroepen via het omroepsysteem, maar er had zich nog niemand gemeld.

'We moeten mensen gaan ronselen,' zei Teenie. 'Als we geen lange rij hebben, kunnen we het wel schudden.'

'Oké, ronselen maar.' De woorden stierven weg terwijl boven

het geroezemoes van de menigte uit plotseling een schrille kreet klonk. Het klonk als een klein kind.

We keken elkaar aan. Wat was dat?

'Daar zul je dokter De Groot hebben,' zei Teenie.

37

Lauryn kwam terug.

'Om voor Candace en George net te doen alsof ze hier al de hele ochtend is,' zei Teenie zacht.

'En, hoe gaat het?' vroeg Lauryn terwijl ze rusteloos rondliep. Ze pakte een flesje Protection Racket en vroeg toen alsof ze het nog nooit had gezien: 'Word je hier niet roze van?'

In koor antwoordden Brooke, Teenie en ik: 'De kleur verdwijnt op de huid.'

'Jezus,' reageerde ze gegriefd. 'Jullie hoeven niet zo tegen me te gillen. Allemachtig!' Ze had net gemerkt dat er geen rij stond. 'Waar is iedereen?'

'We gingen ze net opjagen hiernaartoe.'

'O, goed. Daar komen ze al.'

Ik keek. Vier vrouwen liepen op onze kraam af. Maar intuïtief wist ik dat ze niet voor een make-over door Candy Grrrl kwamen. Ze hadden allemaal geprononceerde jukbeenderen, kinlange pagekopjes, en hun kleren waren beige en zandkleurig, verbleekt in de zon. Ze zagen eruit alsof ze uit een advertentie van Ralph Lauren waren gestapt. Het bleken Brookes moeder, Brookes twee oudere zussen en Brookes schoonzusje te zijn.

Toen zag ik in de menigte een bekend gezicht, maar het duurde even voordat ik me kon herinneren wie ze was of waarvan ik haar kende. En ineens drong het tot me door: het was Mackenzie! Ze droeg een verweerde spijkerbroek en een wit herenoverhemd, heel anders dan de glamouroutfit waarin ze op zondag naar de spiritistische kerk kwam. Maar ze was het. Ik had haar al drie of vier weken niet meer gezien.

'Anna!' zei ze. 'Wat zie je er beeldig uit! Helemaal in het roze!'

Het was vreemd, want ik kende haar nauwelijks, maar toch voelde het alsof ik een zusje terugzag dat ik al heel lang niet had gezien. Ik sloeg mijn armen om haar heen en we omhelsden elkaar stevig.

Natuurlijk kende Mackenzie alle Edisons omdat ze uit hetzelfde milieu kwam, en er werd gezoend en naar ouders en ooms gevraagd.

'Hoe kennen jullie elkaar?' vroeg Lauryn terwijl ze achterdochtig van mij naar Mackenzie keek.

Mackenzie keek me waarschuwend aan: niet zeggen, alsjeblieft niet zeggen.

Ik keek geruststellend terug: maak je niet druk, ik zeg niks.

We hoefden geen gênant toneelstukje op te voeren met: 'Hoe kennen we elkaar eigenlijk, Anna?' 'Ik weet het niet, Mackenzie, waar kennen we elkaar toch van?' Dat kwam omdat koningin Candace en koning George net kwamen aanlopen.

Candace, gekleed in het zwart, dacht dat de Edison-vrouwen en Mackenzie de menigte was die een make-over van haar wilde krijgen.

'Nou,' zei ze, en ze lachte er bijna bij. 'Laten we dan maar beginnen.' Ze stak haar hand uit naar het alfawijfje en zei: 'Candace Biggly.'

'Martha Edison.'

'Nou, Martha, wil je dan maar plaatsnemen voor je make-over?' Candace gebaarde naar een plastic kruk in de kleuren zilver en roze. 'De andere dames zullen even moeten wachten.'

'Een make-over?' Mevrouw Edison klonk ontzet. 'Maar ik gebruik uitsluitend water en zeep.'

In verwarring gebracht keek Candace naar een zusje Edison, toen naar het andere, en vervolgens naar de schoonzus. Het viel haar op dat het allemaal klonen van Martha waren.

'Water en zeep,' zeiden ze allemaal terwijl ze terugdeinsden. 'Ja, water en zeep. Dag, Brooke, tot ziens op de picknick om de eland te redden.'

'Mackenzie,' zei ik opgewekt. 'Wil jij een make-over?'

'Waarom niet?' Gehoorzaam nam ze plaats op de kruk en ze stelde zichzelf aan Candace voor als Mackenzie McIntyre Hamilton.

George zei tegen Candace: 'Nou, meisjes, als jullie allemaal bezig zijn, ga ik maar eens een wandelingetje maken.'

Teenie en ik keken elkaar aan. We vermoedden allebei dat hij ging hielenlikken bij Donna Karan. Brooke zag ons kijken en moest vreselijk giechelen. 'O, jullie toch!'

'Hou je kop,' snauwde Lauryn. 'Zorg dat er hier mensen komen.'

Maar dat bleek een onmogelijke opgave te zijn. De meeste voorbijgangers waren onderweg naar de picknick om de eland te redden, en daarvoor hadden ze geen make-over nodig. Ze wilden wel een strandtas van Candy Grrrl aannemen die vol gratis monsters zat, maar plaatsnemen op de kruk, nee, dank u.

Candace deed zo lang mogelijk over Mackenzies make-over, maar uiteindelijk kwam Mackenzie toch van de kruk af, en meteen schoot ik haar aan.

'Kom je gauw weer?' vroeg ik heel zacht.

Ze schudde haar hoofd. 'Nee,' zei ze, ook heel, heel zacht. 'Ik ben bezig met iets anders.'

'Een rijke man aan de haak slaan?'

'Ja. Maar ik mis jullie. Hoe gaat het met Nicholas?'

'O, wel goed.'

'Wat stond er vorige week op zijn T-shirt?'

'Jimmy Carter For President.'

Ze lachte hardop. 'Een oud T-shirt! Jeetje, hij is echt leuk. En knap. Ligt het aan mij, of is hij echt een kanjer?'

'Dat moet je mij niet vragen.'

'O ja. Sorry.' Ze slaakte een verdrietige zucht. 'Nou, doe Nicholas de groeten. Doe iedereen maar de groeten.'

Ze liep weg, en ik ging weer verder met het lastigvallen van passanten. Niemand wilde een make-over, en dat was al erg genoeg, maar er was ook iemand die zei: 'Ik kreeg overal uitslag van die crème van Candy Grrrl.' En Candace hoorde dat.

Ze smeet haar blusherkwast neer en zei: 'Ik heb wel iets beters te doen dan deze sufkoppen iets aan te smeren. Ik maak een omzet van vierendertig miljoen per jaar.'

Ik was bang dat we een cliënt zouden kwijtraken en zocht George met mijn blik, maar hij was bezig leuk te doen tegen iedere idioot die ook maar een beetje beroemd was. Natuurlijk was Lauryn er ook tussenuit geknepen.

'Ik wil een ijsje,' zeurde Candace.

'O... Oké. Ik ga wel een ijsje halen. Teenie en Brooke houden u gezelschap.'

'Het spijt me, maar ik moet weg,' zei Brooke. 'Ik heb beloofd lootjes te verkopen voor de elanden.'

'Oké. Nou, bedankt, Brooke, je was een kei. Tot maandag.'

'Woensdag,' verbeterde ze me. 'Ik kom woensdag pas weer.'

'Oké, tot woensdag.' Ik stortte me in de drukte, wanhopig op zoek naar een ijsje.

Een kwartier vol ergernis later kwam ik triomfantelijk terug met vijf verschillende soorten ijsjes.

Mopperig zocht Candace een kuipje uit en ging op de kruk zitten om toe te tasten. Ze zag er een beetje uit als een orang-oetan in de regen.

Dit was natuurlijk het moment waarop Ariella, die op bezoek was bij kennissen in de Hamptons, besloot om even te komen kijken. Het zag er niet best uit. Gelukkig kon Ariella niet blijven. Ze was op weg naar de braderie om de kariboe te redden.

'Is dat iets anders dan de picknick om de eland te redden?' vroeg Teenie.

'Iets heel anders,' snauwde ze.

En toen waren ze weg. Alleen Teenie en ik bleven nog over.

'Hoe zit dat eigenlijk met de eland?' vroeg Teenie. 'Ik wist niet dat die bedreigd waren. En van de kariboe wist ik het ook niet.'

Ik haalde mijn schouders op. 'Weet ik veel. Misschien is er verder niets meer over om te redden.'

38

'Anna, met mij, je moeder, het is dringend...'

Ik greep de telefoon. Er was iets met iemand gebeurd. Pap? JJ?

'Wat is er?' vroeg ik. 'Wat is er zo dringend?'

'Hoe zit het nou met Jacqui en Joey?'

Ik moest mijn bonkende hart even tot rust laten komen. 'Bel je me daarvoor? Vanwege Jacqui en Joey?'

'Ja. Hoe zit het daarmee?'

'Nou ja, je weet wel. Hij wil haar, en zij wil hem.'

'Nee! Ze is met hem naar bed geweest. Dit weekend, toen jij in de Hamptons was.'

Dat had ze me niet verteld. Met een zacht stemmetje zei ik: 'Dat wist ik niet.'

Luchtig voegde ze eraan toe: 'Het is pas maandagochtend, ze vertelt het je straks wel. En god mag weten wie er níét met Joey naar bed is geweest.'

'Ik niet.'

'En ik ook niet,' zei ze met een diepe zucht. 'Maar verder zo ongeveer iedereen. Was het eenmalig?'

'Hoe moet ik dat nou weten?'

'Nee, dat was een grap. Een hele nacht? Kan Joey zich wel zo lang binden?'

'Goeie.' Toen zei ik: 'Nou ja, ik kan je niet helpen. Ik weet niet hoe het zit. Vraag het Rachel maar.'

'Dat kan niet. We praten niet met elkaar.'

'Wat nu weer?'

'De uitnodigingen. Ik wil een mooie cursieve letter op mooi wit papier.'

'En wat wil zij?'

'Takjes, krullen, schelpen en van dat geweven papyrusspul. Kun jij niet met haar praten?'

'Nee.'

Een verbaasde stilte van mams kant. Ik verklaarde me nader: 'Ik ben de dochter die onlangs haar man heeft verloren, weet je nog?'

'Sorry, lieverd. Sorry. Ik dacht even dat je Claire was.'

Pas toen ze had opgehangen, vroeg ik me af hoe zij over Jacqui had gehoord. Van Luke, vermoedde ik.

Meteen belde ik Jacqui, maar ze nam geen van haar telefoons op. Ik sprak berichten in dat ze onmiddellijk moest terugbellen, en ging toen brandend van nieuwsgierigheid naar mijn werk.

Ze belde me de hele ochtend niet terug. Tijdens lunchtijd probeerde ik het nogmaals, maar er werd niet opgenomen. Halverwege de middag stond ik net op het punt het nog één keer te proberen, toen er een schaduw over mijn bureau viel. Het was Franklin. Heel zachtjes zei hij: 'Ariella wil je spreken.'

'Waarom?'
'Kom maar mee.'
'Waarheen?'
'Naar haar kantoor.'
Jezus, ik werd ontslagen. Ik werd zo ontzettend ontslagen.
Nou ja.
Franklin ging me voor, en tot mijn grote verbazing zaten er al een paar mensen: Wendell van Visage, Mary-Jane, die zeven andere merken coördineerde, en Lois, een van Mary-Jane's meisjes. Lois werkte voor Essence, een respectabel, beetje zweverig merk, hoewel lang niet zo erg als EarthSource.
Werden er meer mensen tegelijk ontslagen?
Vijf stoelen waren in een halve cirkel rond Ariella's bureau gezet.
'Ga zitten,' gebood ze, alsof ze Don Corleone was. 'Oké, het goede nieuws is dat jullie niet zijn ontslagen. Nog niet.'
We lachten allemaal veel te hard en te lang.
'Rustig maar, jongelui, zo leuk was hij nou ook weer niet. Ten eerste moeten jullie begrijpen dat dit supervertrouwelijk is. Wat je hier vandaag te horen krijgt, blijft binnen deze vier muren, je hebt het er nooit met iemand over, begrepen?'
Begrepen. Maar ik was geïntrigeerd. Vooral omdat we zo'n merkwaardig groepje vormden. Wat hadden we gemeen dat we mochten delen in zo'n groot geheim?
'Formule 12. Ooit van gehoord?' vroeg Ariella.
Ik knikte. Ik wist er wel iets van. Het was samengesteld door een of andere ontdekkingsreiziger die in het stroomgebied van de Amazone de lokale bevolking had lastiggevallen door hun leefwijze vast te leggen. Als de indianen gewond raakten, maakten ze een zalfachtig smeersel van gemalen wortels en planten en ander voor de hand liggend spul. De ontdekkingsreiziger merkte dat de wonden heel snel genazen en dat de littekens minimaal waren.
De ontdekkingsreiziger probeerde het smeersel zelf te maken, maar het lukte hem pas bij de twaalfde poging, vandaar de naam.
Het werd beschouwd als een geneesmiddel, en hij wachtte nu op goedkeuring van de Keuringsdienst voor Waren en Medicijnen, die nog wel even op zich kon laten wachten.
Ariella ging verder. 'Dus terwijl hij daarop zit te wachten, krijgt

professor Redfern – zo heet hij – een idee: huidverzorging. Met dezelfde formule, in een verdunde versie, heeft hij een dagcrème ontwikkeld.' Ze overhandigde elk van ons vijven een pak papier van een paar centimeter dik. 'En de onderzoeksresultaten zijn fenomenaal. Echt ongelooflijk. Het staat er allemaal in.'

Het grappige aan Ariella was dat als ze iets langer moest praten, ze die Don Corleone-aanstellerij vergat. Het was duidelijk een maniertje om mensen bang te maken. Maar vergis je niet, het werkte.

'Devereaux heeft het gekocht.' Devereaux was een gigantisch bedrijf dat eigenaar was van tientallen cosmeticalijnen, waaronder Candy Grrrl. 'Devereaux wil er enorm mee uitpakken. Het wordt het hotste merk ter wereld.' Met een flauw glimlachje keek ze ons een voor een aan. 'Jullie vragen je vast af wat jullie hiermee te maken hebben. Oké, luister: McArthur on the Park... doet een pitch voor de publiciteit.'

Ze wachtte even om ons 'wauw' te laten zeggen en hoe fantastisch dat was.

'En ik wil dat jullie drieën,' ze wees van mij naar Wendell en Lois, 'een pitch verzinnen. Drie verschillende pitches.'

Weer een gewichtige stilte. Eerlijk is eerlijk: dat was fantastisch. Mijn eigen pitch. Voor een heel nieuw merk.

'Als ze goed genoeg zijn, pitchen we ze alle drie. Als ze jouw pitch kiezen, krijg jij de leiding over dat account.'

O. Dát zou ongelooflijk zijn. Dat betekende een promotie. Maar wat zou een Formule 12-meisje moeten dragen? Kleding die geïnspireerd was op het Amazonebekken? Zelfs Warpo zou minder erg zijn.

'Hoeveel tijd krijgen we?' vroeg Wendell.

'Over twee weken houden jullie je pitch voor mij.'

Twee weken. Niet lang.

'Dat geeft ons de tijd de laatste foutjes glad te strijken. Niet dat ik foutjes wil.' Ariella's stem klonk opeens dreigend. 'En dan nog iets, jullie doen dit in je eigen tijd. Jullie gedragen je hier elke dag alsof er niks aan de hand is, en geven jullie voor de volle tweehonderd procent aan jullie huidige merken. Maar een privéleven zit er de komende twee weken niet in.'

Ik had geluk, dat had ik toch al niet.

'En zoals ik al zei: niemand mag het weten.'

Opeens zette ze een hooghartige stem op. 'Anna, Lois, Wendell, jullie begrijpen natuurlijk wel wat een eer dit is. Toch?' Energiek knikten we. Ja, dat begrepen we inderdaad. 'Weten jullie hoeveel mensen ik in dienst heb?' Nee, dat wisten we niet, maar het waren er vast genoeg. 'Ik heb met Franklin en Mary-Jane ieder van mijn meisjes uitvoerig besproken, en uiteindelijk heb ik jullie drieën uitgekozen.'

'Dank je, Ariella,' mompelden we.

'Ik reken op jullie.' Ariella lachte voor de eerste keer echt hartelijk. 'Stel me niet teleur.'

Terwijl Franklin met me mee terugliep naar mijn bureau, zei hij op dringende toon, vlak bij mijn oor: 'Je hebt gehoord wat ze zei. Stel haar niet teleur.'

Angst bekroop me.

Lauryn keek vol interesse op. 'Ben je ontslagen?'

'Nee.'

'O. Waarom wilde ze je dan spreken?'

'Zomaar.'

'Wat zijn dat voor papieren?'

'Niks.'

Jezus, het geheim bewaren ging me alvast goed af. Ik dacht: straks slaap je in de rij voor het uitzendbureau, Anna.

Ik vond het eigenlijk best vervelend om een van de uitverkorenen te zijn.

Ik bladerde door het dossier over Formule 12 en probeerde de informatie tot me door te laten dringen. Een groot deel bestond uit wetenschappelijke gegevens over de biologische kenmerken van de planten en de eigenschappen die ze bezaten, en waarom ze werkten zoals ze werkten. Het was heel technisch, en hoe graag ik er ook even snel doorheen zou willen gaan, dat kon niet. Als we het account kregen, zou het mijn taak zijn al deze informatie voor beautyredactrices terug te brengen tot begrijpelijke, hapklare brokjes.

Een van de treurige kanten van mijn baan was dat ik niet meer geloofde in de wonderen die antirimpelcrèmes beloofden. Waarom zou ik ook? Ik schreef die beloftes zelf.

Het dossier bevatte ook een foto van professor Redfern, die er leuk en als een ontdekkingsreiziger uitzag. Hij was gebruind, had rimpeltjes rond zijn ogen en droeg een hoed en van die mouwloze kaki giletjes die volgens mij in de standaarduitrusting voor ontdekkingskerels zitten. Een baard? Maar natuurlijk. Niet onaantrekkelijk, als dat je type is. Konden we hem gebruiken? Wellicht. We zouden hem misschien kunnen presenteren als een soort nieuwe Indiana Jones.

Tot slot was er een klein potje met de magische crème zelf. Het had een gemene mosterdgele kleur met donkere spikkeltjes erin. Het had wel iets van 'echt' vanille-ijs. De meeste gezichtscrèmes waren wit of lichtroze, maar het mosterdgeel was niet per se erg. Het zou er misschien authentieker door lijken.

Ik wreef een dun laagje op mijn gezicht, en een paar minuten later begon mijn litteken te tintelen. Ik beende naar de spiegel en verwachtte bijna de geplooide huid te zien borrelen en bubbelen, als in een wetenschappelijk experiment dat vreselijk uit de hand loopt. Maar nee, er gebeurde niets ongebruikelijks, mijn gezicht zag er nog gewoon hetzelfde uit.

Voordat ik naar bed ging, probeerde ik Jacqui nog één keer te bereiken. Ik was er zo aan gewend geraakt dat ze niet opnam, dat ik heel verbaasd was toen ze het wel deed.

'H... hallo...' Ze klonk helemaal hijgerig en kortademig.

'Met mij. Hoe zit dat met jou en Norse Joey?'

'We hebben sinds vrijdagavond in bed gelegen. Hij is net weg.'

'Dus je vindt hem wel leuk?'

'Anna, ik ben stapelgek op hem.'

39

Ze stond erop me verhalen voor te schotelen over hoe geweldig de seks was. Seks, dacht ik. Ik herhaalde het woord inwendig. Seks, vrijen. Ik kon het me niet voorstellen. Ik was dood vanbinnen.

Het rare was dat hoewel ik totaal geen libido meer had, het me speet dat Aidan en ik niet vaker hadden gevrijd. Ik bedoel, we deden het vaak genoeg. Nou ja, gewóón. Wat dat ook moge inhouden. Het is moeilijk vast te stellen wat gewoon is, want de meeste mensen zijn zo bang dat iedereen er dag en nacht mee bezig is, dat ze over hun eigen seksleven liegen. Kennelijk vinden de mensen die liegen dat nodig, daarom wordt het al helemaal moeilijk om de waarheid te achterhalen.

In elk geval, Aidan en ik deden het zo'n twee à drie keer per week. Maar in het begin was het eerder twee à drie keer per dag. Ik weet best dat je zo niet tot in het oneindige kunt doorgaan, met elkaar de kleren van het lijf rukken, samen onder de douche gaan, het half in het openbaar doen en sowieso er aldoor mee bezig zijn. Het is doodvermoeiend, er zou geen knoop meer aan je kleren zitten en bovendien loop je het risico te worden gearresteerd.

Tot mijn verdriet hadden we nooit iets echt gewaagds gedaan. Het was allemaal nogal zoetig geweest. Maar misschien begin je niet meteen met kinky seks. Misschien moet je eerst alle gewone standjes afwerken, en zouden we na een jaar of tien zijn verhuisd naar een buitenwijk waar we aan liederlijke orgieën zouden hebben meegedaan zoals partnerruil met de buren en zo.

Het speet me vooral dat we zoveel gelegenheden voorbij hadden laten gaan. Bijna elke ochtend. Wanneer hij zich klaarmaakte om naar zijn werk te gaan, liep hij poedelnaakt rond, nog vochtig van de douche, en zijn dingetje heen en weer zwaaiend. Ik rende dan rond op zoek naar de deodorant of de borstel of zoiets, en dan zag ik zijn strakke kontje en zijn gespierde dijen, en dan dacht ik: jezus, hij is echt geweldig. Maar meteen daarna dacht ik: ik had de hakken van mijn laarzen moeten laten verzolen, nu moet ik andere schoenen aan, en welke kleren moet ik daarbij uitkiezen?

In de ochtend was het een race tegen de klok. Toch weerhield dat Aidan er niet van me even te pakken wanneer ik half aangekleed voorbij rende, maar ik weerde hem altijd af en zei: 'Laat me los, we hebben geen tijd.'

Meestal nam hij het sportief op. Maar op een ochtend vlak voordat hij stierf, zei hij sip: 'We doen het nooit meer 's ochtends.'

'Niemand doet het 's ochtends,' zei ik. 'Alleen malloten zoals hoge pieten met stoeipoezen of maîtresses. En die vrouwen doen het alleen maar omdat ze dure juwelen van hen krijgen. En de hoge piet doet het alleen maar omdat hij is geboren met te veel testosteron; als hij niet kan seksen, moet hij een land binnenvallen of zoiets.'

'Jawel, maar...'

'Kom op, zeg,' morde ik. 'We leven niet in een pornovideo.'

'Wat gebeurt er dan in zo'n video?'

'Je weet wel. Spontane actie.' Ik ritste mijn rokje dicht. 'Jij zou klaar zijn om naar je werk te gaan, net zoals nu, en ik zou in het bubbelbad liggen.'

'We hebben niet eens een gewoon bad.'

'Dat doet er niet toe. Ik zou heel luxueus met mijn tenen omhoog mijn schenen inzepen, en jij zou je over de rand van het bad buigen om me een afscheidskusje te geven...'

'Ik snap het! En dan trek jij me aan mijn stropdas...'

'Precies! Ik trek je het bad in...'

'Wauw. Helemaal te gek.'

'Nee, je zou razend worden. Je zou brullen: '"Jezus, mens, dit is mijn pak van Hugo Boss! Wat moet ik nou aan naar mijn werk?"' Terwijl ik dat zei, zocht ik verwoed in mijn la naar een beha. Ik vond hem.

'Kijk,' zei Aidan. Hij wees naar zijn kruis, als om aan te geven dat daar enige activiteit gaande was.

Ik lette er niet op en ging verder: 'Jij zou zeggen: "We moeten al dat water opdweilen voordat de benedenbuurman komt klagen omdat we zijn badkamerplafonnetje totaal hebben verpest."'

Aidan keek nog steeds naar zijn kruis. Ik volgde zijn blik naar de bobbel daar. Hij maakte een gebaar, maar ik zei: 'We moeten naar ons werk.'

'Nee.' Hij maakte de beha los die ik net had vastgemaakt.

'Nee!' Ik probeerde de beha weer vast te maken.

'Maar je bent zo mooi.' Zachtjes beet hij in mijn hals. 'En ik verlang naar je. Voel maar.' Hij pakte mijn hand en door de stof van zijn broek heen voelde ik zijn erectie. Onder mijn hand werd die nog harder.

Plotseling leek het toch een goed idee, maar ik deed nog één poging om hem af te weren. 'Ik heb mijn oranje slipje aan.'

Het was eigenlijk meer een herenonderbroek. Ik was er gek op, maar Aidan vond het maar niets.

'Dat kan me niet schelen,' zei hij. 'Trek uit. Nu.' Hij duwde me op het bed, trok mijn rok op, haakte met zijn vinger in het elastiek van mijn oranje slipje, trok het helemaal naar mijn enkels en toen van mijn voeten af.

Hij boog zich over me heen, trok zijn stropdas los, ritste zijn gulp open en fluisterde: 'Ik ga je neuken.' Vervolgens trok hij zijn broek en onderbroek naar beneden, en zijn erectie wipte eruit. Ik zette mijn handen tegen zijn borst en duwde hem terug op bed. De onderste knoopjes van zijn overhemd zaten los, zijn broek hing om zijn knieën, en zijn huid stak bleek af tegen het marineblauw van zijn pak en zijn donkere schaamhaar.

Hij had nog steeds een forse erectie, en hij wilde me in zijn armen nemen.

Ik ging op hem zitten, ineens erg opgewonden, en terwijl ik me vasthield aan het hoofdeinde bewoog ik op en neer. Ik wreef me langs zijn lid, en mijn borsten hingen in zijn gezicht. Hij sabbelde aan mijn tepels en beet erin, en hij zette zijn handen op mijn heupen om me steeds sneller te laten bewegen.

Het hoofdeinde piepte op de maat van zijn kreten mee. 'Ja! Ja! Ja! Ja!' en toen: 'Jezus, nee!' Toen nog een laatste: 'JA!' en een siddering. Hij hief zijn heupen op en trok me tegen zich aan. Hij hijgde, sidderde en beefde, en toen hij weer kon praten, zei hij: 'Sorry, lieveling.'

Ik haalde mijn schouders op. 'Je weet wat je te doen staat.'

Hij legde me op mijn rug, plaatste een kussen onder mijn billen en spreidde mijn dijen, en ik bracht mijn heupen vol verwachting omhoog.

40

Ik zweer het, mijn litteken leek er de volgende ochtend iets beter uit te zien. Zeker kon ik het niet weten, maar voor de zekerheid maakte ik een foto. Als het al na één keer een zichtbare verbetering opleverde, hoe zou het er dan na veertien keer uitzien? Dat zou misschien goed van pas komen voor mijn pitch.

Ik wist niet hoe ik mijn verhaal moest aanpakken, maar ik wilde duidelijk niet in het vaarwater van Wendell of Lois komen.

Ik wist waar Wendell mee zou komen, want ik kende haar stijl: Wendell smeet met geld. Als het aan Wendell lag, werd elke beautyredactrice in New York met een privévliegtuigje naar Brazilië gevlogen.

Lois kende ik minder goed. Omdat het merk waarvoor ze momenteel werkte nogal poederkwasterig was, zou ze die benadering misschien vasthouden en zemelen over de natuurlijke ingrediënten, dat werk.

Dus als de Braziliaansheid en de natuurlijkheid van Formule 12 al vergeven waren, wat bleef er dan nog over voor mij?

Er kwam niets. Geen spontane inspiratie. Ik kon aan niets anders meer denken, mijn hoofd liep ervan over. Maar er kwam vast wel iets. Het zou wel moeten.

In gedachten vroeg ik aan Aidan: wat denk jij ervan? Nog ideeen? Goddelijke inspiratie? Nu komt het misschien wel van pas dat je dood bent.

Maar er klonk geen stem in mijn hoofd. Ik staarde naar het kleine gele potje en pijnigde mijn hersens.

Aan: Goochelassistente@yahoo.com
Van: Lucky_Star_PI@yahoo.ie
Onderwerp: Gelukt!

Na god mag weten hoeveel weken heb ik eindelijk een foto van Detta Big in het huis van Racey O'Grady. Heb heel veel foto's gemaakt van Detta die in de intercom praat, naar binnen rijdt, parkeert, uitstapt, aanbelt, naar binnen gaat...

Ik heb ze als een razende afgedrukt! Daarna belde ik Colin en zei dat hij me moest komen ophalen. Ik ontmoet Harry altijd in Corkys, maar ik mag er zelf niet heen rijden. Moet de vernedering van de auto-met-de-gordijntjes ondergaan, en kinderen die me uitlachen.

Zoals gewoonlijk zit Harry achter in de zaak melk te drinken. Ik leg envelop met foto's voor hem neer.

Ik: Hier heb je je bewijs. Geef me mijn geld maar, ik heb geen zin meer in deze saaie klus.

Harry opent de envelop, werpt een blik op de foto's en zegt: Je blijft gewoon voor me werken.

Ik: Waarom?

Hij: Ik mag je wel.

Ik: Ja?

Zou gezworen hebben dat hij me haatte.

Hij (vermoeid): Nee. Ik weet ook niet waarom ik dat zei.

Ik: Ik trek deze klus niet meer. Ik kap ermee.

Hij: Maar dat gaat niet. Ik wil dat je blijft.

Me: En ik wil kappen.

Hij: Je bent heel erg dik met je moeder, toch?

Ik (verbaasd): Nee hoor.

Hoe kwam hij daar nou weer bij?

Ik: Is dat een dreigement?

Hij: Ja.

Ik: Nou, je moet iets beters verzinnen dan met mijn moeder te dreigen.

Hij: Met wie ben je dan wel dik?

Ik: Met niemand.

Hij: Je bent toch wel dik met íémand?

Ik: Nee, ik zeg het je toch? Mijn zus Rachel zegt dat ik niet helemaal spoor, alsof er iets aan me ontbreekt.

Hij: En zij is de zielknijper, toch?

Ik: Ja. (Ik weet dat ze niet echt een zielknijper is, dat ze alleen maar doet alsof.)

Hij: Nou, zij zal het wel weten. Shit.

Harry sloeg zijn handen voor zijn gezicht. Dat betekende dat hij nadacht.

Hij keek op: Ik heb beter bewijs nodig. Ik moet bewijs hebben dat ze samenzijn, als je begrijpt wat ik bedoel.

Ik: Bedoel je als ze met elkaar van bil gaan?

Hij (krimpt ineen): In mijn tijd hadden vrouwen nog een beetje fatsoen. Ik verdubbel wat je nu krijgt. Wat zeg je ervan?

Ik (wanhopig): Het gaat niet om het geld. Luister, Harry, deze klus moet echt spannender worden. Ik verlies de wil om te leven.

Hij: Noem me geen Harry. Toon een beetje respect.

Omdat ik geen zin meer had in deze klus, zei ik: Harry, je hebt fotografisch bewijs van je vrouw met een andere topcrimineel. Waarom zouden ze met elkaar afspreken als ze niet met iets stiekems bezig zijn?

Hij: Redenen zat. Raceys moeder, Tessie O'Grady, was dik bevriend met Detta's vader, Chinner Skinner. Misschien was het een beleefdheidsbezoekje, meer niet.

Ik: Dus Detta en Racey zijn oude vrienden! Waarom bespioneer ik twee oude vrienden?

Ik denk bij mezelf dat hij doorgedraaid is. Volkomen doorgedraaid. Krankzinnig geworden.

Hij: Nee, ze zijn geen oude vrienden. Hun vader en moeder waren oude vrienden.

Ik: Maar dat is nog steeds een volkomen onschuldige reden om met elkaar af te spreken.

Hij (zijn hoofd schuddend): Nee. Er was oud zeer over een wapenlevering uit het Midden-Oosten en Skinner Chinner werd uit de weg geruimd.

Colin: Samen met de crème de la crème van de Dublinse onderwereld.

Harry (kijkt Colin vuil aan): Als ik iets van je wil horen, vraag ik dat wel.

Hij wendde zich weer tot mij: Ja, een groot deel van de beroemdste misdadigers van Dublin – Bennie the Blade, Rasher McRazor, The Boneman, Ironing-board Jim – stuk voor stuk in nog geen twee weken omgelegd.

Met een zucht: De allerbesten. Maar de grootste schok was Chinner Skinner. Met de Chinner viel niet te sollen, maar men zegt dat Tessie O'Grady hem heeft uitgeschakeld.

Niemand heeft het ooit kunnen bewijzen, maar alleen Tessie O'Grady zou er de ballen voor hebben.

Ik: Hoe lang is dit geleden?

Hij: Een eeuwigheid. Twaalf jaar. Vijftien?

Hij keek naar Colin.

Colin: Deze zomer veertien jaar.

Ik: Dus Detta en Racey zijn oude vrienden die vijanden zijn geworden en die nu misschien weer vrienden zijn?

Tering.

PS Meende het niet helemaal toen ik zei dat ik met niemand dik was. Wij zijn best dik, toch?

PPS En dat zeg ik heus niet alleen maar omdat je man dood is.

41

Ik kon geen leuke publiciteitscampagne bedenken voor Formule 12. Voor de eerste keer had ik totaal geen inspiratie.

Franklin vroeg hoe de voortgang was.

'Goed,' zei ik.

'Vertel me er dan maar iets over.'

'Liever niet,' zei ik. 'Als je het niet erg vindt. Het is nog niet helemaal uitgekristalliseerd, en ik wil niet dat je het al ziet voordat het een beetje meer af is.'

Plotseling werd hij kwaad, en hij vroeg: 'Je zit me toch niet te belazeren, hè?'

'Nee, Franklin, echt niet. Vertrouw me nou maar, ik laat je heus niet in de steek.'

'Ik heb een risico genomen toen ik bij Ariella voor je opkwam.'

'Weet ik. En daar ben ik je dankbaar voor. Het lukt me heus wel.'

Maar dat was niet zo.

Zondag had ik nog steeds niets, dus vroeg ik bij Leisl voor de grap hulp aan de anderen.

'Als er voor jullie vandaag iemand doorkomt, willen jullie die dan om een leuke publiciteitscampagne voor me vragen?'

'Wat heb je al?' vroeg Nicholas.

'Niks. Ik weet niks.'

'Is dat misschien tekenend?' vroeg Nicholas.

'Wat moet het dan betekenen?'

'Niks doen.'

'En ontslagen worden? Nee, dank je lekker.'

'Hoe krijg je de gans uit de fles?'

'Welke gans?'

'Dat is iets boeddhistisch. Er zit een gans in de fles. Hoe krijg je die eruit?'
'Hoe kwam-ie erin?' vroeg Mitch.
Nicholas lachte. 'Dat doet er niet toe. Nou, hoe krijg je hem eruit?'
'Door de fles kapot te maken,' zei Mitch.
Nicholas haalde zijn schouders op. 'Dat is een manier.' Hij keek mij aan. 'Iemand nog een ander voorstel?'
'Rook hem uit,' zei Barb. 'Hihihi.'
'Ik geef het op,' zei ik. 'Zeg het nou maar.'
'Het is geen raadsel. Er is geen antwoord.'
'Hè? Dus die gans moet in de fles blijven zitten?'
'Niet per se. Als je wacht. Als je lang genoeg wacht, wordt de gans zo mager dat hij uit de fles kan. Of als hij wordt gevoederd, wordt hij dik en knapt de fles vanzelf. Maar je hoeft dus zelf niks te doen.'
'Kleintje, voor je leeftijd ben je erg wijs,' zei Barb.
'Ik weet het niet, hoor,' zei ik. 'Ik hoopte op iets praktischs.'

Aan: Goochelassistente@yahoo.com
Van: Familiewalsh@eircom.net
Onderwerp: Resultaat!

Lieve Anna,
Ik hoop dat het goed met je gaat. Nou, we hebben dat ouwetje eindelijk te pakken. Ik heb de foto's meegenomen naar de golf, en niemand kende haar, maar bij de bridge was het raak. Dodie McDevitt wist wie ze was. Gek genoeg herkende ze Zoe de hond het eerst. Ze zei: 'Dat is Zoe O'Shea, daar durf ik mijn hand voor in het vuur te steken.' Toen ze 'Zoe' zei, dacht ik dat ik van mijn stoel zou vallen. 'Ja!' zei ik. 'Zoe. Zoe! Wie is haar baasje?' 'Nan O'Shea,' zei ze.
Dodie gaf me zelfs haar adres: Springhill Drive. Dat is niet ver, maar wel een heel eind om een klein hondje elke dag te laten lopen. Nu weet ik niet goed wat ik moet doen. Misschien moet ik haar in het hol van de leeuw confronteren met haar misdaad. Maar wat er ook gebeurt, ik hou je op de hoogte.

Liefs van je moeder,
Mam

Ik kon alleen maar aan de promotiecampagne voor Formule 12 denken, en toch had ik nog geen enkel goed idee gekregen. Zoiets was me nog nooit overkomen. Ik wist dat als puntje bij paaltje kwam, ik net zoiets als Wendell zou kunnen doen: privévliegtuig naar Rio, duur hotel, een tripje naar de *favelas*. Maar het zou niet uit het hart komen. Ik móést iets verzinnen. Vroeger was het me altijd gelukt het konijn uit de hoge hoed te toveren. Maar tot mijn ontzetting kwam er nog steeds niets, en er waren nog maar zes dagen te gaan.

Vijf dagen.

Vier dagen.

Drie dagen.

Twee dagen.

Eén dag.

Geen dag.

De ochtend dat ik Ariella moest vertellen wat ik had verzonnen, droeg ik mijn enige stemmige pakje, het pakje dat ik had gedragen op de dag dat ik Aidan leerde kennen, toen hij koffie over me heen knoeide. Misschien namen ze me dan serieus. Ik schrok me bijna dood toen ik de meestal erg chic geklede Wendell zag.

Ze droeg een geel pakje. Gééł. Met veren. Ze zag eruit als een buitenmodel paaskuiken. Waarschijnlijk ging ze iets carnavalesks verkopen. Snel keek ik naar Lois, die een mouwloos hesje aanhad met heel veel zakken, net een ontdekkingsreiziger. Dat zou wel te maken hebben met haar campagne.

Om vijf voor tien gaf Franklin het teken, en hij ging Wendell en mij voor naar de vergaderruimte. Van de andere kant kwamen Mary-Jane en Lois eraan. Wendell en Lois hadden een dossier onder hun arm. Ik had niets.

We kwamen elkaar tegen bij de deur, waar Franklin en Mary-Jane elkaar vijandig aankeken. Op de werkvloer keek iedereen naar ons. Deze vertrouwelijke bespreking was een bijzonder slecht bewaard geheim.

‘Kom binnen,’ zei Shannon, Ariella’s assistente. ‘Ariella wacht al op jullie. Ik blijf bij de deur staan.’ Meer om ons binnen te houden dan om anderen buiten te houden, dacht ik.

‘Ga zitten, ga zitten,’ zei Ariella vanaf het hoofd van de tafel. ‘Nou, laat me maar eens versteld staan.’

Wendell was het eerst aan de beurt. Wat zij voorstelde, kwam niet als een verrassing. Ze wilde de nadruk leggen op het Braziliaanse van Formule 12 door met twaalf uitverkoren beautyredactrices naar Rio te gaan voor het carnaval. ‘Ze zullen helemaal uit hun dak gaan. We brengen hen er met een privévliegtuig heen.’ Ik wist het wel, dacht ik. Een privévliegtuig. Ik wíst het!

Ze sloeg het dossier open om een foto van een klein straalvliegtuig te laten zien.

En toen gooide ze haar tweede troef op tafel: een foto van het Hilton in Rio. Haar derde troef was een foto van een enorme hotelkamer. En haar vierde troef ook. ‘Dit is een voorbeeld van de kamer waarin ze zouden verblijven. En we laten geweldige carnavalskostuums voor ze maken.’

Er kwamen nog meer troeven. Foto’s van lenige, slanke dames in minuscule gele bikini’s met enorme verentooien op hun hoofd.

‘Laat me raden,’ zei Ariella. ‘Dit is het soort kostuum dat ze krijgen.’

Wendell bleef maar lachen. ‘Jazeker! Deze reis zullen ze nooit vergeten! We krijgen enorm veel publiciteit!’

Ik lachte bemoedigend, en vond het niet aardig om te zeggen dat Rio mijlenver van de Amazone lag en dat het pas over een halfjaar carnaval zou zijn.

Daarna was Lois aan de beurt, en zoals ik al had vermoed, was haar pitch nogal stom. Ze stelde voor de beautyredactrices – twaalf, net als Wendell – met een ontdekkingsreiziger naar de inheemse stam te sturen die Formule 12 had uitgevonden. ‘Eerst vliegen we naar Rio, en dan met een klein vliegtuigje naar het oerwoud.’ Ze liet de eerste foto zien: een vliegtuig. Het leek erg op dat van Wendell. Waarschijnlijk was het ook hetzelfde, gedownload van dezelfde site met privéstraalvliegtuigen.

‘Nadat we in het oerwoud zijn geland...’ Hier kregen we een foto van een ondoordringbaar oerwoud te zien. ‘...maken we een tocht die een halve dag duurt. De redactrices kunnen dan met eigen ogen de planten zien waarvan het product wordt gemaakt.' We kregen plantenfoto's te zien.

'Een tocht door het oerwoud?' vroeg Ariella. 'Daar ben ik niet zo happig op. Stel dat ze door een anaconda worden gebeten en ze ons voor de rechter slepen?'

'Bloedzuigers. Ik heb het niet zo op bloedzuigers,' mompelde Franklin. 'Of vleermuizen. Die komen in je haar te zitten.' Hij rilde.

'Er komen gidsen mee,' zei Lois, en ze liet ons snel een foto zien van halfnaakte mannen die lachend hun zwarte tanden vertoonden.

'Leuk,' mompelde Franklin.

'Iedereen krijgt gepaste kleding. Zoals dit.' Lois wees op haar vest. 'Het is echt veilig. Het wordt geweldig, iets heel anders dan anders. Die meisjes worden zo verwend met luxe en glamour dat ze erg blasé zijn geworden.'

Dat was ik met haar eens.

'Ze zullen heel trots zijn dat ze een tocht door het oerwoud hebben overleefd. We prijzen hen de hemel in, en zeggen na terugkeer dat we niet zeker wisten of ze het wel aankonden. En ze zullen het geweldig vinden dat ze contact hebben gehad met een heel andere cultuur.'

Dat was goed. Beter dan het voorstel van Wendell, maar dat van Wendell was wel veel minder risicovol.

En toen was het mijn beurt. Ik haalde diep adem en hield het flesje tussen mijn duim en wijsvinger op.

'Formule 12.' Ik draaide me om zodat iedereen het flesje goed kon zien. 'De grootste revolutie op huidverzorgingsgebied sinds Crème de la Mer. Hoe gaan we het promoten? Nou, dat zal ik jullie vertellen.' Ik zweeg, keek iedereen recht in de ogen en zei: 'We doen... niets.'

Dat trok de aandacht. Ze dachten dat ik gek was geworden. Franklin keek ontzet. Hij had toegestaan dat ik mijn campagne geheim hield. Ariella zou hem wel kunnen vermoorden. Natuurlijk waren Wendell en Lois dolblij. Zonder er iets voor te hoeven doen waren ze een concurrent kwijt. Net voordat Ariella opstond om me de wind van voren te geven, deed ik mijn mond weer open.

'Nou ja, niet helemaal niets.' Ik probeerde te stralen. Dat had ik al een hele tijd niet meer gedaan. 'Ik dacht aan een fluistercampagne. Ik laat zo'n beetje vallen dat er een nieuw huidverzorgingsproduct aankomt. Iets heel anders. Maar als ze me ernaar vragen, laat ik niets los en zeg dat het geheim is, en ik smeek hun het niet door te vertellen. En ik zeg dat als ze het te pakken krijgen, ze versteld zullen staan.'

Iedereen keek me op hun hoede aan.

'Die planten en wortels waarvan Formule 12 wordt gemaakt, zijn zeldzaam en kunnen niet synthetisch worden vervaardigd. Dus is het een zeldzaam product. Ik wil één pot geven – één klein potje – aan bijvoorbeeld de beautyredactrice van *Harper's*. De enige beautyredactrice van heel Amerika die zo'n potje krijgt. Letterlijk. En ik stuur het haar niet, ook niet per koerier, nee, ik kom het haar persoonlijk brengen. Niet naar kantoor, maar ergens op neutraal terrein. Bijna alsof we iets onwettigs doen.' Nu had ik hun volledige aandacht. 'Ze krijgt het als ze belooft er een hele pagina aan te wijden. En als ze daar niet toe bereid is, ga ik naar een ander. Waarschijnlijk naar *Vogue*. En de pot moet van een halfedelsteen worden gemaakt, zoals barnsteen of toermalijn. Ik zat te denken aan iets heel kleins en zwaars dat precies in de hand past. Echt zwaar, net een bommetje van iets heel krachtigs.'

Nog steeds had niemand iets gezegd, maar Ariella bewoog haar hoofd goedkeurend.

'En er is nog meer,' zei ik. 'Luister maar: geen beroemdheden om het product aan te prijzen.'

Franklin trok wit weg. Beroemdheden producten laten aanprijzen was zijn lust en zijn leven.

'Niemand krijgt dit spul gratis. Als Madonna het wil hebben, moet ze het maar kopen.'

'Hé, Madonna niet,' wierp Franklin tegen.

'Oók Madonna.'

'Dit is belachelijk,' mopperde hij.

'En geen reclame,' zei ik. 'De reclame voor Formule 12 moet van mond tot mond gaan, zodat iedereen denkt dat ze van iets geheims op de hoogte zijn. Het moet langzaam bekendheid krijgen, zodat tegen de tijd dat het in de verkoop gaat – bij maar één winkel in Amerika, bijvoorbeeld Barneys of Bergdorf – er al een lange wachtlijst voor bestaat. Vrouwen die voor de deur wachten totdat de winkel zijn deuren opent. Potten met Formule 12 worden op de zwarte markt verhandeld. Vrouwen zullen aan niets anders kunnen denken, ze móéten het hebben, net als een nieuwe tas van Chloe, maar dan erger. De grote rage van New York. En dus van de hele wereld. Je kunt het nauwelijks ergens kopen, maar als je de juiste mensen kent... Je moet op je beurt wachten. En ze zullen wachten, want het is de moeite van het wachten waard.'

Aan de andere kant zou iedereen kunnen denken: bekijk het maar, ik laat me niet neppen, geef mij maar mijn gewone smeerseltje. Dat risico liepen we. Er was geen enkele garantie dat het een rage zou worden. Als iedereen vond dat ze werden gemanipuleerd, zouden ze zich ertegen keren. Maar dat zei ik maar niet.

'Negen maanden later doen we hetzelfde met het serum, en een halfjaar later met de foundation. En dan hebben we nog de oogcrème, de lippenbalsem, de body repair, de lotion en de scrubcrème.'

Ariella knikte weer nauwelijks merkbaar. Voor haar stond dat gelijk aan op haar bureau springen en gillen: 'Dat is het helemaal, Anna!'

'Maar dat is nog niet alles,' zei ik, en ik probeerde een beetje ironisch te klinken.

O ja?

'Er is nog iets.' Ik zweeg even, liet hen wachten, en wees toen op mijn litteken. 'Misschien is het jullie al opgevallen, maar ik heb nogal erge littekens in mijn gezicht.'

Ik liet hen even beschaamd grinniken.

'In de twee weken dat ik Formule 12 nu gebruik, is er sprake van grote verbetering. Ik heb een foto van mijn litteken gemaakt voordat ik het ging gebruiken.' Eigenlijk was het na de eerste avond, maar dat deed er niet toe. 'Het verschil is nu al merkbaar. Ik geloof in het product. Ik geloof er echt in.' Nou ja, ik was bereid het te proberen. 'Wanneer ik mijn promotiepraatje voor de beautyredactrices hou, ben ik het levende bewijs dat Formule 12 geweldig is.'

'Ja!' Hier was Ariella diep van onder de indruk. 'En als het resultaat niet opzienbarend genoeg is, kunnen we je altijd even langs de plastisch chirurg sturen.'

42

Aan: Goochelassistente@yahoo.com
Van: Lucky_Star_PI@yahoo.ie
Onderwerp: In mijn kont gebeten!

Kreeg gisteravond telefoontje van Colin. Hij zei dat hij had gehoord dat Detta in Raceys chique hut in Dalkey zat! Door het dolle heen. Echt door het dolle heen. Ben ik misschien eindelijk een keer klaar met deze klereklus. Ben er meteen heen gescheurd! Maar Raceys huis had nog steeds een elektronisch hek en hoge muren met scherpe punten. Hoe komen andere privédetectives ergens binnen? Misschien hebben ze handig apparaatje om hekken onbruikbaar mee te maken. Of zijn ze in hun vrije tijd bergbeklimmers, zodat ze touw om een van die punten kunnen slingeren en in een ommezien in de tuin staan.

Het enige wat ik mee heb, is dat ik nergens bang voor ben. Ik druk op de knop van de intercom en wacht. Na een tijdje hoor ik krakerige vrouwenstem: 'Hallo?'

Ik doe mijn best wanhopig te klinken: 'Het spijt me dat ik u lastigval, mevrouw, maar ik heb afgesproken met mijn vriendin in de Druid's Chair en ik ben verdwaald en moet zo nodig naar de wc. Ik ben al bij twee andere huizen in deze straat geweest maar ze laten me niet binnen. Zou ik alstublieft bij u naar het toilet mogen? Ik kan nauwelijks rijden, zo nodig moet ik...'

Ik hou mijn mond, het hek gaat open! Loop over oprit, alsof ik hemel binnenga. Voordeur gaat open, er schijnt een lange strook licht naar buiten. Binnen ziet het er knus en uitnodigend uit, en hopelijk bevonden Detta en Racey zich in allerlei verdachte standjes. Klein vrouwtje in de deuropening, ik schat net een meter, extreem oud, makkelijk honderdzeven jaar. Wit krullend haar, bril, vormeloze tweedrok en scheefhangend grof gebreid vest dat ze zelf in elkaar geflanst moet hebben. Racey O'Grady's huishoudster?

Zij: Kom binnen, arm kind.
Ik (oprecht dankbaar): Dank u wel, mevrouw.
Zij: Het toilet is die kant op.
Wijst naar een wc beneden, maar ik wil naar boven, waar ik Detta en Racey misschien op heterdaad kan betrappen.
Ik: Ik wil niet ondankbaar zijn, mevrouw, maar ik heb een aandoening.
Ze deinst achteruit.
Ik: Nee, nee, niet op die manier, het is niet besmettelijk. Het is meer dwangmatig gedrag, ik kan alleen toiletten gebruiken die niemand anders gebruikt.
Zij (kijkt weifelend): Een van de logeerkamers heeft een badkamer die nauwelijks wordt gebruikt. Is dat goed genoeg? Kom maar mee, dan breng ik je wel.
Ik: U hoeft niet mee naar boven op uw oude benen. Ik vraag al genoeg van u. Zegt u maar waar ik moet zijn.
Zij: Goed. Boven aan de trap naar rechts, tweede deur.
Ze roept me na: 'En verwar de klerenkast niet met de badkamer! Dat deed Racey ook een keer toen hij 'm op een avond flink had geraakt.' Ik ga naar de badkamer, besluit dat ik net zo goed een plas kan doen, ben er nu toch. Sluip daarna langs deuren van andere vier slaapkamers en open ze, camera in de aanslag. Ze zijn allemaal leeg. Waar zijn Racey en Detta in godsnaam?
Oud vrouwtje wacht me onder aan de trap op: Klaar?
Ik: Klaar.
Zij: Het is een kwelling, hè? Een onbetrouwbare blaas.
Ik: Inderdaad.
Zij: Maar die incontinentieslips zijn geweldig. Wil je een koekje?
Wij naar de keuken. Echte keuken: blauwe Aga, tafel van ruw hout, droogbloemen aan de muur. Eersteklas koekjes. Belgisch. Helemaal bedekt met chocola (niet maar aan één kant), sommige zelfs in goudkleurig papier.
Ik: Dit zijn bovenste beste koekjes.
Zij: Natuurlijk, je moet jezelf een klein beetje luxe gunnen in het leven. Hoe heet je, lieverd?
Ik: Helen.
Zij: Helen hoe?
Ik: Helen… eh.

Wilde net Walsh zeggen toen ik bedacht dat dat niet zo'n slim idee was.
Ik: Keller.
Het was het eerste wat in me opkwam: Helen Keller.
Zij: Helen Keller? Die naam heb ik volgens mij eerder gehoord. Kennen wij elkaar?
Ik: Ik weet het niet.
Zij: En ik ben Tessie O'Grady.
Tering! Verslik me zowat. Is dit de beroemde Tessie O'Grady, de gevaarlijkste vrouw in de Dublinse onderwereld? En houdt dat in dat Racey O'Grady nog bij zijn mammie woont? Hervind mezelf snel. Het is geen goed idee om zwakte te tonen.
Ik: Bedankt dat ik bij u naar de wc mocht, Tessie. U bent een goed mens.
(Oudjes vinden het fijn als je ze een goed mens noemt.)
Ik: U bent net Paulus op weg naar Damascus, toen hij onze Heer hielp het brandende bosje te doven voordat de hele bijbel in vlammen opging.
Zij: Geen dank, hoor. Neem nog een koekje voor onderweg.(Ze raadpleegt het etiket van de koekjes.) Hou je van sinaasappelkoekjes?
Ik: Nee. Daar houdt niemand van.
Zij: Mint?
Ik: Prima.
Ze steekt twee koekjes in mijn zak en klopt erop, ze mist net mijn pistool. Ze loopt met me mee door de vestibule. Terwijl we door de halfopen deur lopen, zie ik Racey en Detta! Ze zitten vlak naast elkaar op de bank in de overdreven verlichte woonkamer thee te drinken en koekjes te eten (dezelfde als uit de keuken, zag ik). Ze kijken *Some Mothers Do 'Ave 'Em*. Fout! (Het wordt herhaald op uk Gold.)
Bij de deur bedank ik Tessie nogmaals, en terwijl ik naar het hek loop, roept ze me na. Haar stem klonk verbazend hard: 'Rij voorzichtig!'
Opeens krijg ik dat gevoel weer. Dat gevoel dat ás ik angst kon voelen, ik het op dat moment gevoeld zou hebben.
Ik kijk achterom. Tessie staat nog steeds in de deuropening en door de manier waarop het licht van de oprit weerspiegelt in haar bril, moet ik aan Josef Mengele denken.

Aan het einde van de oprit loop ik door het hek en achter me glijdt het weer dicht. Wacht tot laatste seconde, glip weer naar binnen, gooi rugzak op plek waar twee delen van hek elkaar raken om elektrische straal tegen te houden om het zo open te houden voor mijn ontsnapping. Slim.

Schiet door tuin terug naar woonkamer. Gordijnen zijn gesloten, maar niet helemaal – slloddervossen – dus gluur ik naar binnen. Detta en Racey zitten tegen elkaar aan geleund. Drinken nog steeds thee en kijken nog steeds naar *Some Mothers Do 'Ave 'Em*. Sommige mensen hebben echt een rare smaak.

Neem een flink stel foto's, totdat ik achter me iets hoor: gegrom. Ik draai me om. Honden. Twee. Valse, grote, zwarte gevallen met rode ogen en ranzige adem. Hadden wel iets van Claire met een kater. Tessie moet ze hebben weggefloten toen ze me binnenliet, maar nu ik weg ben, banjeren ze weer door de tuin. Ik heb aan van alles en iedereen een pestpokkenhekel, maar aan honden nog het meest.

Ze grommen zachtjes en in een flits grom ik terug. Zo! Hadden ze niet verwacht, stomme stinkbeesten.

Jullie zijn honden, zeg ik, maar ik heb een pistool. Kijk!

Haal langzaam pistool uit schouderholster om beter te laten zien. Een pistool, zeg ik. Heel gevaarlijk. Hebben jullie misschien wel eens op tv gezien. Ik heb geoefend in een bunker met vreemde militiemannetjes. Ik zal jullie neerschieten en ik zal jullie doden. Begrepen? Nu loop ik langzaam naar achteren, met mijn pistool op jullie gericht, en jullie blijven daar, in de war maar gehoorzaam.

Ze doen het nog ook. Ik draai rondjes met mijn pistool en herhaal: Pistool. Om jullie mee te doden. Pistool. Heel gevaarlijk.

Loop steeds verder terug, over eindeloos klotegazon, en ben eindelijk bijna bij de poort. Dan maak ik een fout: ik begin te rennen. Honden ook. Ze dachten: hé! Dus ze was tóch bang. Kom, we pakken haar. Blaffen keihard terwijl ze over het gras vliegen en hebben me bijna ingehaald als ik merk dat klotehek is dichtgegaan met mijn rugzak ertussen. Alles in tweeën gehakt: eyeliners, lipgloss (kwam ik later achter). Ik ruk aan hek, hoop dat kutding niet helemaal dicht is, want dan zit ik opgesloten met deze... monsters.

Maar te laat, eentje heeft me te pakken. Heeft mijn halve kont tussen zijn tanden. Hek geeft klein beetje mee. Dankzij helft van mijn vernielde rugzak was het niet in het slot gevallen. Pers mezelf erdoorheen en trek hek achter me dicht. Door de spijlen heen blijven de honden blaffen.

Ik roep: Welke van jullie heeft me gebeten, klootzakken?

Geen van beide biecht op, dus ik besluit ze alle twee neer te schieten. Maar ik heb al genoeg problemen, bedenk ik me. Ik kan hem maar beter smeren, want de O'Grady's zouden het geblaf horen en meteen naar buiten komen om te kijken wat er aan de hand was. (Als ze zich konden losrukken van *Some Mothers Do 'Ave 'Em.*)

Mijn kont doet hartstikke pijn, kan nauwelijks zitten om te rijden, maar moet wel. Rij naar Dalkey, parkeer voor friettent, bel Colin.

Breng kort verslag uit.

Ik: Niks brengt mij in verband met Harry, maar de O'Grady's zullen wel onraad ruiken. Ben ook in mijn kont gebeten. Volgens mij moet het worden gehecht. Weet jij waar het dichtstbijzijnde ziekenhuis is?

Hij: St Vincent's in Booterstown. Ik kom je wel gezelschap houden.

Als hij aankomt, ben ik al geholpen.

Ik: Ik krijg hechtingen en een tetanusprik.

Aangezien ik niet kon zitten, stond hij ook op. Uit solidariteit.

Ik: Als ik tetanus krijg, zal Harry daarvoor boeten.

Hij: Je krijgt geen tetanus.

Hij lachte en opeens dacht ik: goh, ik vind hem echt leuk. Dingdong!

Toen mijn kont weer aan elkaar was genaaid (acht hechtingen; als die hond omkomt bij een brand, schijn je de afdruk van zijn tanden in mijn kont te kunnen gebruiken om hem te identificeren) gingen we naar Colins appartement. Yes!

Ik staarde naar het scherm: dit was niet grappig meer. Helen die rotzooide met pistolen en werd gebeten door waakhonden was niet om te lachen, aangenomen dat het waar was. En als ze hechtingen nodig had, ging ik daar wel van uit. Geïrriteerd vroeg ik me af wat ik moest doen. Het probleem was dat Helen zo eigenwijs was. Als ik haar vroeg voorzichtig te zijn, zou ze misschien het tegenovergestelde doen. Misschien moest ik het er met mam over hebben? Maar zoals mam de hele kwestie leek op te vatten – Helen aanbieden haar ziek te melden en zo – leek het erop dat zij het ook niet al te serieus nam.

Omdat ik niet wist wat ik het beste kon doen, besloot ik niets te doen, voorlopig tenminste. Maar ik bleef bezorgd, ik wilde niet dat nóg iemand van wie ik hield iets zou overkomen.

'Geweldig nieuws!' Franklin was uitzinnig van blijdschap. 'Ariella heeft jouw pitch uitgekozen! Voor de zekerheid gebruiken we die van Wendell ook, maar die van jou vond ze de beste!' Hij grinnikte. 'Ik moet eerlijk bekennen... in het begin dacht ik... allemachtig, ze spoort niet, wat heb ik gedáán! Maar je pitch is geweldig. Echt geweldig. Mammie is heel erg blij.'

43

'Hoi, Nicholas,' riep ik door de gang. 'Bedankt voor dat grappige advies met de boeddhistische gans. Daardoor kwam ik als winnaar uit de strijd.'

Ik was dichtbij genoeg gekomen om te kunnen zien dat hij bloosde van trots. 'Dus je hebt echt niks gedaan?'

'Niet echt. Maar ik maakte veel gedoe van bijna niks doen.'

'Wauw. Dat is echt cool. Ik wil er alles over horen.'

'Oké.' Maar ik werd afgeleid door zijn T-shirt. Deze keer stond erop: DE ZWAARMOEDIGEN ZULLEN HET AARDRIJK BEËRVEN. 'Nicholas, ik heb je nog nooit twee keer met hetzelfde T-shirt gezien. Hoe doe je dat? Draag je elke dag een ander T-shirt met een andere tekst erop, of zijn ze alleen voor de zondag?'

Hij grijnsde. 'Als je dat wilt weten, moet je maar eens doordeweeks met me afspreken!'

Plotseling werd de stemming ongemakkelijk. Zijn grijns stierf weg en hij bloosde.

'O, sorry, Anna.' Hij boog zijn hoofd dat zo rood was als een tomaat. 'Met jou flirten, dat was heel ongepast...'

‘Deed je dat? Luister, het is niet erg...’

‘Ik bedoel, vanwege Mitch...’

‘Hè? Mitch? Jezus, Nicholas, ik heb niks met Mitch, hoor. Echt niet.’

Vind je het erg dat ik zo vaak iets met Mitch doe, vroeg ik Aidan in gedachten. Ik bedoel, je weet toch dat het gewoon vriendschappelijk is? Dat we elkaar alleen maar proberen te helpen?

Ik was zo overstuur door die opmerking van Nicholas dat ik na afloop van de sessie tegen Mitch zei dat ik vandaag niet mee kon. Ik voelde me verschrikkelijk schuldig en ging er als een haas vandoor, lopend in de richting van mijn huis. Hoewel ik er liever niet over had nagedacht, snapte ik wel dat het gemakkelijk was om je over hem en mij iets in je hoofd te halen. Waarom had ik me anders zo geschaamd toen Ornesto ons samen zag in het park? En waarom had ik anders Jacqui en Rachel niets over hem verteld? Ik bedoel, ík wist hoe de vork in de steel zat, en Mitch wist dat ook... Maar hoe zat het met Aidan?

Aidan, dacht ik, als je het erg vindt, geef me dan een teken en ik spreek nooit meer met hem af. Geef me een teken, maakt niet uit wat. Oké, ik zal het makkelijk voor je maken: ik loop door en als je boos bent vanwege Mitch, dan... dan... dan laat je een bloempot van een vensterbank vallen, recht voor mijn voeten. Liever niet op mijn kop, maar als je vindt dat dat nodig is...

Ik liep maar door en er gebeurde niets. Ik vroeg me af of ik iets veel te moeilijks had gevraagd. Misschien had ik niet bloempot moeten zeggen, maar gewoon: iets. Laat dan iets voor mijn voeten vallen.

Oké, dacht ik. Laat maar iets vallen. Het hoeft geen bloempot te zijn.

Maar er kwam niets naar beneden. Ik kreeg het warm en ik was moe, en uiteindelijk hield ik een taxi aan. De chauffeur, een jonge man van Indiase afkomst, zat in zijn mobieltje te praten. Ik gaf hem mijn adres en liet me tegen de rugleuning zakken. Ineens hoorde ik: ‘Je bent een viezerik en je krijgt straf.’

Het was de chauffeur die in zijn mobieltje sprak. Ik ging rechtop zitten om het beter te kunnen horen.

‘Trek je broek uit, stoute kerel! Ik ga je straffen!’

'Pardon, tegen wie heeft u het?'

Met een ruk draaide hij zich om, legde zijn vinger tegen zijn lippen zodat er geen hand meer was om het stuur mee vast te houden, en ging toen weer verder met zijn gesprek. 'Ik ga je slaan omdat je zo stout bent. Ja, ik ga je slaan, stoute kerel. Met een zweepje op je billen. Billenkoek omdat je zo verschrikkelijk stout bent.'

O Aidan, dacht ik, je hebt me dus toch een teken gegeven! Een taxichauffeur die niet goed bij zijn hoofd is! Dus je vindt het niet erg van Mitch!

'Ik ga je echt heel hard slaan. Bukken, dan tel ik de slagen. Eén! Twee! Drie! Vier! Vijf! Zes!'

Bij zes kwam de voldoening. Ik hoorde een kreet uit het speakertje van het mobieltje komen, toen was het even stil, en vervolgens zei de chauffeur: 'Dank u wel, meneer. Het was me een genoegen, meneer. U kunt me altijd bellen.'

Hij verbrak de verbinding, en brandend van nieuwsgierigheid vroeg ik: 'Wat was dat?'

'Ik werk bij een sekslijn,' antwoordde hij trots.

'O ja?'

'Ja. Ik krijg geld voor het mishandelen van mannen. Maar ik moet ook de taxi besturen. In de Punjab heb ik een grote familie die ik moet onderhouden. Ik stuur hun...' Hij werd onderbroken doordat het mobieltje overging. Hij keek wie het was en nam toen lichtelijk vermoeid op. 'Goedendag, jongeheer Thomas. Wat heb je uitgespookt? Ben je stout geweest? Hoe stout?'

Aan:Goochelassistente@yahoo.com
Van: Familiewalsh@eircom.net
Onderwerp: De vrouw met de hond

Lieve Anna,

Ze speelt hoog spel. Helen ging er middenin staan toen ze naar huis kwam, nog helemaal in de wolken omdat ze bij die Colin was blijven slapen. Ze ging helemaal over de rooie. Bij het hek stond ze te schelden en te vloeken. 'Kom op,' zei ze. 'We gaan naar die ouwe tang toe.'

Dus reden we ernaartoe. Ik drukte op de bel, en Zoe begon

te blaffen en hield toen ineens op. Het ouwe wijf moet ons door een kijkgaatje hebben gezien en toen hebben besloten dat ze maar beter kon doen alsof ze niet thuis was. Ik heb medelijden met Zoe. Die zat natuurlijk opgesloten met een prop in haar bek. Een sok of misschien een bandana. Ze zou wel kunnen stikken... Helen riep door de brievenbus: 'We komen terug, halve gare idioot! Weet je wel dat ik een van de beste privédetectives van heel Ierland ben?'

Van heel Ierland! Ja, hoor. Ik zei maar niets, maar die nacht met Colin is haar overduidelijk naar het hoofd gestegen.

Liefs van je moeder,

Mam

44

Het was fascinerend om Joey verliefd te zien. Er was zelfs een etentje georganiseerd met als enige reden dat iedereen de onwaarschijnlijke combinatie van Jacqui en Joey met eigen ogen wilde aanschouwen.

Niet alleen het gebruikelijke clubje was aanwezig (Rachel, Luke, ik, Shake, enzovoort), er was ook een hele ploeg tweederangs Echte Mannen die tegen Joey opkeken. Om niet te spreken van Leon en Dana, Nell en Nells merkwaardige vriendin, en een paar mensen van Jacqui's werk. Zelfs enkele mensen van *mijn* werk had gevraagd of ze konden komen: Teenie (die jaren geleden een keer met Joey naar bed was geweest), en Brooke. Brooke Edison, jawel.

Uiteindelijk zaten we op een donderdagavond met zijn drieëntwintigen in Haiku, in de Lower East Side. (We moesten het restaurant steeds bellen om een grotere tafel te reserveren.)

Joey en Jacqui zaten verstrengeld aan een lange tafel, en er werd door de rest geduwd en getrokken om zo dicht mogelijk bij hen te kunnen zitten. De beste plaatsen waren die pal tegenover de minnaars.

'Moet je Joey's "verliefde" gezicht zien,' fluisterde Teenie.

Het was vreemd: Joey lachte niet opeens of zo – hij keek nog steeds heel nors – maar wanneer hij met zijn vinger langs Jacqui's gezicht gleed, of in haar ogen staarde, had zijn norsheid wel iets. Het was eigenlijk best wel sexy. Intens, net Heathcliff uit *Wuthering Heights*, hoewel zijn haar niet donker genoeg was. Hij moest die goudachtig-bruine highlights ook een keer laten uitgroeien. Hij ontkende ten stelligste dat hij die had, maar iedereen wist het.

'Dit wordt leuk,' zei Teenie verrukt.

En dat werd het ook. Tijdens het eten konden Joey en Jacqui niet van elkaar afblijven. Ze fluisterden, ginnegapten en stopten lekkere hapjes in elkaars mond.

De enige die niet gebiologeerd toekeek was Gaz, en dat kwam waarschijnlijk omdat hij thuis al elke avond op de eerste rij zat. Hij kuierde langs de tafel, met in zijn handen een leren zakje dat er griezelig uitzag. Ik wist wat erin zat.

'Anna,' zei hij, 'ik kan je helpen met je verdriet. Ik ben acupunctuur aan het leren!' Hij opende het zakje en toonde me een massa naalden. 'Ik weet welke acupunctuurpunten je troost kunnen bieden.'

'Dat is lief van je. Dank je.'

'Dus ik mag het doen?'

'Wat? Nu? Jezus, nee Gaz, niet nu. Dit is een openbare gelegenheid. Ik kan niet met allerlei naalden in mijn lijf in een restaurant zitten. Ook al zijn we dan in de Lower East Side.'

'O. Ik dacht dat je bedoelde... Nou ja, andere keer dan? Binnenkort?'

'Mmmm.' Ik had gehoord wat er met Luke was gebeurd. Hij had zich prima gevoeld totdat Gaz hem had aangeboden zijn endorfineniveau te verhogen. Even later lag Luke opgekruld in foetushouding op de grond van de badkamer en vroeg zich af of hij ging kotsen of flauwvallen.

'Ik doe ook aan *cupping*,' zei Gaz. 'Dat is een andere Chinese geneeswijze. Ik verhit kleine kopjes en zet die op je rug, waardoor ze zich vastzuigen. Daardoor komen allerlei gifstoffen vrij.'

Ja, daar had ik ook van gehoord. Ik wist ook dat hij die gloeiende kopjes te dicht bij het raam van Rachel en Luke had gehouden en erin geslaagd was hun gordijnen in brand te steken.

'Dank je, Gaz, maar...' Ik knikte naar Jacqui en Joey. 'Ik kan me even nergens anders op concentreren.'

Eerlijk gezegd leek het alsof ze op het punt stonden te vertrekken. En dat was ook zo! Ze stonden op en Joey gooide een paar briefjes van twintig op tafel. Zich verontschuldigend maakten ze zich uit de voeten.

Brooke Edison slaakte een dromerige zucht. 'Ze gaan vroeg naar huis om te vrijen, en het kan ze niet schelen als dat nogal bot overkomt. Ze laten niet eens genoeg geld achter, ze zijn zo verliefd dat ze ervan uitgaan dat de rest van de wereld met plezier voor ze betaalt. Wat we absoluut doen.'

'Aardig van ze dat ze vroeg weggaan,' zei Teenie, 'dan kunnen we tenminste over ze roddelen. Wat vinden jullie ervan?'

De reacties waren gemengd. De tweederangs Echte Mannen waren duidelijk in de war, omdat Jacqui geen borsten had. Maar ze was in elk geval blond.

Alle anderen vonden het echter uiterst charmant.

Brooke sloeg haar handen ineen. Haar ogen glansden. 'Ik vind het prachtig. Iederéén kan de ware zijn. Wie zegt dat hij op Wall Street moet werken! Hij kan gewoon een loodgieter zijn, of een bouwvakker.' Ze vestigde haar blik op Shake, op zijn strakke spijkerbroek en zijn woeste haardos, en haar ogen kregen opeens een begerige schittering.

45

Er is geweldig nieuws gekomen!

Aan: Goochelassistente@yahoo.com
Van: Paranormale_producties@yahoo.com
Onderwerp: Re: Neris Hemming

Woensdag 6 oktober om 8.30 uur heeft u een telefonische afspraak met Neris Hemming. Tegen die tijd zullen we u laten weten welk nummer u kunt bellen. De kosten die hieraan zijn *verbonden bedragen $2500. Wilt u alstublieft de gegevens van uw creditcard opgeven? Wilt u er ook aan denken dat u het nummer niet voor 8.30 uur mag bellen, en dat u precies op tijd een einde aan het gesprek moet maken.*

Ik belde Mitch om het hem te vertellen. Ik was in alle staten. Over twee weken zou ik Aidan spreken.

Ik kon niet wachten. Ik kon niet wachten. Ik kon niet wachten.

46

Franklin boog zich over mijn bureau, wierp een steelse blik op Lauryn en zei: 'Anna, we hebben eindelijk een definitieve datum van Devereaux voor de pitch van Formule 12.'

Hij lachte vrolijk, en met een rilling over mijn rug besefte ik opeens wat er nu zou komen. Nog voordat hij de woorden had uitgesproken, wist ik precies wat hij ging zeggen. 'Volgende week woensdag, 6 oktober. Negen uur.'

Een pijnscheut trok door mijn benen. Woensdagochtend 6 oktober had ik mijn gesprek met Neris Hemming. Dit was een soort kosmische grap.

Ik kon niet bij de pitch zijn. Ik moest het hem vertellen. Maar ik was bang. Zeg het, kom op, zeg het, dacht ik.

'Het spijt me, Franklin.' Mijn stem trilde. 'Ik kan er niet bij zijn. Ik heb een afspraak.'

Zijn ogen werden ijskoud. Wat voor afspraak kon ik hebben die belangrijker was dan deze pitch?

'Het is iets, eh, medisch.'

'Je verzet het maar.' Hij zei het alsof de kous daarmee af was.

Ik schraapte mijn keel. 'Het is dringend.'

Hij fronste zijn wenkbrauwen, alsof hij nieuwsgierig was. Eerst sterft haar echtgenoot, nu heeft ze dringend medische zorg nodig. Hoeveel pech kan deze loser hebben?

'Je móét bij deze pitch zijn,' zei Franklin.

'Ik kan er om halftien zijn.'

'Je móét bij deze pitch zijn,' herhaalde Franklin.

'Misschien zelfs om kwart over negen, als het verkeer meezit.' Dat was uitgesloten.

'Volgens mij begrijp je me niet. Je móét bij deze pitch zijn.' Hij draaide zich om en liep weg.

Ik kon me niet concentreren op mijn werk, dus checkte ik met trillende handen of ik nog een leuk mailtje had gekregen. Helen was met de dood bedreigd.

Aan: Goochelassistente@yahoo.com
Van: Lucky_Star_PI@yahoo.ie
Onderwerp: Met de dood bedreigd

Jezus, er is weer van alles gebeurd. Vanochtend kwam Colin naar mijn kantoor. Hij zou me naar Harry brengen om hem foto's te geven van Detta en Racey die opgekruld op de bank thee zitten te drinken en luxe koekjes eten.

Klinkt er opeens een ongelooflijke knal! Pistoolschot! Mijn oren suizen nog na. Het raam verbrijzelt en de scherven vallen op mijn bureau, overal glas. Iemand wil me doodschieten! Het gore lef!

Colin (schreeuwt): Bukken!
Hij beent naar buiten om te kijken wat er aan de hand is. Maar ik hoor een auto met piepende banden wegscheuren, en binnen een tel is hij weer terug.
Hij: Ze zijn weg. Zagen eruit als een paar gozers van Racey.
Hij knielt neer, in de glassplinters, neemt me in zijn armen en zegt: Rustig maar, lieverd.
Ik (deins geschrokken achteruit): Jezus, wat krijgen we nou?
Hij: Ik troost je.
Ik: Ga weg. Daar hou ik niet van. Ik hoef niet getroost te worden.
Hij: Kopje thee dan?
Ik: Nee. Nee. Ik hoef niks. Jezus!
Door de plek waar vroeger het raam zat, zie ik een afvaardiging van boze moeders uit de flat naar beneden komen. Ze dragen leggings en parka's en worden omgeven door wolken sigarettenrook. Het leek die ene planeet wel. Ze zijn er als de kippen bij hier. Oppermoeder, die Josetta heet, zegt: Dit is een fatsoenlijke buurt, Helen.

Ik: Nee hoor.
Zij: Oké, inderdaad. Maar om halfelf 's ochtends al schoten? Dat kan echt niet.
Ik: Sorry. De volgende keer dat iemand me probeert om te leggen zal ik vragen of ze even kunnen wachten tot na de lunch.
Zij: Doe dat. Brave meid.
Ze gingen weer weg.
Ik: Godsamme, ze willen me koud maken.
Hij: Neu. Een waarschuwingsschot, meer niet.
Ik: Maar de volgende keer is het raak.
Hij: Zo werkt het niet. Ze doden eerst je hond, om maar iets te noemen. Er zijn strenge regels waar ze zich aan moeten houden.
Ik: Maar ik heb geen hond. Ik heb de pest aan alle levende wezens.
Hij: Nou ja, misschien steken ze je auto in de fik. Je bent gek op je auto, toch?
Ik (knikkend): Dus het duurt nog even voordat ze me echt proberen te doden.
Hij: Ja, je hebt nog tijd zat.

Dit ging te ver. Ik rammelde een antwoord aan Helen.

Aan: Lucky_Star_PI@yahoo.ie
Van: Goochelassistente@yahoo.com
Onderwerp: Met de dood bedreigd

Helen, dit is niet grappig meer. Als iemand je echt probeert dood te schieten – en ik kan me niet voorstellen dat je daarover zou liegen – moet je hier onmiddellijk mee ophouden. Nu meteen!
Anna

Met trillende vingers klikte ik op 'verzenden'. Daarna mailde ik het kantoor van Neris Hemming om te kijken of ik haar een dag eerder kon spreken. Of een dag later. Of eerder die dag. Of later. Als het maar niet om halfnegen op 6 oktober was. Maar helaas. Ik kreeg als snel antwoord dat als ik deze kans miste, ik weer achteraan kon sluiten en tien tot twaalf weken moest wachten voordat er weer een gaatje was.

En dat kon ik niet! Echt niet! Ik wilde Aidan zo vreselijk graag spreken en ik had al zo lang gewacht, was zo geduldig geweest.

Maar als ik de pitch miste, zou ik ontslagen worden. Daar bestond geen twijfel over. Maar ik kon toch altijd weer een andere baan krijgen? Nou, dat viel nog te bezien. Vooral niet als potentiële werkgevers erachter kwamen waarom ik was ontslagen, dat ik niet was komen opdagen bij de belangrijkste pitch die het bedrijf ooit had gehouden. En ik kon echt niet zonder mijn baan. Ik moest wel werken, het hield me op de been. Het gaf me 's ochtends een reden om op te staan en het gaf afleiding.

En niet te vergeten kreeg ik ervoor betaald, wat van wezenlijk belang was, want ik zat tot mijn oren in de schulden. Zodra ik bericht van Neris Hemming had gekregen, had ik tweeënhalfduizend dollar op een aparte rekening gezet, dus dat stond in elk geval veilig. Daarnaast loste ik elke maand slechts het minimumbedrag af op mijn creditcards. Ik had de angst aardig buitengesloten, maar door het idee werkeloos te zijn, kwam alles in één klap terug. Ik had ergens gelezen dat de gemiddelde New Yorker slechts twee salarisstrookjes is verwijderd van de straat. Zolang ik geld verdiende, liep alles redelijk, maar als ik een paar weken geen inkomen zou hebben, kon alles instorten. Ik zou waarschijnlijk het appartement moeten opgeven, misschien zelfs terug moeten naar Ierland. En dat kon ik niet, ik moest in New York zijn, bij Aidan. Ik móést deze pitch houden.

Toen werd ik kwaad: als ik nu eens écht heel ziek was geweest? Als ik nu eens kanker had gehad en de ochtend van de pitch mijn eerste levensreddende bestraling zou krijgen? Was Franklin niet een beetje onmenselijk? Ging dit gedoe over werkethos niet een beetje ver?

Ik probeerde andere manieren te bedenken om hier onderuit te komen: ik kon Neris met mijn mobieltje bellen vanuit een bar om de hoek, en dan even na negenen op kantoor zijn. Ik kon zelfs proberen te bellen van achter mijn bureau. Maar ook dat ging niet, ik zou geen enkele vreugde beleven aan mijn gesprek met Aidan.

Alle puzzelstukjes vielen op hun plek en ik nam een besluit. Niet dat ik ooit echt had getwijfeld. Ik zou met Neris bellen, de pitch kon me gestolen worden.

Ik liep naar Franklins bureau.

'Heb je even?'
Kil knikte hij me toe.
'Franklin, ik kan niet bij de pitch zijn. Iemand anders kan hem voor me houden, Lauryn bijvoorbeeld.'
Vermoeid zei hij: 'We hebben jóú nodig, jij hebt het litteken. Lauryn heeft geen litteken.' Hij zweeg even; hij vroeg zich vast af of hij Lauryn geen litteken kon bezorgen. Hij moest tot de conclusie zijn gekomen dat dat helaas was uitgesloten, want hij vroeg: 'Wat heb je dan?'
'Het is iets, eh, gynaecologisch.' Ik dacht dat ik daar wel mee weg zou komen, hij was immers een man. Bij andere baantjes had het altijd gewerkt om tegen een mannelijke baas te zeggen dat ik menstruatiepijn had als ik een middagje wilde shoppen. Meestal wisten ze niet hoe snel ze je weg moesten sturen. Je kon de afschuw in hun ogen zien: gebruik het woord 'menstruatie' alsjeblieft nooit meer. In plaats daarvan sprong Franklin achter zijn bureau vandaan en greep me beet. We baanden ons zigzaggend een weg tussen de bureaus door.
'Waar gaan we heen?'
'Naar mammie.'
Shit, shit, shit, shit, shit.
'Ze zegt dat ze haar pitch niet kan houden,' zei Franklin luid. 'Ze zegt dat ze naar het ziekenhuis moet. Iets gynaecologisch.'
'Gynaecologisch?' zei Ariella. 'Gaat ze abortus plegen?' Ze keek me aan, één brok in kobaltblauw gehulde woede. 'Je mist mijn pitch voor Formule 12 voor een lullige abortus?'
'Nee. Jezus, nee, helemaal niet.' Ik was ontsteld over waar ik nu weer in was terechtgekomen, ontsteld over haar razernij, ontsteld over mijn leugens, ontsteld over wat ik had ontketend.
En ik moest meer leugens verzinnen. En snel ook.
'Het gaat om mijn, eh, baarmoederhals.'
'Is het kanker?' Vragend hield ze haar hoofd schuin, en een tergend lang moment hield ze mijn blik gevangen. 'Heb je kanker?' De boodschap was duidelijk: als ik kanker had, mocht ik de pitch missen. Voor minder deed ze het niet. Maar ik kreeg het niet over mijn lippen.
'Een voorstadium.' Ik slikte iets weg, ik kon wel door de grond zakken.

Jacqui had een paar jaar geleden een voorstadium van baarmoederhalskanker gehad. Destijds hadden we allemaal gehuild, in de heilige overtuiging dat ze zou sterven, maar na een minieme operatie, waar zelfs geen plaatselijke verdoving aan te pas kwam, was ze weer zo gezond als een vis.

Opeens daalde er een kalmte over Ariella neer. Een angstaanjagende kalmte. Haar stem daalde tot die verkouden fluistertoon.

'Anna, ben ik niet goed voor je geweest?'

Ik voelde me misselijk. 'Natuurlijk wel, Ariella.'

Maar ze liet zich niet onderbreken. Ik moest haar hele speech uitzitten.

'Heb ik niet goed voor je gezorgd? Je kleding gegeven? Toen we Fabrice & Vivien vertegenwoordigden, voordat die ondankbare eikels ergens anders heen gingen? Wie geeft je al die make-up? Wie laat je eten in de beste restaurants? Heb ik je baan niet opengehouden voor je toen je echtgenoot ertussenuit kneep? Heb ik je niet teruggenomen ondanks een litteken op je gezicht waarvan zelfs dokter De Groot zou schrikken?'

Terwijl ze het laatste, vernietigende zinnetje uitsprak, zei ik het ook, in gedachten: 'En dit is je dank?'

47

Aan: Goochelassistente@yahoo.com
Van: Lucky_Star_PI@yahoo.ie
Onderwerp: Van de zaak af!

Oké, oké, rustig maar! Dat Aidan dood is wil nog niet zeggen dat we allemáál doodgaan. Ik heb Harry in elk geval de foto's laten zien waarop Detta staat terwijl ze theedrinkt met Racey.

Hij: Aha, het zindert niet. Niks aan de hand. Nee, het lek moet dus elders zitten. Colin, je moet weer helemaal van voor af aan beginnen. Mevrouw Walsh, het doet me genoegen u te zeggen dat u wel kunt gaan.

Ik: *Godzijdank*. De afkeer is geheel wederzijds. (Dat vond ik fijn om te zeggen.) Dag Colin, het was prettig om met je samen te werken. We houden contact.
Ik lachte nog naar hem, en hij zag er een beetje verloren uit.

Zo, dus dat was dat. Ik ben niet overhoop geschoten, en je hoeft je nergens meer zorgen over te maken, ouwe tobber dat je er bent.

Het was een hele opluchting om te weten dat ze zich niet meer in gevaar bevond (als dat ooit al het geval was geweest). Nu het voorbij was, moest ik vreemd genoeg toegeven dat ik wel een beetje nieuwsgierig was; had Detta echt Harry's geheimen doorgespeeld aan Racey? Het was vreemd omdat het meer op een soap leek dan op het echte leven, maar in tegenstelling tot een soap was er plotsklaps een einde aan gekomen.

In de twee weken daarna moesten Wendell en ik de publiciteitscampagne zo vaak repeteren dat we alles uit ons hoofd kenden. Ariella en Franklin ondervroegen ons en deden of ze hoge pieten van Devereaux waren. Ze vuurden vragen af over de kosten, het tijdsbestek, het profiel van de klanten, over de concurrentie; elke vraag die ons maar zou kunnen worden gesteld. Toen kregen de andere meisjes een beurt om vragen te stellen voor het geval ze iets over het hoofd hadden gezien. Op die manier konden we op de grote dag niet ineens voor verrassingen komen te staan.

Ik speelde het spelletje mee, hoewel ik wist dat ik er op de dag zelf niet bij zou zijn.

Maar ik had Teenie wel ingelicht. We waren gaan lunchen en ik had haar geheimhouding laten beloven.

'Woensdag, hè? Dan kom ik niet.'

'Wát?'

'Neem jij mijn plaats maar in. Neem jij alle lof maar in ontvangst.'

'Maar... jezus! Ik bedoel, dat kun je niet maken... Ariella zal helemaal over de rooie gaan!'

'Vast en zeker. En dan heeft ze iemand nodig om mijn plaats in te nemen. Zorg ervoor dat jij diegene bent. Zorg dat Lauryn het niet is.'

Aan: Goochelassistente@yahoo.com
Van: Familiewalsh@eircom.net
Onderwerp: Geen geheimen meer

Lieve Anna,

Je raadt nooit wie Nan O'Shea is. Toe maar, doe eens een gok. Je raadt het toch nooit. Ik zal een tipje van de sluier oplichten: het is allemaal de schuld van je vader. Ik had het kunnen weten. Nou, raad dan! Ik ga het je nu nog niet vertellen. Ik wil dat je eerst raadt. Maar wat je dan te horen krijgt... Je gelooft je oren niet!

Liefs van je moeder,
Mam

Op de dag voorafgaand aan de grote dag werden Wendell en ik nog eens stevig ondervraagd. Om halfzeven vond Ariella dat het wel welletjes was.

'Zo, dat is genoeg,' zei ze. 'Jullie moeten fris blijven.'

'Tot morgen, Anna,' zei Franklin betekenisvol.

'Tot morgen, in alle vroegte,' zei ik.

Ik had nog niet besloten of ik na het telefoongesprek met Neris nog naar mijn werk zou gaan, of dat ik me helemaal nooit meer zou laten zien.

In elk geval pakte ik de foto van Aidan van mijn bureau en stopte hem in mijn tas. Daarna nam ik afscheid van Teenie en Brooke.

48

Het voelde als de avond voor de belangrijkste dag van mijn leven. Ik kon me nergens toe zetten. Ik was opgewonden, maar ook gespannen.

Ik dacht: en als je niet doorkomt, Aidan? Wat moet ik dan? Wat kan ik dan nog doen?

Ik schrok op toen de telefoon ging. Het was Kevin. Ik liet hem een bericht inspreken. 'Anna,' zei hij. 'Ik moet je spreken, het is heel erg dringend. Bel me.'

Het drong nauwelijks tot me door.

Even later – ik had geen idee hoeveel later – ging de bel. Ik negeerde het, maar hij ging nogmaals. Na de derde keer drukte ik op de knop. Wie er ook beneden stond, hij of zij wilde me heel graag spreken.

Het was Jacqui. 'Je raadt het nooit,' zei ze.

'Zeg het dan maar gewoon.'

'Ik ben zwanger.'

Ik staarde haar aan en zij staarde terug.

'Wat?' zei ze.

'Wat wat?'

'Je kijkt raar.'

Ik voelde me ook raar. Mijn baarmoeder had zich eventjes samengetrokken.

'Ben je jaloers?' vroeg ze. Plompverloren.

'Ja,' zei ik. Plompverloren.

'Sorry. En ik *wíl* niet eens zwanger zijn. Het leven is kut.'

'Ja. Is dit niet een beetje snel? Jullie zijn net verliefd op elkaar.'

'Weet je wanneer het is gebeurd? De eerste nacht. Godsamme, de eerste nacht! Toen jij in de Hamptons was. Dat geloof je toch niet? Het condoom scheurde. Ik was van plan een morning-afterpil te halen, maar we bleven drie dagen in bed liggen. Ik dacht er niet meer aan en toen was het te laat. Ik ben nog maar zes weken zwanger, maar ze tellen vanaf je laatste ongesteldheid, dus officieel is het acht weken.'

'Weet Norse Joey het?'

Ze schudde haar hoofd. 'Nee, en als ik het vertel, maakt hij het uit.'

'Maar hij is stapelgek op je.'

Ze schudde haar hoofd. 'Dopamine. Teenie heeft het me op je verjaardag uitgelegd. Slimme meid is dat. Als mannen denken dat ze verliefd zijn, is dat alleen maar omdat hun hersens te veel dopamine produceren. Het duurt meestal een jaar, wat veel verklaart. Maar als ik hem vertel dat ik zwanger ben, verdwijnt het vast onmiddellijk.'

'Hoezo?'

'Norse Joey wil geen verantwoordelijkheid.'

'Maar...'

'Het is te snel. We kennen elkaar amper. Als het over een halfjaar was gebeurd, konden we het misschien wel aan, maar nu is het te vroeg.'

'Vertel het hem, misschien is er niks aan de hand.'

'Misschien niet.'

Ik dwong mezelf het te zeggen, hoewel ik het vreemd genoeg niet wilde. 'Er zijn nog andere mogelijkheden.'

'Ik weet het. Ik heb er al over nagedacht.' Stilte. 'Dat ik nu zwanger ben is niet zo erg als het vijf jaar geleden zou zijn geweest, of drie jaar geleden. Toen had ik geen zekerheid, ik had geen cent te makken. Toen had ik het ook zeker laten weghalen. Maar nu... Ik heb een appartement, ik heb een goedbetaalde baan, ook al leef ik dan op te grote voet. En ik vind het wel een leuk idee om thuis een baby rond te hebben kruipen.'

'Eh... Jacqui, een baby verandert je hele leven. Het is iets anders dan een labradoedel. Misschien moet je die goedbetaalde baan zelfs wel opgeven. Weet je zeker dat je hier goed genoeg over hebt nagedacht?'

'Ja hoor! De baby zal de hele dag huilen en ik zal blut zijn.' Ze zweeg weer even. 'Nog blutter. Ik zal eruitzien als een helleveeg, de oppas zal me bestelen, maar het wordt vast leuk! Laten we hopen dat ik een meisje krijg, die hebben veel leukere kleertjes.'

Toen barstte ze in tranen uit.

'Godzijdank,' zei ik. 'Eindelijk doe je iets normaals.'

Toen ze weg was, probeerde ik te slapen, maar dat lukte niet echt. Ik dommelde hoogstens een beetje in, en om vijf uur was ik weer klaarwakker. Ik had ook meer pijn dan gewoonlijk – had dat te maken met mijn onevenwichtige gemoedstoestand? Ik keek hoe de klok aftelde tot halfnegen. Dan zou ik Aidan eindelijk te spreken krijgen. Mijn maag liet van zich horen en ik voelde me rillerig en misselijk. Om de tijd te doden, haalde ik mijn mail binnen.

Aan: Goochelassistente@yahoo.com
Van: Lucky_Star_PI@yahoo.ie
Onderwerp: Spiernaakt

Je gelooft nooit wat er is gebeurd. Vanochtend kreeg ik met de post een A4-envelop vol foto's van Racey en Detta die als beesten van bil gaan. Ze laten niets aan de verbeelding over: piemels en tieten, de hele flikkerse zooi. Je moet er een sterke maag voor hebben.

Dus ze hadden het toch al die tijd gedaan. Harry had gelijk en ik had het mis. Maar waarom stuurt iemand mij die foto's, vooral nu ik niet meer op de zaak zit? Ik belde Colin. Vroeg hem wat ik moest doen. Hier moeten we even over praten, zei hij. In bed.

Oeh, daar zeg ik geen nee tegen!

Aan: Goochelassistente@yahoo.com
Van: Familiewalsh@eircom.net
Onderwerp: Alles valt op zijn plek

Lieve Anna,

Ik weet dat je genoeg aan je hoofd hebt, maar ik moet bekennen dat ik een beetje gekwetst ben. Kon je nou echt niet even raden wie Nan O'Shea is? Ik weet dat ons dramaatje niet half zo spannend is als wat er allemaal in New York gebeurt, maar ik dacht dat je ons wel een plezier zou willen doen. Dus kom op, raad nou even. Je raadt het nooit!

Liefs van je moeder,
Mam

PS Als je niet raadt, word ik boos.

Om van haar af te zijn, stuurde ik afwezig een antwoord.

Aan: Familiewalsh@eircom.net
Van: Goochelassistente@yahoo.com
Onderwerp: Alles valt op zijn plek

Ik weet het niet. Ik geef het op. Is het een oude vriendin van pap?

Ik had al zo lang gewacht om met Aidan te praten dat ik begon te geloven dat het nooit halfnegen zou worden. Maar dat werd het toch. Een beetje draaierig keek ik naar de twee wijzers van de klok. Ze stonden in de magische stand, eindelijk was het zover. Ik pakte de hoorn op en toetste het nummer in.

Hij ging vier keer over, toen zei een vrouwenstem: 'Hallo?'

Ik beefde zo erg dat antwoorden me moeite kostte. 'Hallo, spreek ik met Neris?'

'Ja?' zei ze behoedzaam.

'Hallo, met Anna Walsh uit New York. Ik bel voor een reading.'

'Eh...' Ze klonk verbijsterd. 'Heb je een afspraak?'

'Ja! Ja! Natuurlijk! Ik heb al betaald en alles. Ik kan je de naam geven van degene die ik aan de lijn heb gehad.'

'O, het spijt me lieverd, maar ik heb bouwvakkers over de vloer. Het is een gekkenhuis. Dat heb ik aan kantoor doorgegeven. Ik kan me nu echt niet concentreren op een reading.'

Ik was te geschokt om te antwoorden. Dit kon niet waar zijn. Ik hoorde de klikjes van een wisselgesprek. Ik negeerde ze.

'Bedoel je dat je niet voor me gaat channelen?'

'Vandaag niet, lieverd.'

'Maar we hebben een afspraak. Ik heb hier al zo lang op gewacht.'

'Ik weet het, lieverd. Bel mijn kantoor maar, dan maken we een nieuwe afspraak.'

'Maar ik moest al drie maanden wachten op deze afspraak, en –'

'Ik zeg wel dat ze je voorrang moeten geven.'

'Kunnen we echt niet nu even snel iets doen?'

'Nee, echt niet.' Haar luchtige toon bleef luchtig, maar had een ijzig ondertoontje. 'Bel mijn kantoor maar. Hou je taai.'

En weg was ze.

49

Ik staarde naar de hoorn, en toen kwam er een enorme uitbarsting van woede, teleurstelling en hoop die de grond was ingestampt. In tegenstelling tot de plotselinge vlagen van ijzige kwaadheid werd ik overspoeld door withete woede; niet gericht op Neris, maar op Aidan.

'Waarom wil je niet met me praten?' krijste ik. 'Waarom geef je me steeds nul op het rekest? Ik heb je al zo vaak de kans gegeven, verdomme!' Ik trok aan mijn haar. 'En waarom ging je verdomme dood? Je had beter je best moeten doen, jij luie, nutteloze rotzak! Als je meer van me had gehouden, zou je zijn blijven leven, dan had je je aan het leven vastgeklampt. Waardeloze lul, je gaf het zomaar op.'

Ik drukte op de sneltoets om het nummer nogmaals te bellen, maar toen kreeg ik de ingesprektoon, en dat maakte het allemaal nog erger. Dit was heus geen toeval meer.

'Waarom wil je niet met me praten?' tierde ik. 'Omdat je een gore lafbek bent, daarom! Je had een keus, je had kunnen blijven, maar je gaf niet genoeg om me, je hield niet genoeg van me, je was veel te veel bezig met jezelf!'

Uiteindelijk kon ik niets meer bedenken, en toen gilde ik het uit met mijn handen voor mijn mond. Ik kreeg een rauwe keel van alle woede die uit me kwam.

Ik kon niet binnen blijven. Het appartement was te klein voor mijn gevoelens. Met een rood waas voor ogen rende ik naar de deur. Toen ik langs de computer kwam, zag ik dat er een mailtje was binnengefloept. Ik wist niet goed waarop ik hoopte – misschien een nieuwe afspraak met Neris? – maar het was maar van Helen.

Aan: Goochelassistente@yahoo.com
Van: Lucky_Star_PI@yahoo.ie
Onderwerp: Aanvaring

Heb de foto's aan Harry laten zien. Colin vond dat hij er recht op had het te weten. Harry was gebroken. Heel grappig. Toen zei hij tegen Colin: ik ga naar Dalkey om Racey O'Grady om te leggen. Ben over een paar uur terug, dat hangt van het verkeer af. Pas jij maar op de zaak.

Op straat bleef ik staan, en het drong tot me door dat ik nergens naartoe kon, behalve naar mijn werk. De publiciteitscampagne kon me geen moer schelen, maar zoals zo vaak gebeurt, stopte er meteen een taxi, was er bijna geen verkeer en stonden alle verkeerslichten op groen. De rit naar mijn werk had nog nooit zo kort geduurd.

Ik slenterde op mijn gemak van de lift naar mijn bureau, waar Franklin, Teenie en Lauryn stonden te ruziën.

'Het loeder,' zei Lauryn. 'We hadden nooit moeten toestaan dat ze terugkwam nadat haar man...'

Franklin was krijtwit. Toen draaide hij zich om en zag me. Ik moest bijna lachen toen ik de uitdrukking op zijn gezicht zag. Hij was zo opgelucht dat er geen plaats meer was voor woede. 'Je bent er.'

'Ja. Teenie, het spijt me als ik het moeilijk voor je heb gemaakt.'

'Welnee,' zei ze. 'Het is jouw pitch, hoor.' Ze gaf me een kusje. 'Zet hem op!'

50

'Ze zijn er nog niet,' zei Franklin buiten adem. Hij had me bij mijn arm en we haastten ons naar de directiekamer.

'Hier is ze!' Hij toonde me triomfantelijk aan Ariella, die zei: 'Wat dacht je: ik doe het rustig aan?'

'Ik heb toch gezegd dat ik een afspraak had?'

Er werden blikken gewisseld: wat was er toch met me aan de hand? Maar toen kregen we te horen dat de mensen van Devereaux onderweg naar boven waren, en allemaal zetten we ons blije gezicht op.

Wendell ging eerst. Ze droeg een knalgeel kanariepak en stak een behoorlijk indrukwekkend verhaal af. Daarna was ik aan de beurt. Ik zag mezelf mijn pitch houden, alsof ik uit mijn lichaam was getreden. Adrenaline gierde door mijn lijf, mijn stem klonk luider dan gewoonlijk, en ik lachte iets te verbitterd toen ik op mijn litteken wees, maar verder gebeurde er niets onbetamelijks.

Moeiteloos beantwoordde ik hun lastige vragen. Na al die uren oefenen wist ik alles, tot in de puntjes. En toen was het voorbij. Handen werden geschud en ze waren weer weg.

Zodra de deur van de lift achter hen dichtgleed, liep ik de directiekamer uit. Ariella en Franklin staarden me verbijsterd na.

Teenie kwam naar mijn bureau en vroeg hoe het was gegaan.

'Ze kon niet. Ze had bouwvakkers over de vloer.'

'Pardon?'

'O, de pitch. Goed, goed.'

'Gaat het?'

'Ja hoor.'

'Oké. Ik heb een paar boodschappen voor je. Jacqui belde. Ze vertelt Norse Joey het slechte nieuws vanavond. Heeft ze chlamydia?'

'Nee. Ik vertel het wel als Norse Joey het weet.'

'Oké. Daarna belde Kevin. Je weet wel, Kevin, Aidans broer?'

Ik knikte vermoeid.

'Je moet hem zo snel mogelijk bellen. Hij zei dat het heel dringend was.'

'Op welke manier dringend?'

'Maak je geen zorgen. Er is niemand dood. Dat heb ik gevraagd. Dus gewoon dringend, denk ik.'

Kevin was vanochtend waarschijnlijk mijn wisselgesprek geweest. Opeens was ik nieuwsgierig, en ik zette mijn mobieltje aan. Hij had twee berichten ingesproken.

Waarom wilde Kevin dat ik hem belde? Waarom was het dringend? En opeens begreep ik het. Kevin wilde me spreken om dezelfde reden dat Aidan me níét wilde spreken.

Ik werd opeens overspoeld door een gevoel van onbehaaglijkheid dat zich maandenlang op de achtergrond had gehouden.

Ik had gehoopt dat dit moment nooit zou komen. Ik had me er zelfs van weten te overtuigen dat dit moment nooit zou komen. Maar wat dit ook was, het had een kritiek punt bereikt, ik kon het niet langer tegenhouden.

Ik moest Leon spreken.

Ik belde hem op zijn werk. 'Leon, kunnen we afspreken?'

'Leuk! Kun je vrijdag? Er is een Sri Lankaans restau...'

'Nee, Leon. Ik bedoel nú.'

'Maar het is halftien. Ik ben op mijn werk.'

'Verzin maar iets. Een afspraak. Kiespijn. Het is belangrijk. Een uurtje maar, Leon. Alsjeblieft.'

'En Dana dan?'

'Zo'n soort afspraak is het niet, Leon. Kun je over een kwartier in Dom's Diner zijn?'

'Oké.'

Tegen de bureaus om me heen zei ik: 'Ik ga over tien minuten even weg, ik ga vroeg lunchen.'

Lauren gaf niet eens antwoord. Het kon haar niets schelen. Ik had zo'n slechte beurt gemaakt door de pitch bijna te missen dat ik waarschijnlijk toch wel de zak zou krijgen.

Aan: Goochelassistente@yahoo.com
Van: Familiewalsh@eircom.net
Onderwerp: Alles valt op zijn plek

Lieve Anna,

Hoe wist je dat?! Raadde je maar wat? Heb je een zesde zintuig? Of heeft Helen het je verteld? Ja, Nan O'Shea is de vrouw die je vader voor mij aan de kant heeft gezet. Ze heeft al die jaren een wrok tegen me gekoesterd. Om te gillen, toch? Wie had kunnen denken dat iemand zoveel voor je vader zou voelen?

Het kwam allemaal uit toen ik je vader dwong mee te komen naar haar huis om haar ermee te confronteren. We belden aan en de deur ging met een ruk open. Die vrouw ziet je vader en stort helemaal in.

Zij zegt: 'Jack?' En hij zegt: 'Nan?' En ik zeg: 'Ken je deze vrouw?'

Je vader zegt: 'Wat heeft dit te betekenen, Nan?' En zij zegt: 'Het spijt me, Jack.'

Ik zeg: 'Dat is je geraden ook, gestoorde gek,' en je vader zegt: 'Stil nou, ze is van streek.'

Ze vraagt of we een kop thee willen en je vader kletst erop los. Hij gaat zitten en neemt koekjes van haar aan, maar ik hou afstand. Ik kan niet zo snel iemand vergeven.

Maar goed, het hele verhaal komt eruit. Je vader had haar hart gebroken toen hij haar afdankte, en ze was hem nooit vergeten. Zoals Rachel zou zeggen: ze had het boek nooit gesloten. (Het is trouwens een ramp om het hier met Rachel over te hebben. Het is fijn dat het kind een opleiding heeft gevolgd, maar soms... goed, ik kom al van mijn stokpaardje.)

Ik vraag aan je vader waarom hij haar naam niet had herkend en hij zegt dat hij dat ook niet wist. Ik vraag Nan O'Shea waarom ze onlangs pas had besloten ons het leven zuur te maken en waarschuw haar dat ze niet moet zeggen dat ze dat ook niet weet. Ze zegt dat ze jarenlang ergens anders heeft gewoond. Van dichtbij ziet ze eruit als een non buiten dienst, alsof ze op missie is geweest en een stel arme Afrikanen heeft lastiggevallen, maar ze blijkt sinds 1962 in Cork te hebben gewoond. Ze is onlangs met pensioen gegaan en teruggekomen naar Dublin. (Ik was nogal gechoqueerd, ik dacht dat ze veel ouder was dan ik.)

Je vader doet hartstikke aardig tegen haar, en als we weggaan, zegt Nan O'Shea: 'Kom anders nog een keer een kop thee drinken, Jack.'

'Nee,' zeg ik. 'Niks ervan. Kom mee, Jack, naar huis.'

Dus dat hebben we ook weer gehad. Hoe gaat het met jou? Is daar nog iets vreemds gebeurd?

Liefs van je moeder,

Mam

51

Leon was er al. Ik ging op het bruine vinyl van het bankje tegenover hem zitten en zei: 'Leon, ik weet dat dit moeilijk voor je is, en als je moet huilen, moet je dat maar doen. Ik ga je een paar vragen stellen, en ik smeek je eerlijk tegen me te zijn. Zelfs als je denkt dat het antwoord me zal kwetsen.'

Hij knikte zenuwachtig. Maar dat was geen aanwijzing. Hij was altijd zenuwachtig.

'De avond dat Aidan stierf wilde hij me iets vertellen. Iets belangrijks.'

'Wat dan?'

'Dat weet ik niet. Hij ging dood, weet je nog?'

'Sorry, ik dacht dat je bedoelde... Maar hoe weet je dan dat hij je iets belangrijks wilde vertellen?'

'Hij had voor ons in het Tamarind gereserveerd.'

'Wat is daar nou raar aan? Het Tamarind is "een verfijnde plek voor brahmanen en hun bankiers". Dat citeer ik uit de *Zagat*.'

'Leon, het is raar omdat Aidan en ik bijna nooit uit eten gingen met zijn tweetjes. We lieten thuis bezorgen, of we gingen eten met Dana en jou, of met Rachel en Luke of zo. En twee avonden daarvoor hadden we al een romantisch dineetje gehad omdat het Valentijnsdag was, weet je nog?'

'Oké.'

'En nu ik eraan terugdenk, was er iets waarvan hij overstuur was. Hij had een telefoontje op zijn mobiel gekregen – hij zei dat het iemand van zijn werk was, maar dat denk ik toch niet omdat hij later erg stilletjes was, alsof hij een klap te verwerken had gekregen.'

'Dan kan het toch heel goed zijn werk zijn geweest?'

'Ik weet het niet, Leon. Het leek me meer dan dat, en hij bleef maar stilletjes en... en een beetje afstandelijk. Ik bedoel, hij deed erg zijn best, vooral met Valentijnsdag, maar dat is toch al zo afgezaagd en zoetig... En toen reserveerde hij in het Tamarind, en ik begreep maar niet waarom we alweer uit eten zouden gaan, maar hij zei dat ik me er niet druk over moest maken, dus toen zei ik dat het oké was.'

'Jezus, ik wou dat Dana een beetje meer op jou leek.'

'Nou, dat valt wel mee, hoor. Maar ik weet nog dat ik dacht dat als hij het belangrijk vond om eens goed met me te praten – want we gingen duidelijk niet alleen voor het eten –' Ik legde Leon het zwijgen op toen hij iets wilde zeggen. 'Ja, ook al is het eten daar nog zo geweldig. Maar ik vond dat ik hem zijn zin moest geven.'

'Maar het is er nooit van gekomen.'

'Nee. En toen dacht ik er niet meer aan. Ik bedoel, niet echt. Niet voortdurend. Maar... Er gebeurden zoveel andere dingen. Leon, jij was zijn beste vriend. Hield Aidan van me?'

'Hij zou zijn leven voor je hebben gegeven.' Een geschokte stilte. 'Sorry, dat had ik niet moeten zeggen. Hij was echt gek op je.

Dana en ik kenden hem nog van toen hij met Janie was, maar met jullie samen was het iets heel anders. Dat was écht.'

'Goed, dan nu de moeilijke vraag. Ben je er klaar voor?'

Een angstig knikje.

'Toen Aidan doodging, had hij toen een ander?'

Leon keek ontzet. 'Absoluut niet!'

'Maar hoe kun je dat weten? Zou hij zoiets tegen je hebben gezegd?'

'Zeker weten. Hij voelde zich altijd schuldig over van alles, hij moest altijd van alles opbiechten.'

Dat was waar. Zoiets zou hij waarschijnlijk hebben opgebiecht, bij mij, en misschien ook bij Leon.

'Ik zou het trouwens hebben geraden,' zei Leon. 'We waren echt heel erg close. Hij was mijn maatje.' Zijn stem brak. 'De beste vriend die je maar kon hebben.'

Werktuiglijk haalde ik een zakdoekje uit mijn tas en gaf dat aan hem.

Leon verborg er zijn gezicht in, en ik vroeg me af of ik hem wel geloofde. Ja, besloot ik. Ik geloofde hem. Maar wat was er dan aan de hand geweest?

Toen ik terugkwam op mijn werk, stonden er een paar panische berichten van Kevin op mijn voicemail. De laatste ging zo: 'Ik kom morgenochtend naar je toe. Eerder kan het niet. Anna, dit is heel belangrijk. Als iemand je belt, een vrouw die je niet kent, praat dan niet met haar, Anna. Praat niet met haar voordat je met mij hebt gesproken.'

Jezus. Mijn knieën knikten en ik liet me op mijn stoel zakken. Leon had ongelijk en ik had gelijk. Hier had ik op gewacht.

Ik voelde me misselijk. Maar ook rustig. Het was me uit handen genomen.

Ik had Kevin kunnen bellen om vast te weten te komen wat er was, maar dat wilde ik niet. Ik wist het al. En ik wilde nog een beetje langer terugdenken aan mijn leven met Aidan zoals ik dacht dat het was geweest.

52

'Anna. Anna!' Franklin bracht me terug naar het heden. Hij keek me vreemd aan.

'Ariella's kantoor, nu meteen.'

'Oké.' Langzaam liep ik achter hem aan. Het kon me geen reet meer schelen.

'Doe de deur dicht,' zei Ariella.

'Oké.'

Ik ging zitten voordat Ariella me daar opdracht toe gaf. Ze wisselde weer een wat-zullen-we-nou-krijgen-blik met Franklin, die achter me stond.

Kom op, ontsla me maar, dacht ik. Schiet op.

'Goed.' Ariella schraapte haar keel. 'Anna, we hebben nieuws voor je.'

'Dat zal best.'

Weer verbijsterde blikken.

'Devereaux heeft onze pitch gekozen.'

'Hé, wat goed,' zei ik overdreven vrolijk. 'Die van Wendell of die van mij?'

'Die van jou.'

'Maar jullie willen me ontslaan. Ontsla me maar.'

'We kunnen je niet ontslaan. Ze vonden je geweldig. De baas, Leonard Daly, vond je een geweldige meid, heel dapper, en de meest geschikte persoon om een fluistercampagne te beginnen. Hij zei dat je geloofwaardigheid had.'

'Dat is jammer.'

'Waarom! Je neemt toch geen ontslag?'

Ik had het overwogen. 'Niet als jullie dat niet willen. Willen jullie dat?'

Kom op, zeg het maar, dacht ik.

'Nee.'

'Wat nee?'

'Nee, we willen niet dat je ontslag neemt.'

'Tienduizend dollar meer, twee assistenten en donkergrijze pakken. Graag of niet.'

Ariella slikte. 'Het geld: prima, de assistenten: prima, maar donkergrijze pakken kan ik niet goedkeuren. Formule 12 is Braziliaans, we hebben carnavalskleuren nodig.'

'Donkergrijze pakken of ik ben weg.'

'Oranje.'

'Donkergrijs.'

'Oranje.'

'Donkergrijs.'

'Oké, donkergrijs.'

Het was een interessante les in de werking van macht. Je hebt het alleen wanneer het je echt niet kan schelen of je het hebt.

'Goed,' zei ik. 'Ik geef mezelf de rest van de dag vrij.'

Pas toen ik thuiskwam, dacht ik weer aan Helen. In haar laatste mail had haar situatie nogal penibel geklonken, maar het was niet echt tot me doorgedrongen.

Aan: Lucky_Star_PI@yahoo.ie
Van: Goochelassistente@yahoo.com
Onderwerp: Hoe gaat het?

Is er nog iets gebeurd?

Even later kreeg ik antwoord.

Aan: Goochelassistente@yahoo.com
Van: Lucky_Star_PI@yahoo.ie
Onderwerp: Ontknoping!

Kwam weer op kantoor en zag dat er briefje onder de deur was geschoven. Er stond op: 'Wil je weten wie de naaktfoto's van Detta en Racey heeft gestuurd? Wil je weten hoe het echt zit?'

Jezus, natuurlijk wil ik dat.

Er staat dat ik vanavond om tien uur ergens in het havengebied moet zijn. Heb het opgezocht op de kaart: het is een pakhuis. Durf te wedden dat het een verlaten pakhuis is. Waarom kan een ontknoping nooit plaatsvinden in een leuke, aangename bar?

Zette de radio aan. Was op het nieuws! (Min of meer.) Schietpartij in Dalkey was het eerste bericht. Een man van in de vijftig (Harry Big), had verscheidene keren op een andere man geschoten (Racey). Het doelwit was niet gewond geraakt, en hoewel de politie snel ter plaatse was, was de schutter voortvluchtig. Politie waarschuwde hem niet te benaderen.

Dit was volslagen belachelijk. Ze was niet goed bij haar hoofd, ze had hier nooit verzeild in mogen raken, ze kon wel vermoord worden.

Aan: Lucky_Star_PI@yahoo.ie
Van: Goochelassistente@yahoo.com
Onderwerp: Ontknoping!

Helen, ga níét naar dat pakhuis. Je speelt veel te gevaarlijk spel. Beloof me dat je niet gaat. En omdat mijn man is gestorven, moet je doen wat ik zeg.

Anna

Aan: Goochelassistente@yahoo.com
Van: Lucky_Star_PI@yahoo.ie
Onderwerp: Ontknoping!

Kut. Ik beloof het.

Aan: Lucky_Star_PI@yahoo.ie
Van: Goochelassistente@yahoo.com
Onderwerp: Ontknoping!

Goed zo!

53

Ik wachtte. Het leek een beetje op een herhaling van de vorige avond, maar toen had ik hoop en nu zat ik vol angstige voorgevoelens.

Kevin belde en weer nam ik niet op; ik kón het niet. Hij zei dat hij met de vlucht van zeven uur uit Boston zou komen. Ik zou hem morgen zien. Morgen zou ik van alles op de hoogte zijn.

Toen kwam Jacqui. Ze had het aan Norse Joey verteld. Het feit dat ze in haar eentje kwam, voorspelde weinig goeds.

Ze schudde haar hoofd. 'Noppes.'

'Hè nee...'

'Hij wil er niks van weten.'

'Jezus! Net alsof hij er niks mee van doen heeft gehad. Deed hij erg rot tegen je?'

'Niet rot. Gewoon nors.'

'Rot dus.'

'Ja, misschien wel. Ik bedoel, ik wist wel dat hij niet zou staan te juichen, maar toch hoopte ik een beetje...'

Ik knikte. Ik wist precies wat ze bedoelde. Ze plofte op de bank neer en ging eens lekker huilen, en ik mompelde dingen zoals dat Joey een ploert en een klojo was. Na een tijdje lachte ze door haar tranen heen. 'Norse Joey,' zei ze terwijl ze de tranen van haar wangen veegde. 'Waarom moest ik nou per se verliefd worden op hém? Dat is toch vragen om moeilijkheden? Anna, weet je, jij moet me dan maar bij de bevalling helpen. We gaan samen naar zwangerschapsgymnastiek, dan denken alle koppels dat wij ook een stel zijn.

'Je bent top,' zei ik.

'Ik ben een sukkel. En nu kan ik niet eens mijn verdriet verdrinken. Zet *Dirty Dancing* eens op, alsjeblieft? Dat is de enige troost die ik me de volgende acht maanden kan veroorloven. Ik mag niet drinken, niet roken, niet te veel suiker binnen krijgen, geen mooie kleren kopen of vrijen. De enige kerels die nog met me naar bed willen zijn die gestoorde lui die iets met zwangere vrouwen hebben. Het enige dat er nog voor me overblijft zijn sentimentele films. Wie staat er op je antwoordapparaat?'

Ik zat op de grond naar de dvd te zoeken. 'Hè?'

'Het lampje van je antwoordapparaat knippert.'

'O, dat is Kevin. Hij is morgen in New York.' Het verbaasde me dat ik dat zo gewoon kon zeggen. Ik wilde Jacqui niet vertellen wat er aan de hand was; ze had al genoeg aan haar hoofd.

Nadat ze was weggegaan, kroop ik in bed en viel in slaap – min of meer – en om halfacht stond ik op. Ik voelde me alsof ik ter dood gebracht zou worden.

54

Ik waste en kleedde me zoals gewoonlijk. Mijn mond was kurkdroog, dus dronk ik een glas water, maar het kwam direct weer naar boven, en toen ik mijn tanden probeerde te poetsen, moest ik kokhalzen van de tandenborstel die tegen mijn tong kwam.

Ik wist niet wat ik moest doen. Totdat Kevin kwam, leek de tijd te kruipen. Ik sprak iets met mezelf af: als ik op tv een aflevering van *Starsky and Hutch* kon vinden, zou ik die kijken. En als ik dat niet kon? Dan zou ik naar mijn werk gaan.

Hoe vreemd het ook klinkt: er was nergens een aflevering van *Starsky and Hutch* te vinden. Er waren genoeg andere series – *The Streets of San Francisco*, *Hill Street Blues*, *Cagney and Lacey* – maar afspraak was afspraak. Ik zou naar mijn werk gaan en kijken of er nog iets was gebeurd. Misschien waren ze van gedachten veranderd en hadden ze besloten me toch te ontslaan, wat me in elk geval afleiding zou bezorgen.

Ik dwong mezelf naar de deur te lopen en ging langzaam de trap af. Buiten zag ik de postbode net weglopen. Het was de eerste keer dit jaar dat het herfstig aanvoelde: er dwarrelden blaadjes voorbij, er stond een fris briesje en er hing een licht rokerige geur.

Ik zou niet eens moeite doen mijn brievenbus te openen. Wat kon mij het schelen of ik post had? Maar iets zei me dat ik de bus moest openen. Meteen gevolgd door iets anders dat zei dat ik moest weglopen.

Maar het was te laat. Ik maakte hem al open, en daar, in mijn brievenbus, lag een envelop, aan mij geadresseerd. Als een kleine bom.

Er stond geen afzender op, wat een beetje vreemd was. Ik voelde me meteen behoorlijk onbehaaglijk. Dat werd nog erger toen ik mijn naam en adres zag. Die waren keurig met de hand geschreven. Wie stuurt er tegenwoordig nog handgeschreven brieven?

Een verstandige vrouw zou dit niet openmaken. Een verstandige vrouw zou dit weggooien en weglopen. Maar wanneer was ik nu eigenlijk verstandig geweest, op een korte periode tussen mijn negenentwintigste en dertigste na?

En dus opende ik de envelop.

Er zat een kaart in, een aquarel van een schaal met bloemen die er nogal mismoedig uitzagen. De dubbele kaart was dun genoeg om te voelen dat er iets in zat. Ik dacht: geld? Een cheque? Maar ik was sarcastisch, hoewel er niemand was om me te horen, en trouwens, ik zei het alleen in mijn eigen hoofd.

Er zat inderdaad iets in: een foto. Een foto van Aidan. Waarom kreeg ik die opgestuurd? Ik had al heel veel foto's die erop leken. Toen zag ik dat ik me vergiste. Hij was het helemaal niet. En opeens viel alles op zijn plek.

Deel 3

1

Ik werd wakker in de verkeerde kamer. In het verkeerde bed. Met de verkeerde man.

Afgezien van een kleine lamp was het donker. Ik luisterde naar zijn ademhaling, maar ik durfde niet naar hem te kijken.

Ik moest hier weg. Stilletjes liet ik me uit bed glijden, voorzichtig om hem niet wakker te maken.

'Hé,' zei hij. Hij sliep helemaal niet. Hij richtte zich op zijn elleboog op. 'Waar ga je naartoe?'

'Naar huis. Waarom slaap je niet?'

'Ik keek naar jou.'

Ik rilde ervan.

'Niet op die manier,' zei hij. 'Ik keek of alles wel goed met je was.'

Met mijn rug naar hem toe zocht ik op de vloer naar mijn kleren terwijl ik mijn naaktheid probeerde te bedekken.

'Anna, blijf tot de ochtend.'

'Ik wil naar huis.'

'Wat maken die paar uur nou uit?'

'Ik ga naar huis.' Ik kon mijn beha niet vinden.

Hij kwam uit bed en ik deinsde terug; ik wilde niet dat hij me aanraakte. 'Ik ga naar de andere kamer,' zei hij. 'Dan heb je een beetje privacy.'

Hij liep de slaapkamer uit. Ik durfde alleen maar naar zijn benen te kijken, en dan nog alleen onder de knie.

Toen hij terugkwam, was ik aangekleed. Hij gaf me een kop koffie en zei: 'Ik zal een taxi voor je bellen.'

'Oké.' Ik durfde hem nog steeds niet aan te kijken. De vorige dag kwam in al zijn verschrikkingen terug. Ik wist nog dat ik mijn kleren van mijn lijf had gerukt en tegen hem krijste: 'Neuk me dan! Neuk me dan! Wat is er mis met je? Je bent een kerel, er hoeven voor jou geen gevoelens bij van pas te komen. Neuk me nou gewoon.'

Ik had naakt op zijn bed liggen gillen: 'Toe dan!' Ik wilde dat hij mijn woede uit me verdreef, mijn verdriet, mijn wanhoop. Ik wilde dat hij mijn dode echtgenoot uit me verdreef zodat het verdriet zou weggaan.

'De taxi is er.'

De zon kwam op en toen ik naar huis reed heerste om me heen de stilte van de vroege ochtend. Ook al had ik de afgelopen avond geen druppel gedronken, toch voelde het of ik nog nooit zo'n erge kater had gehad.

Ik deed de deur open, klikte het licht aan, haalde de envelop weer uit mijn tas en keek naar de foto van het jongetje dat het evenbeeld van Aidan was, maar dat niet Aidan was.

De vorige dag, toen ik op de stoep stond en naar de foto van het jongetje met het Red Sox-petje keek, had het ontbreken van het litteken bij de wenkbrauw me duidelijk gemaakt dat dit niet Aidan was. Aidan had zijn litteken bij de geboorte opgelopen: een klein sneetje in de nieuwe huid dat een litteken had achtergelaten. Het jongetje op de foto had twee onbeschadigde wenkbrauwen, geen spoor van een litteken. En toen had ik de datum op de foto gezien. Ik had ernaar gestaard, en gedacht: dit kan niet juist zijn. Maar ik wist dat het wel klopte. Dit jongetje was pas anderhalf jaar geleden geboren.

Er had een brief bij de foto gezeten. In het dunne kaartje zat een heel vel papier. Maar ik wilde niet lezen wat ze te zeggen had, ik wilde alleen maar weten wie ze was. Onder aan de brief zocht ik naar de naam, en – goh, wat een verrassing – er stond: Janie.

Toen kwam er een rood waas voor mijn ogen en voelde ik me alsof ik helemaal doordraaide. Zij had hem al die jaren gehad. En nu had ze zijn zoon. En ik had niks.

Ik wist meteen wat me te doen stond.

Met trillende vingers van de ochtendkilte toetste ik Mitch' nummer in. Maar iemand die niet Mitch was, zei: 'Met het toestel van Mitch.'

'Mag ik Mitch alsjeblieft even spreken?'

'Niet nu.' De man grinnikte. 'Hij hangt aan een plafond op een hoogte van zeven meter en doet iets met micro-elektronica.'

Ik wist niet wat ik moest zeggen. Ik was veel te kwaad. Nou, haal hem dan verdomme naar beneden, dacht ik.

'Zeg maar dat het Anna is. Zeg hem dat het dringend is. Echt heel erg dringend.'

Maar de man die de telefoon had opgenomen, wilde niet eens naar Mitch roepen. Hij zei tegen me: 'Mitch kan nu niet worden gestoord. Zodra hij klaar is, vraag ik of hij je terugbelt.'

Ik verbrak de verbinding en schopte woedend tegen de tree van de stoep. Ik dacht: wie dan? Niet een van de Echte Mannen. De enige die nog single was, was Gaz, en hij zou kunnen proberen me te 'helen' door me in de fik te steken.

Ineens snapte ik het. Het was niet de bedoeling dat het Mitch was. Het moest Nicholas zijn.

Knappe, kleine Nicholas. Dat was prima.

Ik belde hem op zijn werk en werd verbonden met zijn voicemail. Dat betekende dat hij thuis was. Ik belde hem thuis en werd verbonden met zijn voicemail.

Het was niet te geloven. Absoluut niet te geloven. Ik had dit nodig. Waarom dan al die obstakels op mijn pad?

Door de woede heen herinnerde ik me iets. Met trillende handen pakte ik mijn tasje en kieperde dat boven de stoep om. Ik zocht in de bergen troep, ik zocht dat ene papiertje. Ik dacht niet echt dat ik het zou vinden. Maar ik móést het hebben.

En daar was het. Een verkreukt stukje papier. Met iets erop wat mijn leven kon redden: het nummer van Angelo. Angelo, die ik had leren kennen op de ochtend dat ik met Rachel in Jenni's zat.

Het was niet de bedoeling dat het Mitch was. Het moest Angelo zijn.

Maar Angelo nam ook niet op. 'Ik ben er nu niet, maar je weet wat je te doen staat.'

'Angelo, met Anna, het zusje van Rachel. We hebben elkaar op een ochtend in Jenni's leren kennen, en we kwamen elkaar toen weer tegen op West Forty-first. Wil je me bellen?'

Ik sprak mijn telefoonnummer in, verbrak de verbinding, schoof alles terug in mijn tas en ging op de stoep zitten. Verder kon ik niemand bedenken. Er was niemand meer. Misschien kon ik maar beter naar mijn werk gaan.

En toen ging mijn mobieltje, als een reddende engel. Een van hen belde me terug! Maar wie? 'Hallo?'

Maar het was Kevin, en hij klonk behoorlijk panisch. 'Anna, ik ben hier, ik sta op JFK. Ik ben in New York. We moeten praten.'

'Het is in orde, Kevin. Ik weet het al.'

'Shit. Ik wilde het je voorzichtig vertellen. Maar maak je er niet druk om. We vragen de voogdij aan en die krijgen we! Wij voeden hem op, Anna, jij en ik. Waar wil je afspreken?'

'In welk hotel heb je een kamer?'

'Het Benjamin.'

'Ga daar dan maar naartoe. Ik zie je daar.'

Dus het was niet de bedoeling dat het Mitch, Nicholas of Angelo was. Het moest Kevin zijn. Wie had dat gedacht?

Ik hield een taxi aan en stapte in. 'Naar het Benjamin Hotel. East Fiftieth.' Daarna haalde ik de envelop weer tevoorschijn en keek naar de foto die nog maar vier dagen geleden was genomen, en ik probeerde uit te vinden wat de juiste tijdsvolgorde was. Wanneer had ik Aidan leren kennen? Wanneer hadden we besloten verder met niemand anders meer uit te gaan? Hoe oud was dat joch precies? Hij zag eruit als anderhalf, maar hij kon groot voor zijn leeftijd zijn of juist klein. Als hij bijvoorbeeld zestien maanden was, wat hield dat dan in? Zou het erger zijn als hij negentien of twintig maanden was? Stel dat hij te vroeg was geboren? Maar het was zo'n chaos in mijn hoofd dat ik geen overzicht over de tijdlijn kon krijgen. Bijna had ik alles op orde en dan raakte het weer door de war.

Toen mijn mobieltje ging, hoorde ik het eerst bijna niet omdat het zo diep in mijn tas zat verborgen.

'Hoi,' hoorde ik iemand zeggen. 'Met Angelo. Je had me gebeld?'

'O, Angelo. Ja. Met Anna, het zusje van Rachel. We hebben elkaar leren kennen in...'

'Ja, dat weet ik nog. Hoe gaat het?'

'Heel erg slecht.'

'Wil je een keer afspreken voor een kop koffie?'

'Waar ben je nu?'

'Thuis. Sixteenth, tussen Three en Four.'

Ik keek uit het raampje en kon net lang genoeg focussen op de straatnummers om te zien dat we over Fourteenth reden.

'Ik zit in een taxi, twee straten van jou vandaan,' zei ik. 'Kan ik langskomen?'

Het was niet de bedoeling dat het Kevin was. Het moest Angelo zijn.

2

De bel ging en ik schrok wakker. Elke cel in mijn lichaam kreeg zo'n oplawaai dat ik dacht dat ik een beroerte had gehad. Ik was gaan liggen met de foto van de kleine jongen op mijn borst en moest in slaap zijn gesukkeld.

Beverig stond ik op. De bel ging nogmaals. Godallemachtig. Hoe laat was het? Net acht uur geweest. Zo vroeg in de ochtend kon het maar één iemand zijn: Rachel.

Angelo had haar gisteren gebeld, toen duidelijk werd dat hij te maken had met een volslagen gek. Ze was gekomen met Luke, en ik vertelde haar nogal onsamenhangend over de foto en de brief. Ze stonden erop ze te zien. Vervolgens probeerden ze me mee naar huis te krijgen, maar ik weigerde en uiteindelijk vertrokken ze weer. Maar Angelo had Rachel waarschijnlijk op de hoogte gehouden van mijn gangen en haar verteld wanneer ik naar huis was gegaan.

Ja hoor, het was Rachel. 'Hoi,' zei ze.

'Hoi.'

'Hoe gaat het?'

'Zo goed als je mag verwachten als je bedenkt dat mijn dode echtgenoot ontrouw is geweest.'

'Hij was niet ontrouw.'

'Ik haat hem.'

'Hij was niet ontrouw. Lees de brief maar. Waar is hij? In je tas? Pak hem maar.'

Onder haar waakzame blik vouwde ik de brief aarzelend open. Ik probeerde hem te lezen, maar de woorden schoten alle kanten op. Met een hevig geritsel gooide ik hem naar Rachel. 'Lees jij hem maar voor.'

'Oké. En luister goed.'

Beste Anna,

Ik weet niet eens hoe ik deze brief moet beginnen. Laat ik maar bij het begin beginnen. Ik ben Janie, Janie Wicks (meisjesnaam Sorensen), Aidans ex. We hebben elkaar even gesproken op Aidans begrafenis, maar ik weet niet zeker of je nog weet wie ik ben, er waren zoveel mensen.

Ik weet niet hoeveel je weet, dus vertel ik alles maar. Het valt niet mee om dit op te schrijven zonder een slecht beeld van me te schetsen, maar goed. Nadat Aidan was weggegaan uit Boston om in New York te gaan werken, kwam hij vaak in de weekends terug, maar in de tussentijd ging het niet zo goed, en na een maand of vijftien, zestien, ontmoette ik iemand anders (Howie, met wie ik nu ben getrouwd). Ik vertelde Aidan niet over Howie (of Howie over Aidan), maar ik zei tegen Aidan dat we even pauze moesten nemen en met andere mensen moesten uitgaan, om te kijken hoe dat was.

Ik ging dus een tijdje uit (en naar bed) met zowel Howie als Aidan, als hij over was uit New York.

Toen kwam ik erachter dat ik zwanger was. (Ik gebruikte voorbehoedsmiddelen. Ik ben geen kandidaat voor de Jerry Springer-show, ik zal wel één van de tienduizend zijn, of wat de statistieken ook zijn.) Het probleem was dat ik niet wist wie de vader was, Aidan of Howie. (Geloof me, ik weet hoe ordinair dat klinkt.)

Ik wilde het er met Aidan over hebben, maar toen hij weer naar Boston kwam, was het om het uit te maken met mij. Hij had iemand anders ontmoet (jou), hij was gek op je en wilde met je trouwen. Het speet hem dat hij er op deze manier een einde aan moest maken, we zouden altijd vrienden blijven, je kent het wel. Dus ik moest een keuze maken: vertel ik hem dat ik zwanger ben en verpest ik alles voor hem en voor jou? Of waag ik de gok in de hoop dat het kind van Howie is? Dus waagde ik de gok. Howie en ik trouwden en ik kreeg Jack en we zijn allebei gek op hem. Hij leek niet erg op Howie toen hij werd geboren, maar hij leek ook niet erg op Aidan, dus besloot ik te doen alsof er niets aan de hand was.

Maar toen Jack ouder werd, begon hij heel erg op Aidan te lijken. Ik zweer het, elke dag kreeg hij meer trekken van Aidan.

Ik kon aan niets anders meer denken, ik was ziek van ongerustheid. Toen zag mijn moeder het ook, en ze sprak me erop aan. Ik biechtte alles op en zij zei dat ik de morele plicht had om Aidan te vertellen dat hij een zoon had en de Maddoxes dat ze een kleinzoon hadden. (Als ik héél eerlijk ben wilde ik het ze absoluut niet vertellen. Heel egoïstisch maakte ik me zorgen om Howie en mijn huwelijk.)

Goed, ik vertelde het eerst aan Howie. Het was vreselijk, vooral voor hem. Hij heeft een tijdje ergens anders gewoond, maar hij is teruggekomen en we werken aan onze relatie. Toen belde ik Aidan, en net als iedereen die zulk nieuws krijgt, raakte hij volledig in paniek. Hij was vreselijk bezorgd om jou, hij was vreselijk bang dat je zou denken dat hij was vreemdgegaan. Maar even voor alle duidelijkheid: dit is gebeurd voordat jullie besloten met niemand anders meer uit te gaan. (Minstens twee maanden daarvoor.)

Hoe dan ook, ik mailde hem een paar foto's van Jack, zodat hij de gelijkenis zelf kon zien. Maar een dag later of zo kreeg Aidan dat ongeluk, en ik weet niet of hij het je ooit heeft verteld. Het spijt me vreselijk als dit allemaal nogal rauw op je dak komt vallen.

Ik stond net op het punt Aidans familie over Jack te vertellen, toen ik over het ongeluk hoorde. Ik wist niet wat ik moest doen, en mijn moeder zei dat het niet zo goed ging met Dianne en Fielding,

'Fielding? Heet meneer Maddox Fielding?' vroeg Rachel. 'Grappig, ik dacht dat hij geen voornaam had.'

dat het misschien een te grote schok voor hen zou zijn en dat ik moest wachten tot het beter met ze ging.

Maar het gaat nog steeds niet zo goed met Dianne en Fielding, en het juiste moment heeft zich nog steeds niet aangediend.

Ik heb je heel vaak willen bellen om te kijken of je over Jack wist, en om je te laten weten dat ik Aidan ook mis. Hij was echt een geweldige vent. Maar ik vond dat ik het er pas met jou over kon hebben als ik het Fielding en Dianne had verteld, en het voelde niet goed om het alleen over Aidan met je te hebben en je niet over Jack te vertellen. Kun je me nog volgen?

Goed, ik wachtte dus op een goed moment om het iedereen te vertellen, maar zoals je waarschijnlijk al weet, heeft Kevin daar een stokje voor gestoken. Op dinsdag kwam ik hem tegen in de Pottery Barn (kun je het je voorstellen? Kevin Maddox in de Pottery Barn?). Ik had hem al heel lang niet gesproken en was blij hem te zien. Maar toen keek Kevin in de kinderwagen en hij staarde Jack aan alsof hij een spook zag.

Midden in de Pottery Barn begint Kevin te schreeuwen: 'Dat is Aidans zoon! Aidan had een zoon! Ma heeft een kleinzoon! Wie weten het allemaal? Weet Anna het? Waarom heeft niemand me iets verteld?' Toen barstte hij in tranen uit. Ik probeerde het allemaal uit te leggen, maar er kwam een beveiligingsmedewerker op ons af die ons vroeg weg te gaan.

Ik zei: 'Kevin, laten we even een kop koffie gaan drinken, dan vertel ik je alles.' Maar je kent Kevin. Hij is nogal een driftkop. Hij rende weg en riep dat hij ging proberen de voogdij te krijgen, en dat hij jou meteen ging bellen om je alles te vertellen. Dus ik gok zo dat je minstens één hysterisch telefoontje van Kevin hebt gehad.

Ik wilde je ook bellen, maar het leek me beter als ik het allemaal opschreef. Op die manier is er tenminste geen kans op onduidelijkheid.

Dit is misschien veel te vroeg, maar wil je Jack een keer zien? Zeg maar wanneer het je uitkomt. Ik zou hem naar New York kunnen brengen als jij niet naar Boston wilt komen.

Nogmaals, het spijt me als ik je hier verdriet mee doe. Ik vond dat je er recht op had het te weten, en ik hoop dat je pijn misschien een beetje verzacht wordt als je ziet dat een deel van Aidan nog leeft.

Met vriendelijke groeten,
Janie

'Zie je wel,' zei Rachel. 'Hij is niet vreemdgegaan, hij was niet ontrouw.'

'Kan me niet schelen,' zei ik. 'Ik haat hem nog steeds.'

3

Rachel bracht me op de hoogte van alles wat er in mijn leven was gebeurd in de periode dat ik was gedeserteerd.

'Je hebt je baan nog. Ik heb met die Franklin gesproken. Ik heb hem verteld dat je niet helemaal in orde was.'

'Jezus!' Het management van Devereaux en professor Redfern wilden allebei een ontmoeting met me om de campagne voor Formule 12 goed op poten te zetten. Het kwam wel heel erg slecht uit dat ik 'niet helemaal in orde was'. 'Ging hij hyperventileren?'

'Eventjes. Maar toen nam hij een Xanax. Eigenlijk hadden we een heel volwassen gesprek. Hij stelde voor dat je de rest van deze week en de hele volgende week vrij neemt. Om tot jezelf te komen, zei hij.'

'Wat is hij toch aardig. Dank je wel, Rachel, heel erg bedankt dat je het allemaal hebt geregeld. En dat je voor me hebt gezorgd.' Ik was haar echt heel erg dankbaar. Als zij niet met Franklin had gepraat, zou ik waarschijnlijk nooit meer naar mijn werk durven gaan. Maar nu kon ik dat wel doen als ik dat wilde. Toen schoot me iets anders te binnen. 'Allemachtig! Kevin!' Zou hij nog in het hotel op me zitten wachten?

'Dat heb ik ook al geregeld. Ik heb hem gesproken en hem alles verteld. Hij is terug naar Boston gegaan.'

'Dank je wel, je bent echt heel lief voor me.'

'Bel hem maar gauw.'

'Hoe laat is het?' Ik keek op de klok. 'Tien voor halfnegen. Is dat te vroeg?'

'Nee. Ik denk dat hij dolgraag iets van je wil horen. Hij maakte zich echt zorgen.'

Ik vertrok mijn gezicht van schaamte en pakte de hoorn op.

Iemand met een slaperige stem nam op. 'Met Kevin.'

'Kevin, met mij, met Anna. Het spijt me heel, heel erg. Het spijt me dat ik je heb laten zitten. Ik werd ineens helemaal gek.'

'Dat geeft niet,' zei hij. 'Ik werd ook gek toen ik erachter kwam. Ik werd uit de Pottery Barn gesmeten. Dat is toch niet te geloven? Uit de Póttery Barn! Ik zei tegen die kerels: "Ik ben wel uit betere gelegenheden gezet dan de Pottery Barn."'

Ik wachtte totdat hij zou zeggen dat Janie een vals wijf was en dat hij en ik de voogdij over de 'kleine Jack' moesten opeisen, maar dat zei hij niet. Kennelijk was er iets veranderd in de situatie met Janie. Alles ging plotseling heel beschaafd en iedereen was weer vriendjes.

'We zijn gisteravond even bij de kleine Jack geweest, mam, pap en ik. Het is een lief kereltje. Nu al dol op de Red Sox. Vandaag gaan we weer op bezoek. Kom je mee?'

'Nee.'

'Maar...'

'Nee.'

'In het weekend dan?'

'Nee.'

'O. Oké, Anna, neem er de tijd maar voor. Zoveel je maar nodig hebt. Maar hij is echt een schatje. En zo lollig ook. Ik zei tegen Janie: "Ik wil wel een biertje." En toen zei hij dat met precies dezelfde intonatie na. Het was alsof ik mezelf hoorde! En hij heeft een beertje...'

'Sorry, Kevin, ik moet ophangen. Dag.'

Ik hing op en Rachel zei: 'Misschien moet je Angelo ook nog je excuses aanbieden.'

Angelo! 'Och, jezus.' Ik verborg mijn gezicht in mijn handen. 'Ik was echt helemaal gek. Hij wilde niet met me naar bed.'

'Natuurlijk wilde hij dat niet. Wat denk je wel van hem?'

'Dat hij een man is. Trouwens, is het alweer goed tussen Joey en Jacqui?'

'Nee. En ik denk ook niet dat het goed komt.'

'Wat?' Ik had gedacht dat hij een dag of twee nodig zou hebben om aan de gedachte van de zwangerschap te wennen, en dat hij dan naar Jacqui zou gaan om haar te smeken hem te vergeven.

'De klojo,' foeterde ik.

4

Het enige wat ik me van die tijd herinner, was dat mijn botten pijn deden, stuk voor stuk, erger dan ooit. Zelfs mijn handen en voeten deden pijn. Ik was zwijgzaam en somber, een soort vrouwelijke Joey, maar zonder die stomme rockerskleren. Ik haalde alle foto's van Aidan weg – die aan de muur, in lijstjes op de tv, zelfs die uit mijn portemonnee – en stuurde ze naar de stoffige woestenij onder het bed. Ik wilde niet aan hem herinnerd worden.

De enige die ik wilde zien was Jacqui, die onafgebroken huilde.

'Het zijn de hormonen, meer niet,' zei ze elke keer dat ze even niet snotterde. 'Het gaat niet om Joey. Ik ben allang over hem heen. Het zijn de hormonen.'

Als ik niet bij Jacqui was, ging ik shoppen en gaf ik bakken met geld uit. Ik had net mijn salaris gekregen en gaf het allemaal uit, inclusief het geld voor de huur. Het kon me niet schelen. Ik betaalde een fortuin voor twee donkergrijze pakken, hooggehakte zwarte schoenen, een doorschijnende panty en een handtas van Chloe. Véél te veel. Elke keer dat ik mijn krabbel zette voor een aankoop dacht ik aan de tweeënhalf mille die ik Neris Hemming had betaald, waarna ik ineenkromp. Ik zou werk van haar moeten maken, proberen mijn geld terug te krijgen, hoewel er in de kleine lettertjes vast iets stond waardoor dat niet kon. In elk geval wilde ik niets meer met haar te maken hebben. Ik wilde vergeten dat ik ooit van haar had gehoord. En ik wilde absoluut geen nieuwe afspraak maken, ik wist dat het allemaal onzin was. Met de doden praten? Doe niet zo raar.

's Avonds keek ik om de een of andere masochistische reden naar honkbal. De World Series was begonnen: de Red Sox speelden tegen de St Louis Cardinals. De Red Sox hadden al sinds 1919, sinds de vloek van Babe Ruth, niet echt meer iets gewonnen. Met koele, onwrikbare zekerheid wist ik dat dit jaar aan hun reeks nederlagen een eind zou komen. Ze gingen winnen omdat die eikel zo stom was geweest om dood te gaan en dit zou moeten missen.

De experts, de kranten en de fans van de Red Sox waren op van de zenuwen. Ze waren zo dichtbij, maar wat als ze wéér zouden verliezen?

Ik wist zeker dat ze zouden winnen, en zoals ik voorspeld had, gebeurde dat ook, en ik was de enige die niet verbaasd was.

De fans waren uitzinnig van blijdschap. Iedereen die ze tijdens de magere decennia trouw was gebleven, werd eindelijk beloond. Ik zag volwassen kerels huilen en ik huilde met hen mee. Maar ik besloot dat dat de laatste keer zou zijn.

'Stomme klootzak,' zei ik tegen hem. 'Als je niet was gestorven, had je dit kunnen meemaken.' En ik besloot dat dat de laatste keer was dat ik tegen Aidan praatte.

5

De dag waarop ik Janies brief had gekregen, was er ook een ellenlange e-mail van Helen gekomen. Ze had gelogen toen ze me beloofde dat ze niet naar het pakhuis zou gaan voor de ontknoping. Waarom verbaasde me dat nog? Haar mailtje bracht me op de hoogte van de stand van zaken, maar zodra ik eenmaal wist dat ze nog leefde, kon de misdaadscene me niet meer boeien. Ik las het mailtje pas twee weken later echt goed.

Aan: Goochelassistente@yahoo.com
Van: Lucky_Star_PI@yahoo.ie
Onderwerp: Ik mag van geluk spreken dat ik er nog ben

Sorry dat ik tegen je heb gelogen. Maar ik was veel te nieuwsgierig.

Ik zal je nu alles vertellen wat er is gebeurd, maar ik kan me niet meer alles woord voor woord herinneren, dus zoals gewoonlijk moet ik maar een beetje improviseren. Maar ik overdrijf niet, al beschuldigen ze me daar vaak van.

Nou, daar gaat-ie dan. Om tien uur 's avonds ging ik naar dat adres bij de haven. Zoals viel te verwachten, was het een verlaten pakhuis. Het stonk er. De vloeren waren smerig. Er liepen muizen rond. Ik ging naar boven. Er was niemand op de eerste, tweede of derde verdieping. Maar op de vierde verdieping hoorde ik een vrouwenstem. Ze zei dat ik binnen moest komen.

Eerst dacht ik dat het Tessie O'Grady wel zou zijn. Vooral als ze toegang had tot Raceys slaapkamer om al die naaktfoto's te maken.

Maar ze was het niet. Het was Detta! In een strakke broek en een zijden blouse, en met een pistool. Jawel!

Ze zei: Ga zitten.

Ze wees naar een stoel. Nou ja, er was er maar eentje. Een eenzame keukenstoel die onder een kaal peertje stond en met bebloed tape om de poten.

Ik: Nee. Het spijt me dat ik Harry die foto's heb laten zien.

Zij (hoofdschuddend, alsof ze zich niet kon voorstellen dat ik zo achterlijk was): Ik heb je die foto's gestuurd.

Ik: Waarom?

Zij: Omdat alleen foto's van mij en Racey samen in bed Harry zouden doen geloven dat ik hem ontrouw was en zijn geheimen doorspeelde. Met Racey gaan lunchen was niet voldoende – Harry wilde er gewoon niet aan. Je moeder heeft het goed verpest. Daar zaten we op de beste plekjes, en dan blijkt dat ze niet weet hoe ze foto's met een mobieltje moet maken.

Ik: Wilde je dan op de foto staan?

Zij (als een slang): Jazzzzeker. Hoe vaak hebben Racey en ik je wel niet de kans gegeven?

Ik: Niet zo heel vaak, eigenlijk. Ik heb uren en uren in die heg in de achtertuin gezeten. En waarom wilde je dat ik Harry de foto's liet zien?

Zij: Ik hoopte dat hij zichzelf van kant zou maken. Of dat hij Racey zou vermoorden en in de gevangenis zou belanden.

Ik: Maar Racey is je minnaar.

Zij (nog meer hoofdgeschud omdat ik zo achterlijk ben): Racey is mijn minnaar niet.

Ik: Nou, je collega dan.

Zij (weer hoofdschuddend): Het was allemaal in scène gezet. Jij dacht dat je een geweldige detective was, maar we kozen jou juist uit omdat we wisten dat je er nooit achter zou komen wat er werkelijk speelde. Goh, wat hebben we gelachen toen je in de heg zat met je verrekijker en je zak snoep. Was het lekker saai? Vond je het leuk om elke ochtend naar de kerk te gaan? En dacht je nou echt dat Tessie O'Grady zomaar het hek zou openzetten voor iemand die bij haar naar de plee wil? Weet je wel hoe vaak er is geprobeerd haar te vermoorden?

Ik zei niks. Ik schaamde me dood, en ik begreep er niets meer van. Meende ze dat, dat ik de baan had gekregen omdat ze me een detective van niks vonden? En wie waren 'ze'? Wie was de 'ze' die mij hadden uitgekozen? Toch zeker niet Harry, maar iemand die in het geheim samenspande met Detta, en die mij bij Harry had aanbevolen.

Beneden scharrelde een rat of zo.

Ik (na een poosje): Dus als Racey niet je minnaar of je collega is, wat is hij dan wel?

Zij (uit de hoogte): Racey O'Grady betekent niets voor me. Ga je nog zitten?

Ik: Nee.

Zij: Waarom niet?

Ik: Omdat ik hechtingen in mijn reet heb. En omdat je me misschien wilt neerschieten.

Zij: Dat klopt, maar...

Haar mond viel open. Ze keek naar de trap. Ik keek ook. Daar was ineens Tessie O'Grady verschenen, lachend en met een vestje aan en op sloffen. En met een pistool.

Tessie (blij verrast): Meisjes! Ik ben hier al in geen eeuwen meer geweest. Niet sinds we de familie Foley een voor een om zeep hebben gebracht. (Ze kijkt met weemoed om zich heen.) Ach, dat waren nog eens tijden... (Ze ziet de stoel.) Zeg nou niet dat dat dezelfde stoel is. Jawel, dat is hem! Is dat niet enig?

Detta (met strak gezicht): Hoe wist je waar je me kon vinden?

Tessie: Waar anders? Jij hebt geen fantasie. Dat heb je nooit gehad. Ga maar door, Detta. Ik geloof dat je juffertje Kleine Blaas net vertelde dat Racey O'Grady niets voor je betekent.

Detta: Nee, ik bedoelde alleen maar...

Tessie: Ik zal je vertellen wat je bedoelde. Je hebt hem in de val laten lopen. Ik ben heel boos op je, Detta. Je wilde Harry gek van jaloezie maken, en daarvoor gebruikte je Racey. Harry had Racey vandaag wel kunnen vermoorden.

Detta: Met Racey is alles in orde. Er is hem niets overkomen. Daar heb ik wel voor gezorgd.

Tessie: Hij is erg overstuur. Toen jullie met elkaar naar bed gingen, dacht hij dat het voor jou iets betekende.

Detta: Nou ja, jij hebt mijn vader vermoord.

Tessie (fronsend): Neem je me dat nou nog steeds kwalijk?

Detta: Hoepel nou maar op, dan kan ik dit meissie afmaken.

Ik: Waarom wil je me afmaken?

Detta: Vanwege Colin.

Ik: Colin? Wat... Jezus, nee hè? Is Colin soms je zoon?

Detta: Colin is mijn zoon niet. Colin is mijn minnaar.

Ik: Je *minnaar?* Maar hij is met me naar bed gegaan!

Detta: En daarom ga ik je afmaken.

Ik dacht dat ze wel heel erg niet goed snik was. Colin haar minnaar? Nou, dat lijkt me niet! Maar toen zei Tessie weer iets.

Tessie (tegen Detta): Ik ben over iets heel anders ook erg boos op je. Ik heb een vriend die bij de bank werkt, een heel knappe man, echt heel, heel knap. Hij is lid van Opus Dei en hij kan met ijslollystokjes prachtige schaalmodellen van operagebouwen maken. Hij beschikt over veel talent. Hij zei dat je vanmiddag heel veel hebt overgemaakt naar een bank in Marbella. Je gaat ervandoor, hè?

Detta (laat haar hoofd hangen): Ja. Het spijt me, Tessie, maar ik ga weg. Ik vind er geen bal meer aan, Tessie. Ik had nooit gedacht dat ik dat nog eens zou zeggen, maar dit hele gedoe... Ik weet het niet, ik zie het niet meer zitten.

Tessie (behulpzaam): Nou, je hoeft niet aldoor aan beveiliging te doen. Je mag ook wel eens met pistolen werken. Of met meisjes. Je zou een prima bordeelhoudster zijn, want je hebt goede smaak. Een dure smaak.

Detta: Het is niet alleen het werk, Tessie. Ik kan niet meer tegen de winter hier. Ik ben dol op de zon. En Colin wil het rechte pad op. We denken erover om een bar te beginnen. Misschien met dingen van U2 aan de muur, gitaren, affiches...

Tessie (met doordringende blik, net Josef Mengele): Ik weet wat je bedoelt, Detta, maar hoe moet het dan met onze afspraak?

Ik: Wat voor afspraak?
Detta: Vertel het haar niet!
Tessie: Waarom niet?
Detta: Omdat dit niet zo'n Amerikaanse film is waarin vlak voor het einde alles wordt uitgelegd.
Ik: Kom op, vertel het nou maar.
Tessie: Ik ga het haar vertellen, Detta.
Detta: Dat doe je alleen maar om mij een hak te zetten.
Tessie: Jou een hak zetten? Door jouw schuld werd mijn zoon vanmiddag bijna omgelegd! Goed dan, juffertje Kleine Blaas. Detta heeft Racey en mij beloofd dat Harry binnenkort uit beeld zou zijn. Ze zei er echter niet bij dat ze Racey bijna zou vermoorden. Ze wilde iets nieuws opzetten met Colin. De familie O'Grady zou er helemaal achter staan, en wij kregen dan iets meer terrein voor onze activiteiten. Maar nu belazert ze ons.
Detta (geërgerd): Wat maakt het jou nou uit? Je bent rijker dan de Heer zelf!
Tessie: Het was niet alleen het geld. Het was... (weemoedige stilte)... het was de kick. Er had al in geen tijden echt bloed gevloeid. Het opdelen van Dublin, de kick van het vaststellen van de grenzen door te vechten... Daar verheugde ik me op.
Ik: Wil je mijn mentor worden?
Tessie (kijkt me ernstig aan): Je bent niet erg veelbelovend. Als je die honden had neergeschoten toen ze je beten, zou ik wel interesse hebben.
Ik: Ik had het bijna gedaan. Maar ik wilde de klus klaren.
Tessie (met een spijtige uitdrukking op haar gezicht): Ik snap wat je bedoelt. Maar een echte psychopaat laat zich door geen klus weerhouden.
Toen klonken er voetstappen op de trap.
Detta: Shit!
Ze schoot op me, maar miste ruimschoots.
Tessie: Gedraag je, Detta.
Toen schoot Tessie op me.
Ik maakte gebruik van de verwarring en rende naar de trap, stormde die af en botste toen tegen iemand op die naar boven kwam. Het was Colin.
Colin (dringend): Kom mee! Snel! Wegwezen hier!

Hij duwde me voor zich uit de trap af. Boven hoorde ik nog minstens twee schoten.
Ik (terwijl ik de trap af storm): Detta wil me vermoorden.
Hij (terwijl hij achter me aan stormt): Weet ik. Sinds ze in de overgang zit is ze heel erg jaloers geworden. Zij was degene die je raam kapot schoot.
Ik: Hoe wist je dat je hier moest zijn?
Hij: Detta brengt altijd mensen hiernaartoe met wie ze een appeltje heeft te schillen.
We renden de deur door en de verlaten straat op. De geblindeerde Oldsmobile stond met draaiende motor langs de stoeprand, met Kleerkast achter het stuur. Colin duwde me op de achterbank en zei tegen Kleerkast dat hij me naar huis moest brengen.
Ik (verbaasd): Ga je niet mee?
Hij: Nee.
Ik (nog verbaasder): Waarom niet?
Hij: Nou, weet je... ik ga weg.
Ik (met een akelig gevoel vanbinnen): Waar ga je dan naartoe?
Hij: Naar Marbella.
Ik: Met... met Detta?
Hij: Ja. Ik ga het rechte pad op, we gaan een bar beginnen...
Ik: Ja, ja, met spullen van U2. Dat weet ik al. Dus je houdt van haar?
Hij: Ja. Ze is geweldig. Op en top een dame.
Ik: O... Maar jij en ik...
Hij: Jij en ik, Helen, wij zullen altijd de eerstehulp van het St Vincent's hebben.
En toen trok de auto op.

Wat vind jij, Anna? Ik schaam me dood. Ik voel me een echte stomkop. Ik dacht dat Colin gek op me was, maar eigenlijk speelde hij onder één hoedje met Detta. Waarschijnlijk had hij die naaktfoto's gemaakt. Ik dacht dat ik een heel goede detective was omdat ik me had weten binnen te lullen bij de O'Grady's, terwijl ze het me eigenlijk makkelijk hadden gemaakt. Het was een moeilijk moment voor me. Ik zit zwaar in de put.

'Zie je nou?' zei ik tegen de monitor. 'Het zijn allemaal klojo's.'

6

Ik keerde terug naar mijn werk in het duurste van mijn twee donkergrijze pakken.

'Ik ben er klaar voor,' zei ik tegen Franklin.

Hij wilde zeggen: 'Dat is je geraden,' maar dat kon hij niet, ik was momenteel te waardevol om overstuur te maken.

Hij stuurde me meteen naar Ariella's kantoor. Ze praatte me bij over Formule 12: de managers van Devereaux wilden elke dag horen hoe mijn fluistercampagne liep en wanneer ze konden verwachten dat het balletje ging rollen. De juwelier moest me spreken over mijn visie op het amberkleurige potje, het marketingteam wilde mijn input over het etiket...

'Je hebt genoeg werk voor de boeg.'

'Ik beleg meteen een paar vergaderingen.'

'Nog één ding...' zei Ariella.

Ik draaide me om en keek haar aan met een vragende blik, een blik die grensde aan ongeduld.

'Je kleding,' zei ze.

'We waren het eens over donkergrijs,' zei ik. 'Donkergrijs of ik smeer 'm.'

'Dat is het niet. Je bent toch van plan een fluistercampagne te beginnen? Geruchten over een fantastisch nieuw product, maar nog geen details? Dat betekent dat je een Candy Grrrl moet zijn tot Formule 12 op de markt komt. En dat betekent Candy Grrrl-kleding.'

Ik staarde haar met open mond aan. Ze had gelijk.

Blijmoedig haalde ze haar schouders op. 'Hé, het was jouw idee.'

'Hoe lang?' vroeg ik.

'Het is jouw campagne. Hoe lang heb je nodig om een buzz te creëren? Toch minstens een paar maanden.'

'Geen hoedjes,' zei ik. 'Ik draag geen hoedjes meer.'

'Jawel, hoor. Je doet dit goed of je doet het niet. Die beautyredactrices moeten denken dat je nog steeds een Candy Grrrl bent. Als ze erachter komen dat ze aan het lijntje worden gehouden, kun je het wel schudden.'

'Als je hoedjes wilt, mag je er nog tienduizend dollar bovenop doen. In totaal dus twintig.'

We hielden elkaars blik gevangen, het was een patstelling. We verroerden ons geen van beiden, totdat ze zei: 'Ik zal erover nadenken.'

Ik draaide me om en liep weg; dat geld was binnen.

Ik zou nog liever mijn hand hebben afgehakt dan het telefoontje hebben gepleegd. Maar zolang ik me niet verontschuldigde tegenover Angelo, zou ik de schaamte met me meedragen.

'Angelo, met Anna, Rachels zus...'

'Hé meisje, hoe gaat-ie?'

'Het spijt me.'

'Het is al goed.'

'Nee Angelo, het spijt me heel erg, ik heb je vreselijk behandeld. Ik schaam me dood.'

'Luister, je was in shock, ik weet hoe het is. Alles wat jij gedaan hebt, heb ik ook gedaan. En erger. Ik zweer het je.'

'Wat dan? Ben jij ook wel eens naar een volslagen onbekende gegaan om seks te eisen?'

'Tuurlijk. En trouwens, ik was geen volslagen onbekende.'

'Dank je dat je... je weet wel, je kans niet hebt gegrepen.'

'Kom op nou, zeg! Dan zou ik wel een heel beroerde vent zijn geweest.'

'Bedankt dat je niet zegt dat je... je kans wel gegrepen zou hebben als de omstandigheden anders waren geweest.'

'Jammer.'

'Wat?'

'Dat was precies wat ik dacht.'

Op mijn werk leidde ik een dubbelleven. Voor de meeste mensen was ik nog steeds een Candy Grrrl, en droeg ik mijn malle kleren en leverde ik mijn malle producten. Maar tegelijkertijd was ik een undercover Formule 12-meisje, dat intensief vergaderde met Devereaux, publiciteitsplannen uitstippelde en verpakkingsmateriaal perfectioneerde.

Vrije tijd die overbleef bracht ik door met Jacqui. We lazen babyboeken en bespraken wat een lul Joey was.

Ik huilde nooit en ik werd nooit moe: ik werd gevoed door een waakvlammetje van verbittering.

Ik maakte geen nieuwe afspraak met Neris Hemming en besloot van de ene op de andere dag niet meer naar Leisl te gaan.

De eerste zondag al belde Mitch. 'We hebben je gemist vandaag, kleintje.'

'Ik denk dat ik even een paar keer oversla.'

'Hoe ging het met Neris Hemming?'

'Slecht, en ik wil het er niet over hebben.'

Stilte. 'Ze zeggen dat boosheid goed is. Het is een nieuwe fase in het rouwproces.'

'Ik ben niet boos.' Nou ja, dat was ik wel, maar om andere redenen dan hij dacht. Het had niets te maken met welk rouwproces dan ook.

'Wanneer zie ik je weer?'

'Het is momenteel nogal druk op mijn werk...'

'Natuurlijk! Ik begrijp het. Maar laten we contact houden.'

'Ja, doen we,' loog ik.

Daarna belde Nicholas en we voerden een vergelijkbaar gesprek, en de maanden erna belden ze allebei regelmatig, maar ik nam nooit op en belde nooit terug. Ik wilde er op geen enkele manier aan herinnerd worden dat ik zo stom was geweest om mijn dode echtgenoot te willen spreken. Uiteindelijk belden ze niet meer, en ik was opgelucht. Dat deel van mijn leven was voorbij.

Ik had me in mezelf gekeerd als een bloem in de nacht, een verbitterd knopje, van alles en iedereen afgesloten.

Maar ik gedroeg me altijd zeer professioneel. Sterker nog, ik was waarschijnlijk professioneler dan ooit. Mensen leken bijna een beetje zenuwachtig van me te worden. En het bleek zijn vruchten af te werpen, want vlak voor Thanksgiving verscheen het eerste prikkelende zinnetje over Formule 12 in de pers. Het werd beschreven als: een spectaculaire doorbraak in huidverzorging.

7

'Anna, het is een wonder,' had mevrouw Maddox enthousiast gezegd. 'Ik was dood, ik liep rond als een dode. En toen dit jongetje... Ik weet dat hij Aidan niet is, ik weet dat Aidan nooit meer terugkomt, maar hij is een stukje Aidan...'

Haar plannen om zich voor Thanksgiving terug te trekken in een oord met uitsluitend vrouwen die in een dierenhuid dansen en zichzelf bij volle maan blauw verven had Dianne afgezegd. In plaats daarvan was alles als vanouds – kalkoen, beste glazen, et cetera – omdat de kleine Jack zou komen.

'Hij is zo mooi, echt beeldschoon. Kom alsjeblieft om kennis met hem te maken.'

'Nee.'

'Maar...'

'Nee.'

'Vroeger was je zo'n lief meisje.'

'Vroeger wist ik nog niet dat mijn overleden echtgenoot een kind bij een ander had verwekt.'

'Maar dat was voordat hij jou had leren kennen! Hij heeft je niet bedrogen!'

'Dianne, ik moet ophangen.'

'Rachel en Luke gaan Thanksgiving vieren,' zei ik tegen Jacqui. 'Jij bent ook uitgenodigd. Maar...'

'Ja, ik weet het, Joey komt ook. Daarom denk ik dat ik maar niet ga.'

Ik bood aan om ook niet te gaan. 'Dan vieren we het samen, wij met zijn tweetjes.'

'Dat hoeft niet. Ik heb een andere uitnodiging gekregen.'

'Bij wie?'

'Eh... op Bermuda.'

'Bermuda? Vertel me nou niet dat je naar Jessie Cheadle gaat!'

Jessie Cheadle was een van haar cliënten. Hij was de eigenaar van een platenmaatschappij.

'Inderdaad.'

'Maar hoe wil je daar komen? Nee... Hij laat je met een vliegtuig ophalen?'

Ze knikte, en lachte toen omdat ik zo jaloers was. 'En er is personeel om mijn koffer uit te pakken, en een butler om een bad te laten vollopen met rozenblaadjes. En wanneer ik wegga, pakken ze mijn koffer weer in en doen tussen elke laag kleding zacht papier. Geparfumeerd, zacht papier. Vind je het vervelend dat ik ga?'

'Ik vind het geweldig voor je. Heb je gemerkt dat je niet meer zoveel huilt?'

'Ja. Het waren gewoon hormonen.' Toen voegde ze eraan toe: 'Maar hij is toch een klojo. Kijk!' Ze wees op zichzelf. 'Wat is hier mis mee?'

'Niets.' Ze zag er prima uit, stralend en met een beginnend buikje. En toen zag ik het. 'Je hebt borsten!'

'Ja! Voor het allereerst. Het is echt tof om tieten te hebben.'

Luke deed de deur open. Er stak een naald uit zijn voorhoofd zodat hij sterk op een eenhoorn leek. 'Gaz,' zei hij ter verklaring. 'Gaz met zijn acupunctuur. Prettige Thanksgiving. Kom binnen.'

Rond de eettafel zaten Gaz, Joey en Rachels vrienden Judy en Fergal. Shake was er niet. Hij was naar Newport gegaan om Thanksgiving met Brooke Edisons familie te vieren. Kennelijk was de seks tussen Shake en Brooke geweldig; hij had Luke verteld dat ze 'een beest' was.

Iedereen had acupunctuurnaalden die uit hun voorhoofd staken. Het leek of ze zo uit *Star Trek* waren gestapt, een krijgsraad van aliens. Gaz sprong op toen hij me zag, met zijn naald in de aanslag. 'Om je endorfine te stimuleren.'

'Oké,' zei ik. 'Doe maar. Maar ik weet nog heel goed dat we vroeger bij dit soort gelegenheden feestmutsen op hadden.'

Gaz plaatste de naald en ik ging zitten. Het eten zou net op tafel komen; ik had mijn komst goed getimed. Ik wilde niet aan de late kant zijn, maar ik wilde ook niet alvast aan tafel zitten en een beetje oeverloos kletsen.

Rachel kwam de keuken uit met een enorme schaal geroosterde noten en zette die op tafel.

Gaz stak meteen zijn hand ernaar uit.

'Ho ho,' zei Rachel. 'Even wachten. We moeten eerst danken.'

'O ja. Sorry.'

Rachel boog haar hoofd (waarbij de naald met een tinkelend geluid tegen een fles Kombucha aankwam) en dreunde iets op over dat we allemaal zo gelukkig waren, niet alleen omdat we zulk heerlijk eten kregen voorgezet, maar ook omdat er veel moois in ons leven was.

Iedereen knikte instemmend. De naalden fonkelden in het kaarslicht.

'Het is ook een moment om stil te staan bij degenen die er niet meer bij kunnen zijn,' zei Rachel. Ze pakte haar glas met mousserende appelsap op en zei: 'Op onze afwezige vrienden.' Even zweeg ze, alsof ze tegen haar tranen vocht, toen zei ze: 'Op Aidan.'

'Op Aidan.' Iedereen hief het glas. Behalve ik. Ik leunde naar achteren en sloeg mijn armen over elkaar.

'Anna, we drinken op Aidan.' Gaz was diep geschokt.

'Dat weet ik. Jullie doen maar. Hij heeft een kind bij een ander.'

'Maar...'

'Ze is boos op hem omdat hij doodging,' legde Rachel uit.

'Daar kon hij toch niets aan doen?' zei Gaz.

'Haar woede is onlogisch, maar daarom niet onrechtmatig.'

Op dat moment dacht ik echt dat ik in een aflevering van *Star Trek* was beland.

'Aidan kon er ook niks aan doen dat hij is doodgegaan,' zei Gaz.

'En Anna kan er niks aan doen dat ze het zo voelt.'

'Hè, houden jullie alsjeblieft je kop,' zei ik. 'En ik heb trouwens geen hekel aan Aidan omdat hij is doodgegaan.'

'Waarom dan wel?' vroeg Rachel.

'Gewoon. Kom op, Gaz. Steek de gordijnen eens in de fik of zo.'

Later schoot Joey me aan. 'Hoi, Anna.'

'Hoi,' mompelde ik. Ik keek naar de grond. Ik deed de laatste tijd mijn best hem te ontlopen.

'Hoe is het met Jacqui?'

Ik keek op met een ijzige blik. Als ik het had gekund, had ik mijn lip in een grauw opgetrokken, maar mijn lippen zijn nog erg stijf en ik was bang dat het er eerder zou uitzien alsof ik mijn tandvlees liet controleren of het niet aan het terugtrekken was. 'Hoe is het met Jacqui? Als je wilt weten hoe het met Jacqui is, moet je haar bellen, dan kun je het haar zelf vragen.'

Hij keek me kwaad aan, maar ik gaf geen krimp, en hij was de eerste die wegkeek. Ik ben daar tegenwoordig erg goed in.

'Oké,' zei hij boos. 'Dan doe ik dat.'

Hij viste zijn mobieltje uit zijn zak en toetste het nummer zo hardhandig in dat het leek alsof hij kwaad op het mobieltje was.

'Ik hoop dat je haar niet thuis belt, want ze zit op Bermuda, op het landgoed van Jessie Cheadle.'

Hij hield op de toetsen te mishandelen. 'Op het landgoed van Jessie Cheadle?'

'Ja. Hoezo? Dacht je dat ze op Thanksgiving alleen thuis zou zitten? Zij en haar vaderloze foetus?'

'Wat is haar mobiele nummer?'

Ik kneep mijn lippen op elkaar. Ik wilde het hem niet vertellen.

'Geeft niet,' zei hij. 'Ik heb haar nummer thuis. Je kunt het me nu vertellen, of ik bel haar later wel.'

Verslagen gaf ik het hem.

Weer gedruk op toetsen, deze keer misschien iets minder agressief. Net alsof hij voor de allereerste keer een telefoon gebruikte, zei hij: 'Hij gaat over! Hij gaat over!' Toen liet hij ineens zijn schouders hangen. 'Voicemail.'

'Spreek dan een berichtje in, oen. Daar ís voicemail voor.'

'Nee.' Hij klikte het mobieltje dicht. 'Waarschijnlijk wil ze me toch niet spreken.' Hij keek me even aan, maar ik keek uitdrukkingsloos terug. Ik wist niet of ze hem wilde spreken (waarschijnlijk wel, was ik bang) en ik wist ook niet hoeveel hij had gedronken. Misschien verdween zijn interesse in Jacqui's welzijn wel zodra Thanksgiving voorbij was en hij een kater kreeg.

Zodra Jacqui weer thuis was, deed ik verslag van het hele gebeuren. Ze zei dat het aan de feestelijke stemming moest hebben gelegen, en aan te veel drank. Ze zei, en ik citeer: 'De rotzak.'

8

'Anna, dat huidverzorgingsproduct dat een spectaculaire doorbraak zou zijn? Wat weet jij daar van? Ik zou zweren dat je het er tijdens onze laatste lunch over had.'

Ik werd plat gebeld door beautyredactrices van wie de nieuwsgierigheid was gewekt.

'Wat heb je erover gehoord?' vroeg ik.

'Dat je het nergens mee kunt vergelijken.'

'Ja, dat heb ik ook gehoord.'

Heel december groeide de buzz rondom Formule 12. Tussen de gekte van kerstborrels, feestjes en het kopen van cadeaus door werd het gefluister steeds luider. 'Ik hoorde dat het uit het regenwoud van Brazilië komt.' 'Klopt het dat Devereaux het doet?' 'Ze zeggen dat het een supercrème is, een Crème de la Mer tot de tiende macht.'

Bijna was het zover. Ik had besloten dat *Harper's* met de eer mocht gaan strijken en organiseerde voor begin januari een lunch met hun beautyredactrice, Blythe Crisp. 'Een heel bijzondere lunch,' beloofde ik haar.

'Eind januari,' zei ik tegen Devereaux. 'Dan komen we ermee.'

De verpleegster bewoog de scanner over Jacqui's dikke buik, die was ingesmeerd met gel. Ze hield hem even stil en zei: 'Zo te zien krijg je een meisje.'

'Cool!' Jacqui sloeg vanuit haar liggende positie met haar vuist in de lucht, waarbij ze de vrouw bijna de hersens insloeg. 'Een meisje! Veel leukere kleren. Hoe zullen we haar noemen, Anna?'

'Joella? Jodi? Joanne? Jo?'

Op melodramatische toon zei Jacqui: 'Zodat Norse Joey weet hoeveel ik nog steeds van hem hou. Of nog beter! Wat dacht je van Norsanne? Of Norsetta? Of Norsella?'

'Norsella!' We vonden het zo'n grappig idee om het meisje Norsella te noemen dat we in lachen uitbarstten. Hoe harder we lachten, hoe grappiger het werd, totdat we elkaar moesten vastgrijpen en ons verontschuldigden tegenover de verpleegster voor ons onbetamelijke gedrag. Elke keer dat we dachten dat we waren uitgelachen, zei een van ons: 'Norsella, ruim je kamer op,' of: 'Norsella, eet je worteltjes op', waarna we weer dubbel lagen. Ik kon me niet herinneren wanneer ik voor het laatst zo daverend had gelachen en het voelde heerlijk, alsof er een loodzware last van mijn schouders viel.

In de taxi terug naar huis, zei ik: 'En als Rachel en Luke naar de echo vragen?'

'Wat bedoel je... O, je bedoelt dat ze het misschien tegen Joey zullen zeggen?'

'Mmm.'

Daar dacht ze even over na, en toen zei ze, bijna ongeduldig: 'Nou ja, hij zal toch een keer moeten weten dat hij een meisje krijgt. Ja.' Ze kreeg iets opstandigs over zich. 'Kan mij het schelen wat hij weet. Zeg maar wat je wilt. Vertel hem álles over Norsella.'

'Mooi. Prima. Ik wilde het alleen even checken...'

Ik zweeg even, en zei toen: 'Maar even serieus, Jacqui, geen gekke namen.'

'Wat bedoel je?'

'Foofoo, Pompon, Jiggy, dat werk. Geef je baby een normale naam.'

'Zoals?'

'Ik weet het niet. Iets normaals. Jacqui. Rachel. Brigit. Niet Honey, Sugar, Treacle.'

'Treacle?! Wat schattig. We kunnen het spellen met een *k*. En met *il*. Treakil. Kleine Treakil.'

'Nee Jacqui, dat is vreselijk, alsjeblieft...'

9

'Waar is die uitnodiging?' krijste mam. 'Waar is die verdomde uitnodiging?'

In de eetkamer wisselde ik boven de restanten van het kerstmaal verwonderde blikken uit met Rachel, Helen en pap. Nog maar even geleden had mam aan de telefoon gehangen met tante Imelda (de zus tegen wie ze het meest moest opboksen) en nu liep ze krijsend dingen in de keuken te verplaatsen.

Ze gooide de deur naar de eetkamer open en bleef op de drempel staan. Ze ademde zwaar, net een neushoorn. In haar hand had ze de uitnodiging met de twijg en de papyrus. Ze zocht Rachels blik.

'Je gaat niet in de kerk trouwen,' bracht ze gesmoord uit.

'Nee,' zei Rachel heel rustig. 'Dat staat op de uitnodiging. Luke en ik hebben een inzegeningceremonie van de Quakers.'

'Maar je liet mij denken dat het een kerk was, en nou moet ik van mijn eigen zus horen – die trouwens voor Kerstmis een Lexus heeft gekregen... Ik krijg een broekenpers en zíj een Lexus – dat je niet in een kerk trouwt.'

'Ik heb nooit gezegd dat het een kerk was. Jij nam dat zomaar aan.'

'En wie voert die zogenaamde...' Ze spuugde het woord bijna uit. 'Zegening uit? Een katholieke priester misschien?'

'Een vriend van me die schrijver is.'

'Wat voor soort schrijver?'

'Op freelance basis.'

'Dat is zeker een van je "genezen" maatjes,' sneerde mam. 'Nou, ik heb genoeg gehoord. Dat en sugarsnapboontjes... Er komt vast niemand van mijn kant. Niet dat ik zou willen dat ze kwamen.'

Mams woede zette de toon voor de verdere feestdagen. Ze werd nog kwader omdat ze Rachel niet voor haar wil kon doen buigen door te dreigen niet voor de bruiloft te dokken, want Luke en Rachel droegen de meeste kosten zelf.

'Het is een grap,' brieste ze machteloos. 'Het is geen bruiloft, het is een aanfluiting. Een "zegening"... Ja, hoor! Nou, ik doe er niet aan mee. En dan te denken dat ik me zorgen maakte over de kleur van haar jurk. Als ze niet in een kerk wil trouwen, draagt ze voor mijn part elke verdomde kleur die ze maar wil.'

Maar niet iedereen was overstuur van het feit dat Rachel niet in de kerk zou trouwen. Pap vond het stiekem wel mooi omdat hij dacht dat het geen echte bruiloft zou zijn en hij dus ook geen toespraak zou hoeven houden. En Rachel bleef er heel rustig onder.

'Vind je het niet naar?' vroeg ik. 'Vind je het niet vreselijk dat pap en mam niet op je bruiloft komen?'

'O, ze komt heus wel. Dacht je nou echt dat ze het wilde missen? Geen sprake van.'

Ik zorgde dat ik buiten schot bleef en verborg me in zoetige films en chocoladekoekjes, en ik telde de dagen totdat ik weer in New York zou zijn. Ik ben nooit zo dol op Kerstmis geweest. Ik had het idee dat er dan sowieso meer werd geruzied. Maar deze kerst was het wel heel erg.

Janie had me een kerstkaart gestuurd die bestond uit een foto van de kleine Jack met een kerstmuts op. Ze bleef maar schrijven, foto's sturen en ontmoetingen voorstellen. De familie Maddox drong er ook op aan dat ik de kleine Jack zou leren kennen, en ik hield dat allemaal af. Ik wilde hem niet zien.

10

'De helikopter is onderweg,' zei de man met de walkietalkie. 'Met Blythe Crisp aan boord. Verwachte aankomsttijd is zevenentwintig over twaalf.'

Om het benodigde drama rondom Formule 12 te creëren, liet ik Blythe Crisp overvliegen van het dak van het gebouw waarin *Harper's* was gevestigd naar een jacht van veertig meter dat lag aangemeerd in de haven van New York. (Helaas huurden we het slechts vier uur, vier heel dure uren trouwens.)

Hoewel het ijskoud was – het was 4 januari – en het water nogal onstuimig, vond ik het jacht een leuke *touch*, het had wel iets van een drugsdeal.

Ik stond op en ijsbeerde door de kajuit. Gewoon, omdat ik dat kon. Ik was nog nooit op een jacht geweest dat groot genoeg was om in te ijsberen. Sterker nog, volgens mij was ik sowieso nog nooit in een kajuit geweest.

Na een tijdje geijsbeerd te hebben, dacht ik dat ik een helikopter hoorde. 'Is dat hem?' Ik spitste mijn oren.

De man met de walkietalkie keek op zijn grote, zwarte, waterdichte, kernbombestendige horloge. 'Precies op tijd.'

'Op jullie plaats allemaal,' zei ik. 'Zorg dat ze niet nat wordt!' riep ik hem na. 'Hou haar tevreden.'

Nog geen minuut later klikklakte een kurkdroge Blythe in hoge leren laarzen over de parketvloer van het dek naar de kajuit, waar ik haar met een glas champagne stond op te wachten. 'Jezus, Anna, wat is dit allemaal? De helikopter, deze... boot?'

'Geheimhouding. Ik kan niet het risico lopen dat we worden afgeluisterd.'

'Waarom niet? Wat is er aan de hand?'

'Ga zitten, Blythe. Champagne? Gummibeertje?' Ik had mijn huiswerk gedaan, ze was gek op gummibeertjes. 'Oké, ik heb iets voor je, maar ik wil het in het maart-nummer.' Het maart-nummer zou eind januari uitkomen.

Ze schudde haar hoofd. 'Anna, je weet best dat dat niet kan. Het is te laat, dat nummer gaat al bijna naar de drukker.'

'Ik zal je even laten zien waar het om gaat.'

Ik klapte in mijn handen (daar genoot ik echt van, ik voelde me net een schurk in een James Bond-film), en een witgehandschoende steward kwam binnen met een klein, zwaar doosje dat hij haar voorhield. (We hadden het een paar keer geoefend.)

Blythe opende het met grote ogen, staarde er een tijdje in, en fluisterde toen: 'Dit is het. De supercrème der supercrèmes. Het bestaat écht.'

Goed, het was geen medicijn tegen kanker. Het was maar een gezichtscrème, en toch gloeide ik van trots.

'Ik zal maart nog even terugroepen,' zei ze.

Nadat de helikopter haar weer had teruggevlogen, belde ik Leonard Daly van Devereaux. 'We kunnen.'

'Neem de rest van de dag maar vrij.' Een grapje, natuurlijk. Nu Formule 12 bijna officieel bestond, zou ik het vreselijk druk krijgen. Ik moest een heel kantoor op poten zetten. Het groepje bureaus van Formule 12 wilde ik zo ver mogelijk bij Lauryn vandaan hebben. Ze was absoluut niet blij dat ik een nieuwe baan had. Ze was nog minder blij dat ik Teenie meenam. Mijn andere assistente was een fris, jong ding, Hannah, die ik had gestolen van Warpo en zo redde van een leven lang vreselijke kleding dragen. Uit dankbaarheid zou ze me altijd trouw blijven.

Op 29 januari lag het maart-nummer van *Harper's* in de winkel, en onmiddellijk werd het een gekkenhuis. Ik kwam uit mijn Candy Grrrl-cocon als een prachtige Formule 12-vlinder, en pronkte met mijn donkergrijze pakken.

11

'Kijk dan. Volgens mij zijn het Bijen,' fluisterde Jacqui.

'Alleen maar omdat ze kort haar hebben. Daar kun je niet op afgaan.'

'Maar ze hebben allebei dezelfde spuuglok!'

Het was de eerste keer dat we naar het klasje van Beter Bevallen waren gegaan. Van de acht paren waren er maar vijf die uit een man en een vrouw bestonden. Jacqui maakte zich echter zorgen dat zij de enige zou zijn die door de vader in de steek was gelaten. Joey had haar wel nog af en toe gebeld. Met Kerstmis, op oudejaarsavond en op zijn verjaardag, om precies te zijn. Zoals Jacqui zei, op momenten dat hij beschonken en sentimenteel was. Hij had verontschuldigende en warrige berichtjes op haar voicemail ingesproken. Jacqui nam nooit op en belde ook nooit terug, maar ze ontkende dat ze sterk probeerde te zijn.

'Als hij me overdag belde met niets anders dan limonade in zijn lijf, zou ik hem misschien te woord staan,' zei ze. 'Maar ik ga mezelf niet voor gek zetten door in liefdesbetuigingen te geloven terwijl hij straalbezopen is. Kun je je voorstellen dat ik hem op zijn dronken woord geloofde en terugbelde?'

Soms zetten we dat in scène. Ik was dan Joey en sprak met dikke tong berichten in op Jacqui's voicemail, en Jacqui deed alsof ze zichzelf was, maar dan onnozeler. Ze wiste haar tranen en zei: 'O, hij houdt dus toch van me! Ik ben zo gelukkig, het gelukkigste meisje van de hele wereld! Ik bel hem meteen.'

En dan terug naar mij als Joey die met een kater wakker werd en zenuwachtig naar zijn telefoon keek terwijl Jacqui riep: 'Tringtring, tringtring!'

'Hallo,' zei ik dan bars in de fantasietelefoon.

'Joey!' jubelde Jacqui. 'Met mij-ij! Ik heb je berichtje afgeluisterd. Ik wist wel dat je zou terugkomen. Wanneer gaan we trouwen?' Om de een of andere reden sprak ze heel aanstellerig tijdens deze toneelstukjes.

Ik gooide de onzichtbare telefoon neer, rende weg en riep: 'Ik wil een onderduikadres!' Daarna snikten we het allebei uit van het lachen.

Maar in het klasje van Beter Bevallen lachte Jacqui niet. Ze zag er erg slecht op haar gemak uit, en dat lag niet alleen aan het feit dat het er erg poederkwasterig aan toe ging. De leidster was zo goed in yoga dat ze haar voetzool tegen haar oor kon drukken. Ze heette Quand-adora. 'Dat betekent Wentelaar in het Licht,' zei ze. Maar ze zei er niet bij in welke taal.

'Vast in haar zelfbedachte poederkwasttaal,' zei Jacqui later. 'Wentelaar in de Stront zal ze bedoelen.'

Wentelaar in het Licht nodigde ons uit allemaal in kleermakerszit in een kringetje te gaan zitten, gemberthee te drinken en ons aan elkaar voor te stellen.

'Ik ben Dolores, de barensbegeleider van Celia. En ik ben ook Celia's zusje.'

'Ik ben Celia.'

'Ik ben Ashley, en ik verwacht mijn eerste kindje.'

'Ik ben Jurg, de man van Ashley en haar barensbegeleider.'

Toen we bij de vermoedelijke Bijen kwamen, spitste Jacqui haar oren.

'Ik ben Ingrid,' zei de vrouw die zwanger was, en de vrouw naast haar zei: 'En ik ben Krista, Ingrids barensbegeleider en minnares.'

Jacqui gaf me een por met haar knokige elleboog.

'Ik ben Jacqui,' zei Jacqui. 'Mijn vriend heeft het uitgemaakt toen bleek dat ik zwanger was.'

'En ik ben Anna. Ik ben Jacqui's barensbegeleider. Maar niet haar minnares. Eh... niet dat het erg zou zijn als dat wel zo was.'

'Neem me niet kwalijk,' zei Celia. Ze zag er bezorgd uit. 'Ik wist niet dat we elkaar zoveel over onszelf zouden vertellen. Had ik erbij moeten zeggen dat ik gebruik heb gemaakt van een spermadonor?'

'Hé, wij ook!' zei Krista. 'Maar dat doet er niet toe.'

'Jullie mogen zoveel als jullie willen met elkaar delen,' zei Quand-adora op de manier zoals zulke lui dat doen. 'Vandaag gaan we ons vooral richten op pijnbestrijding. Hoeveel van jullie zijn van plan een waterbevalling te hebben?'

Er gingen heel veel handen de lucht in. Jezus! Zeven waren dat van plan. Jacqui was de enige die dat niet was.

'Bij waterbevallingen is pijnbestrijding heel goed mogelijk,' zei Quand-adora. 'Maar de komende zes weken zal ik een paar geweldige technieken met jullie delen waardoor jullie geen pijnbestrijding nodig zullen hebben. Jacqui, heb jij nagedacht over pijnbestrijding?'

'Eh... ja, over jeweetwel, een ruggenprik.'

Jacqui zei later dat ze niet alleen teleurgesteld naar haar keken, maar ook verdrietig.

'Oké,' zei Quand-adora. 'Waarom wacht je niet nog even met je besluit? Waarom sta je niet open voor welke energie er ook naar je toe komt?'

'O, eh... ja.'

'Vergeet vooral niet dat de pijn een vriend is. De pijn brengt je kindje naar je toe; zonder pijn zou er geen kindje zijn. Dus, iedereen, doe je ogen dicht, ga op zoek naar je kern en stel je de pijn voor als een vriendelijke energie, een grote gouden bal van energie.'

Ik wist niet dat ik een kern had, maar ik deed mijn best, en nadat we ons een kwartiertje de grote gouden bal van energie hadden voorgesteld, leerde ik hoe ik Jacqui's onderrug moest masseren als manier van pijnbestrijding, voor het geval de grote gouden bal niet hielp. Daarna leerden we een techniek om de weeën op te vangen. We moesten op handen en knieën zitten met onze billen omhoog, en daarbij moesten we hijgen als een hond op een warme dag. Iedereen moest dat doen, ook degenen die niet zwanger waren. Eigenlijk was het heel leuk, vooral dat hijgen. Alleen was het een beetje vervelend om met je gezicht zowat tegen andermans achterwerk te zitten – ik geloof dat van Celia.

Jacqui en ik hijgden dat het een lieve lust was, toen keken we elkaar aan, staken onze tong uit en hijgden nog erger.

'Weet je?' fluisterde ze. 'Die klojo weet niet wat hij mist.'

12

Zodra januari overging in februari, doemde de datum van Aidans sterfdag op als een grote schaduw. Naarmate de dagen verstreken, werd de schaduw donkerder. Mijn maag ging tekeer en ik raakte soms echt in paniek, ik had een voorgevoel dat er iets vreselijks zou gebeuren.

Op 16 februari ging ik gewoon maar mijn werk, maar hyperrealistisch beleefde ik elke seconde van dezelfde dag een jaar geleden opnieuw. Niemand op mijn werk wist wat voor dag het was. Ze waren het allang vergeten, en ik deed geen moeite hen eraan te herinneren.

Maar tegen de middag had ik er genoeg van. Ik verzon een afspraak buiten de deur, ging naar huis en hield een wake, waarbij ik de minuten en seconden tot het exacte moment van Aidans dood aftelde.

Ik vroeg me af of ik de botsing op hetzelfde moment opnieuw zou voelen, een soort psychische herhaling. Maar het moment kwam en ging weer voorbij en er gebeurde niets wat vervelend aanvoelde. Ik had toch íéts verwacht. Het was te groot, te overweldigend, te vreselijk om niets te voelen.

De seconden tikten weg en ik herinnerde me dat we wachtten in de vernielde auto, de aankomst van de ambulance, de race naar het ziekenhuis, Aidan die in vliegende vaart de operatiezaal werd in gereden.

Ik kwam steeds dichter bij het moment waarop hij stierf, en ik moet bekennen dat ik wanhopig hoopte dat op het moment dat de klok exact de seconde bereikte dat hij zijn lichaam achter zich liet, er zich een soort portaal zou openen tussen zijn wereld en de mijne, en dat hij aan me zou verschijnen, misschien zelfs zou spreken. Maar er gebeurde niets. Er was geen explosie van energie, geen plotselinge hitte, geen windvlaag. Niets.

Met rechte rug staarde ik in het niets, en ik dacht: en nu?

De telefoon ging, dat gebeurde er. Mensen die zich hadden herinnerd wat voor dag het was en wilden weten of het wel goed me ging.

Mam belde uit Ierland en maakte meelevende geluidjes. 'Slaap je wel goed de laatste tijd?' vroeg ze.

'Nee. Ik slaap maar een paar uur aan één stuk.'

'Lieve hemel! Nou, ik heb goed nieuws. Je vader, Helen en ik komen 1 maart naar New York.'

'Zo snel al? Dat is meer dan twee weken voor de bruiloft.' Jezus, dacht ik.

'Het leek ons leuk om er een korte vakantie aan vast te knopen.'

Mam en pap waren gék op New York. Pap rouwde nog steeds om het einde van *Sex and the City*, hij zei dat het een fantastisch programma was, en mams lievelingsgrap was: 'Weet je waar Forty-second Street is of zal ik de hand maar weer aan mezelf slaan?'

'Waar slapen jullie dan?' vroeg ik.

'We gaan wel bij iemand in de kost. We blijven de eerste week bij jou, daarna kijken we wel of we nieuwe vrienden hebben gemaakt bij wie we kunnen logeren.'

'Bij mij? Maar ik heb een piepklein appartement.'

'Zo klein is het niet.'

De eerste keer dat ze het zag had ze iets anders gezegd. Ze had gezegd dat het net de zevenenhalfste verdieping in *Being John Malkovich* was.

'En we zullen er nauwelijks zijn. We gaan de hele dag shoppen.' In Daffys en Conways en al die andere ranzige discountwinkels waar Jacqui en ik nog niet dood gezien wilden worden.

'Maar waar moeten jullie dan slapen?' vroeg ik.

'Pap en ik slapen in jouw bed. En Helen kan op de bank slapen.'

'En ik? Waar moet ik dan slapen?'

'Je zegt toch net dat je nauwelijks slaapt? Dan maakt het toch niet uit? Heb je een leunstoel of zoiets?'

'Ja. Maar...'

'Ha ha, ik hou je maar voor de gek! Alsof we bij jou zouden slapen. Er is nog niet genoeg plek voor een muis, laat staan voor een kat. Het is net die zevenenhalfste verdieping in *Seeing Joe Mankivick*. We gaan naar de Gramercy Lodge.'

'De Gramercy Lodge? Had pap daar de laatste keer geen voedselvergiftiging opgelopen?'

'Ja, dat zou best kunnen. Maar ze kennen ons daar. En het is handig.'

'Handig waarvoor? Om een voedselvergiftiging op te lopen?'

'Een voedselvergiftiging loop je niet op.'

'Goed, goed, jullie doen maar.' Ze veranderen toch nooit.

Een paar dagen later werd ik wakker en ik voelde me... anders.

Ik wist niet wat het was. Ik lag onder mijn dekbed en peinsde erover. Het licht buiten was veranderd: het was citroenkleurig, lenteachtig na de grauwe treurigheid van de winter. Was dat het? Ik twijfelde. Toen merkte ik dat ik geen pijn had; het was de eerste ochtend in een jaar dat ik niet wakker werd van pijn in mijn botten. Maar dat was het ook niet, en opeens besefte ik wat het wel was: vandaag had ik de lange reis van mijn hoofd naar mijn hart afgerond – eindelijk begreep ik dat Aidan niet terug zou komen.

Ik had de oudewijvenpraat gehoord dat we een jaar en een dag nodig hebben om te beseffen, echt in het diepst van onze ziel te beséffen, dat iemand is overleden. We moeten een heel jaar leven zonder die persoon, elk facet van ons leven zonder hen ervaren – mijn verjaardag, zijn verjaardag, onze trouwdag, de jaardag van zijn dood – en pas als dat achter de rug is en we nog steeds leven, beginnen we het te bevatten. Ik had mezelf al die tijd voorgehouden en wijsgemaakt dat hij terug zou komen, dat hij het op de een of andere manier voor elkaar zou krijgen omdat hij zoveel van me hield. Zelfs toen ik zo boos was geworden over de kleine Jack dat ik besloot niet meer tegen hem te praten, had ik nog hoop gehouden. Nu besefte ik het écht, alsof het laatste puzzelstukje op zijn plaats viel: Aidan zou niet terugkomen.

Voor het eerst in lange tijd huilde ik. Na maandenlang tot in mijn diepste wezen verkild te zijn geweest, stroomden warme tranen over mijn wangen.

Langzaam maakte ik mezelf klaar voor mijn werk. Ik deed er veel langer over dan gewoonlijk, en toen ik de deur achter me dichttrok, zei Aidans stem in mijn hoofd: 'Laat die chicks van L'Oréal een poepie ruiken.'

Ik was helemaal vergeten dat hij elke ochtend zoiets had gezegd, een opzwepende yell om me aan te moedigen. En nu herinnerde ik het me weer.

13

De tassen met ons eten waren gekomen. Rachel zette een paar niet bij elkaar passende borden in het midden van de tafel en schepte op.

'Helen, je lasagne.' Ze gaf haar een bord. 'Pap, karbonaadje. Mam, lasagne.'

Ze schoof mams bord naar haar toe, maar in plaats van haar te bedanken, trok mam een pruillip.

'Wat is er?' vroeg Rachel.

Mam mompelde iets.

'Wat is er?' vroeg Rachel nog eens.

'Dit bord bevalt me niet,' zei mam, deze keer een heel stuk harder.

'Je hebt nog niet eens geproefd.'

'Het gaat me niet om het eten, maar om het bord.'

'Wat is er dan mis mee?' Rachel bleef doodstil staan met de lepel in de lucht hangend.

'Ik wil een bord met een bloemetje. Zíj heeft wel een bord met een bloemetje.' Mam knikte kwaad in Helens richting.

'Maar jouw bord is toch ook mooi?'

'Nee. Het is een lelijk bord. Van bruin glas. Ik wil wit porselein met blauwe bloemetjes, net als zij.'

'Maar...' Rachel begreep er niets meer van. 'Helen, wil je misschien...'

'Geen sprake van.'

Rachel wist niet wat ze moest doen. Dit was pas de eerste avond dat pap, mam en Helen in New York waren. Er waren nog twee weken te gaan en het liep nu al mis. 'Er zijn geen borden met blauwe bloemetjes meer over. Pap heeft het enige andere.'

'Ze mag mijn bord wel hebben,' zei pap. 'Maar ik wil dat lelijke bruine ook niet.'

'Is effen wit goed?'

'Het moet maar.'

Paps karbonaadje werd overgeheveld naar een wit bord, en mams lasagne naar het bord met de bloemetjes.

'Iedereen nu tevreden?' vroeg Rachel spottend.

We gingen eten.

'Anna, hoe gaat het met het nieuwe merk?' vroeg Luke beleefd.

'Geweldig, dank je. Vandaag stond er een vergelijkend onderzoek in de *Boston Globe.* Van vijf crèmes: Sisley's Global antiride, Crème de la Mer, Clé de Peau, La Prairie en Formule 12. En Formule 12 kwam als beste uit de bus. Ze zeiden...'

'Jawel, maar dat merk heeft geen lippenstift, hè?' Mam vond overduidelijk dat ik was gedegradeerd. Daarmee was dit onderwerp afgesloten, en ik moest ineens terugdenken aan Aidan, die altijd meeleefde met mijn successen en met de flops van mijn concurrenten. Hoe vaak was hij niet thuisgekomen terwijl hij met de krant zwaaide en iets zei als: 'Geweldig nieuws! *USA Today* vond die nieuwe crème van Chanel maar niks. Het meisje zegt dat al haar poriën verstopt raakten. Hoera! Geef me de vijf!'

Ik werd uit deze onverwacht prettige herinnering gerukt doordat iemand riep: 'Wegwezen!'

Het was Helen. Pap was per ongeluk de wc in gelopen terwijl zij daar zat.

'Er moet een slot op de deur komen,' zei mam.

'Waarom?' vroeg Rachel. 'Dat hebben jullie ook niet.'

'Daar kunnen we niets aan doen. We zouden er best eentje willen.'

'Waarom hebben jullie er dan geen?' vroeg Luke.

'Omdat Helen cement in het sleutelgat heeft gedaan.'

We vielen allemaal stil bij de herinnering aan die dag. Helen had het cement gepikt van de bouwvakkers die van de garage van de buren een aanleunwoning maakten, en toen ze het sleutelgat had dichtgestopt, smeerde ze cement rond de badkamerdeur zodat Claire werd opgesloten, die in bad lag en deed of ze zich in een kuuroord bevond. Pap moest uren beitelen voordat ze kon worden bevrijd. Tegen die tijd stonden alle buren en bouwvakkers bezorgd in de gang en op de trap een wake te houden. Het omaatje van de aanleunwoning waar het allemaal mee was begonnen, stelde zelfs voor dat we de rozenkrans zouden bidden.

Goochelassistente@yahoo.com
Van: Paranormale_producties@yahoo.com
Onderwerp: Re: Neris Hemming

U heeft een nieuwe telefonische afspraak met Neris Hemming op 22 maart om 14.30 uur. Dank u voor uw belangstelling voor Neris Hemming.

'Ik heb geen belangstelling,' zei ik tegen het scherm. 'Neris Hemming kan de pot op.'

Twee tellen later noteerde ik de datum en tijd in mijn agenda. Ik vond het vreselijk van mezelf, maar het was sterker dan ik.

'Anna! Hé, Anna!'

Ik liep gehaast over Fifty-fifth Street, op weg naar een lunch met de beautyredactrice van *Ladies Lounge*, toen ik mijn naam hoorde roepen. Ik draaide me om. Er kwam iemand op me afgerend. Een man. Toen hij dichterbij was gekomen, dacht ik dat ik hem herkende, maar zeker wist ik het niet. Toch meende ik hem te kennen... En toen zag ik wie het was. Nicholas! Hij had een dikke winterjas aan en dus kon ik niet zien wat er op zijn T-shirt stond, maar zijn haar stond alle kanten op.

Voordat ik het wist had hij me al opgetild en omhelsden we elkaar. Het verraste me dat ik zulke warme gevoelens voor hem bleek te koesteren.

Hij zette me weer neer en we keken elkaar lachend aan.

'Wauw, Anna, je ziet er geweldig uit,' zei hij. 'Sexy en griezelig. Leuke schoenen.'

'Dank je. Zeg, het spijt me dat ik nooit heb teruggebeld. Ik had het erg moeilijk.'

'Dat geeft niet, ik heb er alle begrip voor. Echt.'

Ik schaamde me een beetje toen ik vroeg: 'Ga jij nog naar Leisl?'

Hij schudde zijn hoofd. 'De laatste keer was zo'n vier maanden geleden. Niemand van ons oude groepje gaat nog.'

Om de een of andere reden maakte dat me verdrietig. 'Niemand? Zelfs Barb niet? Of Ondode Fred?'

'Nee.'

'Goh...'

Na een korte stilte begonnen we allebei tegelijk iets te zeggen.

'Nee, zeg jij het maar,' zei hij.

'Oké.' Ik móést dit vragen. 'Nicholas, weet je nog dat Leisl contact met je vader legde? Denk je dat het echt waar was? Denk je echt dat je met hem hebt gesproken?'

Daar moest hij even over denken, en ondertussen frunnikte hij aan zijn gevlochten armbandje. 'Misschien. Ik weet het niet. Ik denk dat ik er toen behoefte aan had om dat te horen. Het hielp me door een moeilijke periode. Wat denk jij?'

'Ik weet het niet. Eigenlijk denk ik van niet. Maar zoals je zei, het hielp je door een moeilijke periode.'

Hij knikte. Hij was veranderd sinds ik hem voor het laatst had gezien. Hij zag er ouder en steviger uit, volwassener.

'Leuk je weer eens te zien,' flapte ik eruit.

Hij lachte. 'En het is ook fijn om jou weer eens te zien. Waarom bel je niet eens, dan kunnen we iets afspreken.'

'We kunnen onderzoek doen naar complottheorieën.'

'Complottheorieën?' vroeg hij.

'Ja. Vertel me nou niet dat je daar niet meer in geïnteresseerd bent!'

'O jawel, dat ben ik nog steeds, maar...'

'Heb je nog nieuwe theorieën?'

'Eh... ja.'

'Vertel op dan!'

'Oké. Zeg, is het je opgevallen dat er zoveel mensen verongelukken omdat ze tegen bomen skiën? Een van de Kennedy's. Sonny van Sonny en Cher... Bij bosjes. Dus vraag ik me af of het soms een complot is. Wordt er met hun ski's geknoeid? Zegt de maffia soms niet meer dat iemand vissenvoer is, maar voer voor de bomen?'

'Voer voor de bomen,' herhaalde ik. 'Je bent helemaal top. Echt helemaal top.'

'We kunnen ook gewoon naar de film gaan,' zei hij.

14

Wie van jullie heeft mijn Multiple Orgasm gestolen?' Mam opende de deur van haar slaapkamer en gilde door de gang van het hotel: 'Claire, Helen, hier met mijn Multiple Orgasm!'

Een stel van middelbare leeftijd in praktische wandelkleding trok net de deur achter zich dicht. Mam zag hen en zonder ook maar met haar ogen te knipperen groette ze hen op haar beleefde manier, een vreemde opwaartse beweging van haar kin. Ze zei: 'Wat een mooie ochtend, hè?'

Ze keken geschrokken en snelden naar de lift. Zodra ze de hoek om waren, riep mam: 'Jullie gunnen me ook niks!'

'Rustig maar,' zei ik vanuit de kamer.

'Rustig maar? Mijn dochter gaat trouwen, ook al is het dan niet in een kerk, en een van jullie vijf krengen heeft mijn Multiple Orgasm gestolen. Het is net als die keer dat jullie al mijn kammen hadden gestolen. Ik ging naar de kerk omdat het een verplichte feestdag was, en ik moest mijn haar kammen met een vork. Met een vórk! Echt vernederend. Wat doet je vader trouwens in de badkamer, hij zit er al dagen. Ga naar Claires kamer en kijk of zíj mijn lipstick heeft gestolen.'

Claire plus aanhang en Maggie plus aanhang logeerden ook in de Gramercy Lodge. We verbleven allemaal op dezelfde etage.

'Kom op nou,' smeekte mam. 'Ga een lippenstift voor me halen.'

In de gang schopte JJ tegen een brandblusapparaat. Hij droeg een gele hoed met een brede rand, wat Helen wellicht een dameshoed zou noemen. Ik kwam tot de conclusie dat de hoed deel uitmaakte van Maggies trouwensemble. Ik keek hoe hij de brandblusser enthousiast te lijf ging, en vroeg me af waarom Leisl had gezegd dat JJ zo belangrijk voor me was. Waarom zou hij belangrijker worden? Opeens begreep ik het: misschien had Leisl het helemaal niet over JJ gehad. Ze had het gehad over een blond jongetje met een hoed op en de letter J. Kleine Jack voldeed net zozeer aan die beschrijving als JJ. Had Aidan geprobeerd me via Leisl over hem te vertellen? Er schoot een rilling over mijn rug en van het ene op het andere moment had ik overal kippenvel.

Had Leisl wel degelijk contact gemaakt met Aidan? Ik wist het niet. En ik zou het ook wel nooit te weten komen. En wat deed het er eigenlijk nog toe?

'Wat heb je met mijn hoed gedaan?' Maggie stoof de gang op. Ze droeg een eenvoudig marineblauw pakje. 'Geef hier, en laat dat apparaat met rust.'

Uit Maggies kamer klonk baby Holly, die uit volle borst zong.

Toen verscheen Claire. 'Wat een ellende hier,' zei ze. 'Mam zei dat het een fijn hotel was.'

'De kachel werkt niet,' zei Maggie.

'De lift ook niet.'

'Het is praktisch, zei mam.'

'Maar praktisch waarvoor? Kate, niet tegen dat apparaat schoppen, straks ontploft het nog.'

Claire en haar twaalfjarige dochter Kate droegen bijna dezelfde kleding: rokjes die net iets langer waren dan hun ondergoed, wankele hoge hakken en een heleboel glitter.

In schril contrast droeg Claires zesjarige dochter Francesca ouderwetse schoenen met gespen en een smokjurkje met pofmouwen. Ze leek wel een porseleinen pop.

'Je ziet er prachtig uit,' zei ik tegen haar.

'Bedankt,' zei ze. 'Ze wilden dat ik van die glimmende dingen aantrok, maar ik vind dit mooier.'

'Heeft iemand een strijkijzer?' vroeg Maggie. 'Ik moet Garvs overhemd nog strijken.'

'Geef maar,' zei Claire. 'Adam doet het wel.'

'Hij is meer een huisknecht dan een echtgenoot!' riep Helen uit een nabije kamer. 'Hoe kun je nou respect voor hem hebben, ook al heeft hij dan een grotere piemel dan gemiddeld?'

Iedereen drentelde doelloos rond voor het gebouw van de Quakers. Ze zagen er op hun paasbest uit: bleke alcoholisten, oudere, blozende Ieren, voornamelijk ooms en tantes, en Echte Mannen met een volle kop haar. Er waren er zoveel dat ze zo van een castingbureau leken te komen. Ergens in de menigte zag ik Angelo, volledig in het zwart. Ik wist dat hij zou komen, hij en Rachel waren bevriend geraakt sinds die vreselijke dag dat ik naar zijn appartement was gegaan. Ik glimlachte beleefd naar hem – het had wel iets van mams geheven kin – en drong nog dieper in de haag van zussen en nichtjes. Ik wilde hem niet spreken. Ik zou niet weten wat ik moest zeggen.

'Wedden dat ze te laat komen?' zei Helen. Het was geen loze opmerking: ze ging rond met een lijst.

'Rachel komt niet te laat,' zei mam. 'Daar gelooft ze niet in. Ze vindt het oneerbiedig. Ik ga voor precies op tijd.'

'Dat is dan tien dollar.'

'Tien! O nee, daar heb je de ouders van Luke. Marjorie! Brian!' Mam greep pap bij zijn mouw en stevende op hen af om hen te begroeten. 'Ze hebben een heerlijke dag uitgekozen!'

Ze hadden elkaar een paar keer eerder ontmoet, maar kenden elkaar nauwelijks. Mam had er geen heil in gezien de Costello's beter te leren kennen totdat hun zoon het fatsoen had om met haar dochter te trouwen. Met een opgewekte maar afstandelijke glimlach draaiden de vier afwachtend rondjes om elkaar heen, als honden die aan elkaars kont ruiken, en ze probeerden vast te stellen wie het meeste dubbelglas had.

Iemand riep geschrokken: 'Dat zijn ze toch niet?' Iedereen draaide zich om en zag een champagnekleurige oldtimer onze kant op komen. 'Ja, wel! Daar heb je ze! Precies op tijd!'

'Wat? Nu al?' klonk het verbaasd van verschillende kanten. 'Kom op, we moeten naar binnen.' Er ontstond een stormloopje, waarbij iedereen naar binnen drong en zich haastig en nogal onbetamelijk in de banken liet vallen. De zaal was versierd met lentebloemen – narcissen, gele rozen, tulpen, hyacinten – en hun geur vulde de ruimte.

Even later beende Luke door het middenpad. Zijn haar, dat tot zijn kraag kwam, glansde en was keurig gekamd, en hoewel hij een pak droeg, leek zijn broek strakker dan noodzakelijk.

'Denk je dat hij ze speciaal laat innemen?' fluisterde mam. 'Of koopt hij ze gewoon zo?'

'Ik weet het niet.'

Ze keek me doordringend aan. 'Gaat het?'

'Ja.'

Dit was mijn eerste bruiloft sinds Aidan was gestorven. Ik wilde het niet toegeven, maar ik had ertegen opgezien. Nu het echter zover was, ging het wel.

Door het gangpad kwamen pap en Rachel onze kant op. Rachel droeg een nauwsluitende gele jurk. Klinkt vreselijk, maar hij was eenvoudig en elegant. In haar handen had ze een boeketje. Honderden flitsen begeleidden haar.

'Kut, je vaders das zit scheef,' fluisterde mam woedend.

Pap droeg Rachel over aan Luke, en schoof toen in onze bank. De dienst begon. Iemand droeg een gedicht voor over trouw, iemand anders zong een lied over vergeving, waarna de freelancevoorganger vertelde over de eerste keer dat hij Rachel en Luke had ontmoet en hoe goed ze bij elkaar pasten.

'Rachel en Luke hebben hun eigen huwelijksgeloften geschreven,' zei de voorganger.

'Echt iets voor hen.' Mam porde me in mijn zij om me aan het lachen te maken, maar ik herinnerde me mijn eigen geloften. 'In rijkdom en armoede, in goede en slechte tijden, in ziekte en gezondheid.' Ik dacht dat ik zou stikken toen ik terugdacht aan de laatste woorden: 'Tot de dood ons scheidt.' Het voelde als een hand om mijn keel. Ik mis je, dacht ik. Aidan Maddox, ik mis je verschrikkelijk. Maar ik had mijn tijd met jou niet willen missen. De pijn is het waard.

Ik graaide in mijn handtasje, op zoek naar een zakdoek. Helen drukte er een in mijn hand. Ik schoot vol en fluisterde: 'Dank je.'

'Graag gedaan,' fluisterde ze terug. Ze hield het zelf ook niet droog.

Op het verhoginkje pakten Luke en Rachel elkaars hand en begonnen aan hun geloften. Die waren op zijn zachtst gezegd apart: Rachel droeg een zin voor over bijvoorbeeld zelfverwezenlijking of passiefagressief gedrag, die Luke vervolgens afwisselde met flarden songtekst. Al snel verschenen er dan ook diepe groeven in mijn vaders voorhoofd. Hij stond perplex. 'Is het niet een beetje... hoe noem jij dat ook alweer?'

'Poederkwasterig,' fluisterde Jacqui met luide stem vanaf de rij achter ons.

'Inderdaad, poederkwasterig.' Toen besefte hij dat Jacqui dat had gezegd, en beschaamd staarde hij naar de grond. Hij was nog steeds niet over de scrabble-mail heen.

‘Ongelooflijk dat een drugsverslaafde eigenaar is van een hotel,’ zei mam. ‘Ook al is het dan een klein hotel.’ Ze keek de prachtig versierde ruimte rond, naar alle linten en bloemen. ‘Moet je kijken hoe Norse Joey naar Jacqui zit te staren!’

Iedereen draaide zich met een ruk om. Joey zat aan een tafel die uitpuilde van de Echte Mannen (één van de tafels, er waren er drie, elk met acht Echte Mannen. Er waren verscheidene tweederangs Echte Mannen, misschien zelfs een paar derderangs.) Hij zat overduidelijk naar Jacqui te staren, die aan de tafels met vrijgezellen en losers zat.

‘Ik moet toegeven dat ze er heel goed uitziet voor een ongetrouwde vrouw die bijna acht maanden zwanger is,’ zei mam.

Tussen onze eigenaardige neven en nichten, inclusief de rare priester die was overgekomen uit Nigeria, zat Jacqui ronduit te stralen. De meeste zwangere vrouwen die ik kende kregen eczeem en spataderen, maar Jacqui zag er beter uit dan ooit.

‘Wat krijgen we nou!’ riep mam uit toen iets haar borst raakte. Een gele hoed. Die van Maggie.

Claires zoon Luka en JJ gebruikten hem als frisbee.

‘Goed idee,’ zei mam. ‘Hij is afschuwelijk. Ze ziet er meer uit alsof ze de moeder van de bruid is dan ik. En ik bén de moeder van de bruid.’ Ze wierp de hoed terug naar Luka en keek toen naar haar bord. ‘Wat moet dit voorstellen? O, dit moeten zeker de beroemde sugarsnapboontjes zijn. Nou, die hoef ik niet.’ Ze schoof ze op een schoteltje. ‘Kijk,’ fluisterde ze. ‘Joey zit nog steeds naar haar te kijken.’

‘Naar haar memmen.’ Dat kwam van de twaalfjarige Kate.

Mam keek haar kwaad aan. ‘Het is wel duidelijk wie je moeder is. Ga maar naar de kindertafel. Toe dan! Je arme tante Margaret zit daar haar best te doen om jullie in de hand te houden.’

‘Ik ga haar vertellen wat u over haar hoed zei.’

‘Doe geen moeite, dat doe ik zelf wel.’

Kate droop af.

‘Dat zal dat dametje leren,’ zei mam voldaan.

‘Waar is pap?’ vroeg ik.

‘Naar de wc.’

‘Alweer? Wat is er toch met hem?’

‘Zijn maag is van streek. Hij is zenuwachtig over zijn speech.’

'Hij heeft voedselvergiftiging!' riep Helen. 'Toch?'
'Niet waar!'
'Wel waar.'
'Nietes!'
'Welles.'
'Anna, er is een man die de hele tijd naar je zit te kijken,' zei Claire.
'Die vent die eruitziet alsof hij in de Red Hot Chili Peppers zit?' vroeg mam. 'Die was me ook al opgevallen.'
'Sinds wanneer ken jij de Red Hot Chili Peppers?' klonk het van verschillende kanten.
'Dat weet ik niet.' Mam keek verward. Sterker nog, ze leek behoorlijk van streek.
'Eens kijken,' zei Helen. 'Die in het zwart? Met dat lange haar?' En vervolgens op een lijzig toontje: 'Hij ziet eruit als een heel gevaarlijke man.'
'Grappig dat je dat zegt,' zei ik, 'want dat is hij absoluut niet.'

'Hoe gaat het hier?' vroeg Gaz. 'Iemand hoofdpijn? Verstopte neus?'
'Ga weg,' zei mam.
Rachel had Gaz gewaarschuwd niemand te acupuncturen en hij had gezegd dat hij het alleen in noodgevallen zou doen. Maar ondanks zijn pogingen noodgevallen op te trommelen, was er geen eentje geweest.
'Ga weg met die naalden van je! Laat ons met rust. Ze gaan zo dansen.'
'Oké, mama Walsh.' Ontmoedigd sloop Gaz weg met zijn zakje vol benodigdheden, en hij struikelde bijna over een groep kleine meisjes die losgebroken waren van de kindertafel.
Francesca kwam naar me toe gerend. 'Tante Anna, ik ga met je dansen omdat je man dood is en je niemand hebt om mee te dansen.' Ze pakte mijn hand. 'En Kate gaat met Jacqui dansen omdat ze een baby krijgt en geen vriendje heeft.'
'Eh, dank je.'
'Wacht even,' zei mam. 'Ik wil ook swingen.'
'Niet swingen zeggen!' zei Helen getergd. 'Dat is een vreselijk woord, je klinkt net als Tony Blair.'
'Pap?' vroeg ik. 'Kom je mee dansen?'

Langzaam schudde hij zijn hoofd, zijn gezicht was lijkbleek.
'Misschien moeten we een dokter laten komen,' zei ik zachtjes. 'Voedselvergiftiging kan gevaarlijk zijn.'
'Hij is gewoon zenuwachtig! Kom op.'
We voegden ons bij Jacqui en Kate en pakten hun hand. Helen kwam er ook bij, en daarna Claire, vervolgens Maggie met baby Holly en daarna Rachel. We vormden een kring van meisjes met zwierende feestjurken, iedereen was vrolijk, blij en mooi. Iemand drukte baby Holly in mijn armen en we zwierden samen rond, voortgestuwd door de handen van mijn zusjes. Draaiend en wervelend langs hun stralende gezichten herinnerde ik me iets waarvan ik niet had beseft dat ik het was vergeten: Aidan was niet de enige persoon van wie ik hield, ik hield ook van andere mensen. Ik hield van mijn zusjes, ik hield van mijn moeder, ik hield van mijn vader, ik hield van mijn neefjes, ik hield van mijn nichtjes, ik hield van Jacqui. Op dat moment hield ik van iedereen.

Later ging de muziek abrupt over van Kylie in Led Zeppelin, en de Echte Mannen bestormden de dansvloer. Er waren er vreselijk veel en opeens was er een wolk van zwiepend haar en werd er voluit luchtgitaar gespeeld. Na een tijdje vormde zich een kring om Shake – ze gaven hun meester de ruimte om zijn kunsten te vertonen. Shake bleef maar spelen, hij liet zich op zijn knieën vallen, leunde naar achteren tot zijn hoofd bijna de grond raakte, zijn gezicht het toonbeeld van vervoering terwijl zijn vingers over zijn kruis friemelden.
'Het lijkt wel of hij... zichzelf... betast?' mompelde mam.
'Hmmm?'
'Alsof hij met zichzelf speelt. Je weet wel.'
'Jij kunt echt maar aan één ding denken,' zei Helen. 'Je bent erger dan de rest van ons bij elkaar.'

15

'Neris Hemming.'
'Dag, met Anna Walsh. Ik had een afspraak.' Ik was nieuwsgie-

rig. Nieuwsgierig, maar niet hoopvol. Nou ja, misschien een beetje hoopvol.

Stilte aan de andere kant van de lijn. Ging ze me weer vertellen dat het niet doorging? Nog een verbouwing?

Toen zei ze: 'Anna, ik krijg... ik krijg iets door. Ja, er is hier een man. Een jonge man. Iemand die voor zijn tijd is overgegaan.'

Nou, in elk geval had ze me niet afgescheept met een grootvader, maar toen ik indertijd de afspraak maakte, had ik de vrouw aan de telefoon verteld dat mijn man was gestorven. Het zou best kunnen dat ze die informatie aan Neris had doorgespeeld.

'Je hield heel veel van hem, hè lieverd?'

Waarom anders zou ik willen proberen met hem in contact te komen? Maar toch sprongen er tranen in mijn ogen.

'Toch, lieverd?' herhaalde ze omdat ik niets zei.

'Ja,' bracht ik gesmoord uit. Ik schaamde me omdat ik huilde terwijl ik toch zo wreed voor het lapje werd gehouden.

'Hij zegt dat hij ook heel veel van jou hield.'

'Oké.'

'Hij was toch je echtgenoot?'

'Ja.' Verdomme. Dat had ik haar niet moeten vertellen.

'En hij is overgegaan na... na een ziekbed?'

'Een ongeluk.'

'Ja, een ongeluk, waarin hij er heel ernstig aan toe was en daardoor is hij overgegaan.' Ze zei het met stelligheid.

'Hoe weet ik dat hij het echt is?'

'Omdat hij het zegt.'

'Jawel, maar...'

'Hij herinnert zich een vakantie aan zee.'

Ik dacht aan Mexico. Maar wie is er nou nooit met haar echtgenoot voor een vakantie aan zee geweest? Al is het maar in een caravan bij Tramore.

'Ik krijg een beeld door van een intens blauwe zee, een blauwe lucht met nauwelijks een wolkje, en een wit strand. Bomen. Waarschijnlijk palmbomen. Verse vis, een beetje rum.' Ze giechelde. 'Klopt dat?'

'Ja.' Ik bedoel, wat had het voor zin? Tequila, rum, dat dronk je tijdens je vakantie.

'En o... Hij onderbreekt me omdat hij een bericht voor je heeft.'

'Kom maar op.'

'Hij zegt dat je niet meer om hem moet rouwen. Waar hij nu is, is het beter. Hij wilde je niet alleen laten, maar het moest, en nu hij daar is, is hij gelukkig. Ook al kun je hem niet zien, toch is hij altijd bij je, hij is altijd bij je in de buurt.'

'Oké,' zei ik toonloos.

'Heb je nog vragen?'

Ik besloot haar op de proef te stellen. 'Eigenlijk wel. Er was iets wat hij me wilde vertellen. Wat was het?'

'Je moet niet meer om hem rouwen, waar hij nu is, is het beter...'

'Nee, hij wilde iets zeggen voordat hij stierf.'

'Dit is wat hij je wilde zeggen.' Haar stem klonk bikkelhard.

'Maar hoe kon hij nou voordat hij stierf willen zeggen dat hij ergens was waar het beter is?'

'Hij had een voorgevoel.'

'Nee, dat had hij helemaal niet.'

'Zeg, als het je niet bevalt...'

'Je praat helemaal niet met hem. Je verzint maar wat. Dingen die op iedereen van toepassing zijn.'

Snel zei ze: 'Hij maakte het ontbijt voor je klaar.' Ze klonk... tja, verbaasd?

Ik was ook verbaasd omdat het wáár was. Ik had ooit gezegd dat ik dol op *porridge* was, en Aidan had gevraagd: 'Is porridge net zoiets als havermoutpap?' Ik zei: 'Ik geloof het wel.' En de volgende morgen stond hij achter ons nauwelijks gebruikte fornuis in een steelpan te roeren. 'Havermoutpap,' zei hij. 'Of porridge, als je het liever zo wilt noemen. Want tijdens die lunches met die enge beautyjuffen kun je niets eten omdat ze je daarop zouden beoordelen. Dus dan kun je beter nu iets stevigs in je maag hebben.'

'Ik heb gelijk, hè? Hij maakte elke ochtend het ontbijt voor je klaar.'

'Ja,' gaf ik deemoedig toe.

'Hij hield echt van je, lieverd.'

Dat was ook zo. Ik herinnerde me wat ik was vergeten: hij belde wel zestig keer op een dag om te zeggen dat hij van me hield. Hij verstopte liefdesbriefjes in mijn tas. Hij probeerde me zelfs een keer over te halen een cursus zelfverdediging te volgen, want, zoals hij zei: 'Ik kan niet elke minuut van de dag bij je zijn, en als jou iets zou overkomen, zou ik een kogel door mijn hoofd jagen.'

'Toch, lieverd?' drong Neris aan.

'Wat maakte hij dan voor mijn ontbijt?' Als ze daar het goede antwoord op kon geven, zou ik haar geloven.

Zelfverzekerd zei ze: 'Eieren.'

'Nee.'

Stilte. 'Cornflakes?'

'Nee.'

'Geroosterde boterhammetjes?'

'Nee. Laat verder maar. Ik heb een makkelijker vraag: hoe heette hij?'

Na een stilte zei ze: 'Ik krijg de letter L door.'

'Fout.'

'R?'

'Fout.'

'M?'

'Fout.'

'A?'

'Ja, dat is goed.'

'Adam?'

'Zo heet de vriend van mijn zusje.'

'Natuurlijk! Hij is hier bij me en hij zegt...'

'Hij is niet dood.' Hij leeft en staat in Londen waarschijnlijk iets te strijken.

'O... Oké. Aaron?'

'Mis.'

'Andrew?'

'Mis. Je raadt het toch nooit.'

'Vertel het me dan.'

'Nee.'

'Ik word hier helemaal gek van!'

'Mooi zo.' En ik hing op.

16

Mitch leek een heel ander mens. Letterlijk een ander mens. Hij leek echt langer, en zelfverzekerd op het arrogante af. Zelfs zijn gezicht had een andere kleur. Zes, zeven, acht maanden geleden had ik niet gemerkt dat hij er grauw en gespannen uitzag. Het viel me pas op nu hij die vreselijke stijfheid was kwijtgeraakt, zijn gezicht kleur had gekregen en hij geanimeerd praatte.

Hij zag me en lachte breeduit. Echt een stralende lach, die ik nooit eerder had gezien. 'Hé, Anna. Wat zie je er goed uit!' Zijn stem was luider dan voorheen.

'Dank je.'

'Ja. Je ziet er niet meer uit als een verblufte zeehond.'

'Zag ik eruit als een verblufte zeehond?' Dat wist ik niet.

Hij lachte. 'Ik was er ook niet best aan toe, hè? Een levend lijk.'

Ik had hem na mijn gesprek met Neris Hemming gebeld, er waren een paar vragen waar ik antwoord op wilde. Hij was dolblij om van me te horen en had voorgesteld samen een hapje te gaan eten.

'Het is hier.' Hij ging me voor het restaurant in.

'Een tafel voor twee?' vroeg de serveerster.

Mitch glimlachte en zei: 'We willen liever een hokje voor onszelf.'

'Dat wil iedereen.'

'Ja, dat zal wel,' beaamde hij met een lach. 'Kijk maar of je iets kunt regelen.'

'Momentje,' zei het meisje met frisse tegenzin. 'Maar het kan even duren.'

'Dat geeft niet.'

Hij lachte nogmaals. Hij flirtte met haar. En het werkte. Ik dacht: ik kén deze man helemaal niet.

Er viel me nog iets anders op. 'Je hebt je sporttas niet bij je! Dit is de eerste keer dat ik je zonder zie.'

'Echt?' Hij leek het zich nauwelijks te herinneren. 'O ja,' zei hij langzaam. 'Dat klopt. Ik wóónde toen bijna in de sportschool. Wauw, dat lijkt een eeuwigheid geleden.'

'En je hebt de afgelopen vijf minuten al meer tegen me gezegd dan al die tijd dat ik je ken.'

'Zei ik dan niks?'

'Nee.'

'Maar ik vind het heerlijk om te praten.'

Het meisje was teruggekeerd. 'Ik heb een hokje voor jullie gevonden.'

'Echt waar? Dank je,' zei Mitch, oprecht blij. 'Heel erg bedankt.'

Ze kleurde. 'Graag gedaan.'

Dus de echte Mitch was een charmeur. Wie had dat gedacht? Ik leerde hem heel snel beter kennen.

Nadat we hadden besteld, zei ik: 'Ik moet je iets vragen.'

'Zeg het maar.'

'Toen je Neris Hemming sprak, geloofde je toen echt dat ze contact maakte met Trish?'

'Ja.' Hij aarzelde. Hij leek zich te generen. 'Weet je...' Hij lachte even kort. 'Luister. Ik was destijds niet goed bij mijn hoofd. Achteraf besef ik dat ik echt gek was. Ik móést er wel in geloven.' Hij haalde zijn schouders op. 'Misschien maakte ze contact met Trish, misschien ook niet. Ik weet alleen dat het destijds voor me werkte en er waarschijnlijk voor zorgde dat ik niet volledig doordraaide.'

'Weet je nog dat je tegen me zei dat ze jullie koosnaampjes raadde? Die jij en Trish voor elkaar hadden? Wat waren die?'

Weer een aarzeling, weer een gegeneerd lachje. 'Mitchie en Trixie.'

Mitchie en Trixie? 'Die had ik gratis voor je geraden.'

'Ja. Zoals ik al zei, ik had er destijds heel veel aan.'

'Hoe denk je er nu over?'

Hij staarde voor zich uit en dacht er even over na. 'Op sommige dagen is het net zo erg als eerst, soms voelt het weer alsof het gisteren is gebeurd. Maar op andere dagen voel ik me goed. Dat het waar is dat haar leven niet onderbroken is, maar afgerond. En als ik dat denk, denk ik dat ik op een dag weer kan leven zonder gebukt te gaan onder schuldgevoel.'

'Probeer je nog steeds, je weet wel, contact te krijgen met Trish?'
Hij schudde zijn hoofd. 'Ik praat nog steeds met haar en er staan overal foto's van haar, maar ik weet dat ze weg is en dat ik er nog ben, om wat voor reden dan ook. Hetzelfde geldt voor jou. Ik weet niet of je ooit contact zult krijgen met Aidan, maar jij leeft nog. Je hebt een leven te leiden.'
'Misschien wel. Hoe dan ook, ik ga niet meer naar mediums,' zei ik. 'Dat was een fase, meer niet.'
'Fijn om te horen. Hé, heb je zondagmiddag iets te doen? Ik weet wel honderdduizend plekken waar we heen kunnen. Wat dacht je van het museum voor immigranten in de kledingindustrie – lekker obscuur. Of het planetarium, daar simuleren ze ruimtevluchten. Of bingo, waarom gaan we niet bingoën?'
Bingo. Dat leek me wel wat.

17

'Kijk!' Jacqui hield haar rok omhoog en trok haar slipje naar beneden.
Ik wendde mijn blik af.
'Nee, kijk nou!' zei ze. 'Je vindt het vast prachtig. Ik heb me Braziliaans laten waxen, met een extraatje. Zie je het?'
Ze bewoog haar lichaam zodat ik onder haar enorme buik kon kijken. Op haar blote venusheuvel had ze een geinig glitterroosje laten zetten. 'Dan hebben we iets leuks om naar te kijken wanneer ik aan het bevallen ben.'
Elke keer dat ze het over de bevalling had, voelde ik me duizelig. O Heer, laat het alstublieft niet heel erg zijn... Ze was uitgerekend op 23 april, over minder dan twee weken, en ik logeerde bij haar voor het geval het ineens midden in de nacht zou beginnen.
'Laten we wel zijn, waarschijnlijk zal het inderdaad zo gaan,' zei ze. 'Niemand krijgt de eerste weeën op een tijd dat het hen uitkomt, zoals kwart voor elf op een zaterdagmorgen. Het begint altijd in het holst van de nacht.'
Haar geliefde koffer op wieltjes stond bij de deur, met een toi-

lettas van Lulu Guinness erin, twee geurkaarsen van Jo Malone, een iPod, een paar Marimekko-nachtponnetjes, een camera en een lavendel oogmaskertje, Ipo-nagellak voor het geval haar nagellak eraf sprong terwijl ze aan het persen was, een setje om je tanden mee te bleken voor als ze zich ging vervelen, drie babypakjes van Versace en de laatste foto van de echo. De andere foto's hingen aan de muur. En dat deed me aan iets denken...

Voor het ongeluk was ik een echte hypochonder. Niet dat ik net deed alsof ik ziek was, maar als ik een keer ziek was, interesseerde me dat mateloos en probeerde ik Aidan erbij te betrekken. Als ik bijvoorbeeld kiespijn had, stelde ik hem regelmatig van de symptomen op de hoogte. 'Nu voelt het weer heel anders,' zei ik dan. 'Weet je nog dat ik zei dat het een zeurderige pijn was? Nou, nu is het heel anders. Meer een stekende pijn.' Aidan was er al aan gewend en zei dan: 'Een stekende pijn? Goh.'

Anderhalf jaar geleden had ik mijn vinger gebroken. Ik zocht iets in een la en draaide me te snel om. Mijn vinger bleef in de la steken en kraakte. Ik jammerde: 'Jezus, o god. O, mijn vinger. O, dit is verschrikkelijk.'

'Ga zitten,' zei Aidan. 'Laat eens zien. Welke vinger is het?'

Hij pakte mijn hand en ik weet dat het vreemd klinkt, maar hij nam mijn vinger in zijn mond. Dat deed zijn moeder altijd bij Kevin en hem toen ze klein waren, en nu deed hij het bij mij wanneer ik me pijn had gedaan. (Ik leek vooral mijn kruis vaak te bezeren.) Ik sloot mijn ogen en wachtte totdat de pijn in zijn warme mond zou wegebben.

'Al beter?'

'Eigenlijk niet.' En dat was vreemd, want meestal werkte het goed.

'Nou, jammer. Dan moet hij er maar af.' Voor onze ogen zwol mijn vinger op, net een te snel afgedraaide film over brood dat aan het rijzen is. Tegelijkertijd verkleurde hij van rood naar grijs tot bijna zwart.

'Jezus,' zei Aidan. 'Dat is echt erg, misschien moet hij er inderdaad af. Kom, ik breng je naar de eerstehulp.' We sprongen in een taxi en zaten daar met mijn hand in zijn schoot, net een ziek konijntje. In het ziekenhuis maakten ze er een röntgenfoto van. Ik vond het geweldig – ja, echt geweldig – toen de arts een röntgenfoto voor de lichtbak hing en zei: 'Ja, daar is het. Een haarscheurtje bij de tweede knokkel.'

Ook al kreeg ik geen echt gips maar een soort spalk, toch was het fijn om niet als een aansteller te worden weggestuurd. Ik had een breuk. Niet gewoon maar een kneuzing of een verstuiking (of een verzwikking – ik weet daar nooit het verschil tussen, en of het een erger is dan het ander) maar een breuk.

In de dagen daarna, wanneer iemand naar mijn gespalkte vinger keek en vroeg wat er was gebeurd, deed Aidan altijd het woord. 'Ze slalomde een helling af en bleef haken achter een van de stokken.' Of: 'Ze was aan het bergbeklimmen en toen was er een steenlawine.'

'Nou ja,' zei hij tegen mij. 'Alles beter dan zeggen dat je je blauwe schoenen zocht.'

Ik mocht de twee röntgenfoto's mee naar huis nemen, en als een echte hypochonder bestudeerde ik ze aandachtig. Ik hield ze tegen het licht en stond ervan versteld dat mijn vingers onder al die spieren en huid zo lang en slank waren. Aidan keek lief mee.

'Zie je die lijn op mijn knokkel?' zei ik terwijl ik de foto vlak voor zijn ogen hield. 'Net een haar, maar het doet vreselijk veel pijn.'

Plotseling bezorgd zei ik: 'Niemand vertellen dat ik dit doe, hoor.'

Een paar dagen later was hij eerder thuis van zijn werk dan ik; iets wat niet vaak voorkwam. Ik zag aan hem dat hij iets in zijn schild voerde. 'Is je niets opgevallen?' vroeg hij.

'Heb je je haar gekamd?'

En toen zag ik het. Mijn röntgenfoto's. Ingelijst hingen ze aan de muur. In prachtige vergulde lijsten, alsof er oude meesters in zaten in plaats van spookachtige zwart-witopnamen van mijn knokige vingers.

Ik sloeg mijn armen om mezelf heen en liet me op de bank zakken. Ik had niet eens de kracht meer om te blijven staan. Het was zo grappig dat het een hele tijd duurde voordat ik kon lachen. Uiteindelijk barstte er toch iets los, door mijn ineengekrompen maag en hijgende longen heen: een gil tegen het plafond. Ik keek naar Aidan die zich aan de muur moest vasthouden. Tranen van het lachen biggelden over zijn wangen.

'Rotzak!' kon ik uiteindelijk uitbrengen.

'Maar er is nog meer,' zei hij hijgend. 'Anna, er is nog meer. Kijk maar. O, nee, wacht even.'

Hij lag dubbel van het lachen, maar kwam toen overeind, veegde de tranen af en zei: 'Kijk!'

Hij drukte op een knopje en plotseling scheen er licht door de röntgenfoto's, net zoals in de lichtbak van het ziekenhuis.

'Ik heb er licht achter laten zetten,' zei Aidan hikkend van de lach. 'De lijstenmaker zei dat er verlichting bij kon, dus toen heb ik dat maar gedaan.'

Hij knipte ze uit en toen weer aan. 'Zie je wel? Licht!'

'Hou op,' smeekte ik. Ik vroeg me af of je van lachen misschien dood kon gaan. 'Hou alsjeblieft op.'

Zodra ik daartoe in staat was, zei ik: 'Doe het licht nog eens aan?'

Hij knipte ze nog een paar keer aan en uit terwijl ik steeds weer dubbel lag. Toen we eindelijk uitgeput van het lachen op de bank lagen, zei Aidan: 'Vind je het wat?'

'O ja. Het is het mooiste cadeau dat ik ooit heb gekregen.'

18

'Jacqui? Jacqui?'

'Ik ben hier, beneden!' riep ze.

'Waar?'

'In de keuken.'

Ik volgde haar stem en trof haar op handen en knieën aan met een bak schuimend sop. 'Wat krijgen we nou...?'

'Ik dweil de keukenvloer.' Met badkamerreiniger, zag ik.

'Maar je bent veertig weken zwanger, je kunt elk moment bevallen. En je hebt een werkster.'

'Ik had er opeens zin in,' zei ze opgewekt.

Ik trok een bedenkelijk gezicht. Over het dweilen van keukenvloeren hadden ze tijdens de zwangerschapsgymnastiek niets gezegd.

'Los van het feit dat je zo te zien gek bent geworden, hoe gaat het?' vroeg ik.

'Grappig dat je dat vraagt, ik heb de hele dag al steken.'

'Steken?'

'Nou ja, je zou het ook wel pijnscheuten kunnen noemen,' zei ze schaapachtig. 'In mijn rug en in mijn kont.'

'Harde buik,' zei ik stellig.

'Geen harde buik,' zei ze. 'Valse weeën gaan voorbij als je iets lichamelijks onderneemt.'

'Het is vast een harde buik,' hield ik vol.

'En ik weet zeker van niet. En ik ben degene die ze heeft, of niet heeft. De kans is groter dat ik weet wat het zijn.'

Haar hand was het eerste wat me opviel: die begon zich te sluiten, totdat hij zo strak stond dat de knokkels wit werden. Toen zag ik dat haar gezicht vertrokken was en haar rug zich kromde.

Geschrokken rende ik op haar af. 'Zijn dit de pijnscheuten?'

'Nee.' Ze schudde haar hoofd. Haar gezicht was knalrood. 'Dit was de ergste.'

Ze zag eruit alsof ze elk moment kon doodgaan. Ik stond op het punt het alarmnummer te bellen toen de wee wegebde.

'Jezus,' hijgde ze. Ze lag inmiddels op de vloer. 'Volgens mij heb ik net een wee gehad.'

'Hoe weet je dat? Beschrijf het.'

'Het deed pijn!'

Ik greep een van de handige brochures die we hadden gekregen en vroeg. 'Begon het van achteren en kwam het in een golfachtige beweging naar voren?'

'Ja!'

'O shit, dat klinkt inderdaad als een wee.' Opeens was ik doodsbenauwd.

'Je krijgt een kind!'

Iets trok mijn aandacht: een plas water verspreidde zich over de schone keukenvloer. Had ze de bak schuimend sop omgestoten?

'Anna,' zei Jacqui met zwakke stem. 'Zijn mijn vliezen gebroken?'

Ik dacht dat ik zou flauwvallen. Het water kwam onder Jacqui's rok vandaan. In een vlaag van ergernis vroeg ik haar beschuldigend: 'Hoe haal je het in je hoofd om die rotvloer te gaan dweilen? Kijk nou wat er is gebeurd.'

'Maar dit hoort erbij,' zei ze. 'Mijn vliezen hóren te breken.'

Ze had gelijk. Jezus, haar vliezen waren gebroken, ze zou echt een kind krijgen. Alle voorbereidingen die we hadden getroffen, leken opeens zinloos.

Ik was lang genoeg bij zinnen om het ziekenhuis te bellen. 'Ik ben de barensbegeleider van Jacqui Staniforth, hoewel we geen Bijen zijn. Haar vliezen zijn gebroken en ze heeft weeën.'

'Hoeveel tijd zit ertussen?'

'Dat weet ik niet. Ze heeft er nog maar één gehad. Maar die was vreselijk.'

Aan de andere kant van de lijn hoorde ik iets wat verdacht veel op gegrinnik leek. 'Neem de tijd tussen de weeën op, en kom hierheen als er vijf minuten tussen zit.'

Ik hing op. 'We moeten ze timen. De stopwatch! Waar is de stopwatch?'

'Bij alle andere spullen voor de bevalling.'

Ik wilde dat ze het niet steeds over bevallen had. Ik vond de stopwatch, voegde me weer bij haar op de keukenvloer en zei: 'Goed. Kom maar op met die wee.'

We begonnen nerveus te giechelen.

'Ik had tenminste niet zo'n breken-van-de-vliezen-moment uit een comedy,' zei ze.

'Hoe bedoel je?'

'Je weet wel, in films breken de vliezen altijd op iemands dure kleed of nieuwe suède schoenen. Meestal zijn het films met Hugh Grant. O jee! O, gossie! Jemig! Je kent ze wel. Zomaar uit nieuwsgierigheid: is er een reden waarom we op de natte vloer zitten?'

'Nee, volgens mij niet.'

We stonden op. Jacqui trok schone kleren aan en kreeg nog twee weeën. Er zat tien minuten tussen, stelden we vast. Ik belde het ziekenhuis weer. 'Er zit tien minuten tussen.'

'Blijf de tijd opnemen en kom hierheen als er vijf minuten tussen zit.'

'Maar wat moeten we tot die tijd doen? Ze heeft vreselijk veel pijn!'

'Wrijf over haar rug, laat haar een warm bad nemen, ga een eindje lopen.' Dat wist ik allemaal al, maar ik was in paniek geraakt toen de weeën daadwerkelijk waren begonnen, en was het vergeten.

Dus wreef ik over Jacqui's rug, keken we naar *Moonstruck* en lepelden de hele tekst op. We zetten de dvd op pauze tijdens elke wee zodat Jacqui er niets van hoefde te missen.

'Visualiseer,' zei ik elke keer dat haar lichaam verkrampte en ze de botjes in mijn handen tot gruis vermaalde. 'De pijn is je vriend. Het is een grote gouden bal van energie. Kom op, Jacqui. Een grote gouden bal van energie. Zeg het maar.'

'Zeg het maar? Zie ik eruit alsof ik gek ben geworden?'

'Kom op,' zei ik, en we riepen het samen: 'Grote gouden bal van energie. Grote gouden bal van energie.'

Na *Moonstruck* keken we naar *Gone With The Wind*, en toen Melanie weeën kreeg – daar waren ze weer – vroeg Jacqui: 'Waarom koken mensen altijd water en scheuren ze lakens in repen als er een kind zit aan te komen?'

'Ik weet het niet. Misschien om hun zinnen te verzetten omdat ze nog geen dvd's hadden. Zullen we het proberen? Nee? Oké. O jee, daar gaan we weer. Grote gouden bal van energie! Grote gouden bal van energie!'

Rond één uur zat er zeven minuten tussen de weeën.

'Ik ga in bad,' zei Jacqui. 'Misschien helpt het tegen de pijn.'

Ik ging bij haar in de badkamer zitten en zette ontspannende muziek op.

'Zet die walvisherrie af,' zei Jacqui. 'Zing maar een liedje voor me.'

'Wat voor liedje?'

'Over wat een eikel Joey is.'

Daar moest ik even over nadenken. 'Vind je het erg als het niet rijmt?'

'Helemaal niet.'

'Joey, Joey is een klootzak,' zong ik. 'Hij kijkt altijd nors en zijn laarzen zijn stom. Zoiets?'

'Ja, dat is mooi. Ga verder.'

'Als iedereen blij-ij is, kijkt Jo-oe-ey no-o-ors. Hij weet niet wat geluk is. En het refrein, met zijn allen: Joey, Joey is een klootzak.'

Jacqui deed mee, en samen zongen we verder. 'Hij kijkt altijd nors en zijn laarzen zijn stom!'

'Joey weet niet eens wat lachen is, een relatie met hem hebben is geen kattenpis. Die rijmde zelfs!' zei ik vrolijk. 'Oké, refrein. JOEY, JOEY IS EEN KLOOTZAK. HIJ KIJKT ALTIJD NORS EN ZIJN LAARZEN ZIJN STOM.'

Daar doodden we zomaar drie kwartier mee: ik zong een couplet en Jacqui deed mee met het refrein. Toen verzon Jacqui zelf een paar coupletten. Het was geweldig leuk en onze lol werd alleen verpest door Jacqui's weeën, waar nog steeds zeven minuten tussen zat. Zouden we ooit die magische grens van vijf minuten bereiken?

'Volgens mij moet je een eindje lopen,' zei ik. 'Wentelaar in de Stront zei dat we de zwaartekracht moesten gebruiken. Misschien helpt het de zaak op gang te brengen.'

'Bedoel je dat we naar buiten moeten? Oké, dan maak ik me alleen even op. Au!'

'Maar...' Ze onderbrak me door haar hand op te steken.

'Au! Au! Ik ga niet tornen aan mijn normen en waarden omdat ik toevallig een kind krijg. Trek je jas maar vast aan.'

De donkere straten waren stil. We liepen arm in arm. 'Zeg eens iets tegen me,' zei Jacqui. 'Vertel me fijne dingen.'

'Zoals?'

'Vertel me over hoe je verliefd werd op Aidan.'

Onmiddellijk werd ik overmand door emoties, zo uiteenlopend dat ik ze niet kon benoemen. Er was verdriet en misschien een beetje verbittering, hoewel niet zoveel als er was geweest. En er was nog iets, iets aangenamers.

'Alsjeblieft,' zei Jacqui. 'Ik krijg een kind en ik heb geen vriend.'

Aarzelend zei ik: 'Oké. In het begin zei ik het hardop. Dan zei ik: "Ik hou van Aidan Maddox en Aidan Maddox houdt van mij." Ik moest het mezelf horen zeggen omdat het zo geweldig was dat ik het niet kon geloven.'

'Hoe vaak per dag zei hij dat hij van je hield?'

'Zestig.'

'Nee, serieus.'

'Ja, serieus. Zestig.'

'Hoe weet je dat? Hield je het bij?'

'Nee, maar hij wel. Hij zei dat hij niet rustig kon slapen als hij het niet zestig keer had gezegd.'

'Waarom zestig?'

'Als het er meer waren zou ik verwaand worden, zei hij.'

'Wauw. Wacht even.' Ze greep een leuning beet en kreunde en pufte zich door een wee. Toen rechtte ze haar rug. 'Vertel me vijf fijne dingen over hem. Kom op,' zei ze, toen het erop leek dat ik zou weigeren. 'Onthou goed dat ik een kind krijg en geen vent heb.'

Schoorvoetend zei ik: 'Hij gaf altijd een dollar aan zwervers.'

'Er is vast wel iets interessanters.'

'Ik weet het niet meer.'

'Tuurlijk wel.'

Inderdaad, ik wist het wel, maar het was moeilijker om over te praten. Mijn keel deed pijn en ik had het benauwd. 'Je weet toch dat ik soms koortsuitslag op mijn kin krijg? Op een nacht gebeurde dat weer. We lagen in bed en het licht was al uit. We zouden net gaan slapen toen mijn kin begon te tintelen. Als ik er niet onmiddellijk mijn speciale zalfje op smeerde, zou ik er de volgende ochtend uitzien als een leprapatiënt, en ik moest de volgende dag lunchen met de meisjes van *Marie Claire*. Maar ik had het niet in huis. Dus stond hij op, kleedde zich aan en ging op zoek naar een drogist die dag en nacht open was. En het was december en het sneeuwde en het was verschrikkelijk koud en hij was ontzettend lief en ik mocht niet met hem mee, want hij wilde niet dat ik het ook koud zou krijgen...' Van het ene op het andere moment barstte ik in huilen uit. Het was zo erg dat ik over een hek moest leunen, net zoals Jacqui deed wanneer ze een wee had. Ik kon niet ophouden met huilen bij de herinnering dat hij in de kou naar buiten ging. Ik huilde zo hard dat ik er bijna in stikte.

Jacqui wreef over mijn rug, en toen het ergste achter de rug was, klopte ze zachtjes op mijn hand. 'Goed zo, nog drie,' mompelde ze.

Kut. Ik dacht dat ze me verder wel met rust zou laten omdat ik zo van streek was. 'Hij ging mee kleren kopen, hoewel hij winkels met vrouwenkleding vreselijk vond.'

'Ja. Dat is waar.'

'Hij kon heel goed Humphrey Bogart imiteren.'

'Inderdaad, dat is waar ook! En niet alleen de stem, hij kon iets geniaals met zijn bovenlip, waardoor hij ook echt op hem léék.'

'Ja, hij kleefde zijn lip vast aan zijn tanden of zo! Echt geweldig was dat.'

'Oké, ik heb er ook een,' zei Jacqui. 'Weet je nog toen jullie gingen samenwonen en hij als troost hielp me te verhuizen? Hij huurde een busje en tilde al mijn dozen en spullen erin. Hij hielp me zelfs schoonmaken, en jij greep me bij mijn nek en zei: "Als je nu zegt dat hij een poederkwast is, vergeef ik het je nooit." En ik was heel erg in de war, want hoewel het poederkwasterig gedrag léék, werd hij er alleen maar meer sexy en macho door, en ik zei tegen jou: "Die vent heeft helemaal níks poederkwasterigs. Hij moet echt van je houden."'

'Ja, ik herinner het me nog.'

Ze slaakte een zucht en zwijgend liepen we verder. Toen zei ze: 'Je hebt echt geluk gehad.'

'Ja,' zei ik, 'inderdaad.' Ik kon het rustig zeggen. Ik voelde geen vlaag verbittering, ik dacht alleen: ja, ik heb echt geluk gehad.

'Daar komt weer een wee!' Jacqui hurkte neer op de stoep van een herenhuis terwijl de wee haar in zijn greep kreeg. 'God-o-god-o-god.'

'Haal adem,' beval ik. 'Visualiseer. Jezus, kom terug!' Jacqui was van de trede getuimeld en op het trottoir gerold. Ze jankte van de pijn. Ik boog me over haar heen en liet haar mijn enkel tot moes knijpen. Vanuit mijn ooghoeken zag ik dat we de aandacht hadden getrokken van een patrouillewagen die langzaam voorbijreed. Hij stopte en twee agenten met krakende walkietalkies stapten uit en kwamen op ons af. Shit. De ene zag eruit alsof hij leefde op donuts, maar de andere was lang en knap.

'Wat is hier aan de hand?' vroeg de donutknul.

'Ze is aan het bevallen.'

Beide mannen keken naar Jacqui die over de stoep kronkelde.

'Moet ze niet naar het ziekenhuis?' vroeg de knapperd. Hij keek heel bezorgd, wat hem nog knapper maakte.

'Pas als er vijf minuten tussen de weeën zit,' zei ik. 'Dat geloof je toch niet? Het is barbaars.'

'Doet het pijn?' vroeg donutknul bezorgd.

'Jezus, ze is aan het bevallen!' zei de knapperd. 'Natuurlijk doet het pijn!'

'Wat weet jij er nou van!' riep Jacqui. 'Jij... jij... mán.'

'Jacqui?' vroeg de knapperd verbaasd. 'Ben jíj dat?'
'Karl?' Jacqui rolde op haar rug en lachte hem vriendelijk toe. 'Leuk je weer te zien. Hoe gaat het met je?'
'Goed. Goed. En met jou?'
'Vijf minuten!' zei ik, naar mijn stopwatch starend. 'Er zitten vijf minuten tussen. Kom op.'

19

Jacqui trok een elegant wikkelrokje à la Von Fürstenberg aan. Met haar koffer op wieltjes zag ze eruit alsof ze vakantie ging houden in St Barts.
'Geef mij die nou maar,' zei ik, en ik pakte de koffer. 'Kom nou.'
Eenmaal op straat gekomen hielden we een taxi aan. 'Geen paniek,' zei ik tegen de bestuurder. 'Maar ze is aan het bevallen. Dus voorzichtig rijden.'
Tegen Jacqui zei ik: 'Waar ken je die man van? Die agent Karl?'
'We werkten samen tijdens een bezoek van Bill Clinton.' Ze pufte toen er weer een wee kwam opzetten. 'Hij deed de beveiliging.'
'Hij is knap, hè?'
'Een poederkwast.'
'Hoezo?'
'Te lief.'
Tegen de tijd dat we de kraamafdeling van het ziekenhuis bereikten, kwamen de weeën om de vier minuten. Ik hielp Jacqui de schitterende rok uittrekken en het afzichtelijke operatiehemd aantrekken. En toen verscheen er een verpleegster.
'O, gelukkig!' zei Jacqui. 'Snel, snel, de ruggenprik!'
De verpleegster inspecteerde Jacqui's onderkant en schudde haar hoofd. 'Te vroeg. Je hebt nog niet voldoende ontsluiting.'
'Maar dat kan niet! Ik heb al urenlang weeën. Het doet hartstikke veel pijn.'
De verpleegster glimlachte neerbuigend, als om te zeggen: elke dag maken miljoenen vrouwen dit mee. Toen liep ze de kamer weer uit.

'Als ze een man was, zou je haar wel verdoven,' riep ik haar na.
'Daar gaan we weer,' jammerde Jacqui. 'O god, o god, o god. Ik wil een ruggenprik! Ik wil een ruggenprik! Daar heb ik récht op!'
De verpleegster kwam snel terug. 'Je stoort de dames van de waterbevallingen. Het is nog te vroeg voor een ruggenprik. Die vertraagt de bevalling alleen maar.'
'Wanneer mag ik hem dan? Wanneer?'
'Gauw. De vroedvrouw komt eraan.'
'Je stuurt me met een kluitje in het riet. Zij kan me geen ruggenprik geven, dat mag alleen de anesthesist doen!'
De verpleegster vertrok en de wee ebde weg.
'Gebeurt er nog iets daar beneden?' vroeg Jacqui.
Ze haalde een poederdoos uit haar tasje en hield het spiegeltje tussen haar benen, maar haar dikke buik zat in de weg en ze kon niets zien.
'Shit.' Toen keek ze naar haar gezicht. 'Kijk nou toch, ik zie helemaal rood en ik glim.'
Ze kamde haar haar, deed nieuwe lippenstift op en poederde haar rode wangen. 'Ik wist niet dat je van bevallen zo lelijk werd.'
'Kom uit bed en ga op je hurken zitten,' zei ik. In het klasje van Beter Bevallen hadden we geleerd dat je sneller ontsluiting krijgt wanneer je op je hurken zit. 'Maak gebruik van de zwaartekracht,' bracht ik haar in herinnering.
'Dank je, Wentelaar in de Stront.'
De tijd verstreek uiterst langzaam. Toen ze om de tweeënhalve minuut weeën kreeg, zei ze: 'Ik dacht daarnet dat de pijn ondraaglijk was, maar nu is het nog veel erger. Haal alsjeblieft dat kreng van een verpleegster, Anna.'
Bijna in tranen rende ik door de gang, opgelucht dat ik iets nuttigs kon doen. Een hoogzwangere vrouw rende mijn richting uit. Ze was naakt, kletsnat en had een verwilderde blik in haar ogen. Een man met een baard rende achter haar aan. Hij was ook naakt (getsie – met rossig schaamhaar). 'Ramona, kom terug naar het bad,' riep hij.
'Je kunt de pot op met dat bad,' tierde Ramona. 'Je kunt de pot op met dat verdomde water. Niemand heeft me verteld dat het zo vreselijk pijn zou doen. Ik wil een ruggenprik.'

'Geen verdoving,' zei Rossig Schaamhaar. 'We hadden afgesproken geen verdoving te gebruiken. We willen een mooie, natuurlijke ervaring.'

'Jij mag de mooie natuurlijke ervaring, ík wil de ruggenprik!'

Ik vond de verpleegster. Ze voelde nog eens aan Jacqui's baarmoedermond. 'Nog geen voldoende ontsluiting.'

'Onzin! Ik heb wél voldoende ontsluiting. Je wilt alleen maar de anesthesist niet uit bed trommelen. Je vindt hem leuk, hè? Toe dan, beken het maar.'

De verpleegster bloosde en Jacqui riep uit: 'Zie je wel?'

Maar het bracht Jacqui geen stap verder. Ze kreeg geen ruggenprik, en de verpleegster ging samen met Rossig Schaamhaar achter Ramona aan die nog steeds weigerde terug in het water te gaan. Een tijdlang beleefden we lol aan de drie die kletsnat schermutselden op de gang. Toen het me opviel dat het al tien uur 's ochtends was, belde ik naar mijn werk en liet een berichtje achter voor Teenie, waarin ik haar vertelde wat er aan de hand was.

Ineens verscheen de vroedvrouw en die was lang bezig met Jacqui's onderste regionen te betasten.

'Ik hou hier geen waardigheid meer over,' beklaagde Jacqui zich.

'Je zou nu wel kunnen gaan persen,' zei de vroedvrouw.

'Ik pers pas als ik mijn ruggenprik krijg. O allejezusnogaantoe,' krijste ze. 'Het houdt niet meer op. Het is één grote wee!'

'Persen,' zei de vroedvrouw.

Jacqui pufte dat het een lieve lust was. Toen werden de gordijnen opzij geschoven en wie stond daar? Norse Joey.

'Wat doet híj hier?' krijste Jacqui.

'Ik hou van je.'

'Doe die gordijnen dicht, klojo!'

'O, sorry.' Hij trok de gordijnen achter zich dicht. 'Ik hou van je, Jacqui. Het spijt me verschrikkelijk. Ik heb nog nooit ergens zo'n spijt van gehad.'

'Dat kan me niet schelen. Ga weg. Ik doorsta hier helse pijnen en dat is allemaal jouw schuld.'

'Persen, Jacqui.'

'Jacqui, ik hou van je.'

'Hou je kop, Joey, ik probéér te persen. En het maakt me niet uit of je van me houdt of niet, want ik ga nooit meer met iemand naar bed.'

Joey kwam dichterbij staan. 'Ik hou van je.'

'Rot op!' tierde Jacqui. 'Blijf bij me uit de buurt met je dingetje!'

De verpleegster kwam terug. 'Hoe staat het ervoor?'

'O lieve, lieve verpleegster, mag ik nu alsjeblieft mijn ruggenprik?' smeekte Jacqui.

De verpleegster voelde even en schudde toen haar hoofd. 'Het is al te laat.'

'Wat? Hoe kan dat? Daarnet was het nog te vroeg, en nu is het te laat? Je bent nooit van plan geweest me er eentje te geven!'

'Geef haar verdomme een ruggenprik,' zei Joey.

'Hou je kop,' zei Jacqui.

'Blijven persen,' zei de vroedvrouw.

'Ja, persen, Jacqui,' zei Joey. 'Persen.'

'Waarom houdt hij zijn kop niet?'

'Jacqui.' Ik staarde ontzet tussen haar benen. 'Er zit daar iets.'

'Hè?'

'Dat is het hoofdje,' zei de vroedvrouw.

O ja, het hoofdje. Natuurlijk. Even dacht ik dat Jacqui's ingewanden eruit puilden.

Er kwam steeds meer hoofdje. Allemachtig, het was een mensje, een echt mensje! Het gebeurt elke dag miljoenen keren, maar als je het met eigen ogen ziet gebeuren, is het een echt wonder.

En toen werd het gezichtje zichtbaar.

'Het is een baby!' gilde ik. 'Een baby!'

'Wat dacht je dan?' bracht Jacqui steunend en kreunend uit. 'Een Miu Miu-tasje?'

En toen kwamen de schoudertjes, en met een beetje zachte dwang kwam de hele baby eruit. De vroedvrouw telde tien vingertjes en tien teentjes, en toen zei ze: 'Gefeliciteerd, Jacqui, je bent bevallen van een prachtig meisje.'

Norse Joey stond te grienen. Heel lachwekkend.

De vroedvrouw wikkelde het kindje in een dekentje en legde het toen in Jacqui's armen. Jacqui zei: 'Welkom op de wereld, Treakil Pompom Vuitton Staniforth.'

Het was een mooi moment.

'Mag ik haar eens zien?' vroeg Joey.

'Nog niet. Eerst mag Anna haar vasthouden,' zei Jacqui. 'Anna eerst.'

Er werd een bundeltje mens in mijn armen gelegd dat klaaglijke geluidjes maakte en een gerimpeld gezichtje had. Nieuw leven. Ze stak haar handje met de poppenvingertjes naar me uit, en op dat moment smolt mijn bitterheid ten opzichte van Aidan, en werd ik me bewust van een gevoel dat ik eerder niet onder woorden had kunnen brengen. Het was liefde.

Ik legde Treakil in Joey's armen.

'Nou, jullie moeten elkaar maar eens goed leren kennen,' zei ik. 'Ik ga.'

'Waarom? Waar ga je naartoe?'

'Naar Boston.'

20

We landden op de luchthaven van Logan en ik was als eerste uit het vliegtuig. Met een droge mond van hoopvolle verwachting volgde ik de borden naar de aankomsthal. Hoe snel ik ook liep – snel genoeg om me naar adem te doen snakken – toch leek het eindeloos te duren. Ik klepperde puffend over de linoleum vloeren, met zweetplekken onder mijn armen.

Mijn volwassen damestas sloeg tegen mijn zij. Het enige wat mijn mondaine imago ontsierde was Dogly, wiens hoofd uit mijn tas stak. Zijn oren deinden enthousiast heen en weer en hij zag eruit alsof hij alles waarnaar we keken in zich opnam. Hij leek het goed te keuren. Dogly ging terug naar zijn roots in Boston. Ik zou hem missen, maar ik had geen keuze.

Toen liep ik door de schuifdeuren, en ik keek naar de mensen achter het hek, op zoek naar een tweejarig blond jongetje. En daar stond hij, een robuust kereltje met een grijze trui, een spijkerbroek, en een petje van de Red Sox op, hand in hand met de donkerharige vrouw naast hem. Ik vóélde haar glimlach in plaats van hem te zien.

Toen keek Jack op. Hij zag me, en hoewel hij niet kon weten wie ik was, lachte hij ook, waarbij hij zijn witte melktandjes ontblootte.

Ik herkende hem onmiddellijk. Hoe kon het ook anders? Hij leek sprekend op zijn papa.

Epiloog

Mackenzie trouwde met de verlopen erfgenaam van een conservenfabriek die miljoenen waard was. Hij bezit vijfenzeventig antieke auto's, is veroordeeld geweest voor rijden onder invloed en krijgt veel processen aan zijn broek over vermeend vaderschap. De bruiloft kostte een miljoen dollar en werd breed uitgemeten in alle societyrubrieken. Op de foto's ziet Mackenzie er heel gelukkig uit, ook al lijkt het alsof ze de bruidegom overeind moet houden.

Jacqui, Joey en Treakil zijn een modern gezinnetje. Joey past op Treakil als Jacqui uitgaat met Karl, de knappe agent. Ze denkt erover om poederkwasterige mannen toch maar goed te keuren, vooral omdat de knappe Karl – die echt heel, heel knap is – net zo gek is op Treakil als op Jacqui. Maar het valt niet te ontkennen dat er tussen Jacqui en Joey iets zindert, dus je weet maar nooit...

Rachel en Luke zijn net als anders. Dolgelukkige poederkwasten.

Op het werk loopt alles op rolletjes, afgezien van het feit dat Koo/Aroon en de andere alcoholische meisjes van EarthSource me weer lastigvallen. Ik ben met Angelo – gewoon als vrienden – naar een liefdadigheidsbal geweest voor het afkickcentrum Twaalf Stappen, en bij de bar waar je spuitwater kon halen, liep ik hen tegen het lijf.

'Anna! Wat doe jij hier?'

'Ik ben hier met Angelo.'

'Angelo? Waar ken je Angelo van?'

'O, gewoon.'

Ja ja, zag ik hen denken. Gewoon, hè? Je bent een van ons, waarom geef je het niet toe?

Gaz is bezig reiki te leren. Ik huiver als ik eraan denk.

Het is uit tussen Shake en Brooke Edison. Er wordt gefluisterd dat meneer Edison Shake heeft afgekocht, maar dat ontkent Shake. Hij geeft de schuld aan werkdruk. De finale van de luchtgitaarkampioenschappen kwam eraan, en omdat hij vaak moest oefenen en ook veel tijd stak in zijn kapsel, konden ze elkaar niet vaak genoeg zien, zegt hij.

Ornesto had een lieve vriend, een Australiër die Pat heette. Het leek allemaal heel goed te gaan, vooral omdat Pat Ornesto niet sloeg en er ook niet met de pannen vandoor ging. Maar toen kwam de telefoonrekening van meer dan duizend dollar. Pat bleek dagelijks te bellen met zijn ex in Coober Pedy. Ornesto was er kapot van – alweer – maar hij vindt troost in het zingen. Hij treedt nu regelmatig op in de Duplex, waar hij 'Killing Me Softly' zingt, gekleed in een jurk.

Eugene van boven heeft iemand leren kennen die Irene heet. Ze is lief en aardig, en soms gaan ze naar een optreden van Ornesto.

Helen zit op een nieuwe zaak. Het is allemaal heel opwindend. Sinds Colin en Detta samen naar Marbella zijn gegaan, is er niets meer van hen vernomen. Maar Harry is nooit gearresteerd omdat hij Racey O'Grady probeerde neer te schieten, en Racey heeft nooit wraak genomen. Kennelijk hebben ze allebei hun eigen territorium, net als vroeger, en gaat het er weer normaal aan toe in de misdaadkringen van Dublin.

Bijna elke zondag ga ik met Mitch naar de bingo. Dat is verschrikkelijk leuk, want naar nu blijkt is de nieuwe Mitch – of is het de oude Mitch? – heel erg prestatiegericht. Als hij wint, maakt hij een dansje, en als hij niet wint, wordt het pas echt grappig, vooral door dat pruilen.

Leon en Dana verwachten een kindje. Dana klaagt dat elk zwangerschapsverschijnsel verschrikkelijk is, en Leon vindt het geweldig omdat hij nu zo heel veel meer dingen heeft om zich zorgen over te maken.

Er zijn eindelijk voldoende labradoedels om iedereen die dat wil er van eentje te voorzien. Maar modieuze mensen willen nu liever een cockerspalsatian, een kruising tussen een cockerspaniël en een Duitse herder. Ze zijn bijna niet te krijgen.

Een paar weken geleden stond er iets in de krant over Barb. Ze had het schilderij te koop aangeboden dat Wolfgang, haar echtgenoot (nou ja, een van haar echtgenoten), had gemaakt, en de kunstwereld stond helemaal op zijn kop. Kennelijk was het een schoolvoorbeeld van een kortdurende maar invloedrijke beweging uit de jaren zestig, de Asshole School. De beweging bestond niet lang omdat alle leden zelfmoord pleegden, van het balkon vielen of elkaar overhoop schoten bij ruzies om vrouwen. Barb was hun muze geweest, en de belangrijkste reden voor de zelfmoorden en de dronken schietpartijen. Maar ze zegt dat ze niets te maken heeft met dat van het balkon vallen. Momenteel wordt ze bewierookt door de media en stroomt het geld naar haar toe. Verslaggevers willen wanhopig graag weten met hoeveel mannen ze naar bed is geweest, maar Barb wil het alleen maar hebben over dat het een schande is dat je nergens meer mag roken.

Met pap en mam gaat het goed. Er is een einde gekomen aan dat gedoe met de hondenpoep. Pap verheugde zich erg op *Desperate Housewives*, maar het liep op een teleurstelling uit. Hij zegt dat Teri Hatcher niet aan Kim Catrell kan tippen.

Nells eigenaardige vriendin heeft andere medicatie gekregen en is nu lang zo eigenaardig niet meer. Bij schemerige belichting zou ze voor normaal kunnen doorgaan.

Nicholas spreek ik regelmatig. Ik heb hem meegenomen naar het welkom-in-de-wereld-feestje van Treakil, en hij praatte daar met iedereen over onderwerpen zo uiteenlopend als de films van Fassbinder (Nicholas? Cinefiel? Wie had dat ooit kunnen denken...) en de geruchten dat het homeshoppingkanaal werd gebruikt om geheime boodschappen door te geven aan leden van Al Qaida. Iedereen vindt hem enig, en de Echte Mannen hebben hem geadopteerd als mascotte.

Laatst kwam ik na pilates thuis. Het was een zwoele middag en ik krulde me op in een hoekje van de bank, waar precies de zon op scheen. Ik voelde me erg slaperig, en ik doezelde langzaam weg, zodat de grens tussen waken en slapen niet helemaal duidelijk was. Toen ik begon te dromen, droomde ik dat ik wakker was. Ik droomde dat ik op de bank lag, precies zoals dat in werkelijkheid het geval was.

Het kwam niet als een verrassing dat Aidan naast me lag. Het was heel erg fijn hem te zien en me bewust te zijn van zijn aanwezigheid.

Hij pakte mijn handen, en ik keek in zijn gezicht, zo vertrouwd en dierbaar.

'Hoe gaat het?' vroeg hij.

'Beter dan eerst. Ik heb kennisgemaakt met de kleine Jack.'
'Wat vond je van hem?'
'Een schatje, echt een lief joch. Dat was wat je me wilde vertellen, hè? Op de dag dat je stierf.'
'Ja. Janie had het me een paar dagen daarvoor verteld. Ik maakte me zorgen om jou, ik wist niet hoe jij het zou opvatten.'
'Nou, nu is het in orde. Ik mag Janie graag; en Howie ook. Ik zie Kevin en je ouders vaak. Ik ga naar Boston of zij komen hier.'
'Gek hoe het allemaal is uitgepakt, hè?'
'Ja.'
We bleven een tijdje zwijgend zitten, en ik kon niets belangrijkers verzinnen om te zeggen dan: 'Ik hou van je.'
'Ik hou ook van jou, Anna. Voor altijd en eeuwig.'
'En ik blijf ook altijd van jou houden, lieverd.'
'Dat weet ik. Maar je mag ook van anderen houden. Dat zou ik fijn voor je vinden.'
'Word je dan niet jaloers?'
'Nee. En het betekent ook niet dat je mij kwijt bent. Ik zal toch bij je zijn. Maar niet op een enge manier.'
'Kom je dan nog op bezoek?'
'Niet zoals nu. Maar je moet goed op tekens letten.'
'Wat voor tekens?'
'Die zie je als je ernaar op zoek bent.'
'Ik kan me niet voorstellen van iemand anders te houden.'
'Toch zal dat gebeuren.'
'Hoe weet je dat?'
'Omdat ik nu toegang tot dat soort informatie heb.'
'O. Dus je weet al wie het is?'
Hij aarzelde. 'Eigenlijk mag ik...'
'Toe nou,' soebatte ik. 'Wat heeft het voor zin als je langskomt als je me niet een paar geheimpjes vertelt?'
'Ik mag niet zeggen wie het is.'
'Flauw van je.'
'Maar ik mag wel zeggen dat je hem al kent.'
Hij kuste me op de lippen, legde zijn hand zegenend op mijn hoofd en verdween. Toen werd ik wakker, en van slapen overgaan tot waken kostte geen enkele moeite. Ik voelde me heel rustig en blij, en ik voelde de warmte van zijn hand nog op mijn hoofd.

Hij was echt hier geweest. Daar was ik zeker van.

Doodstil bleef ik liggen. Mijn bloed vloeide traag als stroop door mijn aderen, en ik ademde langzaam in en uit. Het kringetje van het leven was rond.

En toen zag ik het: een vlinder.

Net zoals in de boeken over rouwverwerking die ik had gelezen.

Let goed op de tekens, had Aidan gezegd.

Het was een prachtige vlinder, blauw, geel en wit in een kantachtig patroon. Ik neem het allemaal terug, dat vlinders maar motten in een duur, geborduurd jasje zijn.

De vlinder vloog door de kamer en landde op onze trouwfoto (ik had Aidans foto's weer op hun plek gezet), op mijn ingelijste röntgenfoto's, op de das van de Red Sox, op alles wat iets voor Aidan en mij betekende. Ik lag opgekruld op de bank, gehypnotiseerd, en keek naar de voorstelling.

De vlinder ging op de afstandsbediening zitten en fladderde snel met zijn vleugels, alsof hij heel erg moest lachen. Toen kwam hij vederlicht op mijn gezicht neer, op mijn wenkbrauwen, mijn wangen en naast mijn mond. De vlinder kuste me.

Uiteindelijk vloog hij naar het raam en ging daar zitten wachten. Het was tijd om te gaan. Voorlopig althans.

Ik zette het raam open en het stadsrumoer kwam naar binnen. Daarbuiten was de wijde wereld. Een paar tellen bleef de vlinder op de vensterbank zitten, toen vloog hij weg, klein en dapper, om zijn eigen leven te leven.